Et la terre se vengera un jour...

Johannes Mario Simmel

Et la terre se vengera un jour...

roman

**Traduit de l'allemand
par Jeanne-Marie Gaillard-Paquet**

Albin Michel

Édition originale allemande :

IM FRÜHLING SINGT ZUM LETZTENMAL DIE LERCHE
© 1990 Droemersche Verlagsanstalt Th. Knaur Nachf., Munich.

Traduction française :

© Éditions Albin Michel S.A., 1992
22, rue Huyghens, 75014 Paris.

ISBN 2-226-05844-3

A Madame Ilse Kryspin-Exner, professeur
D'Université, avec toute mon admiration
Pour sa personne et la mission qu'elle s'est donnée,
Pénétrer les soucis et les angoisses
Des hommes et éveiller en eux
Espérance, courage et force.

Chacun de nous peut changer quelque chose dans son univers.
Il ne suffit pas pour cela de tirer les leçons du passé.
Il est tout aussi important de prévoir
Et d'éliminer à l'avance les éventuelles conséquences catastrophiques de nos
actes.
C'est la seule chance qu'il reste à l'humanité de conjurer le désastre.

J.M.S.

Prologue

L'homme devrait s'efforcer de fouler la terre d'un pied léger et d'y laisser le moins de traces possible.

Extrait de cet ouvrage

Une élévation générale de la température
Ne serait-ce que de trois degrés centigrades
Propulserait le climat planétaire
Dans une zone située au-delà de l'expérience humaine.
On peut prévoir que cette surchage atmosphérique,
Rendue inévitable par un tel changement climatique,
Nous atteindra autour de l'an 2030.
Le temps qu'il nous reste n'est pas plus long
Que celui qui s'est écoulé depuis la Deuxième Guerre mondiale.

Dr Kate Matthews, biophysicien

Suzanne Marvin, dix-huit ans, cheveux châtains et yeux gris, souleva une pile de chemisiers du placard et la jeta dans une valise grande ouverte sur son lit.

« Tu es folle ? lui demanda son père.

— Non. Je suis parfaitement normale. Si quelqu'un est fou ici, c'est bien toi !

— Pourquoi pars-tu ce soir même ?

— Parce que je ne peux pas vivre une heure de plus avec toi ! »

Suzanne prit une autre pile de linge dans le placard et la tassa dans la valise béante.

« Qu'est-ce qu'il t'arrive ?

— Pourquoi ?

— Tu t'es droguée, oui ou non ? Voilà que tu t'y mets, toi aussi ?

— Je ne me mets à rien du tout. Jamais je ne toucherai à une drogue, quelle qu'elle soit. »

Pull-overs et linge volèrent dans une seconde valise, ouverte sur le lit à côté de la première. Suzanne avait hâte d'en finir.

« Dis-moi ce que tu as, à la fin ! lui cria son père.

— J'en ai assez, voilà ! riposta la jeune fille sur le même ton. J'en ai assez de toi et de tes amis. C'est à peine si je peux respirer depuis que tu es là. J'avais espéré que tu serais rentré plus tard, après mon départ. Que mon propre père soit au courant de tout ça, c'était déjà assez moche pour moi, mais qu'il accepte de collaborer à cette monstrueuse saloperie ! Même moi, je ne m'y attendais pas. Sans le *Frankfurter Rundschau*, vous auriez poursuivi votre joli travail sans rien dire, hein ?

— Ah bon ! répondit le docteur Markus Marvin. — Il sentit soudain une chape de plomb lui écraser les épaules et se laissa tomber lourdement sur le lit défait. — C'est donc ça ? J'aurais dû m'en douter. Allez, arrête ton remue-ménage ! Nous n'avons rien à nous reprocher, et surtout pas d'avoir gardé le silence.

— Comment ? Vous n'avez rien à vous reprocher ?... »

Elle éclata d'un véritable rire hystérique.

« Non ! Nous n'avons rien à nous reprocher, je le répète. Ce

13

n'est pas nous, les membres de la commission de surveillance du ministère de l'Environnement de la Hesse, qui avons caché quoi que ce soit. Le directeur nous a fait part de l'incident survenu dans la centrale en en minimisant la gravité ; il l'a même déclarée à l'échelon le plus bas. Comme nous avions des doutes, nous sommes allés y jeter un coup d'œil, nous avons reconstitué les faits et constaté alors qu'il ne s'agissait pas d'un cas N mais d'un cas E. Allez, Suzanne, arrête de remplir ces valises ! »

D'un geste brutal, il en jeta une par terre, le linge se répandit sur le tapis.

Dehors, cinq grosses motos de marque japonaise passèrent en grondant sous les fenêtres, conduites par cinq jeunes gens vêtus de costumes de cuir noir et coiffés de casques multicolores. Habituellement pourtant, ce quartier de Wiesbaden, le Sonnenberg, et en particulier l'allée où s'élevait la maison du docteur Marvin, le Heideweg, baignaient dans un calme idyllique.

« Nous sommes aujourd'hui le 5 février 1988. Le 6 février 1987, il y a donc tout juste un an — un an ! —, le bloc A de Biblis a été le théâtre d'un très grave incident*, déclara Suzanne d'une voix imperturbable, mais ses mains tremblaient tandis qu'elle relevait sa valise et y rangeait de nouveau ses vêtements. On avait oublié de fermer une soupape dans le système de refroidissement du réacteur, et des vapeurs radioactives se sont échappées à l'air libre. Il a fallu quinze heures — quinze heures ! — pour que la troisième équipe — la troisième ! — remarque les signaux lumineux. Le *Rundschau* écrit qu'à l'époque, on a risqué la fusion du noyau atomique[1]. Les responsables vous ont annoncé un incident de force N, n'est-ce pas ? Autrement dit, un incident normal, et il vous a fallu cinq mois pour découvrir qu'en fait, il s'agissait d'un cas E — un cas extrême. Aujourd'hui, un an plus tard, nous apprenons, uniquement grâce à un article de journal, que nous avons frôlé le super-GAU — la catastrophe ! — avec cette maudite centrale nucléaire ! Laisse donc mes valises tranquilles ! Si tu y touches encore une fois, je file d'ici sans rien emporter, pas même une chemise de nuit ! Nous savons bien que toutes les centrales nucléaires représentent de perpétuels dangers

---

* Ce livre traite de la situation catastrophique de notre univers, et ce n'est pas de la fiction. Les faits sont conformes à la vérité. Seule l'action qui sert de cadre au roman est inventée ; de même les noms, les lieux et les époques sont changés. Si le lecteur désire en savoir davantage sur les événements dont il est question ici, qu'il se reporte aux notes en fin d'ouvrage.

de mort pour la nature et pour l'homme. C'est la raison pour laquelle nous manifestons contre elles depuis des années — et moi, avec un père comme le mien, qui plus est! Mais quand je pense que vous avez eu le cynisme de tenir ce super-GAU secret pendant un an et de faire comme s'il ne s'agissait que d'un petit éclat de béton arraché à un mur, je suis tellement indignée, je trouve cela tellement infâme que je n'ai plus qu'une idée en tête : partir d'ici, le plus loin possible, m'éloigner le plus possible de toi, et le plus rapidement possible! »

Le docteur Markus Marvin, quarante-deux ans, grand et fort, visage fin et cheveux noirs en perpétuelle rébellion contre le peigne, se mit à hurler.

« Jamais, à aucun moment, nous n'avons frôlé le super-GAU! Pas plus que nous n'avons risqué la fusion du noyau!

— Inutile de crier comme ça! reprit Suzanne. Tu aurais mieux fait de crier l'année dernière, et ailleurs que dans ma chambre. Mais tu as pris bien soin de la boucler, hein? Le *Rundschau* a publié la traduction d'un article paru dans une revue spécialisée américaine...

— La boucler? Suzanne, ce n'est pas ainsi que l'on parle à son père, c'est compris?

— ... qui citait le point de vue de la commission de surveillance atomique américaine sur cet incident. — Suzanne arracha en hâte ses robes, ses jupes et ses vestes de l'armoire et les jeta pêle-mêle dans la valise. — C'est elle-même, la commission atomique américaine, qui a déclaré que nous avions frôlé la fusion du noyau à Biblis.

— Je le sais bien, répondit Marvin en faisant un effort pour se maîtriser. Ils ont pris plaisir à dramatiser le cas... pour nous emmerder! Ce n'est pas la première fois, va! Nous avons l'habitude. Suzanne, je t'en supplie, range tes affaires. Ta mère m'a abandonné il y a onze ans. Tu es tout ce qu'il me reste.

— Ce qu'il te restait, tu veux dire. Non, je pars. Il y a même longtemps que j'aurais dû le faire. Un père complice de la mafia atomique!

— Je t'interdis ...

— Tu n'as rien à m'interdire! Tu crois que ça m'amuse de te jeter en pleine figure que tu es complice de la mafia nucléaire? Tu fais partie de la commission atomique, hein? Tu es chargé soi-disant de procéder à une surveillance rigoureuse? C'est une blague, ou quoi? Il y a longtemps que vous avez été achetés par cette mafia! Qu'est-ce que vous avez encore caché d'autre?

15

Combien de fois avons-nous frôlé le super-GAU ? Quelles sommes d'argent as-tu reçues pour couvrir ces bandits et ces assassins ? »

Marvin bondit sur ses pieds.

« Si tu ne t'excuses pas immédiatement ...

— Eh bien, qu'est-ce que tu feras ? »

Suzanne se mit à crier à son tour. Debout l'un en face de l'autre, ils ressemblaient à deux ennemis en fureur, séparés par la largeur d'un lit.

« Tu me battrais peut-être ? Vas-y, bats-moi, mais des excuses, jamais ! Je comprends maintenant ce que tu es ! Et je comprends Maman. Tu ne peux pas nier que vous avez caché la catastrophe ?

— Au début, oui, parce qu'on nous avait annoncé un incident normal ! Il y en a sans arrêt, de ces incidents mineurs. S'il fallait les publier tous...

— ... il y a longtemps que votre affaire serait tombée à l'eau, hein ?

— ... nous serions des faiseurs de panique irresponsables ! Des cas de ce genre, il s'en passe des milliers par jour dans le trafic aérien. S'il fallait que les pilotes avertissent les passagers à chaque fois...

— Oui, mais vous, vous avez découvert qu'il s'agissait de quelque chose de grave !

— Parfaitement, nous l'avons découvert. Nous !

— Au bout de cinq mois ! Lâche ces chaussures ! »

Elle fit mine de le frapper ; il recula d'un pas.

« Suzanne...

— Or, en fait, il s'agissait d'un cas urgent ! Qui nécessitait une intervention immédiate ! La fusion du noyau...

— Il n'a jamais été question de fusion du noyau, bon sang de bon sang !

— Tu en es si sûr que ça ?

— Oui. Non seulement j'en suis sûr, mais je le sais. Nos centrales sont construites de telle manière qu'elles restent sûres, même en cas de défaillance humaine.

— Ça n'a pas empêché les vapeurs radioactives d'empester l'air que nous respirons. Voilà pourquoi vous avez tout caché pendant un an. Et vous n'auriez jamais rien dit si les Américains n'étaient pas intervenus. Défaillance humaine ! Combien sont-ils à avoir eu une défaillance à l'époque ? — Elle fut obligée de se mettre à genoux sur la valise pour la fermer. — Pendant quinze

16

heures, les signaux lumineux ont annoncé la catastrophe imminente. Et deux équipes entières n'en ont pas tenu compte ! Ils étaient drogués, les gars, ou quoi ?

— Suzanne...

— La troisième s'en aperçoit enfin, et fait tout juste ce qu'il ne fallait pas faire. Ce n'est qu'au dernier moment qu'on a réussi à éviter un Tchernobyl à la puissance X. Et tu oses dire que vos centrales sont garanties même en cas de défaillance humaine ? Malgré tout, le directeur annonce un " cas normal " ? Tu sais comment réagit la population ? L'homme de la rue, tu sais ce qu'il en pense, lui ? »

Il bredouilla.

— La population... Bien sûr... La population est profondément inquiète, à juste titre...

— Inquiète ? Tu n'as pas entendu les interviews aux informations de huit heures, ce matin ? La population ? Elle voudrait vous supprimer, voilà, vous tuer tous, l'un après l'autre ! A juste titre !

— Suzanne, je t'en prie, c'est nous qui avons reconnu et publié la gravité de l'accident et pris les mesures nécessaires. Les responsables seront jugés et condamnés.

— Allons donc, tu n'y crois pas toi-même.

— Au contraire, j'en suis convaincu. C'est le rôle de notre comité de surveillance !

— Parles-en ! Donc, vous n'avez rien à vous reprocher, n'est-ce pas ? Et ces condamnations, où en sont-elles ? Le directeur a-t-il été jugé ? Non ! Le sera-t-il un jour ? Allons donc, jamais ! Aux yeux de nos hommes politiques, l'homme, l'homme de la rue, ça ne compte pas. Ils sont tout aussi corrompus que vous. Plus encore sans doute ! Pour moi, la République tout entière est corrompue. La mafia atomique, les Krupp et les Thyssen, la Banque nationale, les électriciens du Verbund, tous !

— Tu es ridicule. Nous avons fait ce qu'il y avait à faire : vérifier et informer. On en a discuté en commission, à la réunion plénière de la commission de sécurité nucléaire, par exemple ; tous les responsables y ont participé. Chaque province a envoyé son rapport. Des démarches ont été entreprises aussitôt sur le plan technique et sur le plan du personnel pour que pareil incident ne se reproduise plus jamais.

— Dans le bulletin d'informations, le directeur de la centrale de Biblis a reconnu lui-même qu'on avait frôlé " une très grave catastrophe ", et tu vas prétendre que vous êtes intervenus le jour même de l'accident ? Le correspondant de l'ARD à Washington a

17

déclaré que si pareille chose s'était passée aux Etats-Unis, on aurait mis immédiatement sur pied une commission d'enquête.

— Et alors, bon Dieu ! C'est exactement ce que nous avons fait. Le Centre de Sécurité atomique a été saisi, et nous avons prévenu l'Association pour la Surveillance technique ... Ce sont les organismes auxquels nous devons nous adresser en pareil cas.

— Encore une fois avant que je ne devienne folle pour de bon, tu trouves normal que le ministère de l'Environnement ne soit prévenu qu'en février 1988 d'un incident survenu en février 1987 et qui a frôlé la catastrophe ?

— Nous n'avons pas à informer le ministère de l'Environnement, mais le Centre de Sécurité atomique, combien de fois faudra-t-il que je te le répète ? A ce propos, il a été décidé entretemps que nous préviendrions aussi le ministère de l'Environnement en cas de panne. Mais c'est nous — nous, tu m'entends — qui à l'époque avons découvert toute l'ampleur de l'accident.

— Papa..., fit Suzanne.

— Oui ?

— Tu me dégoûtes.

— Suzanne... Je t'en prie, Suzanne... »

Elle poussa ses valises jusqu'à la porte, il lui barra le passage. « Non... Ne me laisse pas seul... Ne m'abandonne pas... »

Elle l'écarta et poursuivit son chemin.

Il la retint d'une poigne ferme.

Suzanne le regarda longuement, droit dans les yeux. Ses lèvres se détendirent en un sourire méprisant. Markus Marvin recula, ce sourire en disait plus long qu'il ne pouvait supporter. Elle fit glisser les valises dans l'escalier et les suivit les bras ballants.

Son père demeura cloué sur place. Arrivée dans le hall, Suzanne se tourna une fois encore vers lui et posa une dernière question, à laquelle il s'abstint de répondre. La jeune fille ouvrit la porte de la maison et s'en alla. La porte se referma derrière elle. Quelques minutes plus tard, la Passat démarra en trombe.

Markus Marvin n'avait pas fait un mouvement, il paraissait pétrifié sur place. D'abord ma femme, se dit-il. Et maintenant, ma fille. A présent, me voilà seul, absolument seul. Depuis dix ans, depuis que j'ai abandonné mon poste de gestionnaire pour travailler à la commission de surveillance, profondément convaincu d'avoir choisi la bonne voie. Tous mes collègues pensent comme moi. Tous ceux qui ont commencé leur carrière dans l'énergie atomique ont la ferme conviction d'avoir trouvé la bonne solution. L'énergie atomique, c'est la chance de l'humanité.

C'est propre, c'est sain, ça ne produit pas de gaz carbonique. L'affaire de Biblis, on l'a cachée, c'est vrai. Mais ce n'est pas nous qui l'avons cachée! Ce n'est pas la commission de surveillance! Quoi qu'il en soit, nous ne sommes responsables de rien. Moi, je ne suis responsable de rien. Et pourtant, voilà que Suzanne m'abandonne à son tour.

Dire qu'il fut un temps où nous formions une famille heureuse. Nous avions une belle maison dans un environnement agréable. Chez nous, l'amour régnait en maître. Puis Elisa est partie, et c'est moi qui ai eu la garde de Suzanne. Il me restait au moins Suzanne. Ma petite Suzanne. Autour de moi, je voyais éclater des drames entre parents et enfants, la révolte des enfants, le calvaire des parents, et la séparation. Moi, j'ai toujours laissé toute liberté à Suzanne. Elle a travaillé pour Greenpeace, et même pour le mouvement antiatomique. Je lui ai laissé faire tout ce qu'elle voulait pour la garder auprès de moi. Pour que je ne fasse pas partie, moi, des innombrables parents qui se retrouvent seuls un jour. Et pourtant, c'est justement ce qui vient d'arriver. Que faire maintenant? Comment vais-je continuer à vivre?

Soudain, Markus Marvin sentit ses jambes se dérober sous lui; il s'effondra sur la première marche de l'escalier; la dernière question que sa fille lui avait jetée au visage, la plus douloureuse, lui revint à l'esprit, la pire que l'on puisse poser à quelqu'un:

« Quel être es-tu donc pour faire une chose pareille? »

Livre I

L'histoire apprend aux hommes qu'elle ne peut rien leur enseigner.

Mahatma Gandhi
né en 1869, assassiné en 1948

1

La vache se leva péniblement, vacilla sur ses jambes et retomba. Quelques autres essayèrent aussi de se redresser au moment où la Landrover s'approcha d'elles sur le pré.

« Elles sont infirmes de naissance, dit Ray Evans derrière son volant. Elles ont les pieds tordus, elles ne marchent pas sur leurs sabots, mais sur leurs chevilles. Vous voyez, monsieur...

— Marvin, compléta le passager assis à sa droite.

— Ah oui, bien sûr, Marvin. M. Marvin. Excusez-moi, je suis un peu dur d'oreille », expliqua Evans. Puis il montra du doigt une bête particulièrement estropiée incapable même de se tenir debout.

« Regardez-moi ça, M. Marvin. N'y a-t-il pas de quoi pleurer? Pourtant, il y a pire, croyez-moi. Les plus atteintes se font bouffer par les coyotes dès leur plus jeune âge. »

Deux des bêtes qui s'étaient péniblement dressées sur leurs jambes retombèrent lourdement dans l'herbe.

« Vous le voyez, monsieur? Quelle misère! J'en pleurerais toute la journée, moi. »

Ils roulaient lentement sur le vaste pâturage en bordure de la petite ville de Mesa, dans le secteur oriental de l'Etat de Washington qui jouxte le Canada. Sur ce haut plateau âpre et rude, le vent soufflait toujours du sud-est; aussi Mesa se trouvait-elle dans la ligne directe de l'immense complexe atomique de Hanford. Elle avait donc droit à toutes les émanations toxiques des réacteurs, des entrepôts expérimentaux, des fabriques de tritium et de plutonium et des installations d'essai. Quant à la majestueuse Columbia River qui contourne le complexe atomique de Hanford et fertilise de ses eaux les champs de maïs et de pommes de terre, les prés, les vignes et les vergers, elle subissait tout autant les rejets des installations nucléaires que la ville de Mesa.

Un bruit de tonnerre fit trembler l'air. Marvin leva les yeux.

Un énorme avion à réaction survolait à basse altitude les deux douzaines de tours de la centrale nucléaire de Hanford.

« Il va atterrir à l'aéroport de Tri-Cities, lui cria à l'oreille Ray Evans, le fermier. Nous sommes ici sur la ligne d'accès de la piste.

— En permanence ?

— Oui. C'est conditionné par la direction du vent. »

L'aéroport de Tri-Cities desservait les villes de Richland, Kennewick et Pasco, Markus Marvin le savait. Il se retourna dans la Landrover pour contempler les installations et les bâtiments qui formaient le complexe de Hanford. La lumière froide et crue du soleil printanier soulignait leur silhouette d'un trait précis. Marvin jeta un coup d'œil sur sa montre. Il était onze heures trente. Le vendredi 11 mars 1988.

« Tri-Cities est un aéroport très important. Est-ce que les centrales sont protégées contre les explosions ? »

L'avion les survolait quasiment à la verticale en faisant un vacarme à peine supportable.

« Pas toutes, hurla Evans. C'est du moins ce que nous soupçonnons. »

Marvin jeta un coup d'œil sur le paysan. Depuis plusieurs jours déjà, il était hors de lui... Les yeux brûlants et injectés de sang, les lèvres et les mains tremblantes, c'est à peine s'il pouvait parler. Je ne voulais pas y croire, se dit-il, je pensais au contraire que ceux qui colportaient des histoires pareilles étaient tous des menteurs. En fait, c'est eux qui disent la vérité. Où que je sois allé ces derniers temps... Je viens de passer les pires semaines de mon existence. Grands dieux, quelle abomination ! Quelle gigantesque saloperie, comme disait Suzanne !

Suzanne, se dit l'homme pâle, harassé de fatigue. Ah, Suzanne...

Il avait été envoyé en mission aux Etats-Unis peu de temps après le départ de Suzanne, pour voir les installations américaines, les systèmes de sécurité américains. Toute l'Allemagne était secouée par les révélations concernant Biblis. La Commission voulait savoir si l'Amérique possédait des systèmes de sécurité plus efficaces que ceux de l'Allemagne. En réalité, ce n'était pas à Hanford qu'on l'avait envoyé, mais dans les centrales pilotes, celles qui n'enregistraient que des incidents mineurs de temps en temps. De sa propre initiative, Markus Marvin avait modifié son itinéraire, et c'est ainsi qu'il débarqua à Hanford, dans l'Etat de Washington.

Suzanne, se dit-il encore, c'est toi qui as raison. Toi et tes amis.

Mais la situation est beaucoup plus grave que vous le croyez. Ah, ma petite Suzanne, comme nous étions heureux jadis !

Ne su maggior dolore... Cette phrase de Dante lui revint à la mémoire. « Rien n'est plus douloureux que le souvenir des jours heureux quand on est frappé par le malheur. » Il jeta un nouveau coup d'œil sur son voisin, le paysan américain. Pantalon de velours côtelé, bottes, blouson de cuir sur une chemise de lainage à carreaux. Il portait sensiblement le même accoutrement que lui, l'envoyé de la commission allemande. Marvin tenait un appareil photo dans la main, il « mitraillait » tout ce qu'il voyait. Il faut que je puisse prouver ce que je vais leur raconter, se dit Marvin en tremblant intérieurement.

Ray Evans avait trente-sept ans, il en paraissait soixante. Presque chauve, le visage sillonné de rides profondes, des yeux sans éclat, un goitre visible à l'œil nu. J'en ai déjà vu beaucoup comme lui dans cette région, se dit Marvin.

A la lisière du complexe atomique, il aperçut, à quelques mètres seulement du sol, trois petites machines à déverser la poudre pesticide sur les champs. Elles fonctionnent du matin au soir, lui avait dit Evans.

« Ça me rappelle quelque chose, reprit le fermier en tenant des deux mains son volant, quelque chose qui m'est arrivé il y a quelques années. Des monstres sont venus au monde dans les étables, des moutons à tête minuscule, ou parfois à deux têtes, ou sans jambes, ou sans queue. Doc, je veux dire le docteur Clayton, le vétérinaire du coin, m'a toujours accusé de mal nourrir mes bêtes, et voilà le résultat ! Mais moi, je connaissais déjà la raison de ces naissances monstrueuses, et je n'étais pas le seul dans le secteur, croyez-moi ! Bien des fermiers se sont plaints du même phénomène, et maintenant, tout le monde le sait. Ce sont les radiations qui émanent de ces tours là-bas, des radiations trop fortes qui tuent notre bétail, et pas seulement le bétail, mais les personnes aussi, qui empoisonnent la terre et l'eau. Vous voyez là-bas le réacteur T, monsieur ? ajouta-t-il en pointant l'index vers le complexe.

— Oui, répondit Marvin en appuyant sur le déclencheur de son appareil.

— C'est là-dedans qu'ils ont fabriqué le plutonium pendant la guerre, pour alimenter la bombe de Nagasaki. Voilà plus de quarante ans qu'il travaille, ce réacteur ! Si vous saviez tout ce qu'il lui a fallu fabriquer de plutonium pour leurs ogives nucléaires ! Voilà plus de quarante ans qu'il envoie ses rayons mortels dans la nature, le salaud[2]. Vous vous rendez compte, M. Marvin ? Tout ce qui vit ici — les gens, les bêtes, l'eau, la terre, les champs et les plantations — est intoxiqué par la radioactivité. Là-bas, vous voyez l'autre réacteur, c'est le N ; il fabrique aussi du plutonium pour les armes atomiques depuis le début de l'année. Mais heureusement, ils sont revenus au *cold standby*. A cause du manque de sécurité. — La Landrover cahotait sur le sol inégal. — Par manque de sécurité ! répéta Ray Evans d'un air désespéré. Voilà plus de quarante ans que cette salope manque de sécurité, depuis qu'elle a commencé à travailler. Et alors, vous croyez que ça a gêné quelqu'un là-bas ? Allons donc ! Les propriétaires, les directeurs, les ingénieurs, ils ne vivent pas ici, vous pensez bien, monsieur ! Pas plus que leurs enfants et leurs chiens ! »

Suzanne, se dit Markus Marvin. Suzanne ! Cette source d'énergie est la plus sûre, je l'ai toujours pensé et j'y croyais ! Les probabilités d'accidents sont de un tous les dix mille ans. Et encore ! Tchernobyl, en 1986... Bah ! C'était l'Est, la négligence, l'insouciance, la pagaille de l'Est ! Chez nous, ça ne peut pas arriver. Moi aussi, je l'ai clamé si souvent ! Et maintenant... ?

« Oui, reprit l'homme au goitre. Mais qu'est-ce qu'il a fallu faire pour qu'ils se décident à arrêter ce réacteur N ! La population n'a cessé de protester. Jusqu'au jour où le *Time* a fait un scandale en première page de son édition ; de même le *News Week*, et les grandes chaînes de télévision. Ils ont réussi à prouver que, pendant plus de quarante ans, les radiations du réacteur N — *no-good-fucking*, qu'ils ont même dit — avaient été plus fortes que celles de Tchernobyl. Vous vous rendez compte, M. Marvin ? s'écria Evans. Pendant plus de quarante ans ! Qu'est-ce que c'est que ce maudit monde de merde dans lequel vous pouvez commettre n'importe quel crime pourvu que vous ayez assez d'argent, que vous soyez un gros bonnet et que vous ayez une foule de gros bonnets pour amis ? Vous m'avez dit que vous étiez physicien, n'est-ce pas, monsieur, mais vous maniez l'appareil-photo comme un professionnel.

— J'ai tourné des films documentaires pendant un certain temps, répondit Marvin. Mais je suis physicien en effet, ajouta-t-il d'une voix sans timbre.

— Physicien atomique ? Je veux dire... comme tous ceux qui travaillent là-dedans ?

— Non, je fais partie de la commission de surveillance.

— Et il n'y a encore jamais eu d'accidents en Allemagne ? Il n'y a pas de radiations qui s'échappent ? Vous n'avez jamais été obligés d'arrêter un réacteur ?

— Si, quelquefois. Mais à titre provisoire. Des petites pannes. Accessibles et sans danger, grâce aux systèmes de sécurité. »

Marvin dut faire un effort surhumain pour prononcer ces quelques mots. Je vais en crever, se dit-il. Je vais en crever. Suzanne... Suzanne... « Rien n'est plus douloureux... »

« Taisez-vous ! s'écria Evans. La sécurité, ça n'existe pas. Nulle part sur la terre. Pas plus et pas moins chez les Russes que chez nous et chez vous. Il se passe la même chose chez vous, les mêmes crimes contre l'humanité, mais vous ne le savez pas. »

Tout d'un coup, les pensées de Marvin s'enfuirent de cet endroit maudit.

« Il n'y a qu'un seul moyen de conjurer le climat de choc menaçant : il nous faut intensifier encore la fabrication d'énergie nucléaire, parce qu'elle respecte l'environnement ! »

C'est lui, le docteur Markus Marvin, qui avait prononcé cette phrase l'année précédente à Keitum, dans l'île de Sylt. Ils étaient tous les trois dans la villa du professeur Gerhard Ganz qui dominait la mer des Wadden. Un brouillard glacial l'enveloppait de toute part en cette journée presque hivernale de novembre.

Le professeur Ganz, soixante-trois ans, un homme grand et fort, dirigeait la Société de Physique de Lübeck, et il avait invité Markus Marvin à venir discuter chez lui, dans l'espoir de le détourner de son « euphorie nucléaire ». Mais en vain. Rien ne pouvait ébranler la foi du docteur Marvin, physicien atomique, membre de la commission de surveillance atomique du ministère de l'Environnement de la Hesse. Ganz en était navré.

« Non ! répliqua-t-il d'une voix passionnée. Non, non et non ! Etudiez le problème dans son ensemble, et vous verrez tout de suite que vous faites fausse route. Pour l'instant, la proportion d'énergie nucléaire dans la production totale se limite à cinq pour cent. Un pourcentage ridiculement bas. »

Marvin aussi s'emballa.

« Justement, c'est la raison pour laquelle il faut construire des centrales nucléaires, et le plus vite possible ! »

Ce jour-là, Ganz souffrait terriblement de l'estomac. Il avait un cancer, et le savait. On lui avait désigné Marvin comme quelqu'un d'intelligent et de capable, quelqu'un aussi qui avait des relations importantes ; mais au fond, il n'était pas meilleur que tous les autres idiots, aveugles et sourds à la voix de la raison.

« Plus de centrales nucléaires ? répéta-t-il en faisant un effort surhumain pour garder son calme. Combien en voudriez-vous, docteur Marvin ? Si vous voulez atteindre un résultat substantiel, il faut construire une nouvelle centrale de la capacité de Biblis par jour partout dans le monde, et cela, pendant plusieurs dizaines d'années ! »

Ils se trouvaient dans la grande salle de séjour, confortable et chaude, de la villa, face à la cheminée dans laquelle se consumait lentement un gros billot de bois. Au-dessus de la cheminée était suspendue une lithographie de A. Paul Weber représentant un homme en chemise de nuit, appuyé contre un arbre ; cet homme s'enfonçait un gros clou dans le front à coups de marteau.

Il y avait une troisième personne dans la pièce, le docteur Valérie Roth, l'assistante du professeur Ganz. De taille moyenne, mince, cheveux chatain foncé et yeux bruns.

« Sans compter le fait que pas un budget national et pas un sponsor ne peuvent supporter les frais d'une nouvelle centrale par jour ... Où allons-nous les construire ? Devant la chancellerie ? En bordure du Brahmsee ? Ecoutez-moi : nous possédons à l'Institut des études faites par les Etats-Unis et pour la Communauté européenne qui prouvent par a + b que si on investit un mark — un mark ! — dans les mesures prises pour économiser l'énergie, on supprime sept fois plus de gaz carbonique que si on investit un mark dans les centrales nucléaires — sept fois plus ! Or c'est en premier lieu ce gaz carbonique, vous le savez bien, qui empoisonne l'air et l'atmosphère, au point qu'il faut nous attendre à une catastrophe mondiale définitive dans quarante ou soixante ans, autrement dit la fin du monde. La moitié de la population qui vit actuellement sur le globe sera témoin et victime de cette apocalypse.

— Il n'existe pas un programme énergétique, ajouta Ganz, qui permettrait de réduire les émissions de gaz carbonique par une extension de l'énergie atomique. Ainsi par exemple, d'après les pronostics mondiaux de l'Agence internationale de l'Energie, en multipliant par douze la production d'énergie atomique, on obtiendrait une augmentation de gaz carbonique allant jusqu'à quarante-trois milliards de tonnes d'ici le milieu du XXIᵉ siècle — autrement dit plus du double de la quantité actuelle.

— Et il serait parfaitement irresponsable, ajouta le docteur Roth, de vouloir ajouter au risque suprême — la catastrophe climatique menaçante — le danger d'un " super accident maximal prévisible " (super-AMP). Dès aujourd'hui, la NRC (Nuclear Regulatory Commission) estime à quarante-cinq pour cent les

28

probabilités d'une fusion nucléaire d'ici l'an 2000, uniquement pour les Etats-Unis — quarante-cinq pour cent !

— Alors pourquoi, demanda Marvin avec une certaine amertume dans la voix, les personnes qui ont participé à la conférence pour le climat mondial à Toronto viennent-elles justement de réclamer l'aide de l'énergie atomique pour diminuer les émissions de gaz carbonique dans les pays industrialisés ? »

Ganz but une gorgée de thé, ses mains tremblaient, et il ne put retenir une grimace de souffrance. Combien de personnes avait-il déjà essayé de dissuader de se rendre complices de la destruction de l'univers ? Celui-ci finirait peut-être par l'écouter un jour ! D'aucuns avaient changé d'avis entre-temps. Il fit un effort pour répondre à Marvin.

« Bien des partisans de l'énergie atomique participaient à la conférence de Toronto. Ce sont eux qui ont jeté cette question dans le débat. Mais la réponse est nette et précise, et elle est rapportée dans le compte rendu : Si l'on veut développer l'énergie atomique, il faut d'abord avoir la certitude absolue et inébranlable que tous les dangers qui y sont liés peuvent être maîtrisés — et notamment le problème non résolu encore de la destruction des déchets atomiques, le problème non résolu encore de l'extension des armes offensives et le problème insoluble en principe des catastrophes et accidents possibles. Voilà ce que vous pouvez lire dans le procès-verbal, docteur Marvin. J'ai contribué moi-même à la rédaction de ce texte. Et je vous le dis : vous ne pourrez jamais espérer de l'énergie atomique une solution à nos problèmes — mais à tout moment, vous pourrez vous attendre à une catastrophe inimaginable... »

Ces deux derniers mots, Marvin en avait encore l'écho dans les oreilles pendant que la jeep d'Evans cahotait sur les prés et qu'il reprenait pied dans la réalité.

« ... il se passe la même chose chez vous, les mêmes crimes contre l'humanité, mais vous ne le savez pas.

— Et vous ? — Dans son désespoir, Marvin devenait agressif.

— Comment le savez-vous ? Comment savez-vous d'ailleurs ce qu'il se passe en Allemagne ? La plupart des Américains ne savent même pas où elle se trouve.

— Moi, si, répondit Evans d'un air têtu. J'en sais beaucoup sur votre pays, M. Marvin. J'y suis allé.

— Quand ?

— Il y a douze ans. En 1976. Je suis allé d'abord à Francfort, puis à Munich et à Hambourg, à Berlin et à Düsseldorf. J'ai passé quatre mois en Allemagne, M. Marvin. J'ai tout examiné à la loupe, croyez-moi... — Il se tut, puis revint à son éternel sujet. — Il se passe chez vous exactement les mêmes crimes que chez nous. Les reporters ont eu l'idée de lancer un grand scandale à l'époque. Et ils l'ont fait. Ces messieurs de Washington étaient furieux... Ça a duré quelques jours. On a arrêté le réacteur et au bout de quelques jours seulement, les gens qui ne vivent pas ici, à proximité, ont tout oublié. Je vous le dis, M. Marvin, si les grands et les riches et toute cette horde de criminels peuvent se maintenir en haut de l'échelle depuis des millénaires, c'est uniquement parce les gens oublient tout si vite ! Nous sommes des imbéciles ! s'écria-t-il en se frappant le front du plat de la main. Des imbéciles ! Notre éducation a fait de nous des imbéciles, et nous le resterons toute notre vie. Ils savent très bien ce qu'ils font et ce qu'il faut faire, eux ! Ils savent comment nous dresser et nous museler. Mais vous, M. Marvin, vous connaissez le genre de vie que nous menons ici ? Que nous sommes forcés de mener ? Bouffer, baiser et regarder la télé, voilà toute notre existence. Et c'est la même chose en France, en Russie, en Angleterre et partout. Vous vous souvenez de la catastrophe de Windscale, que, soit dit en passant, le gouvernement a éprouvé le besoin de cacher pendant vingt-cinq ans avant qu'elle ne vienne enfin aux oreilles de la population ? — Ray Evans était dans une telle fureur qu'il fut obligé d'arrêter la voiture. — Les enfants qui sont nés ici dans les années quarante et cinquante, moi, par exemple, et mon cousin Tom, ils ont déjà avalé avec leur biberon plus de radioactivité que les pauvres gosses qui poussent dans le Nevada, où l'on procède aux tests nucléaires, et cela, pour toute leur vie ! N'est-ce pas un crime monstrueux et gigantesque, M. Marvin ? Comment le gouvernement a-t-il réagi ? Celui de maintenant, et celui d'avant, et l'autre, encore avant ? Rien, ils n'ont rien fait ! Pendant plus de quarante ans ! Jusqu'à ce qu'enfin, on arrête ce réacteur N, parce que le scandale avait dépassé les limites des journaux et des chaînes de télévision. Ce fut une mauvaise année pour l'administration de Reagan, celle où les boys de la presse écrite et de la télévision ont trop parlé. Ici, et dans le complexe de la Savannah-River, en Caroline du Sud, ainsi que dans les Rocky Flats, à Denver, dans le Colorado. Ils ont exactement les mêmes problèmes que nous. Là aussi, le gouvernement a fait taire quelques réacteurs. Il faut que vous y alliez, M. Marvin ! Il le faut absolument ! »

30

Marvin dut reprendre deux fois sa respiration avant de pouvoir parler.

« J'y suis déjà allé, M. Evans. A Savannah-River et dans les Rocky Flats.

— Vous avez tout vu ?

— Oui, répondit Marvin. J'ai tout vu.

— Et vous savez aussi comment réagissent les hommes politiques ?

— Oui, M. Evans.

— Ils crèvent de peur ! hurla le fermier. Ils pleurnichent et gémissent : Si nous fermons encore d'autres centrales, nous ne pourrons plus fabriquer d'armes atomiques pour nous défendre contre les Russes. Savez-vous que, au jour d'aujourd'hui, nous ne possédons pas un seul dépôt permettant le stockage ultime des déchets atomiques sur tout le territoire des Etats-Unis ! Pas un seul ! Et vous, vous en avez un en Allemagne ? Ne serait-ce qu'un ?

— Non, répondit Marvin tout bas.

— Quoi ? Parlez plus fort, que diable ! J'entends mal. Vous en avez un ?

— Non ! lui cria Marvin à l'oreille. — Il était à bout de nerfs. — Non, pas un seul non plus !

— Eh bien, bravo, M. Marvin. Par contre, avec vos prescriptions de sécurité, vous n'avez aucune crainte à avoir, n'est-ce pas ? Vous êtes vraiment maîtres de tout le système ! »

Ray Evans redémarra, et il se dirigea cette fois vers la route. En passant, ils aperçurent du bétail malade et estropié, de pauvres bêtes couchées dans l'herbe, incapables de se dresser. Beaucoup aussi étaient en bonne santé. Ou du moins, elles le paraissent, se dit Marvin en tremblant de tout son corps. Mon Dieu ! Et moi qui joue le jeu depuis tant d'années ! Et qui traite Suzanne et le professeur Ganz de provocateurs et de contestataires dépourvus de conscience.

« Des prescriptions de sécurité, répéta Evans. Vous dites que vous avez les prescriptions les plus rigoureuses qui soient, mais pas de stockage ultime des déchets atomiques ? Pourquoi auriez-vous de meilleurs systèmes que nous, monsieur ? C'est nous qui avons mis au point les premiers, nous qui avons le plus d'expérience en la matière. Regardez autour de vous, et vous verrez la sécurité merveilleuse qu'ils nous ont donnée avec leur grande expérience !

— C'est ce que je fais, dit Marvin. Depuis des semaines, dans tout le pays. Je prends des photos, je parle avec les gens, avec des gens comme vous. Avec des médecins, des soldats, des hommes politiques, des responsables de la santé. Et la nuit, je tape mes rapports à la machine.

— Pour vos chefs ?

— Oui, répondit Marvin, tout tremblant de fureur mal contenue.

— Eh bien, ils seront contents, vos chefs !

— C'est bien ce que je cherche, M. Evans.

— Vous savez ce qu'ils vont faire, vos chefs, M. Marvin ? Ils vont vous foutre à la porte !

— Je le sais, M. Evans.

— Ils s'arrangeront pour que vous ne soyez repris nulle part, que vous ne retrouviez pas de travail dans votre merveilleuse Allemagne.

— Je le sais. Mais il en viendra d'autres après moi, beaucoup d'autres. A leur tour, ils parleront, ils rédigeront leurs rapports. On ne peut pas nous balancer tous, M. Evans. On ne peut pas brûler tous nos rapports. On ne peut pas espérer que nous nous tairons tous !

— Non ? Vous croyez ça ? — Evans exhiba un sourire grimaçant. — Regardez ce qui se passe chez nous, monsieur. Si, on peut balancer tous les sujets encombrants ! Si, on peut brûler tous les rapports gênants. On l'a toujours fait, et on le fera toujours. Pendant longtemps je me suis demandé à quoi cela rimait, cette comédie : nous fabriquons des armes atomiques pour nous protéger des Russes, et nous nous empoisonnons nous-mêmes ! Est-ce que ça rime à quelque chose ?

— Non.

— Eh bien, vous vous trompez, M. Marvin. Ça rime bien à quelque chose, je l'ai enfin compris. Le profit, l'argent, la fortune pour ceux qui tirent les ficelles. Il y a tant et tant de milliards à glaner dans cette saloperie. L'argent, ça sert bien à quelque chose, non ? »

Cette fois, il n'obtint pas de réponse.

Les pensées de Markus Marvin s'étaient de nouveau enfuies au loin... La villa sur la mer des Wadden. Le brouillard. Le froid. Et à l'intérieur, la cheminée ardente. La discussion avec le professeur Ganz et le docteur Roth. La lithographie, l'homme qui s'enfonce un clou dans le front. Cet après-midi de novembre 1987...

« L'énergie nucléaire est mortelle », dit Ganz. Il appuya du plat de la main sur son estomac, la souffrance le fit pâlir. Continue, se morigéna-t-il. Continue à parler. « Vous venez d'évoquer la conférence de Toronto, docteur Marvin. Vous connaissez le communiqué final, et sa première phrase, n'est-ce pas ? " L'expérience qu'est en train de faire l'humanité sur l'atmosphère ne peut être comparée qu'à une guerre atomique, à rien d'autre qu'à une guerre atomique... "

— Ecoutez, Professeur..., commença Marvin sans chercher à voiler son impatience, mais son interlocuteur lui coupa aussitôt la parole.

— Non, laissez-moi parler ! »

Il se sentait soudain à bout de souffle. Que se passe-t-il ? se demanda-t-il. Qu'est-ce qu'il m'arrive ?

« En effet, avec les gaz qu'elle a produits et fabriqués et dont elle a depuis longtemps perdu le contrôle, l'humanité a transformé l'atmosphère en une bombe à retardement chimique et climatologique...

— Allons, vous exagérez, voyons...

— Pas le moins du monde, docteur Marvin ! Au contraire, je suis plutôt au-dessous de la réalité ! Car le " retard " de la bombe se limite maintenant à quelques décennies seulement. Nous, les partisans de la protection de la nature, nous avons crié désespérément " Attention ! " lorsque ce processus s'est enclenché. Depuis, nous savons que d'ici trente ou quarante ans, la température du globe montera de un degré et demi à six degrés Celsius — ne hochez pas la tête ! Si on ne modifie pas de toute urgence les causes de ce phénomène, d'ici la première moitié du XXIe siècle, la température s'élèvera de deux degrés dans les tropiques, de deux à cinq degrés dans les latitudes moyennes et de huit à dix degrés aux pôles. Vous le savez aussi bien que moi ! »

Au-dehors, malgré le froid et le brouillard, des enfants chantaient à tue-tête. Le professeur Ganz se sentait de plus en plus mal. Continue, se dit-il à lui-même. Peu importe la souffrance, il faut que tu parles ! Tout cela, tu l'as déjà dit et répété mille fois. En vain. Peut-être arriveras-tu à le convaincre, celui-ci. Tu auras alors vécu pour cette unique fois...

« Les causes de cette élévation de la température ont été identifiées, poursuivit-il. Elle provient en premier lieu de la libération d'énormes quantités de gaz carbonique provoquées par la combustion de produits fossiles, tels le charbon, le pétrole et le gaz naturel, pour satisfaire nos besoins en énergie... Mais ce n'est pas la seule cause, enchaîna Ganz après un bref silence. Il y a aussi l'augmentation de la concentration de chloro-fluoro-carbones dans l'atmosphère, ces gaz qui sont libérés à chaque instant par les millions et les millions de bombes aérosols, vaporisateurs, bouteilles à pression et autres atomiseurs, par les milliards de réfrigérateurs, par les milliards de pots d'échappement des véhicules à moteur, par les milliards de climatiseurs et par la fabrication de produits synthétiques.

— Pourquoi me racontez-vous tout cela ? Quel rapport y a-t-il avec nous ? »

Marvin s'en voulut d'avoir accepté cette invitation. Ces Verts ! se dit-il avec mépris. Ces écolos !

« Je vais vous dire tout de suite pourquoi je vous raconte tout cela », riposta Ganz.

Ses yeux rencontrèrent le regard de Valérie posé sur lui. Est-ce que j'ai l'air si malade ? se demanda-t-il. C'est vrai, je souffre de plus en plus. La douleur irradie maintenant mon bras gauche. Tant pis, il faut continuer. Il faut que j'arrive à convaincre cet homme. Il est intelligent, il faut que je le convertisse à notre cause. Je le sens déjà vaciller sur ses bases. Il ne faut pas qu'il continue à jouer le jeu de la destruction de l'univers.

« Cet effet de serre est encore aggravé par le déboisement rapide et total des forêts tropicales — et là, vous ne pouvez pas me contredire ! —, ainsi que par la mort lente de nos forêts à nous et la dégradation progressive du sol...

— Je me demande encore *pourquoi* vous me racontez tout cela, l'interrompit Marvin. Qu'y puis-je, *moi* ?

— Un instant, dit à son tour Valérie Roth. Savez-vous que près de vingt et un milliards de tonnes de gaz carbonique par an sont libérées uniquement par la combustion de produits fossiles ? Les incendies volontaires de forêts à eux seuls augmentent les émissions de gaz carbonique de vingt pour cent sur le globe. Le déboisement par le feu, les chloro-fluoro-carbones, le méthane en provenance de trois milliards de panses de bétail, tout cela forme, en combinaison avec les gaz de traçage, une sorte de chape identique au toit vitré d'une serre qui couvre la terre et détruit l'équilibre thermique de la nature, parce que les rayonnements thermiques de l'espace sont de plus en plus bloqués. »

Marvin en avait assez de ces discours scolaires.

« Vous tenez absolument à me donner un cours de sciences naturelles, madame ?

— Certainement pas, répondit Valérie Roth.

— Alors, encore une fois, pourquoi...

— Nous voulons vous gagner à notre cause, enchaîna le

professeur Ganz, tandis que la douleur atteignait maintenant sa main gauche. Nous voulons que vous veniez travailler avec nous. Que vous nous aidiez à éviter le pire... »

Ils commencent à me donner la nausée avec toutes leurs histoires, se dit Markus Marvin.

Ils commencent à me donner la nausée avec toutes leurs histoires, me suis-je dit alors, se rappela soudain Marvin, assis dans la Landrover de Ray Evans, le fermier américain. Et puis ? Me voilà arrivé au premier palier de l'enfer.

Ils venaient de rejoindre la route et prenaient à présent la direction de Mesa. Au bout d'un certain temps, Marvin s'adressa de nouveau au chauffeur, furieux au fond, comme il l'avait été chez le professeur Ganz.

« Je suis déjà venu ici, M. Evans. Et j'ai parlé avec beaucoup de monde.

— Ah oui ?

— On m'a dit que, autour de Tri-Cities, cent cinquante mille personnes environ vivaient directement ou indirectement de l'énergie nucléaire. Que toute la population était convaincue de faire quelque chose d'utile, de nécessaire même. Aucun ne semblait se poser de questions. A Richland, il y a un supermarché baptisé " Atomic Food ". La piste de boules s'appelle " Atomic Lanes ". Et l'équipe de football de l'université... Vous avez vu l'emblème de leurs T-shirts ? Un champignon atomique. D'ailleurs, ils se sont baptisés eux-mêmes les " Richland Bombers ". Alors, M. Evans, vos petites gens, celles dont vous parliez...

— Des idiots, tous des idiots, systématiquement abêtis par leur éducation...

— Attendez, je n'ai pas fini. J'ai vu aussi à Richland une grande entreprise de nettoyage, la " Atomic Laundry "...

— Tous des idiots, répéta Evans en appuyant sur l'accélérateur, les mains crispées sur le volant ; ils ne rencontraient personne, la route leur appartenait. Des idiots, M. Marvin ! C'est la seule manière de faire fonctionner ce monde de merde. Tenez, Joe Webb, par exemple. Il a pris la tête d'une opération en faveur de Hanford. En faveur des centrales nucléaires ! Et il l'a baptisée " Hanford Family ". Allez le voir, M. Marvin, il faut que vous parliez avec lui. Vous verrez chez lui, à la place d'honneur, la Bible grande ouverte sur la table, et avant que vous ouvriez la bouche, il vous dira quelque chose, à vous !

— Quoi donc ?

— Que l'industrie du plutonium ne fait de mal à personne. Que, au contraire, elle est utile à tous. Il vous dira qu'une campagne de dénigrement contre Hanford est en cours. Et si vous lui demandez qui en a pris l'initiative et la dirige, il vous répondra : le sénateur Brock Adams et des groupements écologiques, les journaux et les chaînes de télévision qui veulent nous réduire à néant. Il vous le dira en pleine figure, ce con de trou-du-cul d'assassin ! Ce Joe Webb aussi, c'en est un qui dit qu'il n'y a jamais eu d'accident à Hanford. Rien ne prouve que l'iode 131 soit cancérigène, dit-il. Quant à l'arrêt du réacteur N, ce fils de pute l'appelle " une tragédie " ! »

Ils arrivaient à Mesa. Des stations-service, des cinémas, des banques, des magasins, quelques grands immeubles et peu de circulation.

Les gens, la population, les physionomies, se dit Marvin. Pas un sourire sur les visages, pas un rire, un air contracté, soucieux. Même les enfants. Il y en a peu qui jouent. Et ils jouent d'un air triste. Comme le bétail sur le pré. Tout est triste ici !

« Ils sont nombreux, ceux qui partagent l'opinion de ce Joe Webb, poursuivit Ray Evans. Encore maintenant ! Pas ici, bien sûr, mais à Richland, à Kennewick, à Pasco. Ici, à Mesa, nous avons peur, surtout depuis l'arrêt du réacteur N. Les gens partent, ils s'enfuient. Des maisons et des appartements à vendre, il y en a ici à la pelle ! » Il eut un petit sourire triste, puis ajouta : « Et les gens ont encore une autre peur au ventre.

— Laquelle ?

— La peur de perdre leur emploi dans l'industrie atomique, la peur que l'on soit obligé de fermer d'autres réacteurs. Et cette peur-là règne partout, dans toute la région de Tri-Cities. La peur... la peur de vivre et la peur de mourir. »

Evans gara sa Landrover le long du trottoir et descendit de son siège.

« Venez, monsieur », dit-il, et il le précéda dans le Stardust Memories Café.

Un drugstore comme on en voit dans tous les films américains : un comptoir tout en longueur, devant lequel sont alignés de hauts tabourets pour les clients qui veulent manger ou boire. Des niches aux couleurs vives avec des tables et des chaises en plastique, également de couleurs vives. Le café était rempli de personnes qui travaillaient dans les bureaux et les magasins environnants et d'ouvriers d'un chantier de construction voisin ; trois jeunes filles de la high school parlaient fort et riaient haut en compagnie de leur petit ami, alors que tous les autres consommateurs avaient un air grave et une attitude réservée. La plupart d'entre eux, constata Marvin, étaient affublés d'un goitre plus ou moins prononcé.

Dès qu'ils entrèrent, Tom, le cousin de Ray Evans, vint à leur rencontre et les salua tous les deux. Marvin lui trouva une allure un peu particulière, il semblait tordu de partout et il boitait. Le propriétaire du café réclama le silence, puis il présenta le gentleman venu d'Allemagne, envoyé par la commission de surveillance en tournée d'inspection dans les secteurs atomiques. Il expliqua que lui aussi, il travaillait dans le « atomic business » et était chargé de faire un rapport pour sa commission, et peut-être aussi pour une commission américaine, sur tout ce qu'il voyait et entendait. Par la suite, les choses allaient peut-être s'améliorer un peu, allez savoir ! Et il leur demanda s'ils voyaient une objection à ce que M. Marvin prenne quelques photos.

Personne n'éleva la moindre objection ; on sentit une détente dans l'auditoire, quelques sourires éclairèrent les visages, et la jeune beauté qui présidait aux destinées du comptoir s'empressa de passer un tube de rouge sur ses lèvres.

« Un drink ? demanda Tom.

— Volontiers, un coca...

— Trois cokes, Corabelle ! »

La vie reprit dans la salle, et Marvin sentit une chape de tristesse et de désespérance peser sur toutes les têtes.

Tom entraîna son cousin et Marvin dans le fond du café où un grand tableau était suspendu, juste en face du juke-box muet. D'une voix cassée, Tom expliqua qu'il avait écrit l'inscription lui-même et qu'elle était l'expression de la vérité. Trois mots en grosses lettres rouges : DEATH MILE FAMILIES. Vingt-neuf noms étaient écrits au-dessous.

« Photographiez le panneau, monsieur ! insista Tom. Prenez les noms, qu'ils soient bien lisibles sur votre cliché ! »

Le silence revint dans la salle, tous les yeux étaient tournés vers l'appareil de Marvin. Ainsi, le gentleman allemand paraissait s'intéresser vraiment à leur destin...

On pouvait lire sur le tableau :

Famille LIVESEY : la mère et la fille : cancer de la thyroïde

Famille HAMMOND : Mary et Bob : cancer du sein, cancer du foie

Famille FORREST : le fils : cancer de la peau ; la mère : cancer du sein

MIKE et HELEN LEE : tous deux un cancer, les jeunes sont partis

Famille HOLMES : la mère : cancer des os

Et ainsi de suite. Vingt-neuf noms de famille. Et à la fin : TOM EVANS.

Tom raconta rapidement sa propre histoire.

« Je suis né ici le 25 mars 1947, avec des jambes tordues et des doigts crochus — il les montra à Marvin —, les ongles des pieds et des mains collés. J'ai été opéré plusieurs fois, jusqu'à ce qu'ils soient arrivés à les séparer tant bien que mal. Je suis obligé de porter des chaussures orthopédiques. Je suis impuissant aussi, ma femme m'a quitté le lendemain de notre mariage. Tout le monde est au courant ici. Et je ne suis pas le seul. Ce café est une mine d'or, d'accord. Mais je m'en fous. J'en ai ras-le-bol. La seule chose que je désire maintenant...

— Arrête, Tom ! dit quelqu'un dans l'auditoire.

— Non, je ne m'arrêterai jamais ! répondit Tom.

— Merde alors, on l'a déjà entendue assez souvent, ton histoire ! cria un autre.

— Eh bien, fous le camp, Fred, si tu en as marre !

— Il faudrait vraiment que tu t'arrêtes, Tom, dit une femme. Pour nous, ça n'a pas d'importance, mais les gens...

— Quoi, les gens ?

— Les gens jasent, Tom. Ils disent que tu es un éternel mécontent, que tu te plains sans arrêt... Ils disent aussi que tu es fou, que les radiations t'ont porté sur le cerveau. Et devant le gentleman allemand en plus !

— Justement, devant lui ! affirma Tom d'un air têtu. Qu'il me photographie ! Quant aux jaseurs, je les emmerde !

— En fait, qu'est-ce que vous désirez au juste ? lui demanda Marvin.

— La justice, dit le petit bossu, et quelques rires méchants se firent entendre. Parfaitement, la justice... »

Ils se remirent à manger, à boire et à parler, comme si l'histoire ne les concernait plus.

« Bon, bon, reprit Tom, d'accord, je suis fou, tout le monde le sait, et en particulier ce salaud de Joe Webb. Tom Evans ? Il nous fait rigoler avec son cancer de la thyroïde, allons donc, c'est tout simplement une malformation congénitale, tous les médecins le disent. Et en plus, c'est un communiste, ce Tom Evans. Vous qui me connaissez, est-ce que je suis communiste, hein ? »

Un murmure de sympathie répondit à cette question.

« Bien sûr que non. Quant à ton histoire de justice, mon vieux, excuse-moi, mais tu nous emmerdes tous avec ça... »

Nouveau murmure, les uns approuvèrent, d'autres protestèrent. Cette fois, ils étaient dans leur élément.

« C'est la justice que tu veux ? dit un jeune homme au visage constellé de taches de rousseur. Allons donc ! C'est du fric que tu veux, du fric en guise de dédommagement. Mais tu n'en auras jamais, mon pauvre vieux !

— Pourquoi n'en a-t-il pas et n'en aura-t-il jamais ? demanda Marvin.

— Parce qu'il leur faudrait débourser des milliards de dollars pour dédommager les milliers de personnes qui sont dans le cas de Tom, répondit un homme en complet bleu, chemise blanche et cravate bleue, peut-être le directeur de la banque d'en face. Voilà la raison pour laquelle on met tout sur le compte de la génétique ici. Tous, les médecins, les fonctionnaires, les assurances ! Ils n'ont que ce mot à la bouche. La génétique ! Tom Evans, et tous les gens qui sont malades ici, moi aussi, nous n'avons aucune chance, Sir, aucune chance d'obtenir quoi que ce soit. »

Marvin les photographia tous, et un homme au visage défiguré par un énorme angiome approuva d'un mouvement véhément de la tête. Il les photographia tous, tels qu'ils étaient, et il se sentait malheureux jusqu'au tréfonds de l'âme. Il songea à Suzanne et à la longue discussion avec le professeur Ganz et Valérie Roth, à Sylt, et déclara calmement :

« Si vous allez devant un tribunal pour prouver que vos maladies ne sont pas génétiques mais provoquées par les radiations, comme le bétail que j'ai vu cet après-midi sur le pré de Ray Evans... Je veux dire, la justice, ça existe tout de même, nom de Dieu ! Le tribunal, lui, se rendra bien compte. Tous les hommes ne sont pas des porcs, à la fin !

— Peut-être que si. En tout cas, aucun d'entre nous n'a réussi à obtenir gain de cause, répondit l'homme au complet bleu. Et pourtant, il y en a beaucoup qui ont essayé, vous pouvez me croire !

— Là-bas, à Richland, dit Corabelle derrière le comptoir, non sans se redresser pour afficher une poitrine agressive. — D'un geste négligent, elle repoussa ses cheveux blonds vers l'arrière ; elle se prenait pour Marilyn Monroe et rêvait d'aller à Hollywood. — Là-bas, à Richland, ils ont un Science Center, avec ordinateur.

J'y suis déjà allée. Au-dessus de l'ordinateur, un petit tableau annonce : RECHERCHEZ VOTRE DOSE PERSONNELLE. »

Marvin la photographia, elle se tut un instant et exhiba un sourire lumineux, dents éclatantes, lèvres écarlates.

« Alors, M. Marvin, je m'assois devant la machine qui me demande aussitôt : " Où habitez-vous ? " Je tape la réponse : " Mesa, Etat de Washington. " Quelques mots en vert apparaissent sur l'écran : " Radiations en provenance de la terre : 26 millirèmes par an... " »

Millirème, se dit Marvin. Elle en parle comme si elle parlait de Pepsi. Tout le monde connaît les millirèmes ici.

« " Habitation, poursuivit Corabelle. 7 millirèmes par an. " Puis l'ordinateur me demande si j'ai déjà passé des radios, et combien. Combien d'heures de télé par jour. Si j'ai déjà pris l'avion. Mes habitudes alimentaires, et moi, je réponds gentiment la vérité. Les chiffres s'alignent sur l'écran, des chiffres ridiculement bas. Pour finir, la machine demande : " A quelle distance de la centrale nucléaire la plus proche habitez-vous ? " — Corabelle ne cessait de regarder Marvin tout en débitant son histoire. — Allons donc, me dis-je, c'est une blague ou quoi ? Et je réponds : " J'habite tout à côté. " Comme ça, pour rire.

— Et alors ? demanda Marvin.

— L'ordinateur a compté 3 millirèmes de plus, M. Marvin. 3 millirèmes de plus pour habiter juste à côté de la centrale nucléaire ! »

Dans la salle, tout le monde avait suivi le discours de la jeune fille avec attention. Un homme lança un juron sonore, un autre se mit à rire. Un petit chien poussa des cris plaintifs.

« Au total, ma dose à moi se monte à 2 168, 15 millirèmes par an, conclut la jeune star en herbe. Nous avons deux radiologues ici, je suis allée aussi les voir. L'un d'eux a conclu à quelques centaines de millirèmes en moins, l'autre à quelques centaines de millirèmes en plus. Tout cela est génétique, M. Marvin. Tout n'est que génétique ici. Pour moi aussi.

— Comment cela ? Qu'avez-vous ?

— La leucémie, répondit Corabelle. Je suis en perpétuel traitement. Je peux encore vivre pendant plusieurs décennies avec ça, m'a dit le toubib. C'est atypique.

— Qu'est-ce qui est atypique ?

— Ma leucémie. Il y a plus d'hommes que de femmes qui en souffrent. Ils ont organisé un grand examen à Tennessee. Sur les défauts génétiques, bien sûr, et non pas sur les lésions provoquées par les radiations. Donc, chez les hommes, leucémie et cancer du cerveau ; chez les femmes, cancer du sein, ajouta-t-elle avec un sourire plein de séduction à l'adresse de Marvin.

— Pourquoi vous laissez-vous faire, tous tant que vous êtes ? demanda celui-ci d'une voix furieuse. Pourquoi ne protestez-vous pas ?

— Nous l'avons déjà fait des centaines de fois ! dit un ouvrier.

— Allons, mieux vaut en rester là, intervint Ray Evans. Je ne cesse de vous le dire à tous. A toi aussi, Tom. Reste tranquille ! Vous voyez, M. Marvin, la majorité d'entre nous a des dettes à la banque. C'est normal en Amérique. Tant qu'on travaille à la centrale, ça va ; mais si jamais on commence à râler, on est viré, et on ne peut plus payer ses traites. Si on dit qu'on est malade, c'est pareil, on est viré. Et la banque résilie aussitôt le crédit. Moi, je suis fermier, je n'ai rien à voir avec les fabricants d'atomes, mais j'ai aussi des dettes. Si jamais je parle de maladie, la banque me résiliera immédiatement mon crédit aussi. Autre chose encore, vous voyez tout ce qui pousse ici, du maïs, des pommes de terre, des fruits, du raisin. Plus personne n'achèterait nos produits si le bruit se répandait que tout ce que nous livrons — et moi aussi avec ma viande de bœuf — vient d'une région contaminée, vous comprenez ?

Professeur Ganz... se dit Marvin. Cette journée d'hiver chez lui. Qu'a-t-il dit encore ?

« Et le trou d'ozone ? poursuivit le professeur Gerhard Ganz. La couche d'ozone est déjà abîmée à tant d'endroits, docteur Marvin. Il n'y a pas une minute à perdre. Nous ne pourrons éviter la catastrophe que si nous nous y mettons tous ensemble. Eviter est un grand mot ; disons plutôt, limiter les dégâts. — Il paraissait tout d'un coup en pleine forme physique. — Comme vous le savez, la terre est entourée d'un manteau d'ozone à une distance variant entre cinq et cinquante kilomètres. Ce manteau protège toute vie terrestre des radiations infrarouges émises par l'espace, qui sont extrêmement dangereuses. Tous les ans, dans l'Antarctique, au moment du printemps, c'est-à-dire en septembre-octobre, plus de cinquante pour cent, parfois même quatre-vingt-dix pour cent par endroits, des molécules d'ozone disparaissent. Ces dernières années, la couche d'ozone, amincie à cause de la manière dont nous empestons l'atmosphère, s'est percée de façon dramatique dans ce secteur. A l'heure actuelle, le " trou d'ozone " a déjà les dimensions des Etats-Unis. S'il s'agrandit encore, nous verrons toutes sortes de maladies inconnues et de cancers se répandre comme une épidémie, et en particulier le cancer de la peau ; tous les équilibres de la nature seront rompus, et plus rien ne pourra nous en préserver.

— Je vous en prie... l'interrompit Marvin, le regard perdu vers le large ; la nuit commençait à tomber.

— Quoi donc ?

— Je vous en prie, Professeur, ne jouez pas au semeur de panique », grogna Markus Marvin d'une voix courroucée.

Pourquoi suis-je venu ici, bon Dieu ? se dit-il une fois de plus.

« Semeur de panique ? répéta Valérie Roth complètement sidérée.

— Oui, insista Marvin. Oui ! Ce fameux trou d'ozone ! La fameuse catastrophe climatique ! Depuis des années, je n'entends parler que de ça ! Les journaux, la radio, la télévision s'en repaissent ! On ne peut plus ouvrir la moindre revue sans y lire que cette satanée industrie détruit le monde et que nous sommes tous des criminels irresponsables ! Ce mensonge est même devenu le sujet de conversation numéro un des salons !

— Docteur Marvin... commença Ganz, mais cette fois, Marvin ne se laissa plus couper la parole.

— Au bureau, à l'école, dans les transports en commun, on ne parle plus que de cela. On croirait que chacun prend un malin plaisir à dépeindre la fin du monde sous les couleurs les plus sinistres. Congrès et enquêtes se multiplient. Les héros de Greenpeace, les protestations de la population, une population qui n'a pas la moindre idée de ce dont il s'agit, mais qui proteste ! Qui accuse ! Tout homme politique se doit de prendre la parole tous les jours sur le petit écran pour déclarer que son parti s'engage de toutes ses forces dans le combat pour la protection du monde... Comme s'ils avaient attendu de le clamer bien haut pour le faire !

— Que font-ils donc, les hommes politiques ? s'écria Valérie Roth, elle aussi au comble de la colère. Dites-le-moi, docteur Marvin ! Rien ! Ils ne font absolument rien !

— C'est faux ! riposta Marvin sur le même ton.

— Je vous en prie... » intervint Ganz.

Mais personne ne l'écouta.

« C'est vrai ! cria Valérie Roth. De grands mots, des promesses ronflantes, et puis c'est tout, on ne fait rien. On a demandé au Bundestag d'interdire les chloro-fluoro-carbones... Refusé ! Pour quelle raison ? Voici la réponse textuelle du chancelier : " Nous n'avons pas d'ordres à donner à l'industrie. Elle est parfaitement

42

consciente de ses responsabilités vis-à-vis de la société. " C'est l'aveu d'impuissance et d'échec le plus évident d'un gouvernement entièrement à la solde de l'industrie qu'il y ait jamais eu. »

On entendit au loin, à travers le crépuscule et le brouillard, le son plaintif d'une sirène, celle du train qui passait sur la digue Hindenburg.

Valérie Roth reprit, tout à fait hors d'elle cette fois :

« Nos hommes politiques se sont lancés dans le show-business ! Le ministre de l'Environnement traverse le Rhin à la nage pour montrer que l'on peut en sortir vivant. Un autre, en Bavière, boit un verre de lait irradié, du lait qui est distribué dans le pays depuis des années et déclare : " Ça ne me fait strictement rien ! " Le ministre des Finances boit un verre d'eau de la mer du Nord pour prouver que l'on peut y survivre.

— Valérie, je t'en prie, arrête ! » dit Ganz.

Mais elle était lancée, et rien ne pouvait plus l'arrêter.

« Nous vivons au pays du scandale permanent ! Vous me décevez profondément, docteur Marvin. Vous trouvez donc normal que l'on dépense soixante milliards pour l'énergie atomique, et seulement une toute petite partie de cette somme pour encourager les énergies de remplacement qui ne sont pas nuisibles à l'environnement ? Vous trouvez ça normal ?

— Ecoutez, je...

— Un gouvernement qui garantit " des milliards " à Mercedes pour s'allier à MBB et devenir ainsi la première fabrique d'armes d'Europe ! X milliards pour le Chasseur 90... »

Marvin lui coupa la parole et se mit à crier à son tour, au comble de la fureur, lui aussi :

« Et à l'Est, vous croyez qu'on se préoccupe de l'écologie, à l'Est ? Pas le moins du monde ! C'est bien le cadet de leurs soucis ! Et pourtant eux, ils empoisonnent l'air plus que tous les Etats occidentaux réunis !

— A chacun ses scandales, riposta Valérie Roth. Moi, je parle des nôtres. Un billion de dollars par an dans le monde entier pour l'armement ! Encore quarante ans, cinquante ans au plus, et c'en sera fini de notre planète. »

A ce moment précis, le professeur Gerhard Ganz eut l'impression qu'une poigne de fer lui arrachait le cœur de la poitrine. Il se leva en chancelant et s'effondra aussitôt sur le sol, inerte.

« Gerhard ! » s'écria Valérie.

Elle s'agenouilla auprès de lui, Marvin en fit autant. A eux deux, ils essayèrent de le retourner pour le coucher sur le dos, mais le corps était tellement contracté qu'ils n'y réussirent pas.

« Un médecin ! s'écria Marvin. Vite, vite, appelez un médecin ! »

2

Neuf mois plus tard, le 12 août 1988, en plein après-midi.

« Voilà, M. Gilles », dit Markus Marvin.

Sylt se liquéfiait sous la canicule, même la grande salle de séjour de la belle demeure ancienne du professeur Ganz à Keitum, en bordure des Wadden, n'était pas épargnée.

Marvin avait pris place dans le même fauteuil qu'en novembre 1987, tandis que Valérie Roth était assise sur le divan, les genoux au menton. Il portait un jean, une chemisette de coton par-dessus son pantalon et des sandales, ses cheveux noirs indociles plus ébouriffés que jamais. Une lueur de combativité brillait dans ses yeux. Quant à la jeune femme, elle était vêtue d'une robe légère de mousseline bleue, fermée jusqu'au cou, qui lui tombait jusqu'aux chevilles.

« Voilà, répéta-t-il, comment se présentait la situation en Amérique, bien longtemps avant ici, lorsque le professeur Ganz a eu son premier grave infarctus.

L'homme appelé M. Gilles le regarda sans dire un mot. La soixantaine bien sonnée, grand et fort, avec une toison épaisse de cheveux gris, il se tenait bien droit. Il était arrivé chez le professeur Ganz une heure auparavant et avait écouté le récit de Marvin sans l'interrompre une seule fois. Ses yeux gris brillaient aussi d'un éclat clair.

« On a transporté tout d'abord Gerhard à l'hôpital de Sylt, dit Valérie Roth à son tour. C'est là qu'il a eu son deuxième infarctus. Les médecins ont vraiment fait tout ce qui était en leur pouvoir. Gerhard a survécu encore quatre mois. Il paraissait aller beaucoup mieux, lorsque la troisième attaque l'a terrassé. Il est mort le 6 août. Il a toujours souhaité dormir de son dernier sommeil dans le petit cimetière de Keitum. C'est la raison de votre présence ici, M. Gilles. Vous connaissiez Gerhard depuis longtemps, n'est-ce pas ? Vous étiez amis, tous les deux ?

— Oui, répondit l'homme aux yeux gris. Nous avons fait connaissance pendant la guerre. Et pourtant, depuis 1945, nous ne nous sommes revus que deux fois. Mais je tenais absolument à l'accompagner à sa dernière demeure.

— C'est trop tard maintenant », dit Marvin.

Les mouettes tournaient en rond autour de la maison en poussant des cris plaintifs. Elles paraissaient excitées, énervées, inquiètes.

« Malheureusement oui, c'est trop tard, répéta Gilles lentement d'une voix grave et chaude. Et vous travaillez maintenant dans la Société de Physique avec le docteur Roth?

— Oui, répondit Marvin. C'est ridicule, hein?

— Pourquoi, ridicule?

— Si l'on songe à la dernière conversation que j'ai eue avec le professeur Ganz...

— Ah! dit Gilles. L'homme est un être à multiples facettes, n'est-ce pas? Autrement dit, ce que vous avez vu et entendu en Amérique vous a bouleversé?

— Profondément bouleversé, renchérit Markus Marvin. Je suis rentré en Allemagne et j'ai remis mon rapport à la commission de surveillance. Un rapport complet et détaillé sur Mesa et sur la situation dans le complexe nucléaire de Savannah-River, en Caroline du Sud, sur les conditions de vie inimaginables de la population dans les Rocky Flats près de Denver, où ils ont été obligés de fermer des réacteurs — forcés par la presse et la télévision —, sur les réactions de l'opinion publique et sur les grèves des ouvriers. J'ai montré mes photos à ces messieurs qui m'avaient envoyé aux Etats-Unis pour me familiariser avec les systèmes de sécurité américains, et je leur ai fait écouter les interviews enregistrées sur cassettes. Ils m'ont tout pris, photos et cassettes, persuadés d'ailleurs qu'il ne s'agissait que de copies et que j'avais gardé les originaux. Ils m'ont menacé de poursuites judiciaires au cas où je viendrais à publier ces faits — ces mensonges, comme ils disaient, cela va de soi. Et ils m'ont jeté à la porte, bien entendu. »

Marvin était intarissable.

Dans ma jeunesse, se dit Philip Gilles, j'étais comme lui. Il y a si longtemps de cela...

« Je suis allé trouver quelques journalistes connus pour tâter le terrain — tâter le terrain seulement! Ils étaient prêts à écrire un papier sur toute cette histoire, mais aucun éditeur n'accepterait de l'imprimer, me dirent-ils. Ce qui n'a rien de surprenant...

— Hum, fit simplement M. Gilles.

— *Die Zeit* est le seul journal qui n'a pas eu peur. Ils ont envoyé un rédacteur là-bas et ont publié tout ce qu'il avait à raconter. A la suite de cette publication, il n'y a pas eu la moindre poursuite judiciaire contre le journal, mais ces révélations n'ont strictement rien changé, ni ici ni aux Etats-Unis. Les boss de l'énergie atomique ont continué comme par le passé, et pas un seul député du Bundestag n'a éprouvé le besoin de poser la moindre question. Pas un citoyen ne s'est ému, il n'y a eu aucune réaction, aucune protestation, absolument rien ! Quant à moi, je suis resté au chômage pendant un certain temps, mon travail et mes photos ne m'ont strictement rien rapporté. Et me voilà maintenant dans la Société de Physique de Lübeck. J'ai vendu ma maison de Wiesbaden, et j'habite à présent dans un appartement en location tout près d'ici. »

... et Suzanne se trouve, paraît-il, en Amérique du Sud, ajouta-t-il en pensée, pour lui tout seul. Elle n'a plus jamais envoyé de ses nouvelles. Pourvu qu'elle n'ait pas trop de difficultés, elle est si franche, si directe, si impulsive...

Markus Marvin se passa la main dans les cheveux ; il se leva de son fauteuil et commença à faire les cent pas dans la pièce.

« Je vous ai raconté un peu de ce que j'ai appris sur les centrales nucléaires. Un tout petit peu, presque rien. Nous avons à l'Institut toute une documentation sur les horreurs qui se passent tous les jours, les crimes les plus monstrueux, M. Gilles. Sur les forêts tropicales, sur la surproduction d'énergie qui dépasse les limites de l'entendement. J'ai tout en main pour prouver — pour prouver, vous m'entendez ? — que, dès l'année 2040, notre monde ne sera plus qu'un enfer pour tous ceux qui y vivent. Et pourtant, il n'y a pas longtemps que je suis à l'Institut ! En fait, je ne sais pratiquement rien encore ! »

Il s'arrêta devant l'homme muet.

« Alors ?

— Quoi, alors ?

— Alors, vous êtes décidé à écrire ? »

Philip Gilles s'enferma dans son silence.

« M. Gilles ! intervint Valérie Roth d'une voix rauque.

— Oui ?

— Etes-vous décidé à nous aider de votre plume ?

— Non », répondit Philip Gilles.

Les mouettes reprirent leur danse et leurs cris autour de la maison.

« Vous refusez de nous aider ? s'écria Marvin.

— Oui.

46

— Mais... mais... Mon Dieu, le monde est perdu s'il ne se passe rien, M. Gilles!

— Hum...

— Ça vous est égal?

— Complètement égal », affirma l'homme aux cheveux grisonnants, et il se rendit compte qu'il avait fait une immense erreur en venant à Keitum.

Il aurait pu envoyer une couronne par l'intermédiaire d'Interflora. Gerhard ne le saurait jamais. Il ne sait d'ailleurs plus rien maintenant, se dit l'écrivain. Il a de la chance.

« Que la moitié des hommes qui vivent autour de vous soient appelés à devenir les témoins et les victimes de cette apocalypse... Vous vous en foutez?

— Totalement, répondit Gilles. Il faut que j'appelle l'aéroport. »

Il se leva et alla vers le téléphone, passa devant la cheminée et la lithographie de A. Paul Weber, l'homme qui s'enfonçait un clou dans la tête à coups de marteau.

Markus Marvin lui barra le chemin.

« Et votre conscience, qu'est-ce que vous en faites?

— Ah! Taisez-vous donc avec votre conscience! » grogna Philip Gilles d'un air las.

Six heures auparavant, il avait atterri à Sylt, en provenance de Hambourg. Par cette canicule, il portait un complet de toile légère et avait mis à la hâte quelques chemises et une cravate noire dans sa valise. Une file de taxis attendaient devant l'entrée de l'aéroport. Il monta dans le premier, se laissa tomber lourdement sur la banquette arrière et dit :

« Au Benen-Diken-Hof, s'il vous plaît.

— Ça va demander un certain temps, dit le chauffeur, un homme d'un certain âge.

— Pourquoi?

— Tout est bouché! D'ailleurs, vous allez voir... »

Dès qu'il aperçut les colonnes de voitures qui avançaient par à-coups avec une lenteur d'escargot, Philip Gilles détourna la tête vers la droite, pour ne plus voir cette procession de ferraille ambulante. Des prés et des pâturages, de vieilles maisons à colombage méticuleusement entretenues çà et là, des murs blancs, des balcons de bois et des fleurs. Des fleurs à foison, de toutes les couleurs. Et de grosses pierres noires. Des blocs erratiques aussi. Il les connaissait bien, pour les avoir vus autrefois, toujours en hiver il est vrai, car il ne venait ici qu'en hiver avec Linda, à la période de Noël et du Nouvel An, et ils logeaient toujours au Benen-Diken-Hof. Voilà pourquoi il s'était adressé à eux cette fois encore. Un client venait de se blesser et de repartir prématurément, sa chambre était donc libre. En pleine saison, on pouvait parler d'une chance ! Partout où il allait, Philip Gilles recherchait toujours les hôtels où il était descendu avec Linda, pour pouvoir penser à elle et se rappeler les souvenirs de leur vie commune.

Le chauffeur de taxi s'appelait Edmund Keese, il se présenta de lui-même.

« Tout se dégrade, grogna-t-il. Tout se détériore. Qu'est-ce qu'ils foutent, les beaux messieurs du gouvernement ? Rien. Ici, les poissons et les phoques crèvent. Pas seulement chez nous, mais dans toute la mer du Nord. Malgré tout, les industriels continuent à y jeter leurs poisons, et il n'y a personne pour les en empêcher. Prenez l'acide dilué, par exemple, son déversement dans la mer est catastrophique. Ce sacré ministre de l'Environnement, parlons-en ! Ah oui, il est venu ici, mais il n'a même pas éprouvé le besoin de saluer notre maire et de discuter avec lui ! Il s'est contenté d'aller faire un tour dans la mer des Watten en compagnie des journalistes. Lui qui ailleurs réunit conférence sur conférence, se fait mousser en Allemagne de l'Est en prônant la propreté de l'Elbe ... et pendant ce temps-là, l'industrie lui pisse dessus ! »

Des troupeaux de moutons et d'agneaux paissaient sur la lande, Gilles les trouva bien maigres. Autrefois, quand il venait ici en hiver avec Linda, ils avaient leur épaisse fourrure de laine et étaient gras et ronds comme d'énormes pelotes. On les marquait de signes de couleur, et Gilles se rappela soudain que Linda lui en avait expliqué la raison. Elle voulait toujours tout savoir, Linda, elle se renseignait sur tout et lui transmettait ensuite ses connaissances toutes neuves. Les signes de couleur permettaient aux propriétaires de reconnaître leurs bêtes. Car les moutons restaient toujours à l'air libre, hiver comme été. S'ils sont trop longtemps enfermés dans les étables, leur fourrure perd toutes ses qualités...

« L'apocalypse n'est pas loin, dit Edmund Keese.

— Quoi ? Qu'est-ce que vous dites ? »

Ah Linda ! soupira Philip Gilles.

« L'apocalypse n'est pas loin, monsieur, répéta le chauffeur de taxi. L'air est empoisonné, l'eau est empoisonnée, la terre est empoisonnée. Ça ne durera plus bien longtemps, croyez-moi ! Si les vacanciers nous boudent, nous aurons des problèmes de chômage. Ce sera l'exode pour tous les insulaires. L'exode, vous connaissez ? »

Edmund Keese était un vieil homme loquace. Il vivait seul depuis seize ans, avait-il raconté. Tiens, un frère... se dit Gilles.

« Ici, sur notre île, reprit l'incorrigible bavard, nous avons déjà dépassé le seuil de survivance. Tous les ans, nous en perdons un morceau, de notre Sylt. Ils débarquent tous avec leur voiture ici, alors qu'on a dressé d'énormes panneaux sur l'autre rive pour prévenir qu'il y avait de superbes parkings sur la terre ferme à l'usage des vacanciers de Sylt, qu'ici, on pouvait louer des vélos à toutes les stations-service, sans compter les bus et les taxis. Mais non, ils ne peuvent pas se séparer de leur sacrée bagnole, les imbéciles. »

L'air était pur comme du cristal, le lointain, clair et serein. Tandis qu'en hiver, se dit Philip Gilles, tout est noyé dans la pluie et la brume, tout est fantomatique, la lande et les marais. Il se rappela cette citation d'Ernst Penzoldt : « Dieu a trouvé ici tout ce qui était nécessaire à la création de l'homme. Du sable et de la glaise pour le corps, de l'humidité pour les larmes, du bleu pour les yeux, des pierres pour le cœur. »

Penzoldt, rêva Gilles. Je ne lui ai jamais ressemblé. Je me souviens parfaitement du jour où Linda a lu tout haut ces quelques lignes à mon intention, dans notre appartement du Benen-Diken-Hof. Mais Linda est morte, et Penzoldt aussi, et moi, je ne vais pas tarder à mourir, ainsi que l'île tout entière, et la terre tout entière avec tout son chargement humain. Il n'y aura rien à regretter.

« Lorsque j'ai entendu dire que le *Kronos Titan* pouvait continuer à déverser ses ordures dans la mer, poursuivit Keese, je n'en ai pas cru mes oreilles. Ah ! Je vous le dis, ces hommes politiques, je n'ai plus confiance en eux. Et toutes les salades qu'ils nous débitent ! Du baratin. Ils sont tous des laquais de l'industrie. Des laquais... J'ai lu ce mot quelque part, parce que, voyez-vous, monsieur, moi, je lis beaucoup. Au fait, j'ai l'impression de vous avoir déjà vu quelque part. Vous ne seriez pas écrivain, par hasard ?

— Non, dit Gilles.

— Tant pis. Est-ce que je n'ai pas raison, avec ces politiciens de malheur ? Ils sont à des lieues des véritables problèmes ! Et ils ne veulent rien faire ! Ils ne peuvent rien faire d'ailleurs. Un roi, dit-il d'un air rêveur. Un roi, ce serait la meilleure solution. A condition qu'il ait de la poigne, bien sûr ! Un roi, ça ne parle pas à tort et à

49

travers, ça donne des ordres, voilà ce qu'il nous faudrait. Nous voici à Tinnum. Nous serons bientôt arrivés. »

Philip Gilles aperçut la Maison Stricker, vieille de plus de trois cents ans. Combien de fois avait-il mangé là avec Linda. Une fois même, ils s'étaient régalés de homard, du homard tous les soirs, préparé différemment chaque fois. Jusqu'au jour où Linda a eu cette crise d'albumine. Le médecin est venu. Pourquoi êtes-vous aussi peu raisonnables ? Du homard tous les jours ? Vous pouvez le payer de votre vie, madame ! — Voyez-vous, Docteur, avait répondu Linda, de toute façon, je paie tout de ma vie...

« Ah ! poursuivit le chauffeur imperturbable, je n'ai pas de mal à imaginer ce qui se passerait si le Premier ministre et quelques pêcheurs de Sylt allaient déposer un phoque crevé sur le seuil du bureau du chancelier. Tels que je peux les juger, ces gars-là, on ne tarderait pas à en voir débarquer un chez Engholm, super-sapé, il irait boire le café avec lui, il lui parlerait des enfants, et il lui dirait gentiment, comme ça, sans avoir l'air d'y toucher, que l'on pourrait peut-être trouver un autre endroit que Kiel pour construire les prochains sous-marins... Bon, ce n'est qu'une hypothèse bien sûr, mais c'est souvent ainsi que les choses se passent, hein ? D'accord, on peut former des chaînes d'amitié, rassembler des signatures, mais à quoi ça mène ? A rien du tout. Ce qu'il faut, c'est agir. Et tout de suite ! Sinon, la mer, on pourra l'enterrer. Or, que se passe-t-il en réalité ? On laisse le ministre de l'Environnement continuer à déverser ses saloperies dans l'eau ! C'est comme si on donnait du poison à un mourant en lui souhaitant un prompt rétablissement ! Encore une dizaine de minutes, monsieur, et nous y sommes... Non, il ne faut pas que j'y pense, aux beaux messieurs de Bonn. En fait, je devrais virer mes impôts sur un compte bloqué. Le chancelier ? Il y a longtemps qu'il aurait dû faire quelque chose. C'est pour ça qu'il a été élu, non ? Mais il a les bras liés. L'industrie ! S'il n'en sort pas, ce fainéant, qu'il jette le gant au moins ! Mais personne ne jette le gant chez nous. Jamais. Il y a largement de quoi le condamner, pour récidive même ! Et pendant ce temps-là, qu'est-ce qu'il fait ? Il fait carrière ! Et il s'en met plein les poches, hein ? — Il baissa soudain le ton. — Mais au fond, nous sommes tous coupables. Qui est-ce qui économise l'énergie ? Qui est-ce qui prend son vélo et laisse la voiture au garage, qui monte à pied ses cinq étages plutôt que de prendre l'ascenseur ? Qui est-ce qui a un catalyseur ou qui rince la vaisselle et le linge à l'eau froide, qui pense à éteindre les lampes et à porter sa chemise un jour de plus ? Vous le faites, vous, monsieur ? Personne ne le fait ! »

La jeune femme qui le reçut prit un air grave, bien que tout son être respirât la gaieté et l'insouciance.

« M. Gilles, dit-elle d'un air soucieux, vous avez réservé une chambre chez nous par l'intermédiaire de ma collègue, Nele Starck. Elle se souvenait très bien de vous et était si heureuse de vous revoir ! Voilà pourquoi elle n'a même pas pris la peine de noter votre adresse et votre numéro de téléphone...

— Je n'ai pas le téléphone, dit Gilles. J'ai appelé d'un hôtel.

— Nele ne pouvait pas le deviner ! Et vous n'habitez plus Berlin ! Il y a douze ans que vous êtes venu chez nous pour la dernière fois, vous avez passé ici les fêtes de Noël et du Nouvel An avec votre femme. Nele connaît aussi votre femme, bien sûr. Nous avons téléphoné à Berlin, mais vous aviez déménagé. Nous avons pourtant fait tout ce que nous pouvions.

— Oui, oui, fit Gilles d'un air distrait.

— Nele ne s'est pas trompée en vous donnant le renseignement, et puis, ils ont avancé la date des obsèques d'une journée, je ne sais pas pourquoi. Le professeur Ganz a été enterré hier. Comment aurions-nous pu vous joindre ? »

Et voilà, il était arrivé un jour trop tard. Son ami Gerhard dormait déjà sous terre. Et ici, au Benen-Diken-Hof, ils ignoraient que Linda était morte aussi... Douze ans...

« Friedrich, le fleuriste de Westerland, a livré la couronne à temps. Hier. Il y en a beaucoup sur sa tombe, c'est la vôtre la plus belle. Je suis allée aux funérailles et au cimetière. Le professeur possédait une maison ici, à Keitum. De nombreuses personnalités assistaient à la cérémonie. Même un ministre, venu de Kiel. Je me demande où ils logent tous. Peut-être à Westerland. Alors, M. Gilles, que faisons-nous maintenant ?

— Je voudrais me reposer quelques instants, répondit le voyageur. La chaleur, le voyage... Je vais peut-être dormir un peu. Puis j'irai au cimetière.

— M. Johannsen m'a dit de vous donner l'appartement que vous aviez toujours autrefois. Le n° 11.

— Merci beaucoup. Il est là ? »

Claas Johannsen était le propriétaire de l'hôtel Benen-Diken-Hof.

« Il a été obligé de partir à Flensbourg et m'a chargée de vous transmettre ses amitiés. »

Friede Lenning — Gilles avait lu sur un badge posé sur le comptoir de la réception le nom de la jolie jeune femme au visage à la fois gai et soucieux — le précéda dans la maison. Johannsen avait fait des frais : moquette blanche, grands couloirs aux parois vitrées qui reliaient les uns aux autres les petits bungalows réservés aux clients. Partout des moutons, des blancs et deux noirs, de faux moutons bien sûr, et non pas des moutons empaillés. L'affaire a pris de l'extension, constata Gilles à part lui, un sauna, une piscine toute de blanc et de bleu pâle. A travers les parois de verre, il reconnut les prés et les sentiers qu'il avait parcourus jadis avec Linda. De nombreux moutons maigres marqués sur le dos paissaient, ainsi que quelques chevaux. Il rencontra des enfants rieurs et des adultes souriants dans les couloirs.

Cet appartement 11 où il avait toujours logé avec Linda était en réalité un bungalow avec un escalier qui menait à l'étage. La cuisine et la salle de séjour occupaient le rez-de-chaussée, la chambre et la salle de bain l'étage. Là aussi, tout était neuf; il y avait des fleurs partout et une corbeille de fruits sur la table. Gilles eut soudain l'impression de sentir le parfum de Linda flotter dans l'air. Il s'assit, épuisé. Je suis un vieil homme, se dit-il.

Puis il monta l'escalier, prit un bain et s'étendit nu et mouillé sur le lit. A travers la fenêtre ouverte, les voix parvenaient jusqu'à lui, il entendait aussi le roulement des trains qui passaient sur la digue Hindenbourg et une musique douce. Comme nous avons été heureux ici, Linda et moi, se dit-il. Mais il dormait déjà, et cette pensée traversa son rêve.

Dans les temps anciens où il suffisait de désirer quelque chose pour l'obtenir, où l'on partait à la pêche à la baleine, où l'on s'engageait comme capitaine au service d'un armateur danois ou d'un marchand de Hambourg, nombreux étaient ceux qui avaient saisi la chance au passage. Par la suite, ils étaient rentrés à Sylt, les coffres et la bourse lourds de richesses diverses. Ils se firent construire une belle maison et passèrent là, dans la paix, les dernières années de leur vie. Vers l'an 1600, le futur village de capitaines qu'était Keitum comptait déjà plus de trente chaumières de paysans, et bientôt, chacun mit un point d'honneur à avoir une demeure aussi agréable que possible. La plupart de ces maisons avaient résisté au temps et aux intempéries, et Philip Gilles n'était pas le seul à considérer Keitum comme le plus beau quartier de l'île, loin s'en fallait !

Vers trois heures et demie, il traversa la localité, célèbre aussi pour ses arbres vénérables; il emprunta le chemin ensablé et descendit la Süderstrasse jusqu'à l'allée C.P. Hansen, passa devant le fameux restaurant Fietes spécialisé dans les poissons et fruits de mer, et alla jusqu'au musée local de Sylt et à la maison rouge datant de la Frise ancienne. Çà et là, il s'arrêtait pour regarder les anciennes demeures des capitaines aux toits couverts de roseaux moussus, aux murs blancs, aux portes et encadrements de fenêtres bleus. Il passa aussi devant un supermarché et une cabine téléphonique d'un jaune criard, puis rencontra de nouveau les blocs erratiques vieux de plusieurs siècles ; sur tous les sentiers qui descendaient vers les Wadden, il vit de grosses pierres empilées les unes sur les autres pour former des murs de soutènement, et partout des fleurs, une profusion de fleurs et une foule de gens joyeux. Linda l'accompagnait. Ici, à Keitum, il avait l'impression qu'elle ne l'avait pas quitté.

Le 12 août 1988, la marée était au plus bas à dix heures quatre et à vingt-deux heures trente-six, et la marée haute atteignait son point culminant à trois heures quarante-huit et à quinze heures cinquante-deux. Quelqu'un lui avait donné un calendrier des marées, il put ainsi contrôler les indications reçues.

Du haut des dunes, il vit les vagues mordre le mur de la digue ; parfois même elles recouvraient les pierres de protection et la route asphaltée. La mer brillait, étincelait, scintillait au soleil, et il se revit, l'hiver, au côté de Linda, chaudement vêtus tous les deux et la main dans la main, courir sur la plage, sur les sentiers et au milieu des roseaux humides et des élymes, du varech et de la brize. A marée basse, la mer crachait toujours de longues bandes de vase et de mousse et abandonnait sur le sable des coquillages, des méduses et de petits crabes, et ils suivaient des yeux les oiseaux qui venaient picorer cette manne offerte à leur gourmandise. Dès leur deuxième visite à Keitum, Linda les connaissait tous, car elle s'était acheté un livre comportant de nombreuses reproductions et illustrations, et lui avait fait ensuite un petit discours à ce sujet. « Chez toi, tout se joue toujours à l'intérieur, jamais tu ne parles de la nature, jamais tu ne la décris, les critiques d'ailleurs te le reprochent assez ! Et toutes ces lettres que tu as reçues ! Pourquoi négligez-vous la nature, M. Gilles ? Mais la nature ne t'intéresse pas, toi. Tu préfères les bars, les halls d'hôtel et les aéroports, tu te facilites la vie au fond, mais pas avec moi ! Ecoute-moi donc, plein d'humilité et de reconnaissance : dans ce paradis pour oiseaux — ne ris pas ! — il y a des hirondelles de mer et des huîtriers, des pluviers et des eiders, des canards sauvages et des oies sauvages... — Linda courait de plus en plus vite le long des Wadden. — ... des courlis, des maubèches et des avocèles, des mouettes argentées et des mouettes rieuses... Et sais-tu qu'environ quarante à cinquante millions de vers vivent dans un kilomètre carré de Wadden ? Tu ne sais rien de la magnifique nature créée par Dieu, aussi serais-tu bien incapable d'en parler dans tes livres. Quelle pitié que cet homme... »

Nous ne choisissons pas nos souvenirs, ils s'imposent à nous. C'est ce qui arriva à Philip Gilles ce jour-là lorsqu'il longea le chemin de l'église, vers le nord, Linda à ses côtés, et que la marée ne faisait que monter.

Saint-Séverin, cette ancienne église de marins, est une construction qui datait de la fin de l'époque romane. La frise ornementale gravée sur la cuvette en granit des fonts baptismaux était probablement d'origine irlandaise. Linda et lui avaient retrouvé le même type de sculpture dans la décoration d'églises bretonnes anciennes ainsi que dans les blasons de Bretagne. Linda lui raconta aussi l'histoire qu'elle tenait d'une vieille femme du pays — elle se faisait toujours raconter des histoires parce que lui, Philip, en avait toujours besoin : « Ce sont deux nains du nom de Ing et de Dum qui ont offert le clocher et la cloche de l'église Saint-Séverin, et ils ont été enterrés derrière les deux blocs erratiques, dans le mur du clocher... Est-ce que ça pourra te servir un jour ? »

Et voilà qu'il revoyait ces deux blocs, si longtemps après la mort de Linda ! Puis il alla dans le cimetière jusqu'à la tombe fraîchement creusée. Elle ne se composait encore que d'un tertre surmonté d'une croix de boix sur laquelle on avait gravé simplement : GERHARD GANZ, 1924-1988. Debout devant ce petit tertre, Linda à ses côtés, il songea soudain que Gerhard lui avait sauvé la vie jadis. En 1944, leurs bataillons venaient d'être transférés du front de l'Est à celui de l'Ouest. Leur train fut attaqué par les bombardiers ennemis, à basse altitude, et prit feu. Philip Gilles avait reçu une balle dans la cuisse, il ne pouvait pas marcher et serait mort brûlé vif dans ce train si Gerhard n'était pas venu le sortir du brasier et le traîner sur près de trois kilomètres, jusqu'à ce qu'il trouve un médecin. Bien sûr, Linda était au courant des détails de ce sauvetage lorsque le professeur les avait invités, elle et lui, à Sylt, pour faire sa connaissance. Du haut des dunes qui dominent la mer des Wadden, elle avait déclaré si gentiment : « Celui qui peut vivre ici sera heureux jusqu'à l'heure de sa mort. »

Le cimetière était entouré d'un mur de moellons, comme la plupart des jardins de l'île ; il y poussait également toutes sortes de

54

fleurs, roses des dunes, arménias et orchis ; quelques pierres tombales étaient brisées et gisaient sur le sable, et Gilles se demanda si Gerhard avait été heureux jusqu'à l'heure de sa mort. Il ne s'était jamais marié, et n'avait jamais parlé de sa famille ; en fait, il ne savait presque rien de lui, et il se dit avec un soupçon de tristesse qu'il ne savait presque rien des êtres qui avaient joué un rôle dans sa vie. A part toi, bien sûr, ajouta-t-il à l'adresse de Linda qui l'accompagnait cet après-midi-là.

Sa couronne gisait là, en effet. Sur le ruban, un prénom seulement : PHILIP, selon ses ordres. Il y avait une montagne de couronnes, on avait même dû dresser des châssis tout autour de la tombe pour pouvoir les exposer. Et de nombreux bouquets également. Toutes les fleurs commençaient déjà à faner.

Comme c'est étrange, se dit Gilles. Nous nous connaissions depuis la guerre, nous nous sommes aidés et secourus mutuellement, nous avons vécu ensemble l'horreur et y avons survécu, et ensuite, nous ne nous sommes revus que deux fois, et n'en éprouvions même pas le besoin. Et nous ne sommes pas les seuls dans ce cas ! Apparemment, nous n'avions pas envie de nous revoir, comme si l'amitié en temps de guerre était différente de l'amitié en temps de paix. Voilà comment j'ai perdu Gerhard de vue. Maintenant il est mort et ne se doute pas que je suis ici, près de sa dépouille. Pourquoi suis-je venu ? Quelle idée stupide, et Linda non plus n'est plus là. Allons, il est plus que temps que je me reprenne en main, se dit-il. Linda n'est plus là, à côté de moi. Il est urgent que je m'en aille d'ici. Une envolée de mouettes tourna autour de lui, elles paraissaient en colère, elles regardaient vers le large, puis revenaient. Et Linda qui n'était plus là, auprès de lui.

Gilles essaya de prier, sans succès, comme chaque fois qu'il essayait de prier. A l'autre extrémité du cimetière, un chat sauta sur une chatte, à même la pierre tombale chauffée par le soleil. Gilles suivit des yeux leurs ébats, et quand ils se séparèrent, lui aussi quitta le cimetière et revint vers le village. La digue était plantée de bouleaux rabougris, tordus par le vent du large qui leur avait donné des formes fantastiques. La marée haute avait atteint son point maximum ; les vagues balayaient les chemins, les prés et les grosses pierres qu'on avait posées là pour l'empêcher de s'aventurer trop loin. Mais c'était elle la plus forte.

Il se rappela que Gerhard habitait à proximité, non loin de la vieille maison frisonne. Vas-y donc, se dit-il. C'était vraiment une très belle maison dans un grand jardin sauvage, avec des murs blancs, des volets et des portes bleus. Une jeune femme était assise dans un fauteuil d'osier, à l'ombre d'un arbre.

« Vous désirez ? lui dit-elle.

— Bonjour », répondit-il, et aussitôt il se dit qu'il aurait mieux fait de retourner directement à l'hôtel et de reprendre le premier avion, maintenant que Linda l'avait quitté.

La jeune femme pouvait avoir entre trente-cinq et quarante ans ; elle était mince et de taille moyenne, portait une longue robe de mousseline bleue fermée jusqu'au cou. Ses cheveux brun foncé brillaient au soleil. L'arrivée de Philip Gilles interrompit sa lecture, *Le Livre du rire et de l'oubli,* de Milan Kundera. Quel auteur ! se dit Gilles avec un brin de tristesse.

« Puis-je faire quelque chose pour vous ? demanda la jeune femme.

— Non. Excusez-moi de vous avoir dérangée. Je voulais seulement revoir la maison. Je connaissais Gerhard Ganz... »

Et il se présenta.

« Philip Gilles ? s'exclama la jeune femme tout émue ; elle se leva d'un bond, le livre tomba par terre. L'écrivain ?

— Oui.

— Alors, cette couronne portant le prénom de Philip est de vous ?

— Oui.

— Incroyable ! »

Elle s'approcha de lui.

« Je...

— Mes lentilles de contact, dit-elle. Je les ai perdues dans l'herbe. Je suis myope et c'est à peine si je vous vois. Oh mon Dieu ! Philip Gilles ! »

Elle parlait d'une voix rauque. Elle avait de jolies dents, des pommettes hautes, une grande bouche avec des lèvres pleines et joliment ourlées. Ses yeux bruns étaient cernés d'ombre. Elle paraissait épuisée.

« Je suis sa nièce, déclara-t-elle. Valérie Roth. Nous avons travaillé ensemble pendant de nombreuses années. Il m'a si souvent parlé de vous !

— Vraiment ?

— Oui. Mais je ne savais pas où vous joindre. Et vous voilà ici, en chair et en os. C'est incroyable. »

Elle a l'air complètement farfelu, cette nièce, se dit-il. Vivement que je parte d'ici.

« C'était le seul membre de ma famille. A présent, je suis toute seule. C'est dur, vous savez, très dur pour moi.

— Oui, dit-il. Je vous présente mes condoléances, Mme Roth.

— Merci... C'est vrai, la mort de Gerhard me touche profondément. Ils ont avancé l'enterrement d'une journée.

— Oui, confirma Gilles en faisant mine de s'éloigner.

— Ils n'ont rien trouvé à Hambourg, à l'autopsie, dit-elle encore. Pas la moindre indication. »

Gilles s'arrêta.

« Que voulez-vous dire ?

— Ils ont seulement conseillé de l'enterrer au plus vite. A cause de la chaleur, sans doute.

— Qui, ils ?

— Là-bas, à la municipalité. — Valérie Roth redressa le menton dans la direction du village. — J'avais déjà envoyé les faire-part, il a fallu que je téléphone à tout le monde pour les prévenir. Je n'ai pas pu vous en envoyer un, à vous, car je ne connaissais pas votre adresse. Il y a des gens qui sont venus aujourd'hui, parce que je n'avais pas pu les prévenir à temps. Mais ils n'ont fait que passer. Vous êtes le seul à avoir désiré entrer dans la maison.

— Que signifie "pas la moindre indication"? » interrogea Gilles.

Pourquoi diable suis-je venu ici ? se dit-il en même temps.

« Ah ! fit la jeune femme.

— Quoi, ah ?

— Vous savez bien !

— Je ne sais rien du tout.

— Je savais bien dès le début qu'ils ne trouveraient rien.

— Dès le début ?

— Oui. Avant l'autopsie. C'était un authentique infarctus. Son troisième. Cet infarctus leur a épargné le travail.

— Quel travail ?

— Supprimer le professeur Ganz, répondit Valérie Roth. Le tuer. »

A Hoechst et Kali-Chimie

Chers Collègues

Tous les symptômes actuels laissent présager que l'humanité est en train de perdre la course désespérée à la fois pour la préservation de la couche d'ozone et contre l'effet de serre. Si l'industrie chimique ne se lasse pas d'affirmer que ses erreurs lui ont servi de leçon, il n'empêche que la direction des laboratoires peut encore et toujours se permettre de ne pas publier les chiffres de production des chloro-fluoro-carbones et de jouer au chat et à la souris avec l'opinion publique et les hommes politiques...

Il s'était passé environ un quart d'heure entre la déclaration fracassante de Valérie Roth et le moment où Philip Gilles prit connaissance de ces quelques lignes. Ils étaient revenus dans la grande salle de séjour qui avait abrité le bonheur de Gerhard Ganz... Avait-il été vraiment heureux jusqu'à l'heure de sa mort, comme l'avait prédit Linda?

Le docteur Roth n'avait pas voulu laisser partir son visiteur. Elle devait absolument lui parler et l'avait fait entrer de force dans la maison.

« Commencez par lire ceci! lui dit-elle en lui tendant deux feuilles écrites à la machine. C'est une lettre ouverte qui va paraître la semaine prochaine dans le journal *Stern*. Ces pages ont été rédigées par un ingénieur chimiste, Peter Bolling, un de nos collaborateurs à l'Institut. Vous m'avez demandé qui avait intérêt à ce que mon oncle soit mort plutôt que vivant? Eh bien, lisez ceci... Ce n'est qu'un exemple! »

Gilles avait pris place dans un fauteuil profond, à proximité de la grande baie vitrée qui ouvrait sur le large. Valérie Roth, elle, s'était réfugiée sur un canapé en forme de fer à cheval qui entourait une table basse couverte de livres. Au-dehors, les mouettes tournaient en rond et ne cessaient de crier.

L'écrivain poursuivit sa lecture :

... Je suis las de discutailler le pourcentage de responsabilité de ces chloro-fluoro-carbones dans la destruction de la couche d'ozone — vingt ou quarante pour cent, qu'importe? — et dans l'effet de serre — vingt ou trente-cinq pour cent, qu'importe également? — Inutile donc de jouer avec les chiffres : votre âge vous permettra peut-être encore de sauver votre peau, mais vos enfants et petits-enfants, eux, ne le pourront certainement plus...

Il laissa tomber les feuilles.

« Alors, reprit Valérie d'une voix rauque. Qu'en pensez-vous, M. Gilles? »

Il s'abstint de répondre, les yeux fixés sur la lithographie de A Paul Weber qu'il connaissait depuis longtemps. « Le coup dans le vide »... Sur le manteau de la cheminée, un bouquet de fleurs de bruyère faisait une tache de gaieté. Il reprit les feuilles en main.

58

... Vous trouvez tous normal que l'industrie manipule les hommes politiques comme des marionnettes. Mais que raconterez-vous à vos enfants pour expliquer la mort de la végétation, la stérilité des océans dont la production d'oxygène est tarie sous l'effet des rayons ultraviolets? Oserez-vous parler de gratification, de carrière, de respect des intérêts, d'obéissance aux ordres reçus? Ne craignez-vous pas qu'un jour ou l'autre, on vienne vous demander des comptes sur votre activité, lorsque les gens atteints du cancer de la peau exigeront des indemnités, lorsque les paysans réclameront des dommages-intérêts pour leurs récoltes desséchées sur place, lorsque les gens affamés viendront revendiquer leur droit à manger?...

« Ce que vous lisez là au sujet des chloro-fluoro-carbones n'est qu'un exemple des nombreux scandales révoltants, l'interrompit Valérie Roth; les cernes de ses yeux s'assombrissaient avec les heures qui passaient. Il y en a encore une foule d'autres! Mais excusez-moi de vous avoir interrompu... »

... Ecoutez vos épouses et vos enfants qui réclament une production visant la vie sur la terre, et non la mort! Luttez dans votre entreprise pour l'arrêt total de la production d'hydrocarbures mortels, ainsi que de toutes les substances qui détruisent l'ozone! C'est la survie même de l'humanité qui est en jeu...

Arrivé à ce passage, il fut de nouveau interrompu par l'entrée inattendue d'un homme dans la salle de séjour.

« M. Gilles... Ah quelle chance! »

Le nouveau venu était grand et mince; il avait un visage aux traits fins et des cheveux noirs ébouriffés, portait un jean, une chemisette et des sandales. Malgré sa minceur, il respirait la force. Mais sa physionomie reflétait la nervosité et une certaine tristesse. Il pouvait avoir entre quarante et quarante-cinq ans.

« Je m'appelle Markus Marvin, dit-il en guise de présentation. Ça alors, pour une chance, c'en est une! J'étais juste en train de boire un café en compagnie d'un journaliste lorsque quelqu'un annonça que Philip Gilles logeait à l'hôtel et qu'il se trouvait au cimetière. J'y cours aussitôt. Personne. Je me suis dit qu'il devait être ici. Vous avez connu Gerhard, n'est-ce pas? Je suis ravi de vous rencontrer, M. Gilles. Vous êtes exactement l'homme qu'il nous fallait. Salut, Valérie. Ça ne va pas mieux?

— Non. Et pour comble, j'ai perdu mes lentilles de contact.

— Encore une fois?... Gerhard a toujours parlé de vous en termes très chaleureux, vous savez? »

Gilles se leva.

« Non, non, ne bougez pas ! s'exclama Markus Marvin en le forçant à se rasseoir dans le fauteuil. J'ai lu vos livres quand j'allais encore au lycée. J'étais fasciné. Vous avez l'art de mettre les problèmes à la portée du lecteur. Votre ouvrage sur les manipulations génétiques, par exemple. Ce dont nous avons besoin, c'est d'un homme proche des hommes, d'un écrivain qui les comprend, qui ne se soucie pas de plaire à une prétendue élite et qui se fout de la littérature...

— Je ne me fous pas de la littérature, protesta Gilles en faisant mine de se relever. Merci quand même pour le compliment.

— Mon Dieu ! Loin de moi la pensée de vous blesser, reprit Marvin d'une voix tremblante. Nous avons tant d'admiration pour vous !

— Merci, dit Gilles. Où est le téléphone ?

— Un instant ! supplia Marvin, les mains jointes. Vous avez lu la lettre ouverte de Peter Bolling, je vois. Alors ?

— Quoi, alors ?

— Qu'en pensez-vous ? Est-ce que ces lignes vous touchent ?

— Il faut que je m'en aille, je suis désolé de vous avoir dérangée, Mme Roth.

— Mais... mais... bredouilla Valérie. Il faut que vous écriviez pour nous ! Il le faut !

— Oui oui, dit-il. Bon, allez, bonne journée à tous deux. »

Il fit trois pas vers la porte.

« M. Gilles, je vous en prie ! Vous qui avez écrit en faveur des handicapés mentaux. Vous qui avez provoqué un tumulte invraisemblable à Düsseldorf à propos des enfants cancéreux soignés dans cette vieille clinique, jusqu'à ce que l'on se décide à leur en construire une nouvelle. Vous qui avez écrit sur la drogue, sur la course à l'armement... Vous n'allez pas me dire que la lecture de cette lettre vous laisse indifférent !

— Il faut que je parte !

— Je vous en prie ! — Marvin posa sa main sur l'épaule de l'écrivain. — Ecoutez-moi pendant quelques minutes encore ! Si je vous raconte mon histoire, vous changerez d'avis...

— Je ne veux pas entendre votre histoire.

— Nous avons besoin de vous, M. Gilles. Pour réveiller les gens. Pour suciter la colère, la révolte. Vous seul pouvez y arriver. C'est votre responsabilité à vous !

— Quelle responsabilité ?

— Vis-à-vis de l'humanité.

60

« — Je me fous de l'humanité.

— Non, ce n'est pas possible.

— Si, c'est exactement ce que je pense.

— Je ne vous crois pas.

— Libre à vous ! »

Les mouettes. Les mouettes. Elles crient juste au-dessus de la maison.

« Vous ne pouvez tout de même pas rester les bras croisés quand le monde va à sa perte, et nous avec !

— Non ? demanda Gilles.

— Non ! Vous pouvez écrire. Vous devez écrire. Vous allez écrire ! » s'écria Marvin avec passion.

Je suis un converti, se dit Marvin désespéré. Un minable converti. Les convertis sont les pires, les plus intolérants, les plus sectaires. J'ai lâché ma foi pour une autre. Tel un nouveau catholique, ancien protestant. Tel un communiste qui se rend compte que son idole n'est que du vent. Arthur Koestler, Ignazio Silone, George Orwell, Stephen Spender, qui sont devenus de véritables bouffeurs de communistes !

« Voilà dix ans que je n'ai pas écrit une ligne, et je n'écrirai plus jamais ! » déclara Gilles d'une voix paisible.

Suzanne, se dit Marvin. Suzanne. Si tu étais ici, tu saurais bien convaincre cet homme, toi.

« Accordez-moi quelques minutes seulement !

— Non !

— S'il vous plaît. — Marvin cherchait ses mots. — Je... je suis allé aux Etats-Unis... Ce que j'ai vu là-bas dépasse l'imagination ! Je vais vous raconter...

— Non !

— Si ! Si, après cela, vous continuez à clamer votre indifférence, je n'insisterai plus. Parole d'honneur ! Je vous accompagnerai à l'aéroport. Je vous en prie... »

Par la suite, Philip Gilles ne put jamais expliquer ce qui l'avait poussé à se rasseoir et à dire :

« Bon, après tout... ! »

Une demi-heure plus tard, Markus Marvin terminait son exposé sur la situation à Hanford et sur le professeur Ganz. Philip Gilles s'entêta dans son refus de l'aider ; il se leva et alla vers le téléphone, mais Marvin lui coupa le passage.

« Et votre conscience, qu'est-ce que vous en faites ?

— Ah ! Taisez-vous donc avec votre conscience ! répondit

l'écrivain d'un air las. Je suis un vieil homme. Qu'est-ce que j'ai encore à faire sur cette terre ? »

Quelqu'un grimpa les marches de la terrasse en courant et une voix cria :

« Hello ! Mme Roth ! — Aussitôt Edmund Keese, le chauffeur de taxi qui avait amené Philip Gilles de l'aéroport à l'hôtel Benen-Diken-Hof, apparut. — La porte était ouverte, alors je suis entré. Je vous apporte vos lentilles... — A ce moment-là, il reconnut son passager. — Tiens ! Vous êtes bien le monsieur que j'ai transporté... »

Gilles écarta Marvin du bras, courut vers Keese et l'entraîna sur la terrasse.

« Posez ces lentilles sur la table et venez ! Allez, vite, vite !

— Mais...

— Vite, je vous dis ! »

Marvin cria derrière eux :

« Vous le regretterez ! Amèrement ! On ne peut pas se conduire ainsi à notre époque. Vous savez ce que j'ai fait, moi qui vous parle ! Et j'ai reçu mon châtiment. J'ai tout perdu. Vous aussi, vous serez châtié.

— Il ne peut plus rien m'arriver, répondit Gilles. Je n'ai plus rien à perdre. »

Il serra le bras de Keese et ensemble, ils traversèrent le jardin en courant et montèrent dans le taxi.

Les mouettes, les mouettes.

Une nuée de mouettes tournait inlassablement en rond autour de la maison, leurs cris aigus perçaient les oreilles des hommes.

Vivement que je m'en aille ! Que je parte d'ici !

« On commence par le Binen-Diken-Hof...

— Ecoutez, ce n'est pas possible, protesta Keese.

— Si, si. Dépêchez-vous, je suis pressé.

— Je connais Mme Roth. L'homme, non. Vous vous disputiez ? Je vais appeler la police.

— Non !

— Si ! Par radio. Il a dû se passer quelque chose.

— Non, il ne s'est rien passé.

— Je ne vous crois pas. »

Gilles lui glissa deux billets de cent marks dans la main, et aussitôt Keese le crut sur parole et démarra. A l'hôtel, il régla sa facture ainsi que les fleurs du cimetière et donna un pourboire à la blonde Friede Lenning.

« Bon voyage, M. Gilles. Nous espérions que vous seriez resté plus longtemps...

— Je dois partir malheureusement. Mes amitiés à M. Johannsen ! »

Il reprit sa place dans le taxi, à côté du chauffeur, et la voiture l'emmena à Westerland.

« Je n'y comprends rien, dit Keese.

— Bah ! Une dispute entre amis, répondit Gilles. Comment se fait-il que ce soit justement vous qui ayez rapporté les lentilles de Mme Roth ? Il ne manque pas de taxis sur l'île pourtant !

— Bien sûr, mais il n'y en a que deux à Keitum. Je vais vous donner ma carte, au cas où vous reviendriez... — Sans doute le souvenir des deux cents marks. — Ou si vous avez besoin de quelque chose. Vous pouvez me joindre jour et nuit. Tenez, voici mon numéro de téléphone. — Il lui tendit une carte de visite, un bloc et un crayon bille. — Un petit cadeau, prenez-le et surtout ne perdez pas la carte ! On ne peut jamais savoir ce qui va se passer dans la vie ! »

Gilles n'oublierait jamais plus cette dernière phrase.

A l'aéroport, il s'entendit répondre que le dernier avion de la journée pour Hambourg était complet ; mais il restait les trains, le prochain partait une heure et demie plus tard environ.

Keese conduisit son passager à la gare. Gilles prit sa valise, paya la course et, au moment de partir, le chauffeur lui fit un signe de croix sur le front en murmurant quelque chose entre ses dents.

« Vous dites ?

— Shalom ! répéta Keese. En israélien, ça signifie " paix ". »

L'écrivain se dit que la population touristique de Sylt devait venir de tous les coins de la terre, car il ne vivait pas plus de trente mille Juifs dans toute l'Allemagne, et ici surtout, dans le Nord, l'utilisation de ce terme pouvait susciter des réactions imprévues.

« Shalom ! » répéta donc Gilles.

Comme il avait un peu de temps devant lui, il alla faire un tour sur la plage de Westerland.

« Elles font vraiment pitié, ces pauvres bêtes », disait la femme moulée dans un maillot de bain jaune, à sa compagne vêtue, elle, d'un maillot rouge.

A elles deux, elles avaient cinq enfants, tous au-dessous de dix ans. Deux d'entre eux s'amusaient dans une mare, et les trois autres nageaient. Trente mètres plus loin, la plage était barrée par une énorme ligne de mousse d'algues blanche, apportée par le flux.

« Mais, reprit la jeune femme en jaune, elles crèvent au large, et c'est la marée qui ramène les corps sur la plage, n'est-ce pas ? »

Un peu plus tard, Gilles apprit par le journal que ce jour-là, trois cent quarante-huit cadavres de phoques avaient été trouvés sur les plages de Sylt. Or, ce n'était pas le record, loin s'en fallait.

« Quand elle arrive jusqu'ici, cette eau mortelle est presque filtrée, hein ? reprit la jeune femme. Je ne tiens pas à empoisonner l'enfance des petits, vous comprenez. — Elle baissa la voix. — Ils ne sont au courant de rien, les pauvres ! »

Son amie semblait ne se faire aucun souci.

« Pourquoi ? demanda-t-elle. Moi, je les laisse nager aussi longtemps qu'ils veulent. Après tout, nous devons tous mourir un jour ou l'autre. C'est comme avec l'infarctus. Les uns y survivent, les autres non. Mon amie Lotte a perdu son mari d'un infarctus à l'âge de quarante-six ans seulement. »

Au cours de cet été 1988, l'hécatombe des phoques ne bouleversa pas uniquement l'île de Sylt. La télévision s'en était emparé et en parlait tous les jours. Des millions de téléspectateurs exprimèrent leur émotion, leur effroi, leur fureur devant l'empoisonnement progressif de la mer. Les animaux émeuvent toujours les foules, se dit Philip Gilles. Plus que les êtres humains. Ces pauvres créatures innocentes qui ne peuvent pas se défendre !

Un homme près de lui, un inconnu, lui adressa la parole.

« Hier, un phoque est arrivé jusqu'à l'hôtel Thulé. Il flottait sur l'eau. Un cadavre tellement affreux qu'on n'a pas eu le courage de le photographier. Pendant deux heures, personne n'a mis le pied sur la plage à cet endroit.

— Et personne n'est allé se baigner, renchérit une femme.

— Là, non, reprit l'homme. Un peu plus loin, si, bien sûr. Après tout, les gens sont en vacances ici. »

Sylt était bondée de touristes. Presque tous se baignaient, constata Gilles, rares étaient ceux qui restaient dans leur chaise-longue. Trois dames avaient trouvé un compromis étonnant.

« Nous nous baignons jusqu'à la ceinture, expliqua l'une d'elles. Si nous attrapons une éruption épidermique, nous pouvons toujours la cacher sous un collant. Et nous portons toutes des tampons aussi, bien sûr. »

A côté, une jeune mère frottait le corps de son enfant à l'eau de Cologne, et une jeune beauté de quinze ans se vaporisait de crème solaire en jetant des regards ardents autour d'elle.

Deux petits garçons passèrent en courant. L'un dit à l'autre :

« Eh ! Demain, on retournera voir les phoques crevés, hein ? »

Philip Gilles jeta un coup d'œil sur sa montre et traversa la plage en direction de la gare. Brusquement, il se vit entouré de groupes d'individus qui voulaient aller à la mer. Les premiers arrivés à la barrière de mousse plantèrent une énorme banderole blanche sur laquelle étaient écrits quelques mots en grosses lettres rouges : LAISSEZ VIVRE LA MER DU NORD !

Un gros homme bouscula Gilles, suivi d'une énorme matrone et de cinq enfants.

« Désolé, dit-il pour s'excuser. Il faut faire vite.

— Que se passe-t-il ?

— C'est l'heure de la chaîne, répondit la femme.

— La chaîne ?

— Oui, nous formons une chaîne. Tous les jours. Une chaîne de plusieurs kilomètres de longueur. Nous nous tenons par la main. Vous voyez, les caméras de télévision sont déjà là. »

Un hélicoptère survolait la plage à basse altitude. Soudain, une voix retentit dans un mégaphone.

« Dépêchez-vous ! Nous allons commencer à tourner ! »

Gilles aperçut alors d'autres hélicoptères à basse altitude et d'autres caméras braquées sur la foule. Sur la plage, les gens se donnèrent la main, la chaîne se forma et devint de plus en plus longue.

Un petit homme bardé de plusieurs appareils photo suspendus à son cou allait et venait en criant :

« Photos souvenirs en format carte postale ! Vous y étiez ! Vous aussi, vous avez participé à la chaîne et lutté avec les autres ! Dans deux heures chez Photo-Gernrich, Lange Strasse n° 5 ! Trente pour cent du chiffre d'affaires va à l'Association pour la protection de l'environnement ! Photos souvenirs... »

Une femme demanda :

« Combien ?

— Trente marks les six photos. Cinquante les douze !

— C'est une honte ! A ce prix-là, je peux me payer un peintre !

— Tout pour la bonne cause ! aboya le petit homme. Trente pour cent... »

Un barbu s'approcha de Gilles.

« Je viens du Schleswig-Holstein et suis membre de l'Association balnéaire de la mer du Nord...

— Enchanté... bredouilla Gilles.

— Nous organisons une semaine de publicité pour notre

mouvement, dit-il. Dimanche dernier, le curé a célébré une messe écologique sur la promenade de la digue.

— Ah oui ?

— Pendant des années, les responsables des syndicats d'initiative de Sylt se sont tus, par peur de perdre leur clientèle de touristes. C'est nous maintenant qui nous chargeons d'informer les vacanciers pour faire pression sur les hommes politiques.

— Comment ?

— Par la télévision ! Ces chaînes humaines sont diffusées partout ! s'écria le barbu. Pas seulement ici. Il y a deux mois, un tapis d'algues comme celui-ci, mais beaucoup plus étendu encore, nous est venu de Norvège. Des millions de poissons sont morts, et les premiers phoques crevés ont envahi nos plages. Si ça continue ainsi, c'en sera fini de Sylt. Et pas seulement de Sylt, ajouta l'homme. Du monde entier ! Allons, bonne journée, monsieur ! »

Il lui tendit un tract avant de s'éloigner.

Gilles reprit la direction de la gare, après avoir jeté le tract sans même le regarder. Dans la zone piétonnière, les pâtisseries étaient envahies de gourmands qui mangeaient des gâteaux et buvaient du café. Une femme gifla son petit garçon parce qu'il avait laissé tomber de la crème fraîche sur sa robe imprimée à grosses fleurs. L'enfant se mit à hurler.

Il arriva enfin à la gare. Là aussi, la foule était tellement dense qu'il se sentit poussé sans pouvoir réagir. Les tourniquets chargés de cartes postales se tenaient pour ainsi dire au coude à coude, offrant à la curiosité des passants toutes les variétés de phoques dans des environnements multicolores. Ils étaient très demandés, les phoques. Devant lui, une femme montrait une carte postale à son fils, sur laquelle un bébé phoque nageait dans la mer bleue. Elle lui lut tout haut la légende : « Un petit phoque nage à travers les vagues en se disant : Où est donc ma bien-aimée ? Il m'a semblé la voir là, près de moi... »

« Elle est peut-être dans les congélateurs, grogna un homme chauve derrière Gilles, qui voulait aussi prendre le train et n'arrivait pas à fendre la foule.

— Dans quels congélateurs ?

— Ben, dans les usines d'incinération des ordures ménagères d'ici ! — C'était un insulaire. — Deux fois par semaine, les cadavres sont envoyés surgelés à Kiel pour être disséqués, expliqua-t-il. Imaginez un peu la situation en ce moment : huit à neuf cents cadavres à chaque transport ! Merde alors, dit-il en toussant. Des poissons, c'est des poissons, hein ? Mais des phoques ! Ce sont des créatures comme toi et moi, non ? »

Arrivé à l'entrée de la gare, Gilles fut obligé d'attendre. Impossible d'aller plus loin. La compagnie des chemins de fer avait bien prévu des trains supplémentaires, mais comment endiguer cette foule ?

Le train était bondé. Gilles ne trouva pas de place assise et dut rester debout dans le couloir. De la digue Hindenbourg, il jeta un dernier coup d'œil sur Keitum et la demeure ancienne de Gerhard Ganz qui dominait la mer des Wadden. La température n'avait guère fraîchi malgré l'heure avancée. Il baissa la vitre, se laissa fouetter par le vent et songea à Linda.

A Altona, il fut obligé d'attendre plus d'une heure. Quelques ivrognes étaient assis sur le quai. Ils devisaient paisiblement, l'âme empreinte d'une philosophie teintée de romantisme.

« Merde, dit l'un d'eux. Dans ce monde de misère, il y a longtemps qu'on pense plus à tuer qu'à baiser ! »

Le train de nuit qui partait pour Zurich entra en gare, et Gilles eut cette fois un compartiment de wagon-lit pour lui tout seul. Il se coucha et commença à lire le journal, mais le sommeil le terrassa aussitôt, et il rêva de mouettes.

3

Je m'appelle Philip Gilles.

J'ai soixante-trois ans.

Si vous prenez l'autoroute Zurich-Genève et que vous la quittez à la sortie de Bulle, petite ville située près du lac de La Gruyère, une route secondaire vous conduira vers le sud. Vous traverserez quelques villages, Gruyères, Enney, Villars-sous-Mont, Albeuve et Montbovon, avant d'arriver à Château-d'Oex, commune très étendue, composée de plusieurs hameaux et fermes éparpillés dans la montagne. Château-d'Oex est le chef-lieu du Pays-d'Enhaut que les comtes de Greyerz et de Berne se sont disputé pendant de nombreuses années. Vous y trouverez des villages nommés Rossinière, Les Moulins, L'Etivaz, Rougemont et enfin Château-d'Oex, comme le chef-lieu.

Ces lotissements dispersés furent entièrement détruits par un incendie en 1800, puis reconstruits. Au cours des dernières années, des immeubles modernes divisés en petits appartements de deux pièces naquirent au pied d'une colline couverte d'herbe dont l'inclinaison devenait de plus en plus forte au fur et à mesure que l'on montait vers le sommet ; les versants montagneux s'étiraient ensuite nonchalamment vers le ciel en de vastes alpages. Cependant, il restait encore deux douzaines de très vieux bâtiments à la lisière de la forêt, au-dessus d'une vaste maison paysanne transformée en un très bel hôtel, le Bon Accueil. J'habite depuis huit ans dans l'une de ces bâtisses anciennes, appelée Le Forgeron parce qu'elle abritait effectivement une forge autrefois.

Mon nom ne vous est peut-être pas inconnu. J'ai publié dix-huit livres entre 1946 et 1978, qui se sont bien vendus et ont été traduits dans de nombreuses langues étrangères. Depuis dix ans, je n'ai plus écrit une seule ligne. En 1978, Linda, ma femme, est morte à l'hôpital Marthin-Luther de Berlin. A cette époque, nous habitions à Grünewald. Elle est enterrée dans le cimetière de la Heerstrasse à Berlin, à proximité du lac. Le décès de ma femme a sonné le glas de mes activités d'écrivain.

J'ai commencé très tôt à écrire, à l'âge de dix-sept ans, pendant la guerre, lorsque j'étais mobilisé. Mon premier roman parut en 1946. Pendant que je préparais et rédigeais les six ouvrages suivants — ce fut seulement le huitième qui m'apporta le succès international —, je fus obligé, pour subsister, de rédiger des scénarios de films, de mon cru ou d'après des ouvrages écrits par d'autres auteurs. Je fus aussi reporter d'un grand magazine et, pendant quatre ans, correspondant de l'agence Deutsche Presse. A ce titre, je fus envoyé dans de nombreux pays étrangers et dus rédiger une foule de rapports ; c'est ainsi que mon inspiration et ma plume s'appuyèrent toujours sur les événements de l'histoire contemporaine.

En 1953, je rencontrai Linda Brenner à Berlin. Elle avait été danseuse de ballet à Rome et à Londres, et surtout avait passé une grande partie de sa vie à l'Opéra de Paris. Lorsque je fis sa connaissance, elle était interprète au service du commandant de la place, secteur français. Nous nous sommes mariés à Berlin en 1954. J'aimais Linda plus que toute autre femme au monde, et pourtant, je la quittai en 1974 pour une Américaine, avec laquelle je passai deux ans en Amérique, jusqu'à ce que cette liaison se rompît. Puis je revins à Berlin et retrouvai Linda. Elle était déjà malade ; néanmoins, ces deux dernières années de vie commune furent pour elle et pour moi les plus belles de notre vie. Au cours de ce bref laps de temps, je réappris à communier dans les pensées de l'Autre, à partager son intelligence, son espoir, sa joie, sa tristesse, son courage, sa conscience et son humour. Dans ce processus de communion, je dois dire que, étant donné l'univers dans lequel nous vivions, l'humour de Linda joua un rôle tout à fait essentiel. Son humour et son courage. Et elle fut également ma conscience. Comme elle l'avait toujours été. Grâce à elle, et pour elle, ma plume s'immisça de plus en plus dans la vie de l'époque, ce qui m'apporta parfois approbations, applaudissements et reconnaissance, mais incomparablement plus d'hostilité, d'attaques et de regrets.

Ainsi par exemple, il arriva qu'un critique porte mon dernier livre aux nues dans un article dithyrambique paru dans un hebdomadaire sérieux à grand tirage, et que, la semaine suivante, un autre critique affirme, dans le même hebdomadaire, que je n'avais aucun droit à me vanter d'appartenir au monde littéraire, pas même de m'en approcher. Puis un troisième répondit au deuxième, et un quatrième au troisième ; en fin de compte, il ne fut même plus question de moi ; les critiques se livrèrent une guerre personnelle, une véritable guerre d'influence. Linda intervenait alors et jouait de véritables numéros de cabaret d'où il ressortait que rien ne pouvait m'être plus bénéfique qu'un critique qui hurlait « Crucifiez-le ! », tandis que l'autre clamait « Hosannah ! ».

Linda excellait dans ces sketches. Elle me jouait celui des critiques qui tombaient à bras raccourcis sur un de leurs collègues lorsque celui-ci publiait un livre — rien à voir avec la manière dont ils me traitaient, moi ! Elle me jouait la foire d'empoigne que représentaient les vanités, l'orgueil, la suffisance et le grotesque, sans lesquels il n'y avait pas de vie littéraire — et finissait toujours par me faire éclater de rire ; c'est alors qu'elle ne manquait jamais de me prouver par a + b le peu de signification qu'avaient les louanges, la reconnaissance et les bénédictions des critiques.

« Ils ont beau ergoter, jamais un seul, même dans ses propos les plus durs, n'a qualifié de " mauvais " ce en quoi tu crois, ce que tu défends et ce que tu essaies de protéger », me disait-elle.

Il y avait à ses yeux un point particulièrement important, et pour me le faire comprendre, elle me cita une anecdote d'Erich Kästner : un de ses amis terrassé par le chagrin veut se suicider ; Kästner offre alors de le gifler, même une fois refroidi par la mort. Et l'histoire se termine par cette phrase : « Reste plutôt en vie, ils en seront pour leurs frais ! »

« Oui, conclut Linda, est-ce que ce n'est pas plus important ? »
Elle m'offrit un disque de Barbara Streisand, dont l'une des

chansons s'intitulait : « I'll never give up ». Et elle ne cessait de me répéter que cette idée devait me donner du courage et de la force. Elle essaya d'ailleurs elle-même d'y puiser du courage et de la force face à la maladie et à la souffrance.

« Il ne faut jamais désespérer, tu m'entends, jamais ! »

Et je n'ai plus jamais désespéré, je n'ai plus jamais calé !

Tant que Linda fut à mes côtés.

Tout en écrivant ces lignes, je repense aussi à d'autres points de vue et d'autres principes qui la caractérisaient et la définissaient tout entière.

Bien entendu, les années soixante-dix furent déjà le théâtre de discussions passionnées sur la manière dont les hommes détruisaient l'univers et sur les mesures à prendre pour enrayer ce gâchis. Je me rappelle l'une d'elles, qui se prolongea pendant plusieurs heures et provoqua l'agressivité de tous les participants. Linda écoutait, sans dire un mot. Billy Wilder, le metteur en scène avec lequel, dans sa prime jeunesse, elle avait été liée pendant une année à Berlin, me raconta un jour, après la guerre, qu'il l'avait surnommée « ma Muette », parce que, la plupart du temps, elle se contentait d'écouter et prenait rarement la parole. Donc au cours de cette discussion, l'un des participants provoqua Linda et la força à dire enfin ce qu'elle pensait.

« A mon avis, déclara-t-elle, l'homme devrait s'efforcer de fouler la terre d'un pied léger et d'y laisser le moins de traces possible. »

Cette phrase pourrait bien servir d'exergue au livre que je suis en train d'écrire.

A dix-huit ans, j'abjurai la religion parce que ma mère m'avait raconté que, durant la Première Guerre mondiale, les prêtres bénissaient les canons des deux côtés du front pour qu'ils tuent le plus grand nombre possible de ces affreux ennemis. Linda, elle, hésitait à accomplir cette démarche, et ne s'y décida d'ailleurs jamais. Elle souffrait depuis sa jeunesse d'une maladie sanguine très rare et était sans cesse sous contrôle médical.

« On ne peut jamais savoir, dit-elle. Je souffre de cette anémie hémolytique. Peut-être Dieu est-il mesquin, et si je rejette la religion, sera-t-il vexé et me fera-t-il mourir. Or moi, je veux vivre avec toi, aussi longtemps que possible. Non, non, le risque est trop grand. Et puis, vois-tu, les églises catholiques sont si belles, la Bible est un livre si merveilleux, avec ses pages pornographiques de l'Ancien Testament — je n'ai rien contre — et tous ses passages remarquables.

L'un des plus remarquables à ses yeux est celui où il est dit :
« Heureux les pauvres en esprit. »

« Oui, disait-elle sans cesse, les imbéciles sont heureux. Je les
envie. Vois-tu, ajoutait-elle tout bas, comme un message secret :
Quand Dieu veut châtier un homme, il lui donne l'intelligence. »

Un jour, lorsque j'étais scénariste, Linda vint à l'atelier, en
simple spectatrice. On préparait une scène avec un reporter
photographe qui avait une caméra suspendue autour du cou.

« Elle est chargée ? demanda-t-elle au metteur en scène.

— Non. Mais personne ne le voit.

— Le public s'en apercevra », répondit-elle.

Pour moi, tout était dit sur l'art.

Je lui lisais toujours ce que j'avais écrit, et jamais je n'ai eu
critique plus perspicace et plus judicieuse. Comme j'ai tendance à
toujours exagérer, il arriva souvent à Linda de hocher la tête et de
dire, avec un petit sourire gentil, que tout cela sentait beaucoup
trop le mélodrame, ou s'étirait en longueur, et qu'il fallait
apporter quelques modifications. Bien sûr, je me hérissais et
refusais de déplacer ne serait-ce qu'une virgule à mon texte.

« Trois jours de travail, protestais-je. Trois jours de torture. Car
écrire est une véritable torture, tu sais ! Tout fait mal, les épaules,
la tête et les yeux, et puis, impossible de dormir, et on se sent vidé
de sa propre substance. Une fois pour toutes, je te le dis : je ne
supprimerai rien, et je ne changerai rien ! »

Un jour, après une de mes scènes d' « hystérie », comme elle
disait, Linda déclara qu'elle avait une histoire à me raconter. Une
histoire qui remontait à l'époque de sa liaison avec Billy Wilder.

« Il avait un minuscule appartement, et était le premier homme
dans ma vie ; je l'aimais à la folie. En fin d'après-midi, il me disait
souvent : " Viens, descendons au Café Roman maintenant, pour
parler. " Bien sûr, on ne se racontait rien du tout. Mais nous
allions au Café Roman. Tu sais bien, c'était le rendez-vous de
toutes les célébrités, comédiens et journalistes, peintres et écrivains, et moi, simple petite danseuse de quinze ans, j'étais éblouie
par tous ces personnages importants, et je ne pouvais qu'écouter
en silence. Une fois, Erich Maria Remarque vint s'asseoir à notre
table. A l'époque, il occupait le poste de rédacteur en chef chez
Dame, ce qui, à mes yeux, était tout simplement formidable. Ce
soir-là, il déclara qu'il voulait donner sa démission pour écrire un
roman. Billy, qui était son ami, le lui déconseilla vivement.

« " Tu serais fou de lâcher un poste pareil ! " lui dit-il. Ils se
disputèrent pendant un certain temps, et pour finir, Billy se

tourna vers moi : " Alors, dis-lui quelque chose, à ce toqué, ma Muette ! " Je me lançai bravement dans un grand discours, mais c'est à peine si je trouvais mes mots. " Monsieur Remarque, lui dis-je, je crois que Billy a raison. Nous vous avons rendu visite une fois, vous vous en souvenez ? Vous avez un si beau bureau ! Et tant de jolies femmes autour de vous ! Et vous avez dit vous-même que vous n'étiez pas surchargé de travail. Vous devriez vraiment rester là-bas ! " Tu vois, me raconta Linda, Remarque a quand même donné sa démission, pour écrire *A l'Ouest, rien de nouveau*. Voilà ce qui arrive quand on ne m'écoute pas. »

Par la suite, chaque fois que je me hérissais, elle me disait calmement :

« Pense à Remarque ! »

Et chaque fois, le lendemain matin, je descendais au petit déjeuner en déclarant :

« Voilà, j'ai tout changé. »

Elle était heureuse. J'ai toujours écouté ses critiques, et ce qu'elle disait était toujours juste.

Durant les deux dernières années, son état de santé ne cessa d'empirer ; elle était de plus en plus mal, souffrait de plus en plus, mais me le cacha, jusqu'à cette nuit où elle s'effondra en poussant des cris. Il était trop tard. Elle avait eu plusieurs fois déjà des accès de faiblesse, mais elle m'expliquait que c'était le cours normal de son anémie hémolytique. Même à la fin, lorsqu'elle put à peine s'alimenter et commença à refuser de sortir, d'aller au théâtre, au concert, au cinéma, je ne me rendis pas compte de l'aggravation de son état. J'achetai des cassettes vidéo, et plus elle se sentait mal, plus elle réclamait des films gais, uniquement des comédies. Après sa mort, j'en possédais environ deux cents. *Tootsie* ou *Certains l'aiment chaud*, et tous les films de Woody Allen. Elle citait souvent une anecdote tirée d'un des films de Woody Allen. Deux femmes d'un certain âge déjeunent dans un restaurant. L'une d'elles dit : — Mon Dieu, ce qu'on mange mal ici ! — C'est vrai, dit l'autre. Et ces ridicules petites portions ! — Oui, dit Allen dans le film. En fait, c'est ainsi que je vois la vie : solitude, misère, souffrance et soucis. Et dire que tout ça passe si vite !

Un jour, elle prononça ces mots tout haut. Elle se reposait dans la salle de séjour plongée dans l'obscurité et ne m'avait pas entendu entrer. « Dire que ça passe si vite ! » Elle les répéta deux fois.

Je réappris à communier dans les pensées de l'Autre, ai-je écrit plus haut. Après la mort de Linda, je ne fus plus que la moitié de

72

moi-même, une demi-créature qui menait une demi-vie. Je perdis tout, courage, espérance, toute ma capacité à être heureux et à supporter les infamies grâce à l'humour. A force de solitude, je vivais dans un sentiment de dégoût infini, le dégoût de tout ce qui se passait dans le monde et dont je n'avais cessé de parler dans mes livres, le dégoût des hommes aussi. Pas de tous, bien sûr, pas des amis que nous avions eus, Linda et moi ; mais ceux-là, je les évitais parce qu'ils me rappelaient la femme que j'avais perdue et dont aucune autre ne viendrait prendre la place.

Oui, j'étais dégoûté des hommes, et convaincu d'avoir aussi peu de valeur qu'eux. De tout ce que les hommes avaient fait de ce monde. Des rapports des hommes entre eux, des mensonges, des trahisons, des préjudices, des lâchetés, de la manière dont nous nous accrochions à l'un quand nous avions besoin de lui et dont nous le laissions tomber dès que nous n'avions plus besoin de son aide.

Les informations télévisées me donnaient envie de vomir. Je ne pouvais plus voir les visages des gros industriels et des hommes d'Eglise, des soldats équipés de leur armes de mort et des politiciens. Ah les hommes politiques ! Je ne pouvais plus entendre leurs phrases ampoulées et vides. Chaque fois que l'un d'eux prenait la parole, je me disais : De quels malheurs et de quelles catastrophes est-il responsable ? Qu'a-t-il sur la conscience ? Dans quel chantage a-t-il trempé ? Je ne supportais plus de constater que ceux-là mêmes qui déterminaient le destin de l'univers étaient ouvertement convaincus de corruption. Autrefois, ils s'efforçaient tout de même de cacher peu ou prou leurs crimes, leur brutalité, leur mépris du prochain, et de jouer une petite comédie à ceux qui leur étaient livrés en pâture. Mais maintenant, ils avaient perdu toute honte, renoncé à tout masque. Ils considéraient leurs semblables comme des êtres tout aussi idiots et pervertis qu'ils l'étaient eux-mêmes. Le temps, c'est de l'argent. Pourquoi le perdre à jouer la comédie ?

A mon désespoir s'ajouta le fait que j'avais toujours écrit et lutté contre les nazis parce qu'ils étaient à mes yeux les plus grands criminels de l'histoire. Et voilà que j'étais témoin de l'inutilité de mes efforts et de ceux de bien d'autres encore, témoin de la résurgence de cette peste, de l'exportation du fascisme et du racisme, en France avec Le Pen, au Chili avec Pinochet, en Afrique du Sud avec Botha... La liste était longue, et ne faisait que s'allonger.

La facture n'a jamais été totalement payée par l'Allemagne, je veux dire la facture morale. Nous avons présenté des excuses aux Juifs et leur avons payé des milliards et des milliards d'indemnisation, ce dont certains hommes politiques sont fiers, nous avons « fait la paix avec les auteurs du drame », selon les termes de Ralph Giordano. Nous avons cru pouvoir recommencer à zéro. Le commentateur des lois raciales de Nuremberg est devenu chef de cabinet du chancelier; les généraux de Hitler ont formé la nouvelle armée, et Willy Brandt a été obligé de se justifier pour avoir été de l'autre côté pendant la guerre. A l'heure où j'écris ces lignes, pas un seul monument expiatoire à la mémoire des victimes de l'Holocauste n'a été érigé en Allemagne, et on a continué à vendre le gaz utilisé dans les camps de concentration sous son nom d'origine, « Cyclone B », jusqu'en 1955 au moins, en ne supprimant que le B. C'est seulement plus tard qu'on en a modifié la composition chimique et qu'il est devenu le cyanosil [3].

Il a fallu attendre quarante ans pour qu'un chef d'Etat ouest-allemand puisse se permettre de désigner la date du 8 mai 1945 comme ce qu'elle fut réellement, à savoir « le jour de la libération ». Cette révélation fut tellement sensationnelle, le discours de Richard von Weizsäcker tellement magnifique, qu'on le publia et qu'on le vendit sous forme d'opuscule, qu'on le grava sur disque et qu'on l'enregistra en cassette. Mais la haine était revenue depuis longtemps chez nous — subtile dans les hautes sphères où l'on chercha à donner plus de rigueur aux lois concernant les étrangers et où l'on renvoya dans leur pays, et par conséquent à une mort certaine, les demandeurs d'asile politique; brutale dans les basses sphères où l'on roua de coups les Turcs et où l'on aboya des chants nazis au cours des déplacements pour les tournois de football.

Il faut que la vie ait un sens, disent bien des gens, sinon elle n'est pas supportable. Pendant vingt-cinq ans, le sens de ma vie a été Linda. A présent, Linda n'est plus, et j'ai découvert que l'on pouvait continuer à vivre sans aucun « sens de la vie », pas très bien sans doute ni très gaiement, mais tout de même! La vie humaine est si courte, cela aussi, je viens seulement d'en prendre conscience. Le *Journal de Château-d'Oex* est une petite gazette imprimée ici qui paraît le mardi et le vendredi, et qui, à côté des nouvelles locales et de nombreuses petites annonces, publie aussi une colonne intitulée « Quoi de nouveau dans le monde? ». Eh bien, j'y ai lu hier que les chercheurs venaient de découvrir une galaxie qui est à quinze milliards d'années-lumière de notre planète. Elle doit être aussi vieille que la terre, précise le journal.

Ah Linda ! Linda ...

J'ai vendu tout ce que je possédais à Berlin et ai erré pendant un certain temps en France, en Angleterre et en Hollande, pour enfin venir me réfugier ici il y a huit ans, où j'ai acheté cette vieille maison à la lisière de la forêt. J'apportai avec moi, en tout et pour tout, mes vêtements, mon linge et quelques caisses de livres. A Berlin, j'en avais près de quinze mille, et il m'en reste à présent quelques centaines, très peu de romans, surtout des biographies, des ouvrages de sciences naturelles et des livres écrits par des philosophes dont je croyais saisir la pensée : Bertrand Russell, Karl Jaspers, Hannah Arendt, Karl Popper, Spinoza, Voltaire, Pascal, Schopenhauer et quelques autres. Les œuvres de Shakespeare aussi, et le *Tristram Shandy*, de Laurence Sterne, un ouvrage que je n'ai cessé de lire et de relire toute ma vie, ainsi que les *Aventures du brave soldat Chveik* et tout Hemingway.

J'ai conservé aussi le « Penseur » d'Ernst Barlach, petite sculpture haute de soixante-dix centimètres environ représentant un homme aux yeux clos vêtu d'une longue chemise, qui tient un livre dans la main droite et pose les doigts de sa main gauche sur sa joue. Une paix extraordinaire émane de ce personnage en bronze. Quand on le contemple, on devient silencieux et on plonge en soi-même. En ai-je passé, des heures, assis face à cette statuette, à réfléchir au passé et à ce qui avait été merveilleux. Je me suis acheté ce « Penseur » un jour, juste après avoir vendu un scénario de film à l'Amérique. Linda et moi, nous l'aimions beaucoup.

Quant aux meubles, de propos délibéré, je n'en ai gardé aucun ; il m'a donc fallu tout racheter. J'ai déjà parlé plus haut de l'hôtel Bon Accueil. Un homme qui portait le nom poétique d'Antoine Oltramare était tombé amoureux de cette immense maison paysanne suisse il y a fort longtemps. Il l'a achetée, transformée en hôtel et a fouillé tous les environs pour rassembler des armoires, des tables, des chaises et des lits couleur locale. Aussitôt après que j'eus acheté Le Forgeron, M. Oltramare, homme mince et à l'air pensif, très courtois et d'un charme subtil, m'accompagna dans les grandes fermes et les chalets centenaires, et nous achetâmes des meubles merveilleux à des prix abordables. M. Oltramare m'aida à installer ma maison. Il répara la cheminée et confectionna des étagères pour les livres ; il me procura aussi des abonnements à de nombreux journaux et revues, allemands, français et anglais. Il ne me posa jamais la moindre question, se montra toujours très discret, et par la suite, il ne vint chez moi que lorsque je l'en priai. La statuette de Barlach se trouve maintenant sur un tapis tissé main, dans la grande salle de séjour.

J'allais une fois par jour à l'hôtel Bon Accueil pour y prendre mon repas, et parfois je jouais aux échecs avec M. Oltramare. Sinon, je faisais de longues promenades, je dormais et lisais beaucoup et je pensais à Linda. Tout cela était à la fois très agréable et horrible. C'est ainsi que je survivais, et bien entendu, je regardais la télévision. Je voyais et entendais tous les menteurs et les criminels, les bouchers et les arlequins qui régnaient sur notre univers, et j'en avais la nausée. La nausée.

Je songeais souvent à la fuite du temps ; ma vie s'écoulait vite, très vite. Chaque jour qui passait pouvait être le dernier. Je prenais un bain tous les jours et coupais minutieusement les ongles de mes orteils, car je tenais à être toujours très propre et très soigné. Je portais toujours du linge frais, car il se pouvait que je sortisse un jour lentement, très lentement, du néant et de l'obscurité et qu'une voix résonnât à mes oreilles : « M. Gilles, vous reprenez conscience. Vous venez d'avoir un grave infarctus et vous vous trouvez actuellement dans le service des soins intensifs. » Il n'était pas indispensable que ce fût un infarctus, ce pouvait être n'importe quoi d'autre. Toute aussi grande d'ailleurs que l'éventualité de revenir à soi était celle de ne plus jamais sortir du tunnel et du néant, et de ne plus jamais rien voir ni entendre. Cela pouvait arriver à toute heure. A n'importe quelle heure.

Un jour, la librairie berlinoise qui me faisait parvenir les nouvelles parutions concernant les sciences naturelles et les biographies inédites m'envoya un petit opuscule intitulé *Le Monstre*. L'auteur était un certain Ulrich Horstmann, et ce qu'il écrivait me fascina jusqu'à me faire perdre le sommeil. D'après Horstmann, le « monstre » n'est autre que l'homme. L'auteur le considère comme un affreux produit égaré de l'évolution, tellement affreux que, prétend Horstmann, il y a depuis longtemps un accord commun, une entente secrète entre les monstres, donc entre nous : il faut en finir avec cette race de monstres, il faut que nous la liquidions nous-mêmes, aussi vite et aussi radicalement que possible — sans pitié, sans scrupules et sans aucun survivant. Avec la technologie moderne de l'armement, le monstre possède enfin pour la première fois la chance de pouvoir mettre consciemment fin au processus évolutif, à cette horrible évolution, selon un plan dûment établi ; il a en main tous les moyens de réaliser l'autodestruction collective de l'humanité, après « toute une litanie de coups, de piques, de broches, de hâchis et de feu qui s'est prolongée pendant des millénaires ». Un seul souci inquiète Horstmann : pourvu que les hommes ne laissent pas passer cette occasion donnée par les arsenaux d'armes de mettre fin une fois pour toutes à l'humanité, sans qu'il en reste de traces.

Quel livre ! Quelles pensées ! Quelle expérience de tout ce qui se passe dans l'univers !

C'est à l'époque où je découvris *Le Monstre* de Horstmann que je fis la connaissance de Gordon Trevor. Il était sensiblement de mon âge et habitait comme moi dans un chalet ancien, baptisé Les Clématites. Le grand incendie de 1800 avait épargné nos deux maisons, ainsi que quelques autres.

Trevor était un Anglais aussi réservé et discret que la plupart de ses congénères. Il se passa en effet deux années avant qu'il ne m'adressât la parole, un jour que je revenais du village où j'étais allé faire mon marché. Il se présenta avec une timidité juvénile, me dit qu'il avait lu quelques-uns de mes livres et me proposa d'aller boire ensemble « a cup of tea » chez M. Oltramare.

Un chien affreusement laid trottinait à ses côtés ; il avait de grands yeux tristes, le poil couvert de taches qui laissaient même apparaître la peau en maints endroits. Je ne sais pas encore aujourd'hui de quelle race il était. Trevor me présenta aussi son chien, il s'appelait Happy.

Ainsi allâmes-nous boire une tasse de thé chez M. Oltramare, et j'appris à cette occasion que l'Anglais habitait ici depuis douze ans déjà ; il était employé par la commune comme pilote de montgolfière. J'avais vu en effet un énorme ballon planer dans les airs par-dessus les monts et les vals presque tous les jours d'été et d'hiver. Gordon Trevor était l'un des hommes qui les dirigeaient, les deux autres étant des autochtones.

Durant la Deuxième Guerre mondiale, Trevor avait combattu dans la Royal Air Force comme pilote de Spit-Fire. Il exécuta quarante-cinq missions au-dessus de l'Allemagne dont il revint sain et sauf. Après la quarante-sixième, il fut transporté directement à l'hôpital, car il avait été blessé au bas-ventre par un éclat d'obus lancé par la DCA allemande. Les chirurgiens réussirent à le raccommoder tant bien que mal ; il recouvra toutes ses fonctions naturelles, mais pas ses fonctions sexuelles. Ainsi avait-il couché pour la dernière fois avec une femme en mai 1943.

Après la guerre, il travailla comme architecte, eut beaucoup de succès et gagna beaucoup d'argent. Il rencontra le grand amour,

une jeune avocate qui lui déclara que sa blessure et ses conséquences n'avaient aucune importance pour elle. Cette situation se
prolongea en effet pendant onze ans, après quoi elle le quitta pour
un autre. A partir de là, Gordon vécut avec plusieurs femmes,
mais ses liaisons ne duraient jamais longtemps et finissaient
toujours mal. Puis il vécut pendant deux ans avec un homme, et
lui aussi lui annonça un jour qu'il le quittait.

« Mais tu es mon ami pourtant, lui dit Gordon. J'ai besoin de
toi !

— Si tu as besoin d'un ami, achète un chien ! » répondit
l'homme.

Voilà comment Gordon en était venu à avoir un chien. Avec M.
Oltramare et moi, cela lui faisait trois amis. Il n'eut même pas
besoin d'acheter le chien, c'est le chien qui un jour le suivit, et ne
le quitta plus. Avant de venir à Château-d'Oex, Gordon avait,
tout comme moi, rompu toutes ses amarres. Nous nous comprenions très bien. Nous allions tous trois nous promener dans les
forêts et dans les alpages où paissaient les vaches des fermes
environnantes, ou bien nous restions assis dans ma salle de séjour
devant la cheminée, nous regardions le « Penseur » en silence et
buvions du whisky.

Au cours de ces années-là, il m'arriva plusieurs fois de faire le
même rêve. On m'avait envoyé comme reporter au Japon, et un
jour, j'étais allé dans un temple de la ville de Nara où je vis une
koto-cithare couverte de signes gravés dans le bois. Un prêtre
m'expliqua la signification de ces symboles. Voici ce qu'ils
disaient :

« De l'océan de la Vie
Et de l'océan de la Mort
Devenue lasse,
Mon âme cherche la butte
Où la marée se jette et décroît. »

Oui, me disais-je en m'éveillant et en repensant à mon rêve, je
l'ai trouvée, la butte, et Gordon aussi.

« Nous sommes riches, Philip, dit-il une fois entre deux gorgées
de whisky, incroyablement riches, le sais-tu ?

— Tu as trop bu, mon vieux, répondis-je. Nous ne sommes pas
riches du tout. Ce serait si bon de l'être !

— Nous sommes riches, répéta-t-il d'un air têtu. Ici, à Château-d'Oex, nous sommes riches parce que nous sommes protégés.
Toute protection contre la vie réelle est une richesse.

« — Ah bon ! fis-je alors. Eh oui, il y a du vrai dans ce que tu dis. Viens, buvons encore un petit verre. »

Quand l'ancien pilote de chasse avait beaucoup de travail, en pleine saison touristique, je l'aidais. Je conduisais sa Rover bosselée ainsi que la remorque et essayais de suivre sur terre la direction que prenait le ballon de Gordon, car il fallait rapporter l'engin à son point de départ une fois qu'il avait atterri.

Le 7 août 1988, un dimanche, M. Oltramare appela Gordon pour lui dire que deux de ses clients, un monsieur et une dame de Rome, aimeraient bien faire un tour dans les airs le lendemain matin. L'assistant de Gordon était malade, et c'est donc moi qui pris une fois de plus le volant de la Rover. Nous étions équipés de talkies-walkies, par mesure de sécurité, mais ce jour-là, nous ne les utilisâmes pas. Il n'y avait pas un nuage dans le ciel et je ne perdis pas des yeux la montgolfière bleu, rouge et jaune de Gordon, tandis que la vieille voiture cahotait sur les sentiers et les pâturages constellés de fleurs ; nous étions en plein été, je ne rencontrai que des gens à la mine épanouie.

Gordon atterrit sur un grand champ et j'approchai la voiture au maximum ; il se passa alors ce phénomène qui me ravissait chaque fois : afin de me rejoindre, Gordon envoyait de brèves bouffées de propane enflammé dans l'intérieur du ballon et ce réchauffement constant et alternatif provoquait des sautes d'humeur de la part du ballon qui donnait l'impression de faire des bonds sur le champ, entraînant la nacelle, Gordon et ses deux passagers, jusqu'à ce qu'ils fussent arrivés au niveau de la Rover.

Puis nous détachâmes la nacelle du ballon, que nous vidâmes de son air et repliâmes soigneusement, avant de ranger le tout dans la remorque. Et nous repartîmes tous les quatre en voiture. Je ramenai d'abord le couple italien à l'hôtel, puis Gordon et moi rentrâmes chez nous, après être allés chercher nos journaux chez M. Oltramare. Il n'y avait jamais de lettres, ni pour lui ni pour moi. Le monde nous avait oubliés depuis des années, c'est du reste ce que nous cherchions. Devant Le Forgeron, nous nous assîmes tous deux à l'ombre d'un vieil arbre et feuilletâmes nos journaux en silence. Gordon alluma sa pipe. C'est lui qui découvrit l'entrefilet du *Süddeutsche Zeitung*, quelques lignes pour annoncer que le professeur Gerhard Ganz, directeur de la Société de Physique de Lübeck, était décédé le samedi 6 août dans une clinique de Hambourg.

« Ce ne serait pas *ton* Ganz, par hasard ? » demanda Gordon.

Sans hésiter, je répondis par l'affirmative, car je savais au moins ce que Gerhard avait fait après la guerre et connaissais la nature de ses activités à Lübeck.

« C'est vraiment celui qui t'a traîné sur trois kilomètres pendant la guerre et t'a sauvé la vie ?

— Oui. »

Je lui avais bien entendu raconté l'histoire.

« Le journal précise que, suivant son désir, il sera enterré à Sylt, ajouta Gordon. Tu devrais y aller. »

Tout en moi se hérissait à la pensée de quitter Château-d'Oex, mais j'éprouvais soudain des remords d'avoir ainsi négligé Gerhard pendant tant d'années. Et voilà qu'il était trop tard maintenant.

« Oui, il faut que j'y aille.

— Il y a un avion de la Swissair qui relie Genève à Hambourg, expliqua Gordon. Et de là, tu prendras un de ces petits Twin Otter qui font la navette avec l'île. Ce sont des avions canadiens. »

Tout ce qui concernait l'aviation continuait à l'intéresser ; il possédait une montagne d'horaires publiés par les différentes compagnies. A chacun son hobby ; moi j'avais mon « Penseur ».

Quatre jours plus tard, très tôt le matin, je m'envolai donc de Genève et reparus une nouvelle fois dans le monde civilisé auquel j'avais tourné le dos depuis des années. C'est ainsi que je fis la connaissance de Markus Marvin et du docteur Valérie Roth, les collaborateurs de mon ami Gerhard Ganz, ainsi que de toute une équipe de personnes abandonnées à elles-mêmes, sans aide ni pouvoir, qui consacraient leur vie à essayer d'empêcher la destruction définitive de notre planète, en dépit de tout ce qui s'y passait, bon et mauvais.

Somerset Maugham fait partie des grands écrivains que j'aime et que je vénère. Il reste toujours, dans ses remarquables nouvelles, le chroniqueur qui va jusqu'au-delà de l'événement, qui ne prend jamais parti et ne se permet jamais de porter un jugement moral, qui n'admire ni ne méprise les hommes et leurs actions, qui n'essaie même pas de les comprendre, mais qui se contente d'informer, même si, bien souvent, il n'est ni témoin oculaire ni témoin auriculaire, mais n'apprend les choses qu'après coup. Toute ma vie, j'ai souhaité écrire comme lui, et je savais en même temps que je n'y arriverais jamais.

Dans tout ce que j'avais à décrire, je ne jouais jamais un rôle, même le plus petit — sauf dans l'épisode présent, que j'avais considéré comme impossible jusqu'à ce qu'il arrivât. Cette fois-ci, je ne pourrai certainement pas éviter de parler parfois à la première personne. Sinon, je m'efforcerai, à partir d'ici, de n'être moi aussi que le chroniqueur qui relate les événements... en souvenir des paroles prononcées par Horatio à la fin de *Hamlet* :

> « ... Je révélerai ainsi
> Des incestes, des massacres, des actes dénaturés,
> Des jugements du sort, des meurtres involontaires,
> Des morts provoquées par astuce et contrainte,
> Et, aboutissement de tout, des machinations manquées
> Retombant sur leurs auteurs : tout cela,
> Je le rapporterai selon la vérité. »

4

Mercredi 17 août 1988, tard dans la soirée.

« On peut penser à coup sûr, dit Gordon Trevor, que Philip n'a pas bien agi en laissant tomber ces gens là-bas, à Sylt. Qu'il ne veuille pas écrire leur histoire, passe encore, mais il aurait pu au moins écouter leurs préoccupations et leurs problèmes. Moi, en tout cas, je le comprends, et j'aurais agi comme lui. Je ne me sens pas plus la vocation de sauveur de l'humanité que lui. Surtout à notre âge ! En quoi tout cela nous concerne-t-il, que diable ? »

Gordon Trevor se tut et tira sur sa pipe.

Ce soir-là, il avait pour interlocuteur M. Oltramare. Tout était calme à l'hôtel Bon Accueil, la majorité des clients s'étaient déjà retirés. Les deux hommes sirotaient un verre de whisky au bar, sous le regard attentif de Happy. La journée avait été caniculaire, et à la nuit tombante, la température ne semblait guère disposée à baisser. Gordon était débordé de travail, il passait tout son temps dans les airs, sa peau avait pris une teinte cuivrée.

M. Oltramare remplit les verres. Il parlait peu, mais était un auditeur attentif.

« Philip voulait rentrer, voilà tout, reprit Gordon en caressant son chien. Il veut rester ici. Pour toujours. Ne plus jamais s'occuper de quoi que ce soit. Vous connaissez l'histoire de Rip Van Winkle ?

— Non, répondit M. Oltramare.

— Merci pour le whisky, dit Gordon en levant son verre. Cheers ! C'est un écrivain américain, Washington Irving, qui l'a

81

écrite en 1820. Aux Etats-Unis, tous les enfants la connaissent, et elle n'a cessé d'être reprise et adaptée par d'autres auteurs. Pourquoi? Je l'ignore. »

M. Oltramare se pencha légèrement, tout ouïe.

« Ce Rip Van Winkle est un homme tout à fait ordinaire, banal, insignifiant. Il aime les enfants et a peur de sa femme, une vieille acariâtre, raconta Gordon après avoir bu une longue gorgée de whisky. Un jour, il s'éloigne du village pour faire sa petite promenade quotidienne et arrive dans un coin qui lui est totalement inconnu. Il rencontre un géant, habillé comme un Hollandais. Un violent coup de tonnerre ébranle l'atmosphère. Le géant invite Rip à l'accompagner, et ils débarquent au milieu d'un groupe de géants hollandais qui jouent aux quilles et font rouler une énorme boule... C'est le tonnerre, vous comprenez? »

M. Oltramare acquiesça sans répondre.

« Voilà que Rip se saoule avec le géant et s'endort. Lorsqu'il s'éveille, il se retrouve seul. Il reprend le chemin du village, mais là-bas, personne ne le reconnaît. D'ailleurs tout le village est changé, et lui-même ne reconnaît personne. Soudain, il est pris de panique en constatant que vingt années se sont écoulées depuis son aventure. Est-ce que personne n'a entendu parler de Rip Van Winkle? demande-t-il. Non. Alors il croit se revoir tel qu'il était le jour où il est parti dans la montagne; complètement décontenancé, il commence à douter de son identité et se demande s'il est vraiment lui-même ou un autre... A votre santé, M. Oltramare !

— A la vôtre, M. Trevor ! » répondit l'hôtelier.

Ils burent une gorgée de whisky en silence.

« Et voilà, poursuivit Gordon, que Rip reconnaît son fils et sa fille, de vingt ans plus âgés. Il n'y a que sa méchante femme qui est morte. La nouvelle de la mort de sa femme l'incite à expliquer qui il est, ce qui ne manque pas d'ironie. Je vous ai dit, M. Oltramare, que bien des auteurs avaient emprunté cette fable. Ainsi, en 1953, votre grand poète suisse Max Frisch en a fait une pièce de théâtre. Et dans son roman intitulé *Stiller,* Frisch laisse le héros raconter lui-même l'histoire à son défenseur, qui ne comprend pas. — Le chien vint se frotter contre la jambe de son maître. — Rip apparaît à Stiller comme le symbole de la liberté menacée que chaque individu ne peut conserver que s'il réussit à se débarrasser de la fausse identité que lui a imposée la société. Voilà pourquoi le conteur change la fin de l'histoire qu'il raconte à son défenseur. Là, Rip résiste à l'envie de se faire reconnaître de sa fille. " Ton père est mort ", lui dit-il, et la jeune femme l'abandonne à son sort, ce qui lui fait mal, bien sûr. Mais il fallait qu'il en fût ainsi. »

Gordon se mit à bourrer une nouvelle pipe.

« Dans le roman de Frisch, le rêve de Stiller, échapper à l'emprise du monde, ne s'est pas réalisé. Stiller échoue, et tout comme Rip, il est obligé de reprendre son ancien rôle. C'est justement ce que Philip ne veut pas. Il ne veut pas retourner dans son univers d'antan. C'est un Rip Van Winkle à la Frisch, mais un Rip qui a plus de chance. Après la mort de sa femme, Philip est venu ici, où il a trouvé la paix. Et voilà qu'il est obligé de retourner dans le monde, dans sa vie passée. Mais il ne peut plus y rester. Moi non plus, je ne le pourrais plus. Jamais ! C'est pourquoi j'arrive à le comprendre. »

Gordon alluma sa pipe avec lenteur, puis il tira quelques bouffées en silence, et reprit :

« Nous sommes trop vieux, tous les deux, et ici depuis trop longtemps. Nous sommes des Stiller, dont le rêve se réalise. Ils ont du courage là-haut, à Sylt, et tant de soucis ! Tant de difficultés ! Des soucis importants. Ils veulent empêcher la catastrophe. Que Dieu leur vienne en aide ! Philip a de la sympathie pour tous ceux qui croient qu'on peut encore sauver quelque chose, j'en suis sûr. Mais il ne veut pas... Non, il ne peut pas entrer dans leur jeu, c'est un Rip plus intelligent que celui de la fable et qui a plus de chance que celui de Frisch. Philip est heureux ici... avec ses souvenirs. Il est libre, il est paisible et satisfait. C'est donc ici qu'il veut rester, tout comme moi, ici que nous voulons passer le peu de temps qu'il nous reste à vivre. »

Le téléphone sonna dans le bureau contigu au bar. Antoine Oltramare se leva. Le chien poussa un soupir et se serra davantage encore contre la jambe de son maître.

L'hôtelier revint aussitôt.

« C'est pour M. Gilles. Une dame. Elle dit que c'est urgent. Il faut absolument qu'elle lui parle sur-le-champ.

— Je vais le chercher », dit Gordon sans hésiter.

Il trouva son ami devant la télévision.

« Qu'y a-t-il ? demanda celui-ci.

— Un coup de téléphone pour toi.

— Pour moi ? J'aimerais bien suivre cette émission jusqu'au bout...

— Allez, viens, insista Gordon. C'est très urgent, a dit la dame. Viens, Philip ! »

L'écrivain se leva en exhalant un profond soupir et suivit Gordon jusqu'à l'hôtel.

Dès qu'il prit le téléphone, il reconnut la voix de Valérie Roth. « Enfin, vous voilà ! dit-elle soulagée.

— Comment avez-vous obtenu ce numéro ?

— Par les renseignements. Vous m'aviez dit où vous habitiez.

— Que voulez-vous ?

— Markus Marvin a été arrêté.

— Ah oui ?

— Ils l'ont emmené à Francfort, en détention préventive.

— Vraiment ?

— Ecoutez, M. Gilles, il faut absolument que vous veniez ici.

— Quoi ?

— Est-ce que Gerhard vous a sauvé la vie autrefois ?

— Hum...

— Gerhard a combattu toute sa vie pour défendre ce pour quoi Markus a été arrêté...

— Hum...

— Il a frappé un homme...

— Oh ! Bravo ! dit Gilles.

— Hilmar Hansen, le propriétaire d'une usine chimique.

— Très intéressant.

— Hilmar Hansen fabrique des blocs déodorants.

— Des quoi ?

— Vous ne savez pas ce que c'est ? Ces cubes bleus ou verts que l'on suspend dans la cuvette des W.-C. pour dissiper les odeurs nauséabondes. Ils sont parfumés à la lavande, à la violette ou au citron, ou que sais-je encore ! ...

— Vous êtes ivre, non ?

— Pas du tout. Ça s'est passé à Francfort. Je suis encore à Lübeck, moi. — Son débit s'accéléra. — Hansen fabrique aussi ces cubes sous forme de comprimés de paradichlorobenzène qui servent à l'hygiène des cercueils.

— A quoi ?

— A l'hygiène des cercueils, répéta Valérie Roth en haussant le ton. On en met dans le cercueil, avec le cadavre. A cause de l'odeur aussi. Environ deux cents grammes par cercueil. L'Allemagne fédérale à elle seule compte environ sept cent mille cadavres par an ; dix pour cent sont incinérés, dans une trentaine de crématoriums. Bien entendu, le paradichlorobenzène se contente d'assoupir les nerfs olfactifs, il ne supprime pas les odeurs.

84

— Dites-moi un peu...

— Et un petit nombre seulement de crématoriums sont équipés de filtres primitifs. La combustion du paradichlorobenzène produit de la dioxine et du furane qui se répandent dans l'air environnant. Cet homme, Hilmar Hansen, gagne une fortune en fabriquant un produit qui empoisonne l'air ambiant. Lors de l'incinération des cadavres, les dioxines pénètrent également dans les tissus adipeux de l'homme sous forme de traces de paradichlorobenzène. Et la fumée contient aussi du cadmium émis par les entrailles.

— Dites donc, madame, vous en avez encore pour longtemps sur ce sujet ?

— Parfaitement, du cadmium ! Les entrailles des vieillards sont de véritables entrepôts de cadmium.

— Bon, dit Gilles, maintenant, ça suffit.

— Alors, vous venez ? Vous écrivez ?

— Non !

— Bon. Il se passera quelque chose d'autre. Et vous viendrez ! *Vous viendrez* !

— Bonne nuit, madame ! » dit Gilles avant de reposer l'écouteur.

Il rejoignit ses amis au bar.

« Alors ? demanda l'ancien pilote. Qui c'était ?

— Valérie Roth, cette folle.

— Que se passe-t-il ?

— Rien, répondit Philip Gilles en s'asseyant. Je prendrais bien un verre, moi aussi. »

5

Par un glacial matin d'hiver de l'an 1944, une femme d'une trentaine d'années prit le chemin de fer de ceinture pour aller à Siemensstadt, à la périphérie de Berlin. Il était un peu plus de six heures, et la ville sommeillait encore dans l'obscurité. Quelques lampes seulement éclairaient d'une faible lumière le wagon aux vitres badigeonnées de noir, calfeutrage nécessité par les attaques fréquentes des avions ennemis. Les compartiments étaient bondés de voyageurs aux visages blêmes d'épuisement. La jeune femme fut obligée de rester debout. Du reste, même si le wagon avait été vide, elle aurait dû rester debout ; bien qu'elle parût malade, elle n'avait pas le droit de s'asseoir. Mariée avec un « pur Aryen », elle était ce que l'on appelait alors une « Juive protégée » et tenue au travail obligatoire. Le revers de son manteau s'ornait d'une étoile jaune sur laquelle était écrit en lettres noires le mot JUIVE. Elle essayait de se tenir fermement à une poignée suspendue au plafond, mais ne cessait d'osciller de-ci de-là, au gré des secousses du train.

Un ouvrier vêtu d'une veste de cuir et d'une casquette, dont l'un des yeux était couvert d'un cache noir, se leva et lui dit :

« Allez, assieds-toi, petite étoile de mer. »

La femme répondit :

« Merci, vous êtes bien aimable, mais je n'ai pas le droit de m'asseoir, c'est interdit.

— Allons donc, je m'en fous, moi, dit l'homme. Voilà mon siège, je te le cède. Je suppose que personne n'y voit d'inconvénient ?

— Une Juive..., commença un petit homme.

— La ferme, toi, sinon tu auras affaire à moi, intervint un soldat permissionnaire ; et s'adressant à la femme : Asseyez-vous, ne vous faites pas prier ! »

La jeune femme s'assit et éclata en sanglots.

Un peu plus tard, le borgne descendit, une vieille serviette sous le bras, suivi du soldat. Celui-ci tendit la main à l'ouvrier en disant :

« Je m'appelle Oscar Krasinski. Tiens, voilà mon adresse. On ne sait jamais. »

Pendant le trajet, il avait griffonné quelques mots sur son journal, qu'il tendit à l'autre.

« Merci, dit le travailleur. Moi, je m'appelle Karl Bukatz. Mais je ne peux pas te donner d'adresse, camarade, ma maison a été détruite par les bombes. Je loge tantôt ici, tantôt là.

— Sur le journal, j'ai écrit aussi l'adresse de ma tante, ajouta Oscar. Elle habite à Hasenheide. Tu trouveras bien tout seul.

— Sûr, affirma Karl. Tu retournes au front ?

— Oui.

— Bonne chance ! dit Karl. Ça finira bientôt, tout ça.

— Oh ! Ça va encore durer un moment, j'en ai peur, répondit Oscar. Allez, à bientôt ! »

Ils se serrèrent la main et se séparèrent, happés l'un et l'autre par l'obscurité et le froid...

C'est fou, se dit Miriam Goldstein, une petite femme fluette aux cheveux blancs tout frisottants. Elle était avocate, avait de grands yeux noirs et portait un ensemble d'été bleu à col blanc et à manches blanches retroussées jusqu'aux coudes. Elle occupait une place dans l'Airbus qui avait décollé un quart d'heure plus tôt de Francfort en direction de Genève.

Tout ça, c'est de la folie, se répéta Miriam Goldstein. Me voilà partie pour Genève, et de là pour un petit bled appelé Château-d'Oex, afin de rencontrer un homme appelé Philip Gilles que je cherche depuis six ans. Dire que je connais l'histoire de cette « Juive protégée » qui, en 1944, par un matin glacial, se rendait à son travail, d'Oscar Krasinski, le soldat permissionnaire, et de Karl Bukatz, cet ouvrier borgne qui, d'une phrase, offrit sa place à la femme juive dans le wagon. « Allez, assieds-toi, petite étoile de mer... » Il y a longtemps qu'Oscar est mort, et Karl aussi, et la femme juive aussi. Et moi, je suis toujours en vie, et je sais tout cela, et bien d'autres choses encore. Non, ce n'est pas fou du tout, mais parfaitement normal et légitime. Tout a un sens dans ce monde, rien n'arrive sans raison ; le hasard, ça n'existe pas.

1982, songea Miriam Goldstein. En 1982, au cours d'une réception donnée par le consul général des Etats-Unis, j'ai rencontré Mme Bellamy, une femme d'un certain âge qui était restée ce que l'on peut appeler « une jolie femme ». Son mari, George Bellamy, était chirurgien de la garnison américaine. J'étais déjà allée plusieurs fois à Berlin, mais c'est cette fois-là que je fis la connaissance de M. et Mme Bellamy. Tout cela était prévu de toute éternité, rien n'est le fait du hasard, conclut Miriam Goldstein pour elle-même.

Ce soir-là, après le dîner, Mme Bellamy s'éloigna de son mari et alla trouver l'avocate.

« Excusez-moi, madame... — Elle parlait couramment allemand. — Vous vous appelez Miriam ?

— Oui, répondit l'avocate.

— Vous avez passé votre enfance à Hambourg ? »

La réception battait son plein, il y avait une foule d'invités ; un petit orchestre jouait pour les amateurs de danse. Mme Bellamy entraîna Miriam Goldstein dans un coin.

« Oui, à Hambourg, répondit la petite dame aux cheveux blancs, et un soupçon d'inquiétude naquit au fond de son cœur.

— A Hambourg où votre père avait un important cabinet d'avocat, n'est-ce pas ?

— En effet, répondit Miriam Goldstein de plus en plus émue. Comment savez-vous tout cela, Mme Bellamy ?

— J'ai connu votre père. »

A cette époque-là, Miriam Goldstein était persuadée que son père avait péri dans un camp de concentration. Elle n'avait plus entendu parler de lui depuis 1941. Après la guerre, elle l'avait cherché pendant des années, mais sans jamais en trouver la moindre trace. Et voilà que...

« Quand ? demanda Miriam. Quand l'avez-vous connu, Mme Bellamy ?

— Je l'ai rencontré pour la première fois en 1952, répondit la blonde Américaine. Et ensuite, je l'ai vu souvent. Il vous a cherchée partout, madame, pendant tant d'années ! Il vous a cherchée dans tout Berlin !

— Comment se fait-il..., commença Miriam bouleversée. Je veux dire... Où avez-vous vu mon père à cette époque-là ? »

Mme Bellamy entraîna l'avocate dans le parc, loin du bruit et de la musique. La nuit était tiède. Elles s'assirent sur un banc, près d'un arbuste en fleurs qui exhalait un fort parfum.

« Je vous en prie, Mme Bellamy, répondez-moi. Où avez-vous vu mon père ?

— Dans un bar, sur le Kurfürstendamm. Le Bar Oscar. Votre père est entré dans le bar ; il portait à la main un petit paquet contenant une paire de souliers d'enfant... »

« Tiens, regarde ! »

Miriam Goldstein sursauta.

Un petit garçon se tenait debout devant elle et la contemplait d'un air grave. Son visage mince était très pâle. Il tenait à la main une grande feuille de papier sur laquelle il avait dessiné au crayon des maisons, des rivières et des rues, des arbres et des autos, dans un foisonnement de couleurs.

« C'est moi qui l'ai fait, dit l'enfant.

— C'est magnifique, lui répondit-elle. Tu dessines tout ce que tu vois au-dessous de nous, n'est-ce pas ?

— Oui, tout ce que je vois. Je le fais toujours, chaque fois que je prends l'avion.

— Ça t'arrive souvent de prendre l'avion ?

— Oh oui ! Mon papa m'emmène avec lui.

— Où est-il donc, ton papa ?

— A quelques rangées derrière vous », répondit l'enfant en tendant l'index.

Miriam se retourna. Elle vit un homme à lunettes plongé dans la lecture d'un épais dossier. La place à côté de la sienne était vide.

« C'est le monsieur aux lunettes ?

— Oui. Il a toujours beaucoup à faire. Il me donne chaque fois des crayons de couleur et un bloc et me dit de dessiner. Mais il ne regarde jamais vraiment mes dessins. Il a trop de travail.

— Et ta maman ? demanda Miriam. Où est ta maman ?

— Nous sommes divorcés, dit le petit. J'ai été confié à mon père.

— Comment t'appelles-tu ?

— Klaus.

— C'est un joli nom. Moi, je m'appelle Miriam.

— Je trouve Miriam beaucoup plus joli que Klaus, dit-il d'un air sérieux.

— Quel âge as-tu, Klaus ? »

Mais une quinte de toux l'empêcha de répondre. Il se retint au dossier de Miriam, tout son corps tremblait. Son visage avait encore pâli, dans ses yeux noyés de larmes brillait une lueur d'angoisse. Quelques passagers tournèrent la tête.

« Mon Dieu..., fit Miriam en se levant. Que se passe-t-il ? Je vais appeler ton papa », dit-elle en se penchant vers lui.

Klaus s'arrêta de tousser.

« Voilà, c'est passé. Ça n'a pas duré très longtemps cette fois-ci.

— Ça t'arrive souvent de tousser ainsi ?

— Oui. Mais en général, c'est beaucoup plus fort.

— Qu'as-tu donc ?

— Quelque chose comme le croup, répondit Klaus. Je ne sais plus. Tu connais quelque chose avec " croup " ?

— Pseudocroup, dit Miriam à voix basse en se rasseyant.

— Voilà, pseudocroup, dit l'enfant. — Il prit un mouchoir pour s'essuyer la bouche et les yeux. — Tu sais ce que c'est ? »

Miriam approuva d'un signe de tête.

« Oui », dit-elle.

Le pseudocroup, c'est une inflammation du larynx, se dit-elle, qui affecte souvent les enfants de un à six ans. Elle est provoquée par l'inhalation d'air chargé d'anhydride sulfureux en combinaison avec des troubles psychiques. Le meilleur remède, outre le traitement médicamenteux, est une vie calme, tranquille, paisible.

« Où habitez-vous ? demanda Miriam tout en essuyant avec son mouchoir la sueur qui perlait sur le front de l'enfant.

— A Duisbourg. C'est affreux. Quand je tousse, j'ai toujours peur. En fait non, j'ai peur aussi quand je ne tousse pas. J'ai peur d'étouffer, tu sais.

— Oui, dit Miriam. — Symptôme typique, se dit-elle. Rétrécissement de la trachée-artère causé par la toux . — Il y a longtemps que tu tousses ainsi ?

— Plus d'un an, répondit Klaus. C'est pourquoi je prends souvent l'avion.

— Pourquoi ?

— Mon père est ingénieur, il construit partout. Même à Ténériffe où habite ma tante. Tout près de Santa Cruz. Tu connais Santa Cruz ?

— Oui, dit Miriam dans un sourire.

— Mon père m'y emmène chaque fois qu'il le peut. Nous faisons escale à Genève, puis nous continuons sur Ténériffe. Je vais passer de nouveau deux mois chez Tante Clara, puis je retournerai à Duisbourg pour faire des contrôles, et ensuite, de nouveau deux mois chez Tante Clara. C'est le meilleur remède pour guérir, dit le docteur. Mais ce n'est pas vrai. J'ai cinq ans. L'année prochaine, j'aurai six ans, il faudra que j'aille à l'école. Et je ne pourrai plus aller aussi souvent à Ténériffe. Seulement pendant les vacances.

— Vous n'avez pas de gouvernante ?

— Si. Tina. — Klaus haussa les épaules. — Tu sais bien, cette maladie-là, on ne peut rien y faire. Tu veux une photo de moi ? Tiens, je te la donne.

— Oh merci ! C'est très gentil, Klaus.

— Tu veux que je fasse un autre dessin ? Ça change tout le temps, là en bas.

— Oui, dit Miriam. C'est une bonne idée. »

Il retourna à sa place. Son père lui caressa les cheveux d'un air distrait et se replongea dans sa lecture. Klaus sourit à Miriam, qui lui rendit son sourire.

Cinq ans, se dit-elle. Le pseudocroup. Duisbourg. L'air empoisonné d'anhydride sulfureux. Combien de petits enfants sont atteints de cette maladie ? Combien vivent dans la peur d'étouffer ? En Allemagne ? En Europe ? Dans le monde entier ?

Cinq ans, se prit-elle à rêver. J'avais quatre ans jadis, en 1941, quand Hans et Ellen Schönberger sont arrivés dans la nuit. De bons amis de mes parents à Hambourg. Il avait été décidé depuis longtemps entre eux qu'ils nous cacheraient, mon père, ma mère et moi, dans leur propriété de Blankenese, si nous étions menacés de « déportation ». Oui, j'avais quatre ans, je n'ai pas compris ce qui nous arrivait ; nous devions nous cacher, et je trouvais cela très excitant.

Les grandes personnes portaient des valises, Maman me tenait par la main, et moi, je devais courir, car tout le monde marchait très vite. Dans la Dorotheerstrasse, nous nous sommes heurtés à une patrouille. Deux agents de police qui nous ont demandé nos papiers. Papa leur a montré son étoile jaune au lieu de présenter sa carte d'identité, alors que nous les avions ôtées tous les trois avant de quitter la maison. Et voilà que Papa montrait la sienne à la police.

A l'époque, je ne comprenais pas. En fait, il espérait au moins nous sauver, Maman et moi. Et il y réussit. Après avoir montré l'étoile, il se mit à courir à toute allure, dans la direction d'où nous venions. Les policiers le poursuivirent. Hans et Ellen Schönberger nous entraînèrent, Maman et moi, nous tournâmes le coin d'une rue, puis une autre et une troisième, et nous leur échappâmes.

La maison de Blankenese possédait un grand grenier. C'est là, dans ce grenier, que Maman et moi, nous passâmes les années suivantes. Trois ans et demi ! Les Schönberger s'occupaient de nous. Maman pleurait souvent en disant que la police avait sûrement rattrapé Papa et qu'il avait été envoyé dans un camp de concentration.

A l'époque, je ne savais pas encore ce qu'était un camp de concentration. Les Schönberger étaient des gens extraordinaires. Et ils n'étaient pas les seuls. Il y en avait beaucoup comme eux en Allemagne, qui ont pris des risques pour cacher les Juifs. Nous avons été libérés en 1945 par les Anglais, et Maman et moi, avons couru partout pour essayer de retrouver Papa. Pendant des années, nous l'avons cherché, en vain. Personne ne l'avait vu, et nous en avons conclu qu'il était mort.

Et voilà qu'en 1982, au cours d'une réception chez des Américains, je rencontre Mme Bellamy ; elle me dit qu'elle a connu mon père, que lui aussi nous a cherchées pendant des années, qu'il était entré dans un bar sur le Kurfürstendamm, avec une paire de petits souliers d'enfant à la main...

« Pourquoi, avec une paire de petits souliers d'enfant à la main ? » demanda Miriam Goldstein à Mme Bellamy dans le parc du consul général des Etats-Unis.

Mme Bellamy secoua la tête.

« Il faut que je vous raconte les choses dans l'ordre, madame, dit-elle. Après la guerre, Berlin n'était plus qu'un champ de ruines. En particulier le Kurfürstendamm. L'immeuble dans lequel se trouvait le Bar Oscar était à moitié démoli. Ce bar appartenait à deux hommes, Oscar Krasinski et Karl Bukatz.

Karl se faisait appeler Charly, il jouait du piano. Oscar présidait aux destinées du comptoir. Ils s'étaient connus pendant la guerre, dans le chemin de fer de ceinture, m'a dit Oscar un jour... »

Elle raconta toute l'histoire à Miriam Goldstein et conclut :

« Ils se sont retrouvés en 1948 et ont ouvert ce bar ensemble. Pendant quatre ans, ils l'ont géré à eux deux, puis, en 1952, ils ont pu s'offrir une barmaid. Moi.

— Vous ?

— Oui. Je suis née à Berlin, je m'appelle Elfi Zeiner. Oui, j'ai travaillé avec Oscar et Charly. Les boissons étaient moins chères chez nous que partout ailleurs ; nous avions beaucoup de clients. Oscar et Charly pratiquaient le marché noir sur une grande échelle. Ils rêvaient d'un vaste local, avec banquettes de velours et boiseries. En 1952, par un soir d'automne, deux mois seulement après mon entrée au bar, un petit homme maigre est venu chez nous. Il avait un air triste et maladif, les joues creuses, le visage blême et couvert de boutons, et quelques rares cheveux gris... Il faisait peur à voir. Pardonnez-moi, madame, si je vous dis cela...

— Je vous en prie, dit Miriam ; le sang lui battait aux tempes. Continuez, Elfi, continuez, par pitié ! »

Et Elfi continua son histoire...

Le petit homme maigre tenait précieusement un paquet contre son cœur. Il salua Charly et Oscar, ainsi que les quelques clients, et Elfi le vit même serrer la main des patrons. Puis il s'inclina devant elle en disant :

« Bonjour, madame. Je m'appelle Alfred Goldstein. »

Il lui tendit la main, à elle aussi. Il faut dire qu'à l'époque, Elfi était encore très jeune et d'une beauté exceptionnelle.

Puis il ouvrit son petit paquet et en sortit une paire de souliers d'enfant.

« Je laisse le papier ici, M. Oscar, dit-il. Et si vous le permettez, je vais interroger les consommateurs.

— Okay », fit Oscar.

Goldstein traversa le bar. Elfi le vit présenter les chaussures au jeune couple assis dans un coin et leur parler. Ils écoutèrent attentivement, puis secouèrent la tête ; Goldstein s'inclina et alla à la table suivante.

« Qui est cet homme ? demanda Elfi à Oscar.

— Ah ! Un pauvre diable, répondit Oscar qui examinait de

loin les réactions des clients. Il vient souvent ici. Il avait autrefois un important cabinet d'avocat à Hambourg. C'est un Juif. Charly lui a procuré une chambre à Grünewald.

— Mais qu'est-ce qu'il veut ? insista Elfi. Et pourquoi montre-t-il partout ces souliers d'enfant ?

— Ecoute, dit Oscar. Il m'a raconté lui-même que sa famille, lui, sa femme et sa petite fille, avaient été arrêtés en 1941. Il croit que sa femme et sa fille ont été envoyées à Auschwitz ; quant à lui, on l'expédia à Gross-Rosen. Lorsqu'il fut libéré par les Russes, il alla à Auschwitz, mais les nazis avaient tout fait sauter et presque tout brûlé avant de capituler ; il ne restait plus que quelques bâtiments, des montagnes de lunettes, d'habits, de prothèses, de cheveux de femmes, de valises et de chaussures... parmi lesquelles des souliers d'enfants. Goldstein en a emporté une paire, persuadé qu'ils appartenaient à sa fille. Elle s'appelait Miriam et avait quatre ans à l'époque. On a eu beau lui répéter que les mères et les enfants, à Auschwitz, aboutissaient directement dans les chambres à gaz, il n'a jamais voulu le croire. Il ne le croit pas encore. Et il parcourt tout Berlin en montrant les souliers aux gens et en leur demandant s'ils savent où se trouve sa petite Miriam, parce qu'il s'est imaginé qu'on l'a ramenée à Berlin.

— Pourquoi Berlin puisqu'ils viennent de Hambourg ?

— Mon Dieu, tu ne vois pas que le pauvre homme n'a plus toute sa tête ? Il a oublié Hambourg. Il ne se souvient de rien. Il se souvient uniquement de sa petite Miriam. Le pauvre.

— Il y a tout de même bien un médecin qui s'occupe de lui, je suppose ? dit encore Elfi.

— Bien sûr. Il a fait plusieurs séjours en hôpital psychiatrique. Mais sans succès... »

Elfi Bellamy s'interrompit et regarda Miriam Goldstein.

« Pardonnez-moi, dit-elle d'une voix hésitante. Tous ces détails sont affreux pour vous, madame. Mais je me suis dit qu'il fallait que je vous raconte tout... »

Miriam posa sa main sur celle de Mme Bellamy.

« Merci, dit-elle. Oui, c'est affreux, mais je veux tout savoir. Continuez, Elfi, je vous en prie. »

Un avion passa à basse altitude dans un bruit d'enfer, avant de se poser sur l'aéroport de Tegel. Une fois le calme rétabli, Elfi poursuivit son récit.

« Bien entendu, ce soir-là, personne ne put rassurer votre père. Et plus tard non plus, car il revint encore souvent. Les gens étaient embarrassés, ou bouleversés, mais ils l'accueillaient gentiment, ils avaient de la compassion pour lui, jusqu'à ce que...

— Jusqu'à ce que? répéta Miriam.

— Jusqu'à cet après-midi de janvier 1954, poursuivit Elfi. Je m'en souviens encore parfaitement... Le bar était vide. Arrivent un homme et une femme, des habitués. Nous les aimions bien. Ils n'étaient pas mariés, mais avaient l'intention de se marier. Ils s'aimaient beaucoup, ça se voyait. Ils avaient leur petit coin à eux. De la femme, je ne connais que le prénom, Linda. L'homme s'appelait Philip Gilles. »

Miriam releva la tête.

« L'écrivain?

— A l'époque, il était reporter et écrivait des scénarios, répondit Elfi. Ils n'étaient pas riches, ils ne pouvaient pas se payer de whisky et buvaient surtout du Weinbrand, très lentement pour n'être pas obligés d'en commander un second. Ils venaient toujours l'après-midi, quand le bar était calme. Ce jour de janvier 1954, il neigeait à gros flocons sur Berlin... »

Linda Brenner et Philip Gilles, les seuls clients du bar, étaient là depuis un moment. Charly jouait du piano. Oscar alluma une bougie sur le comptoir, tandis qu'Elfi garnissait les tables de fleurs et de cendriers et posait la carte des boissons sur chacune d'elles.

Elfi avait raconté à Linda et Gilles qu'elle travaillait dur onze mois par an dans cette mine d'or qu'était le Bar Oscar où elle se faisait de bons pourboires et ramenait de temps en temps un client chez elle. Mais elle faisait surtout des économies pour aller passer un mois par an à Saint-Moritz, en Suisse, chargée de valises superbes et de robes très élégantes. Personne ne la connaissait là-bas, elle y menait la vie des grandes dames de la société.

Ce soir-là, Elfi était débordée de travail, car un groupe de dix ou onze hommes vint envahir le bar; ils étaient gais et faisaient beaucoup de bruit : ils avaient déjà commencé leurs agapes ailleurs, avant de débarquer chez Oscar.

« Je suis désolé pour vous, dit Oscar aux deux amoureux dans leur coin.

— Pourquoi donc? répondit Linda. C'est une bonne affaire pour vous. De toute façon, nous avions l'intention de partir bientôt.

— Restez encore un peu, je vous en prie! supplia Oscar. Ils

viennent de l'Ouest, je parie; l'Ouest, c'était la République fédérale. Ça se voit à leurs joues rebondies et à leur nuque épaisse. »

Les hommes ne se gênèrent pas pour faire de plus en plus de bruit; ils réclamèrent « leurs » mélodies à Charly, qui s'exécuta avec un simple haussement d'épaules. L'un d'eux se permit des familiarités avec Elfi et ne récolta qu'une gifle sur la main. Linda regarda Philip Gilles, qui approuva d'un signe de tête.

A ce moment-là, la porte s'ouvrit et un petit homme maigre entra, l'air affolé; il portait un paquet à la main. D'un pas incertain, il alla saluer Charly.

« Merde, murmura Oscar. Pas de chance.

— Pourquoi? demanda Linda.

— Le revoilà, le pauvre! Le moment est mal choisi. »

L'homme parlait à Charly, et on voyait bien que le pianiste essayait de lui conseiller de partir sur-le-champ. Mais le petit homme secouait la tête.

« Qui est-ce? » demanda Gilles.

Oscar leur raconta l'histoire d'Alfred Goldstein et des souliers d'enfant qu'il avait trouvés à Auschwitz, persuadé qu'ils avaient appartenu à sa petite Miriam.

« ... Vous, M. Gilles, vous êtes allé à Auschwitz en tant que reporter, n'est-ce pas?

— Oui, dit Gilles. En 1952. »

Il revit en pensée ce reportage de cauchemar, tous les détails que lui donnait Oscar, les prothèses, les cheveux, les valises, les lunettes, les chaussures. Il n'avait jamais pu oublier ce spectacle de l'horreur.

Goldstein alla vers les hommes et leur montra les souliers.

« Monsieur Goldstein! s'écria Oscar. Ah mon Dieu! »

Trop tard. Un homme au ventre proéminent lui prit les chaussures des mains et les leva en l'air, hors de portée du malheureux. Goldstein bondit pour récupérer son trésor, et l'autre le laissa sauter comme un pantin. Il n'avait pas l'air méchant, cet homme, ni brutal; il était seulement obèse et s'amusait de la détresse d'un petit homme maigre.

« Rendez-lui immédiatement les chaussures! » s'écria Oscar.

Il n'en était pas question. Pourtant la plupart de ses compagnons de beuverie désapprouvaient cette scène écœurante; trois ou quatre seulement s'amusaient comme des petits fous; ils se lançaient les chaussures comme une balle par-dessus les tables, tandis que le pauvre Goldstein courait de l'un à l'autre en criant, à bout de souffle.

« Rendez-les-moi, je vous en prie ! Rendez-les-moi ! »

Elfi apporta un plateau chargé de verres pleins. Le gros lui donna un coup de coude, et le plateau alla s'écraser sur le sol avec son chargement. Furieuse, elle invectiva le coupable.

« Arrêtez, ça suffit maintenant ! C'est ignoble, ce que vous faites là ! »

L'ivrogne jeta un coup d'œil étonné à cette superbe fille, sourit et leva la main sur sa poitrine.

« Va-t'en ! »

Le poing d'Elfi le frappa en pleine figure. D'instinct, l'autre essaya de se défendre en levant les bras, et Charly lui asséna un coup violent dans le ventre. Le gros poussa un cri et tomba assis par terre, le souffle coupé.

« Vous aussi, sauvez-vous ! cria-t-il à Goldstein. Cachez-vous derrière le comptoir. Vite ! »

Un des amis du gros se jeta sur Charly, lui serra les bras derrière le dos et un autre se mit à le frapper systématiquement au creux de l'estomac. Un troisième jeta les souliers d'enfant sur la glace, derrière le comptoir ; une des bouteilles perdit l'équilibre, tomba sur sa voisine, et ce fut l'hécatombe. Une forte odeur d'alcool se répandit dans la salle. Oscar se précipita sur le téléphone pour appeler la police, tandis qu'armée d'un balai, Elfi frappait à tours de bras sur l'homme qui s'en était pris à Charly.

Quant au pauvre Goldstein, il resta pétrifié sur place. Le gros s'attaqua à lui et le frappa à la tête. Incapable de se défendre ni même d'esquiver les coups, le petit homme se contenta de gémir.

« Non... non... je vous en prie...

— Sale Juif ! hurla le gros, sans cesser de frapper. Ils ont oublié de te passer dans la chambre à gaz, hein ? »

Trois des hommes prirent parti pour le gros ; les autres protestèrent à haute voix.

« Arrêtez ! Vous vous conduisez comme des porcs ! » leur crièrent-ils en essayant de venir au secours de Goldstein.

La bagarre atteignit alors son point culminant.

« Mesdames et messieurs, c'est votre capitaine qui vous parle, annonça une voix grave dans le haut-parleur. Nous survolons Bâle et atterrirons dans vingt-cinq minutes à Genève... »

Cette voix avait arraché Miriam Goldstein à sa rêverie. Ainsi en 1954 encore, on a traité mon père de « sale Juif » ; depuis plusieurs décennies déjà, le parti nazi (NPD) a repris de l'activité chez nous, et surtout ces horribles « Républicains » dont le chef de file, Franz Schönhuber, est un ancien SS. Pour comble, la réaction des prétendus partis chrétiens semble donner raison à ces Républicains et aux objectifs radicaux qu'ils partagent avec les amis de Schönhuber : le renvoi des étrangers dans leur pays d'origine, la suppression des demandes d'asile politique et la fin de « l'éternelle Canossa ». Au début de l'année 1954 déjà, lorsqu'ils ont frappé mon père, se dit encore Miriam, le racisme et l'antisémitisme avaient repris du terrain, sinon dans la grande politique et les programmes des partis, du moins dans les réactions de certaines gens : les tombes des Juifs ont été profanées, couvertes de croix gammées, bombardées à coups de pierres et maculées d'excréments.

« Regarde ! »

Miriam tourna la tête. Le petit Klaus était là, les yeux fixés sur elle.

« J'ai fait un nouveau dessin pour toi. Tiens, regarde. C'est le Rhin. »

Miriam vit une longue traînée bleue qui serpentait sur le papier.

« Oui, tu as raison, c'est le Rhin. C'est très beau, Klaus.

— Tu peux l'avoir, je te le donne ! Je te l'avais promis.

— Merci, Klaus », dit Miriam avec un grand sourire au petit garçon atteint de pseudocroup qui l'avait prise en amitié.

Oscar reposa le téléphone pour courir au secours de Charly. Au passage, il récolta un coup de poing sur les dents et cracha du sang. D'un bond, il sauta sur l'homme qui chargeait Charly, et tous trois roulèrent par terre.

Soudain, le gros entraîna Goldstein vers le coin d'où Philip Gilles et Linda suivaient la scène, les yeux agrandis d'horreur.

« Cochon de nazi ! » dit Philip à son intention.

Du coup, l'autre abandonna Goldstein et se planta devant Gilles.

« Répète un peu, salaud ! »

Gilles ne se fit pas prier. Il avait l'habitude de la bagarre ; dans son métier, c'était parfois inévitable.

Il se leva donc de son banc et, sans tergiverser, frappa de toutes ses forces le gros homme au bas-ventre, lequel s'écroula dans un hurlement et porta ses deux mains à l'endroit sensible. Gilles s'acharna sur les deux grosses mains velues, sans écouter les protestations de Linda que, dans le feu de l'action, il n'entendait même pas. Quelqu'un lui lança une chaise qui l'atteignit à la tempe et le jeta au sol. Avant qu'il ait pu se relever, un autre sauta sur lui et lui lança son poing dans la figure. Gilles avait l'arcade sourcilière fendue ; le sang coulait à flots et l'aveuglait. Il ne pouvait même plus se défendre, aussi son adversaire en profita-t-il pour lui assener une série de coups de poing dans la poitrine. C'est à peine s'il pouvait encore respirer lorsque soudain, cette grêle de coups s'arrêta net. Derrière un voile rouge, Gilles aperçut Linda armée de sa chaussure : elle se pencha vers lui. De son talon, elle avait frappé l'agresseur de Philip à la tempe et l'avait mis K-O en une fraction de seconde. Le gars ne faisait plus un mouvement.

Linda souleva Philip, lui donna ses lunettes et son manteau et cria :

« M. Goldstein ! »

Le petit homme tremblait de tout son corps. Linda les entraîna tous deux vers la porte de sortie. Il neigeait toujours à gros flocons. Soudain, elle s'écria :

« Mon Dieu ! Les souliers ! »

Elle repartit en courant vers le bar. Pendant ce temps, Philip fut obligé de soutenir le malheureux Goldstein qui ne tenait plus sur ses jambes. Linda revint à cloche-pied ; elle n'avait pas retrouvé sa chaussure mais brandissait comme un trophée les deux petits souliers d'enfant qu'elle rendit à leur propriétaire.

Puis elle courut sur le Kurfürstendamm. Un taxi arriva à sa hauteur, elle leva les deux bras, la voiture vint se ranger le long du trottoir.

Linda ouvrit la portière et cria à Goldstein :

« Allez, montez. Voici de l'argent ! Demain matin, vous viendrez chez nous ! »

Et au chauffeur de taxi qui faisait la moue, elle déclara :

« Tenez, voici vingt marks pour vous. Excusez-moi, mais il fallait faire vite. Inscrivez notre adresse, vous la donnerez à ce monsieur, et conduisez-le chez lui, à Grünewald, s'il vous plaît.

— Bien, madame », répondit le chauffeur.

Il écrivit l'adresse sur un bloc et démarra prudemment sur la chaussée enneigée.

Linda passa son bras autour de la taille de Philip et l'entraîna dans une petite rue adjacente, obscure et calme. Le malheureux fut obligé de s'appuyer contre le mur, ses genoux lui refusaient soudain tout service. Elle lui frotta le visage avec de la neige, mais le sang ne cessait de couler. Ils entendirent la sirène d'une patrouille de police qui se rapprochait, puis des portes claquèrent et le silence revint.

« Ton attaque avec la chaussure, chérie, c'était du grand art ! dit-il.

— Mon Dieu ! Si tu savais comme je déteste les nazis !

— Ecoute, Linda, nous devrions nous marier », déclara alors Philip Gilles.

« Voilà ce qui s'est passé ce jour-là, madame, conclut Elfi Bellamy, trente-quatre ans plus tard, dans le parc du consul général des Etats-Unis à Berlin.

— Et ensuite ? demanda Miriam au bout d'un instant. Qu'est devenu mon père ?

— Nos deux clients préférés se sont mariés peu de temps après et ils se sont beaucoup occupés de lui. Ils lui ont procuré une belle chambre dans une maison de retraite pour Juifs, à Berlin, et un médecin. Et Mme Gilles est allée voir votre père toutes les semaines. Moi aussi, je suis allée lui rendre visite, mais pas aussi souvent, bien entendu. Il s'est remis très vite de ce nouveau choc, mais, pardonnez-moi de vous le dire, il ne retrouva jamais ses esprits. Il m'a raconté que Mme Gilles était comme une fille pour lui. Il vécut paisiblement dans cette maison, il était presque heureux. Nous prenions le thé ensemble, les petits souliers trônaient sur la commode. Le médecin réussit à le dissuader de faire le tour de Berlin pour essayer de retrouver sa fille. Voilà. En 1962, j'ai fait la connaissance à Saint-Moritz de l'homme qui est devenu mon mari. Nous nous sommes mariés ici, à Berlin, et avons maintenant un fils de vingt-quatre ans et une fille de seize ans. Nous habitons dans la Miquelallee, nous sommes heureux et menons une vie agréable... Mon Dieu, je vous dis ça, à vous...

— Moi aussi, je vais bien et je mène une vie agréable, dit Miriam.

— Vous avez encore votre mère ?

— Oui. Elle vit avec moi, à Lübeck.

— Oh ! Comme je suis heureuse que vous ayez au moins votre mère, madame Goldstein.

— Elle ne peut pas rester seule, et nous avons une gouvernante fidèle et dévouée.

— Votre mère est malade ?

— Elle est aveugle, répondit Miriam. Durant les quatre années que nous avons vécues cachées, c'est à peine si nous avons vu la lumière du jour. A partir de 1945, ma mère a commencé à avoir des problèmes de vue, et ça n'a fait qu'empirer. Elle a été opérée plusieurs fois, mais chaque fois, l'amélioration n'a été que de courte durée. Depuis 1968, elle n'y voit plus du tout. Cela ne l'empêche pas d'être toujours gaie et d'avoir gardé toute sa vivacité d'esprit. Et mon père ? Quand est-il mort ?

— En 1979, répondit Elfi. Au mois de mai. Je suis allée à son enterrement avec mon mari. La direction de la maison de retraite lui a offert une belle tombe au cimetière juif de la Scholzplatz. Ils pourront d'ailleurs vous donner beaucoup plus de détails que moi sur votre père. Linda Gilles aussi est morte, en 1978...

— Oh mon Dieu...

— Oui, une terrible épreuve pour son mari. Nous étions en Amérique à l'époque, et avons appris son décès à notre retour seulement. Ils s'étaient installés aussi à Berlin, à Grünewald, mais leur nom n'était plus dans l'annuaire téléphonique, et quand je suis allée chez eux, j'ai trouvé la maison habitée par des étrangers qui n'avaient pas la moindre idée de la nouvelle adresse de M. Gilles. Charly est mort en 1973, lui, et Oscar en 1976. Ils avaient vendu le bar depuis longtemps. Je ne sais même pas si M. Gilles est encore en vie... Mais il est trop connu pour que son décès passe inaperçu. »

« Mesdames et messieurs, dit une voix claire de jeune fille dans les haut-parleurs de l'avion, nous allons atterrir à Genève. Eteignez vos cigarettes, s'il vous plaît, et accrochez bien vos ceintures. Nous espérons que vous avez fait bon voyage et que nous aurons le plaisir de vous revoir sur nos lignes. Merci de votre attention... »

« Le monde brise l'homme, ce qui endurcit certains et leur donne un regain de forces. Mais ceux qui résistent, ceux qui ne veulent pas se laisser briser, ceux-là, le monde les tue. Il les tue tous, sans distinction, les bons, les courageux, les purs. Si vous n'appartenez pas à cette catégorie-là, vous pouvez être assuré que le monde vous tuera aussi, mais il prendra son temps. »

Etendu dans une chaise-longue devant son chalet, Philip Gilles lisait ce passage d'Ernest Hemingway, lorsqu'il entendit des pas sur le sentier.

Il ôta ses lunettes.

Une femme gracile aux cheveux blancs vaporeux descendait de l'hôtel Bon Accueil. Elle avait un visage fin et de grands yeux sombres, portait un ensemble estival avec col blanc et manchettes blanches.

Gilles se leva.

« M. Gilles ? demanda la dame.

— Oui.

— Je suis Miriam Goldstein. »

Il ouvrit de grands yeux, mais fut dans l'incapacité de prononcer le moindre mot. Une minute se passa, puis Miriam Goldstein s'approcha de lui, lui prit la tête de ses deux mains et le baisa sur le front, les joues et les lèvres.

« Merci ! dit-elle, les yeux noyés de larmes. Je vous remercie du fond du cœur, vous et votre épouse, de tout ce que vous avez fait pour mon père.

— Mais... mais... bredouilla-t-il. Comment... Vous existez vraiment... ? Vous vivez encore... ?

— Oui, répondit-elle à voix basse.

— Et vous êtes là ! C'est... C'est à peine croyable. Quel hasard... ?

— Non, M. Gilles, le hasard n'a rien à voir là-dedans, dit-elle d'une voix grave. Croyez-moi, je suis aussi bouleversée que vous. Puis-je... puis-je m'asseoir ?

— Oh, pardon... »

Il l'entraîna dans la maison, et ils s'installèrent dans les fauteuils, face au « Penseur » d'Ernst Barlach.

Gilles alla chercher deux verres et une bouteille d'eau minérale.

« Il y a six ans que j'ai appris ce que vous avez fait pour lui, reprit Miriam. Et c'est finalement Valérie Roth qui m'a révélé le lieu de votre retraite. Je suis l'avocate de la Société de Physique de Lübeck, M. Gilles.

— Ah bon ! fit-il simplement.

— Il y a six ans qu'une certaine Mme Bellamy m'a parlé de vous et de votre femme, à Berlin. Et de ce qui s'est passé cette fameuse nuit dans le Bar Oscar, sur le Kurfürstendamm. Elle m'a parlé d'Oscar et de Charly, le pianiste. Vous vous rappelez ?

— Oui, bien sûr, dit-il. Ils sont morts tous les deux.

— Tout comme mon père.

— Qui est cette Mme Bellamy ? demanda Gilles. C'est la première fois que j'entends ce nom.

— Mme Elfi Bellamy ...

— Elfi ? La jolie Elfi du bar ? »

Il écarquilla une nouvelle fois les yeux, comme si tout cela lui paraissait irréel.

« Oui. Elfi a épousé un médecin américain dont elle avait fait la connaissance à Saint-Moritz. Je l'ai rencontrée à une réception à Berlin. Mais elle ignorait où vous vous étiez retiré. Six années se sont écoulées avant que j'aie pu enfin vous remercier. Tout est prévu, réglé et ordonné de toute éternité, bien que la majorité des hommes pensent que le monde est absurde et que Dieu n'existe pas.

— Vous croyez en Dieu?

— Oui, M. Gilles.

— Si vraiment il y a un Dieu, il a dû copieusement détester le monde pour l'avoir fait comme il l'a fait.

— M. Gilles ...

— Et vous croyez qu'il y a du bon dans l'homme?

— Oui, je crois qu'il y a du bon dans l'homme.

— Je suis allé à Auschwitz, dit-il, à Hiroshima et en Corée, au Chili et au Vietnam. On m'a envoyé dans toutes les guerres après 1945. J'ai fait la connaissance de spécialistes de la torture et j'ai vu certaines de leurs victimes. Et vous prétendez qu'il y a du bon dans l'homme? Ah! On peut le dire!

— Dans beaucoup d'hommes, oui, M. Gilles.

— Vous qui êtes juive, vous feriez mieux de penser le contraire!

— Moi qui suis juive, je suis bien obligée d'y croire, sinon je ne pourrais pas vivre, après tout ce qui s'est passé et qui se passe chaque jour.

— Ah! d'accord! Si vous considérez votre foi comme un remède thérapeutique...

— Pas seulement. J'y crois vraiment. Les personnes qui nous ont cachées, ma mère et moi, pendant la guerre, toutes celles qui ont résisté aux nazis, à la terreur, à l'injustice et au crime... et il y en a beaucoup, vous savez! Vous et votre femme, vous détestiez aussi le Mal, vous l'avez combattu, et pas seulement contre les nazis. Je connais vos livres.

— Taisez-vous, je vous en prie.

— Non, je n'ai pas encore fini. Je suis venue ici justement pour parler. Sans vous et sans votre épouse, mon père aurait péri cette nuit-là, dans le bar. Vous vous êtes occupé de lui. Charly et Oscar aussi. Et Elfi. Il y en a des millions comme vous, comme eux, de par le monde, M. Gilles. Votre ami Gerhard Ganz a combattu comme vous et comme Markus Marvin les crimes et les criminels, ceux qui se rendent coupables de crimes contre l'humanité.

— Je trouve votre comparaison un peu téméraire!

— Pas du tout. Les gens qui provoquent la destruction de la

102

terre, consciemment, pour leur simple profit, sont des criminels aussi méprisables que les nazis le furent. Markus Marvin est en difficulté. Il faut que je fasse tout ce qui est en mon pouvoir pour qu'il ne soit pas condamné à une longue peine d'emprisonnement.

— Comment cela ?

— Il est accusé de tentative d'homicide.

— Que s'est-il vraiment passé ?

— Mme Roth et Peter Bolling vous raconteront tout cela à Francfort. M. Gilles, il faut que vous écriviez au moins un article sur ce scandale monumental. Maintenant. Tout de suite. Ne serait-ce que pour porter secours à Marvin. Vous connaissez les journaux influents, ils publieront n'importe quoi venant de vous !

— Je n'en suis pas aussi sûr que vous.

— Allons donc. *Il faut* que vous veniez avec moi. C'est une condition de survie... de survie pour le monde entier... Le mot est de Gerhard Ganz. Il parlait souvent de vous.

— Pourquoi ?

— Il voyait en vous un moyen de secouer l'inertie du monde. Car vous avez l'art d'expliquer avec simplicité et d'une façon captivante les choses les plus compliquées. Les écologistes — Robin Wood, Greenpeace — ont pour ennemis des puissances et des intérêts très forts, qui peuvent cacher les informations à la population ou lui en servir de fausses. On prétend alors que les écologistes mentent ou exagèrent. Le commun des mortels ne connaît pas la vérité. Non pas qu'ils la refusent, mais parce que nous ne pouvons pas la leur expliquer comme il convient. Or vous, M. Gilles, vous le pouvez.

— Autrefois oui, peut-être. Mais maintenant, non.

— Oh si ! Je me rappelle de nombreuses conversations avec Marvin, Bolling, le professeur Ganz, Valérie Roth. Nous avons le même problème que tous nos collègues. Certes, nous pourrions nous faire des amis dans certains partis politiques, mais nous perdrions notre indépendance, nous n'aurions plus les coudées franches, vous comprenez ? C'est pourquoi il n'est pas question pour nous de chercher de l'aide dans l'industrie et dans l'Etat... Nous serions exposés à toutes sortes de manipulations, obligés d'apaiser l'opinion publique... Le professeur Ganz ne cessait de répéter que nous ne pouvions faire confiance à personne qu'à nous-mêmes. Et nous avons besoin de quelqu'un qui sache parler aux hommes et les amener dans notre camp, dans notre lutte. " Philip Gilles ", disait souvent Gerhard Ganz. " Si nous l'avions à nos côtés... " Et maintenant, nous l'avons. Me voilà assise devant lui. Il va repartir à Francfort avec moi et écrire... pour sauver Markus Marvin... et nous sauver tous. Il a toujours essayé de venir en aide aux hommes par sa plume.

— J'étais jeune à l'époque, chère madame. Non, c'est impossible, croyez-moi. Je n'ai plus la moindre étincelle d'espoir au fond du cœur.

— C'est faux.

— Non, ce n'est pas faux, dit Gilles. Il faut que je vous donne un livre à lire... *Le Monstre*... Je suis un vieil homme qui ne croit plus qu'à une chose : à la fin de tout.

— Alors, vous ne voulez pas nous aider ?

— Non.

— Vous ne venez pas à Francfort ?

— Je ne viens pas à Francfort. »

6

Le lendemain, 19 août, vers midi, Philip Gilles débarquait au Frankfurter Hof. Le hall de la réception avait été transformé, ainsi que toute une aile de l'hôtel. La suite qu'on lui offrit était fort belle, une véritable symphonie de noir et blanc. Avant de redescendre, il s'était donné le temps de prendre un bain.

Le chef de la réception, Günther Bergmann, vint à sa rencontre. Les deux hommes se connaissaient depuis au moins vingt ans.

« Le monsieur et la dame vous attendent dans le grand hall, M. Gilles, lui dit Bergmann à mi-voix. Permettez-moi de vous accompagner. »

Gilles avait logé au Frankfurter Hof à l'époque où l'hôtel était encore à moitié démoli par les bombardements. Ici, je suis chez moi, se dit-il en suivant Bergmann. « En famille. » J'ai gardé de nombreux amis dans tous les hôtels où je suis allé ; ils connaissent tous Linda... Le grand hall était presque vide. Il y faisait frais, alors que dehors, la canicule rendait l'air pesant. Bergmann le conduisit à une table où l'attendaient en effet un homme et une femme. L'homme se leva aussitôt ; Bergmann s'inclina et s'éloigna discrètement.

« Merci d'être venu, M. Gilles ! Je m'appelle Peter Bolling. Vous connaissez le docteur Valérie Roth, n'est-ce pas ? Maître Goldstein nous rejoindra un peu plus tard. Elle a dû aller au tribunal. »

Gilles s'inclina devant Valérie Roth, puis s'assit. Miriam

104

Goldstein prétend que le hasard n'existe pas, se dit-il. Je suis ici, alors que, pour rien au monde, je ne voulais venir. Quelle force m'a donc poussé ?

Peter Bolling était l'opposé de Markus Marvin : timide, renfermé, réservé, peu bavard.

Un serveur leur apporta du thé. Bolling toussota, puis entra d'emblée dans le vif du problème.

« Bon, M. Gilles, je serai bref. Vous connaissez le paradichlorobenzène, n'est-ce pas ? Le grand producteur chez nous, c'est Bayer. — On avait l'impression qu'il avait brusquement du mal à respirer. — Mais il en existe quatre autres fabricants en Allemagne fédérale. Le paradichlorobenzène est un dérivé dichloré du benzène, c'est un poison violent et un produit cancérigène, qu'il faut évidemment supprimer du marché. Or, cela coûterait trop cher ; aussi en a-t-on fait un facteur de l'économie et le répand-on dans la population au titre d'article d'hygiène, dans la lutte contre les insectes et les odeurs désagréables. Le docteur Roth vous a déjà expliqué au téléphone... »

Bolling se leva, le souffle court, murmura « Excusez-moi » et se dirigea à grands pas vers les toilettes.

« Qu'est-ce qui lui arrive ? demanda Gilles effrayé.

— Il a de l'asthme, répondit la jeune femme. Maladie professionnelle. C'est la raison pour laquelle à quarante-six ans, il est déjà à la retraite. Il a attrapé cela au laboratoire. Il peut rester pendant de longues périodes sans en souffrir, et brusquement, ça le reprend. Il se soigne aux corticoïdes. »

Le serveur s'approcha et demanda :

« Monsieur est souffrant ? Voulez-vous que j'appelle un médecin ?

— Merci, dit Valérie Roth dans un sourire. Ce n'est pas la peine. Merci de votre amabilité. »

Voilà un cas typique de révolte du subconscient, se dit Bolling dans les toilettes de l'hôtel. Epuisé par cette nouvelle crise, il était assis sur un tabouret, sans faire un mouvement. Il suffit que je le voie cinq minutes, ce Philip Gilles, et je ne peux plus respirer. C'était la même chose chaque fois que le professeur Ganz parlait de lui en termes dithyrambiques. Je ne pouvais m'empêcher de freiner son enthousiasme. Je me rappelle...

« Je vous en prie, Professeur, un homme comme vous ...!

— Quoi donc ? avait-il dit, surpris.

— Ce Philip Gilles ! Il ne vous arrive pas à la cheville, voyons !...

— Tais-toi ! Ne dis pas de sottises ! était alors intervenu Markus Marvin.

— Ce ne sont pas des sottises. C'est l'entière vérité.

— Est-ce que, au moins, tu as lu *un* livre de lui ?

— Un *livre* ? Pas une seule ligne ! Et si j'en lis une un jour, ce sera contraint et forcé !

— Ça ne t'empêche pas de le connaître à fond, hein ? avait dit Marvin d'un air ironique.

— Parfaitement, avais-je répondu. Moi aussi, je m'intéresse à la littérature, et je sais tout ce que les critiques ont écrit sur ce Gilles. Ça me suffit amplement ! »

Une grande partie de l'immeuble situé au n° 2 de la Gerichtstrasse était en cours de restauration. Il abritait le tribunal de première instance, le tribunal de grande instance et la cour d'appel. Les couloirs étaient envahis de bruit. Franz Kulicke, huissier de justice, racontait une blague à Gustave, le portier de service.

« Qu'est-ce qu'attrape une femme qui utilise pendant des années une bombe aérosol pour sa toilette intime ?

— Quoi donc ? demanda le portier.

— Un trou d'ozone, dit Kulicke en éclatant de rire.

— Tais-toi, gloussa Gustave. Voilà Goldstein. »

La petite femme aux cheveux blancs portait un ensemble d'été vert clair. Kulicke sortit en courant de la loge.

« Maître Goldstein ! Je vous attendais ! Maître Ritt, le procureur de la République, m'a demandé de vous conduire chez lui dès que vous arriveriez ici.

— Je trouverai bien le chemin **toute seule**, M. Kulicke, dit Miriam Goldstein.

— Allons donc, vous ne trouverez jamais, Maître, avec tous ces travaux ! C'est une vraie misère chez nous. De pire en pire. Aujourd'hui, ce sont les ascenseurs qui ne fonctionnent pas. Voulez-vous me suivre ? — Ils descendirent un long couloir. Kulicke ne pouvait s'empêcher de parler, c'était une vraie manie chez lui. — Nous nous connaissons depuis si longtemps, Maître. Vous ne m'en voudrez pas si je vous dis quelque chose ?

— Mais non, bien sûr, répondit Miriam qui s'attendait à cette question.

— Vraiment ?

— Oui, vraiment, M. Kulicke.

— Vous venez pour ce Markus Marvin, je le sais. Je ne dis rien,

106

vous êtes son avocat, vous ne pouvez pas choisir vos clients. Mais tout de même, c'est un cinglé, avec son eau polluée et son air empoisonné, et tout le saint-frusquin ! Moi, je vous assure, ça commence à me gonfler, toutes ces jérémiades ! Nous détruisons le monde ? Allons donc, ce sont des bobards, bien sûr ! Des mensonges lancés par les Rouges et les Verts ! Ils ne cherchent qu'à faire peur. Vous vous souvenez de toutes ces histoires à propos de Tchernobyl ? A les en croire, la radioactivité avait touché le monde entier ! On ne pouvait plus rien manger, et il ne fallait surtout pas laisser les enfants jouer dans le sable et courir dehors dès qu'il se mettait à pleuvoir ! Que d'âneries ! Rien que des mensonges. Vous connaissez aussi bien que moi les résultats des examens faits par le ministère de l'Intérieur. Normal... Tout à fait normal. »

Miriam Goldstein savait qu'une fois lancé, on ne pouvait plus l'arrêter. Elle ne réagit pas.

« Et la mort des forêts ? Vous avez vu les forêts, le long de l'autoroute ? Non, vitesse limite cent à l'heure, catalyseur et tout et tout, hurlent les gauchistes. Que deviendrait l'industrie automobile si on les écoutait ? Où sont-elles malades, les forêts, si tant est qu'elles le soient ? Là où il n'est jamais passé une voiture ! Bon, c'est la pluie, la pluie acide. Des mensonges tout ça. La pluie acide, vous vous rendez compte ? Les Suisses au moins, ce sont des gens raisonnables, eux ! Ils ne se laissent pas impressionner. Ils ont créé le " Parti des Automobilistes ", qui s'occupe des droits des automobilistes. En Suisse, on trouve des autocollants, j'en ai mis un sur ma voiture. Il est écrit dessus : « Ma voiture roule aussi bien sans forêt. » C'est bon, hein ? fit-il en riant de bon cœur.

— Hum...

— Ou bien, la mort des poissons. J'ai demandé à un professeur qui est en prison pour... Ah ! Je n'ai pas le droit de le dire. Bref, il m'a expliqué que la mort des poissons et des phoques, c'est un phénomène tout à fait normal. Il y en a trop, et la nature régularise elle-même cette surpopulation. Et toutes ces histoires avec le climat, c'est tout simplement de la propagande ! Il y a toujours eu des variations climatiques depuis que le monde est monde. C'est nécessaire ! m'a dit le professeur. Et ces insanités avec le trou d'ozone ! Vous connaissez l'histoire ? Qu'est-ce qu'attrape une femme qui... Oh, pardon, je m'emballe toujours quand je pense à ces Rouges et à ces Verts. La nature a ses propres méthodes de régularisation, m'a dit le professeur. Depuis des millions d'années. Malheur à qui y mettra la patte ! Et la pollution de l'air ? Rien que de la propagande politique. Ce sont eux, les criminels. Qu'est-ce qu'ils veulent ? Le chaos ! La ruine de l'industrie ! Quelques millions de chômeurs en plus ! Et l'extension du communisme, voilà ! Après tout, un professeur, ça sait de quoi ça parle, hein ?

Peter Bolling revint dans le hall de l'hôtel.

« Vous avez vu où j'en suis ?

— Oui, dit Gilles.

— Bah, je ne suis pas le plus à plaindre. Bon. Où en étions-nous ? Donc, l'utilisation des blocs déodorants libère le poison qui pénètre dans les eaux sales et reste en suspension dans les boues de curage. Impossible de le neutraliser. Quarante pour cent des boues de curage sont réutilisées comme engrais et épandues dans les champs ; elles passent ainsi dans la chaîne des produits alimentaires. Le reste va dans les usines d'incinération des déchets. L'incinération libère la dioxine. Vous savez ce que c'est ? Vous avez entendu parler de Seveso ? — Gilles acquiesça. — Le poison le plus nocif qui soit. Mais, transformé en produit manufacturé, il apporte énormément d'argent sur le marché. Même dans l'hygiène des étables et des écuries... Les paysans tiennent à ce que leurs étables aient une odeur agréable. Et nous, nous préférons le lait fabriqué par des vaches heureuses, hein ? Quand on pulvérise ce produit dans les étables, le paradichlorobenzène se mélange aux eaux de nettoyage. Tout le monde est content, le paysan et les vaches ; cette saleté empoisonne les nappes phréatiques et par conséquent, les produits alimentaires. Là n'est pas encore la pire saloperie, loin s'en faut ! Mais ce n'est déjà pas mal, surtout si l'on songe à tous les " produits manufacturés " de cette espèce qui sont encore répandus sur le marché ! »

Valérie Roth enchaîna :

« Et c'est Hilmar Hansen qui fabrique ce poison, vous comprenez, M. Gilles ? Pour les W.-C., pour les cadavres et pour les étables. En gros ! Depuis très longtemps ! En 1984, il a eu une désagréable surprise. *Le Moniteur,* un journal de télévision, publia un article qui expliquait le danger présenté par ces blocs déodorants... »

Gilles regarda les yeux de Valérie ; il se les rappelait bruns, et voilà qu'ils étaient verts.

« ... Il s'ensuivit un scandale. Les gens prirent peur. Alors on mit au point un nouveau produit chimique et on colla sur les

108

emballages la mention : " Ne contient pas de paradichloroben-zène. "

— Je comprends, dit Gilles. Mais pourquoi Marvin a-t-il été emprisonné ?

— Attendez ! Hansen continua comme par le passé à fabri-quer ses produits dangereux. Pourquoi pas, après tout ? Si le marché européen lui échappait, il lui restait le tiers monde, n'est-ce pas ?

— Vous voulez dire qu'ils sont vendus ailleurs, tout simple-ment ?

— Allons, M. Gilles, ne soyez pas naïf, intervint encore Valérie Roth. Tous les enfants savent qu'on peut soutirer des milliards et des milliards en exploitant le tiers monde !

— Parfait, dit-il. Moi qui envisageais justement d'écrire un roman sur le tiers monde. Toutes ces organisations de bienfai-sance. Du pain pour nos frères dans le besoin, et cætera...

— L'ironie est facile, reprit Bolling. Un navire allemand vient d'être arraisonné devant la Somalie. Il portait la bannière de l'Aide aux Pays en voie de développement et était chargé d'armes. Vous l'avez sûrement lu quelque part. On connaît ces us et coutumes depuis toujours. Des paquebots transportant du riz. Et sous le riz, les fusils-mitrailleurs.

— Oui, oui, approuva Gilles. C'est une honte. Est-ce que je pourrais enfin savoir pour quelle raison Marvin a été jeté en prison ?

— C'est partout la même chose ! grogna Valérie Roth d'une voix vibrante d'indignation. Tenez, en Amérique, on a interdit les vaporisateurs, pulvérisateurs, atomiseurs et bombes aérosols de toutes sortes. C'est formidable, hein, si l'on compare avec le merdier — pardonnez-moi ce terme trivial, mais il n'y en pas d'autre — qui règne chez nous. Mais attendez ! Ce n'est pas aussi formidable que ça en a l'air. Car, bien entendu, les Américains continuent à fabriquer des atomiseurs et des bombes aérosols et ils les exportent dans les pays où ils ne sont pas interdits.

— Puisque nous en sommes aux questions fondamentales, M. Gilles, reprit encore une fois Bolling, vous pouvez partir du principe que nous vivons dans un monde qui est détruit à petit feu par des imbéciles et des criminels. Les imbéciles sont un très petit nombre par rapport aux autres. Disons-le clairement : dans le domaine de la morale, personne ne fait de zèle. Vous pouvez considérer cela comme le " principe premier de Peter Bolling ".

Valérie et moi, nous avons déposé plainte sur plainte contre ce Hansen et nous avons engagé des procès, les derniers avec le soutien de Markus Marvin. Tous perdus !

— Voilà pourquoi nous avons besoin de vous, M. Gilles, conclut Valérie Roth. Il existe un argument massue...

— Un argument massue ?

— Oui. Grâce auquel tout est permis et rien ne peut être interdit. Le voici : les emplois. La paix, par exemple, met en danger les emplois. Donc, continuons à livrer des sous-marins sophistiqués au régime raciste de l'Afrique du Sud. Des bombardiers de chasse aux voisins d'Israël, la Jordanie. Des installations nucléaires au Pakistan. Il le faut, sinon...

— Sinon, il y aura une recrudescence du chômage, dit Gilles. C'est évident. Je comprends. C'est d'une logique époustouflante. Mais si enfin vous vous décidiez à m'expliquer pourquoi Marvin est en prison ?

— Laissez-nous vous expliquer d'abord la situation à notre manière, M. Gilles ! s'écria Valérie Roth. Pour que vous compreniez bien le geste de Marvin justement...

— Je vous en prie, madame. Si vous jugez que c'est nécessaire...

— Nous sommes forcés de continuer à extraire la houille à des prix exorbitants, à fabriquer de l'énergie à tour de bras et à empester l'air de gaz carbonique. Fermer les puits de mines ? Vous n'y pensez pas ! Tous ces emplois perdus, il n'en est pas question. Et les centrales nucléaires ? Il ne faut surtout pas les arrêter, et surtout pas non plus renoncer totalement et définitivement à l'énergie atomique ! Que d'emplois perdus ! s'enflamma Valérie Roth. En revanche, dehors les étrangers ! Ils nous volent nos emplois ! Les emplois allemands aux Allemands uniquement ! Dehors les étrangers, rentrez chez vous ! Des lois brutales ? Finies la miséricorde et l'hospitalité ! Fini le vice le plus antinaturel de l'humanité : la charité ! Ils nous coûtent des emplois !

— Hansen fraude le fisc, ajouta Bolling. A coups de milliards ! S'il ne l'avait pas fait, il aurait dû fermer les portes de son entreprise, prétend-il. Tous ces emplois perdus, encore... Ah ! Le brave homme que ce fraudeur du fisc !

— Les emplois, reprit Valérie Roth, il faut les garantir. Quels que soient les désastres que l'on fabrique ! Même si on accélère la fin du monde... Mais oui, parfaitement ! Nous avons deux millions et demi de chômeurs, nous ne pourrons plus jamais revenir en arrière ; au contraire, leur nombre ne fera que croître, disent les experts. Allons donc, c'est ridicule! Nous réglerons aussi ce problème. Nous détruirons l'environnement, de sorte que les hommes tomberont comme des mouches, tués par l'air empoisonné, l'eau empoisonnée, la nourriture empoisonnée.

— Et grâce à cette méthode géniale, le nombre des chômeurs ira en diminuant et le nombre des emplois en augmentant. Pour finir, il n'y aura plus un seul chômeur, dit Bolling, et un nombre infini d'emplois à pourvoir. Devrons-nous aller jusque-là?

— Le plus grand destructeur de l'environnement n'est pas un criminel s'il respecte les emplois, dit Valérie Roth, ses yeux verts brillait d'un éclat passionné.

— Voilà pourquoi il faut supprimer celui qui dénonce les crimes, et non pas celui qui les commet! conclut cette fois Peter Bolling. Dire que ce monde pourrait être si différent, ajouta-t-il d'une voix amère. Il y a longtemps que nous aurions pu nous orienter vers une autre forme d'énergie. L'énergie solaire par exemple. Mais voilà, c'est impossible. C'est prématuré! Ces systèmes ont encore besoin de mûrir. Les emplois seraient en danger. Il n'en est pas question!

— L'énergie solaire? demanda Gilles.

— Oui, dit Valérie Roth. La seule et unique source d'énergie acceptable pour l'avenir — si tant est que nous puissions avoir un avenir. Mais l'argument des emplois et du chômage tue toute initiative dans ce sens. Voilà pourquoi Hansen a le droit d'exporter ses poisons vers le tiers monde. Imaginez un peu, M. Gilles, qu'il ait dû fermer les portes de ses usines! Combien d'emplois perdus? Un emploi maintenu est mille fois plus important qu'un travailleur en bonne santé, plus important que les chocs climatiques, plus important que l'apocalypse! Voilà pourquoi nous avons encore une fois perdu notre dernier procès contre Hansen. Markus était désespéré. »

« Encore quelques marches, Maître, et nous y sommes, dit Franz Kulicke à Miriam Goldstein. Que de changements chez nous, n'est-ce pas? Depuis dix ans, mon Dieu! Et maintenant! Ce cinglé, votre Markus Marvin — vous ne m'en voulez vraiment pas? — le voilà à la prison de Preungesheim. Une gigantesque prison préventive. Vous ne la connaissez pas? C'est bien ce que je pensais. Une aile pour les hommes, une aile pour les femmes. Une seule entrée. Les femmes occupent actuellement l'ancienne aile de la Gestapo. Ils ont beau tout bombarder, chez nous, les prisons s'en sortent toujours! Les juges et les procureurs qui la connaissent ne sont pas nombreux, allez ! On organise de véritables visites guidées maintenant, pour qu'ils voient à quoi ressemble une prison préventive. Sinon, on fait venir ici les détenus, dans les paniers à salade verts. Ils aiment ça, les prisonniers. Ça les change de l'ordinaire, ils voient du pays. Pourtant, ils ne méritent pas ce petit plaisir, ces apaches. Enfin, que voulez-vous, nous vivons en démocratie. Il commence à être temps qu'un gars à poigne vienne chez nous pour y mettre un peu d'ordre ! »

« Il a fallu transporter Hansen à l'hôpital, après cette bagarre ? demanda Gilles

— Plutôt ! répondit Valérie Roth. Pour quatre ou cinq semaines au moins !

— Mes félicitations ! dit Gilles. On peut imaginer en effet à quel point il était désespéré, votre Marvin. Et où cela s'est-il passé ?

— Chez lui, chez Hansen, répondit Bolling. On ne l'a jamais laissé pénétrer dans l'usine. La jeune fille qui lui a ouvert la porte n'était au courant de rien. Markus est allé directement dans la pièce où il entendait des voix. Dans la salle de séjour. Il a trouvé Hansen en conférence avec deux de ses chefs de service. Ils ont voulu le chasser immédiatement, mais sans succès. Marvin est très fort, vous savez !

— Il s'est battu contre les trois hommes à la fois, poursuivit Valérie Roth, mais n'a frappé que Hansen. Les deux autres, il s'est contenté de les écarter chaque fois qu'ils approchaient trop près de lui. Bien sûr, il y a eu un échange de paroles blessantes. C'est pourquoi il a été accusé de tentative d'homicide volontaire.

— Comment cela ?

— Oui. Markus a crié : " J'aurai ta peau ! "

— C'était une façon de parler, bien sûr ! intervint Bolling.

— Vous en êtes certain ?

— Oh, M. Gilles ! Vous connaissez Marvin. Il s'emporte facilement, il est très susceptible aussi, mais extrêmement sensible.

— C'est vrai, admit Gilles.

— Un idéaliste sensible. Il ne mettrait pas sans arrêt sa vie en jeu s'il ne l'était pas. Maître Goldstein veut justement insister sur ce point avec le procureur de la République. Lorsqu'il filmait des documentaires et qu'il était membre de la commission de surveillance atomique, il a eu tant de revers, il a vu tant d'horreurs, de destruction de la nature, des hommes et des animaux, provoquée uniquement par l'âpreté au gain, que depuis il est incapable de se comporter comme il est d'usage à la Cour d'Angleterre. Là où règne la violence, on ne peut répondre que par la violence, il s'en est bien rendu compte.

— Et Berthold Brecht avant lui, glissa Gilles.

— Oui, approuva Valérie Roth. Soyons objectifs : si Markus a attaqué Hansen, c'est pour des motifs parfaitement honorables. Hansen est l'un de ces industriels sans scrupules auxquels pas un seul procureur n'osera toucher ! Au fond, ce qu'il fait n'est pas plus répréhensible que ce que font les autres. Les plus condamnables, ce sont les procureurs, ou plutôt les instances qui dictent leur conduite aux procureurs.

— Le malheur, c'est que Hansen est tombé lourdement par terre, dit Bolling. Et la plupart de ses blessures ont été provoquées par cette chute.

— De quoi souffre-t-il ? demanda Gilles.

— Trois côtes cassées, deux dents sautées, l'œil gauche au beurre noir, une fracture de la clavicule, une déchirure de ligament à la cheville et de nombreux hématomes.

— Ce n'est pas mal pour un seul homme, dit Gilles. Il n'a vraiment pas eu de chance, ce M. Hansen. »

Miriam Goldstein était à bout de souffle lorsque son guide s'arrêta devant une porte et lui dit :

« Nous y voilà, Maître. »

Une plaque clouée au mur indiquait : ELMAR RITT, PROCUREUR DE LA REPUBLIQUE.

Kulicke ouvrit la porte de la salle d'attente, celle du bureau était entrebâillée. On entendait une voix d'homme, Ritt devait être en train de téléphoner.

L'huissier avança de quelques pas et annonça la visiteuse.

« Je lui demande deux minutes seulement, répondit le procureur. Dans deux minutes, je suis à elle. »

Miriam s'assit dans l'un des fauteuils de faux cuir, tandis que Kulicke s'esquivait avec un dernier sourire.

« ... Ça s'appelle un " test aryen[4] ", monsieur le procureur général. Parfaitement, un " test aryen " ! Nous sommes en train de procéder à une enquête sur une tentative d'agitation populaire. Malheureusement, toujours contre " inconnu ". Nous avons déjà obtenu une décision de réquisition des logiciels de ce... j'hésite à le dire... de ce jeu... Oui, apparemment, vous avez les mêmes problèmes à Munich que nous à Francfort. Nous avons mis la

113

main sur huit cent soixante-quatre disquettes pour micro-ordinateur qui ont été distribuées en sous-main. Elles sont utilisables sur les appareils les plus simples, à la portée de n'importe quel enfant. Ce jeu du " test aryen " consiste à trouver le nombre de points obtenus par les réponses à vingt questions, concernant par exemple le lieu de naissance, la couleur des cheveux et des yeux, si l'on vote pour le NSDAP, pour le parti populaire juif ou pour les Verts. — La voix du procureur se fit de plus en plus forte. — Les Juifs repérés par ce sale calcul électronique sont voués à l'" anéantissement en camp de concentration ", les métis au premier ou deuxième degré sont envoyés sur le front oriental. Quant à ceux qui sont déclarés " purs Aryens ", ils voient apparaître sur l'écran le texte suivant : BRAVO ! LA NATION A BESOIN D'HOMMES COMME TOI ! »

Moi qui ai encore foi dans l'homme, se dit Miriam dans la salle d'attente. Allons, surtout, ne pas désespérer. Continuer à croire. A croire...

Pendant ce temps, la voix poursuivit son discours de l'autre côté de la cloison.

« ... L'Office national d'inspection de Bonn a placé ce " test aryen " sur la liste noire, car il est dangereux pour la jeunesse... Non, la possession de la disquette n'est pas pénalisable, vous avez raison, monsieur le Procureur général. Seuls sont répréhensibles son enregistrement et sa diffusion. Mais cela se passe dans la clandestinité. Nous n'avons pas la moindre piste. Un seul père de famille inquiet nous en a fait parvenir un exemplaire... anonyme... Nous avons trouvé les huit cent soixante-quatre autres dans un dépôt, mais personne là-bas ne peut, ou ne veut, nous donner de renseignements. Nous ne savons rien. Nous avons lancé un avis... Vous aussi ? Parfait... Oui, pour la presse... Entendu... D'accord... »

Miriam entendit un siège racler le plancher. Des pas s'approchèrent, un homme jeune et mince apparut. Il avait un visage ouvert qui respirait la bonté. Malgré la climatisation, il semblait souffrir de la chaleur.

« Maître... »

Miriam se leva.

« Vous avez entendu ?

— Oui.

— N'est-ce pas une infamie ?

— Oui, certainement.

— Une infamie sans nom !

— Cela vous étonne ? ne put s'empêcher de dire Miriam qui, décidément, s'emballait aussi comme une soupe au lait.

— Quoi ? demanda Ritt en écarquillant les yeux.

— Non, rien, dit-elle. C'est tout simplement infâme, vous avez raison. »

Du calme, se dit-elle. Ritt est sûrement un homme honnête, il ne faut pas le décourager. Ménage-le.

« Vous voulez venir dans mon bureau, madame ? » dit le procureur.

Et, tout en s'asseyant à sa table de travail, il soupira :

« Dans quel monde vivons-nous ? — Au dehors, les marteaux-piqueurs secouaient tout le quartier. — Excusez-moi, lorsque j'ai téléphoné au Frankfurter Hof, vous étiez déjà partie.

— Je suis venue à pied, dit-elle. Pourquoi avez-vous téléphoné ?

— Pour vous éviter le dérangement.

— Je ne comprends pas. Nous devions parler de Markus Marvin.

— L'affraire est classée.

— Classée ?

— Oui. De l'hôpital, M. Hansen a fait dire qu'il n'éprouvait aucun ressentiment contre Markus Marvin et qu'il ne se sentait pas attaqué par lui. Que Marvin n'avait jamais crié " J'aurai ta peau ". Et ses deux collaborateurs ont fait une déposition analogue il y a une demi-heure. Autrement dit, il nie tout, la fracture de la clavicule, l'œil au beurre noir, les hématomes.

— Et les cinq semaines d'hôpital ? riposta Miriam sans cacher son étonnement.

— Et les cinq semaines d'hôpital aussi, répondit Ritt. Bien sûr, il y a quelque chose de pas très net là-dessous ! s'écria-t-il. Excusez-moi, Maître...

— Vous êtes à bout de nerfs, dit Miriam.

— Pas vous ?

— Mon Dieu, je suis beaucoup plus âgée que vous. J'ai perdu l'habitude de crier.

— Je n'y crois pas.

— Vous devez néanmoins juger l'agression de mon client, bien entendu ?

— Oui, dit-il. Même s'il n'y a pas de plainte. Il s'en tirera avec une simple contravention. »

Le téléphone sonna. Ritt prit l'appareil et se leva presque aussitôt.

« Quand ? » demanda-t-il d'une voix complètement changée.

115

Il écouta la réponse, puis reprit :

« Vous avez prévenu la police judiciaire ? — Nouvelle pause. — Je ne sais pas non plus comment cela a pu être possible ! se mit-il à crier de nouveau. Bien, j'arrive tout de suite. »

Il reposa d'un geste brutal l'écouteur et prit son veston.

« Que se passe-t-il ? demanda Miriam Goldstein.

— Markus Marvin est mort, déclara Elmar Ritt. Empoisonné. Quelqu'un a glissé du poison dans son assiette. »

7

Quelques nouvelles d'actualité ...

Première catastrophe écologique dans l'Antarctique : Sur la route Bismarck, près de la pointe nord de l'Antarctique, le paquebot argentin *Bahia Paraiso* sombre avec son chargement de neuf cent mille litres de diésel. Dès les jours suivants, on commence à enregistrer la mort massive d'oisillons de toutes les espèces ; les petits meurent de faim parce que les parents ne trouvent plus de nourriture dans l'eau contaminée par le pétrole. De même, les nids des pingouins sont emprisonnés dans la nappe de pétrole, et les animaux condamnés à mort par dizaines de milliers. Les experts scientifiques prévoient que la flore et la faune de cette région du globe mettront au moins cent ans à se régénérer, étant donné les températures extrêmement basses qui y règnent.

Par suite de la haute toxicité de l'air, la ville de Genève prend une première mesure énergique : elle décrète une interdiction partielle de la circulation automobile. Les voitures dépourvues de catalyseur sont obligées de rester au garage un jour sur deux, suivant le système des numéros pairs et impairs.

La revue soviétique *Sotsialistitcheskaïa Indoustria* annonce que l'air et l'eau de Moscou souffrent de « pollution chronique » ; que la concentration de dioxyde d'azote dans la capitale soviétique se situe à trente pour cent au-dessus des normes maximales autorisées ; que la proportion de monoxyde de carbone est deux fois plus forte que celle prévue par les « normes de sécurité » ! Selon ces indications, l'eau de Moscou n'est plus potable.

116

A Milan, on n'enregistre que quelques millimètres de pluie depuis plus d'un an. Une brume constante enveloppe la métropole de près de deux millions d'habitants. Cette situation météorologique dite de couche d'inversion, aggravée par la staticité de l'air, entraîne la formation d'un épais nuage de poussière qui plane sur la ville. Les deux tiers de la population portent des masques de protection sur le visage, les agents de police refusent d'ôter leur filtre respiratoire pour donner des renseignements, et dans les salles de classe, on ne perçoit plus que des murmures indistincts, les voix des enfants étant étouffées sous les masques. On a collé des affiches sur les murs des immeubles demandant instamment la réduction des appareils de chauffage. La radio et la télévision donnent des conseils pour la protection de la santé. A la périphérie, les agents de la circulation refusent l'entrée de la ville aux voitures qui ne sont pas immatriculées à Milan.

Voici quelques réactions des habitants de la ville au micro des chaînes de télévision :

« J'ai la voix enrouée depuis six mois, dit le portier de l'hôtel Dei Fiori, situé à l'entrée de l'autoroute des Fleurs qui mène à la Riviera. Et je n'arrive pas à m'en guérir. »

Le propriétaire d'un kiosque situé derrière la Scala :

« Je ne me sens plus jamais bien. Comment pourrais-je savoir si l'air est particulièrement pollué aujourd'hui ? »

Plusieurs marchands de souvenirs dans la zone piétonnière qui entoure la cathédrale exhibent des plaies béantes et des pustules sur la peau. L'un d'eux a même une véritable éruption épidermique.

« La saleté vient d'en haut et nous tombe sur la tête ; elle se glisse partout, même dans les rues interdites aux voitures. De toute façon, elle est produite en majeure partie par les cheminées des usines. »

Y en a-t-il un — un seul ? — qui crie de peur ou de colère ? Allons donc !

Dans le secteur qui entoure la fabrique de plutonium de Windscale — dont on a changé le nom aujourd'hui en « usine de recyclage du combustible irradié » de Sellafield pour des raisons de « public relations » —, situé au nord de l'Angleterre, la radioactivité est cinq fois plus élevée que le taux autorisé par les normes de sécurité. Cette révélation faite par « Les Amis de la Terre » est fondée sur les résultats de tests au sol effectués par cette organisation écologique à proximité du fleuve Esk. Les résultats ont montré également une haute teneur en césium et en américium 241, ainsi qu'une forte radiation de rayons gamma.

Aucune mesure n'a été prise par les autorités.

« Deux ans après la catastrophe du réacteur de Tchernobyl, le nombre des cancers a doublé dans les régions environnant la centrale nucléaire, qui n'avaient pas été évacuées à l'époque », annonce l'agence Tass. La radioactivité se situe encore maintenant à un niveau considérablement plus élevé que le niveau autorisé. On observe également une croissance alarmante du taux de fausses couches et de difformités parmi les enfants et les animaux domestiques.

Texte original de « Zeit im Bild », principal journal télévisé autrichien du soir.

La voix du speaker : Pour la première fois, les autorités tchèques reconnaissent ouvertement une catastrophe naturelle. Jusqu'à présent, la pollution des nappes phréatiques et l'agonie des forêts étaient des thèmes proscrits. Aujourd'hui, on fait des enquêtes et on publie des rapports sur l'état de la flore et de la faune dans les Riesengebirge, lesquels sont propres à donner le frisson. On y parle de « forêts qui sont déjà mortes ».

Le ministre ouest-allemand de l'Environnement, Klaus Töpfer, accorde au « Guignol de Cologne », Werner Bach, patron des Marionnettes de Höhenhauser, une subvention de deux cents marks par représentation (à raison de deux cents représentations par an) pour le remercier de prôner partout la propreté de l'environnement, dans les écoles et les jardins d'enfants, dans les grands magasins et les associations. A l'heure actuelle, Werner Bach, qui dirige cet ensemble depuis plus de trente ans, est en tournée avec une pièce d'une heure, intitulée *La Joyeuse Poubelle*, dont voici un extrait :

> « Nous ne jetons pas dans les coins,
> Pas plus que dans la rue,
> Papiers, saletés et ordures.
> Ça ne nous amuse point.
> A la poubelle, tout cela, avec les poussières !
> Voilà la véritable protection de la nature ! »

118

8

Police secours, toutes sirènes hurlantes.

La voiture fonça à toute allure vers le nord, passa devant l'interminable cimetière communal et prit la direction du quartier appelé Preungesheim. De loin, on distinguait les bâtiments gigantesques de la prison préventive, à gauche les hommes, à droite les femmes.

Le grand portail était ouvert. Le fourgon entra en trombe et s'arrêta net dans la cour. La sirène se tut. Cinq autres voitures de patrouille s'y trouvaient déjà, escortées d'une douzaine d'agents, certains armés de fusils-mitrailleurs. Une voiture des pompes funèbres et une autre du service d'anthropométrie judiciaire équipée d'une multitude d'appareils étaient garées dans un coin.

Les battants du portail se refermèrent aussitôt.

Elmar Ritt, le procureur de la République, vêtu d'une blouse blanche par-dessus son polo rouge, sauta de son siège. Un jeune homme portant deux sachets de plastique dont Ritt ne put identifier le contenu se dirigea vers la voiture du service d'anthropométrie.

« Bonjour, M. Ritt.

— Bonjour. Qui dirige la commission de la PJ ?

— Le commissaire en chef Robert Dornhelm. Un de vos amis, n'est-ce pas ?

— Oui. Où est-il ?

— Dans le bureau du directeur.

— Merci. »

Ritt se sauva en courant et s'engouffra dans le bâtiment de la prison préventive.

En 1932, l'Allemagne comptait six millions de chômeurs ; c'est ce nombre fabuleux qui permit à Hitler de réunir tant de partisans. « Je vous apporte du pain et du travail ! » Cependant, il ne serait sans doute pas parvenu au pouvoir si les socio-démocrates, les communistes et les libéraux avaient fait front contre lui. Malheureusement, les partis de gauche à cette époque-là menaient une violente guerre interne. Tous les jours, des combats de rue éclataient dans tous les coins du pays. La plupart du temps, les nazis en sortaient vainqueurs ; il y eut beaucoup de morts et de blessés.

Paul Dornhelm, mécanicien de précision à Francfort, faisait

partie de ces six millions de chômeurs. Il avait une femme et un fils de deux ans, Robert. La famille vivait dans une misère noire. Bien souvent, il n'y avait rien ou presque rien à manger ; on leur coupait fréquemment l'électricité, l'eau et le chauffage parce qu'ils n'avaient pas l'argent nécessaire pour payer les factures. Le père du petit Robert était désespéré.

Le soir du 9 mai 1932, Paul Dornhelm sortit de chez lui sans dire où il allait, et il ne revint plus jamais. La mère déposa un avis de disparition au commissariat de police le plus proche et l'on fit des recherches pour retrouver le disparu... sans succès.

Jamais on ne réussit à faire la lumière sur cette disparition : Paul avait-il péri au cours d'une rixe ou purement et simplement abandonné sa famille par désespoir ou lâcheté ?

En fait, le père de l'homme qui devint le patron de la police judiciaire I de Francfort-sur-le-Main s'était décidé en 1929 à entrer au parti communiste. Dans la nuit du 9 mai 1932, il y eut neuf agressions violentes entre communistes et nazis à Francfort. Paul Dornhelm pouvait très bien avoir été l'une des nombreuses victimes. Sa femme ne se résigna jamais à la perte de son mari. Tous les soirs, lorsqu'ils disaient ensemble leur prière, elle et son fils suppliaient Dieu de protéger Paul. Elle réussit néanmoins de justesse à survivre et à entretenir le petit Robert en faisant un travail très dur et très mal payé.

« Mais où est donc Papa ? » demandait souvent Robert.

Et sa maman répondait invariablement :

« Tu sais bien, je suis allée à la police. La police le cherche, mon trésor. »

A l'âge de cinq ans, Robert Dornhelm décida d'entrer dans la police, lui aussi, pour retrouver son père et pour pouvoir, au cas où il lui serait arrivé malheur, châtier comme il convenait ceux qui en portaient la responsabilité.

Au moment où Ritt arrivait à Preungesheim, Miriam Goldstein rentrait dans sa superbe suite à l'hôtel Frankfurter Hof. Le procureur lui avait promis de lui téléphoner.

Incapable de rester tranquillement assise dans un fauteuil, Miriam faisait les cent pas, puis s'étendait un instant sur le divan, se relevait, s'approchait de la table basse couverte de journaux qu'elle n'avait pas encore ouverts. Elle essaya d'en lire un, sans y réussir ; elle était trop bouleversée par l'annonce de la mort de Markus Marvin pour pouvoir se concentrer, et se contentait de les feuilleter. Brusquement, elle tomba sur une annonce qui occupait une page entière.

Les deux tiers supérieurs de la page présentaient en gros plan le globe terrestre, avec l'Europe, l'Afrique, certaines parties de la Russie occidentale, l'est de l'Amérique du Nord et toute l'Amérique du Sud. Un large anneau évoquant un pneu d'automobile courait autour du globe ; il portait ces mots : FLUIDE PROPULSEUR DÉPOURVU DE CHLORO-FLUORO-CARBONES. Dans le troisième tiers inférieur de la page, on pouvait lire en grandes lettres, sur deux lignes et sur toute la largeur de la feuille :

SUCCÈS POUR LE MINISTRE DE L'ENVIRONNEMENT KARL TÖPFER
BOMBES AÉROSOLS SANS CHLORO-FLUORO-CARBONES

Au-dessous de ce titre impressionnant s'étalait le texte suivant, sur deux colonnes :

« Les fabricants allemands d'atomiseurs et de bombes aérosols réagissent plus vite qu'il n'avait été prévu dans le protocole international de Montréal sur l'ozone. Dès 1987, on a commencé à supprimer totalement le fluide propulseur aux chloro-fluoro-carbones des bombes à laque pour les cheveux et des déodorants en atomiseurs parce qu'on le soupçonnait de détruire la couche d'ozone. Depuis un an, les firmes [suivaient ici les noms de sept usines connues fabriquant des produits cosmétiques] ne livrent plus sur le marché que des produits dépourvus d'hydrocarbures, que l'on reconnaît à un signe particulier. Il est à espérer que les citoyens conscients des précautions à prendre pour la protection de l'environnement feront bon accueil à ces produits propres, d'autant plus que leur présentation sous forme d'aérosol n'a pas changé. »

Une petite bouteille de ce genre était dessinée entre les deux colonnes de l'article, avec, en guise de « signe particulier », la reproduction en petit format du globe portant le slogan : FLUIDE PROPULSEUR DÉPOURVU DE CHLORO-FLUORO-CARBONES sur l'anneau.

Miriam Goldstein examina de plus près cette page publicitaire étrange. Tout d'abord, un coup d'encensoir au ministre de l'Environnement. Puis « plus vite qu'il n'avait été prévu dans le protocole international de Montréal sur l'ozone »... Et ça continue : « Depuis un an »... On chante alors les louanges de sept firmes dont les noms s'étalent en toutes lettres. Pourquoi avoir attendu une année entière ? Et enfin, cet appel à la faveur des consommateurs : « Les citoyens conscients »... La peur de faire une mauvaise affaire ? Etrange, en vérité.

Miriam feuilleta tous les journaux qui traînaient sur la table, et elle retrouva la même page publicitaire dans chacun d'eux. Elle songea aussitôt à la lettre ouverte écrite par Peter Bolling pour le *Stern* et dans laquelle il s'adressait aux patrons de Hoechst et de Kali-Chimie en leur demandant de protester contre la production de chloro-fluoro-carbones, dont le volume était tenu secret. La lettre de Bolling ne parlait ni de « laque pour les cheveux » ni de « déodorants ». Il prévenait seulement ses « chers collègues » que s'ils pouvaient encore, eux, sauver leur peau, leurs enfants et petits-enfants ne le pourraient plus. Et il avait terminé sa lettre par ces mots : « C'est la simple survie de l'humanité qui est en jeu. »

Que signifiaient ces annonces publicitaires célébrant avec enthousiasme les sept firmes productrices de produits cosmétiques qui avaient supprimé toute trace d'hydrocarbures de leur laque à cheveux et de leurs déodorants ? Et pourquoi ceci représentait-il un succès pour le ministre de l'Environnement ? Kali-Chimie et Hoeschst, par exemple, ne faisaient pas partie de ce club des Sept.

L'avocate continua à feuilleter les journaux et finit par trouver dans le *Süddeutsche Zeitung*, à la page des commentaires, un article sur deux colonnes intitulé : TÖPFER PRIS DE VITESSE PAR LES POLLUEURS.

« Trop tard et trop peu, voilà le côté tragique de la politique de l'environnement. L'industrie a — comme il est annoncé fièrement dans des pages de publicité de grand format — presque entièrement débarrassé les bombes aérosols du fluide propulseur à base d'hydrocarbures. Mais pourquoi passer sous silence les autres utilisations de ce poison, qui sont tellement plus importantes ? Le fluide frigorigène et les carburants gazeux demeurent ! Quant aux produits chimiques de remplacement, ils réchauffent également l'atmosphère terrestre... »

Et combien d'atomiseurs de type ancien sont-ils exportés maintenant vers le tiers monde ? se demanda Miriam.

« Töpfer, le ministre de l'Environnement, a pour objectif de limiter l'utilisation globale des hydrocarbures à dix ou cinq pour cent d'ici 1995... »

Allons, une fois de plus un délai de plusieurs années, au lieu d'une interdiction immédiate, se dit encore Miriam.

« Le gouvernement est toujours très fort pour publier des déclarations. Pourtant, malgré ses pronostics maintes fois répétés depuis des années, la pollution de l'air, par les dioxydes toxiques par exemple, n'a fait qu'augmenter en Allemagne au lieu de diminuer. La cause ? La vitesse toujours croissante d'un nombre de camions et d'autos toujours croissant, dépourvus de catalyseurs réglementaires... Le marché européen de la libre circulation des camions de tous les pays à travers la République allemande sera une catastrophe inestimable pour l'environnement, s'il ne se produit pas immédiatement un changement de cap au niveau politique[5]... »

Miriam Goldstein, cette fois s'était installée dans le fauteuil blanc et observait calmement les nombreuses tours illuminées des banques de la city. Elle se demandait qui pouvait avoir une raison d'attenter aux jours de Markus Marvin, et il lui vint immédiatement une foule de noms à l'esprit. Ah oui ! une foule de noms...

Le commissaire en chef Robert Dornhelm, auquel le directeur de la prison avait cédé son propre bureau, était un homme grand et fort affublé de lèvres violettes. Contrairement à tout ce que l'on pensait autour de lui, cet homme de cinquante-huit ans avait un cœur très solide et en excellent état. La pièce qu'il occupait était meublée comme peut l'être le bureau d'un avocat célèbre ; seul détail gênant : de lourdes grilles derrière les fenêtres coupaient la vue. Une rose rouge dans un joli vase de cristal donnait une note personnelle à la table de travail.

Malgré la chaleur — il n'y avait pas de climatisation dans ce bureau —, le commissaire en chef portait un complet gris anthracite, une chemise à rayures blanches et vertes et une cravate vert foncé ornée d'un petit écusson couleur or brodé à la main.

Soudain la porte vola.

« Que se passe-t-il encore ici, Robert ? hurla le bouillant procureur de la République hors de lui. Est-ce que la Mafia se serait aussi emparée de la boutique ? »

Le commissaire haussa les épaules, et Ritt continua à tonitruer.

« Ce Marvin, il partageait sa cellule avec Engelbrecht, n'est-ce pas ? Avec Herbert Engelbrecht, ce salaud de trafiquant d'armes. Lequel évidemment reçoit des repas gastronomiques de son hôtel. Par autorisation de son procureur. Philanthrope comme il l'est, ce mercanti, il n'a pas pu supporter que le pauvre Marvin soit obligé de se contenter du rata de la prison, n'est-ce pas ? Et il l'a invité à partager son festin. Que Marvin accepte avec joie, j'imagine. J'en aurais fait autant à sa place, moi. Donc ils ont droit tous les deux à un régime spécial. Et au téléphone, le directeur m'a dit que le poison se trouvait dans la nourriture...

— Oui, mais..., commença Dornhelm doucement.

« — Alors ! — Ritt ne contenait plus sa colère. Il était en nage. — Alors, pourquoi ce philanthrope d'Engelbrecht n'est pas empoisonné et mort, lui aussi ?

— Il l'est. Raide mort.

— Ah ! La justice divine. Mais fais gaffe maintenant : les repas étaient toujours portés ici par une voiture de l'hôtel, hein ? Avec bouteilles et récipients thermos ?

— Ecoute, mon vieux... »

Dornhelm haussa de nouveau les épaules, sans rien ajouter. Sa parfaite maîtrise de lui et sa patience proverbiale étaient, aux yeux de nombre de ses collègues, la principale raison de sa réussite professionnelle.

« L'homme qui les apporte, poursuivit Ritt sur le même ton, confie les récipients au portier et les reprend le lendemain, en livrant le repas suivant. C'est bien ça, hein ?

— Elmar ! cria soudain Dornhelm.

— Ne crie pas ! hurla Ritt. Donc l'homme ne pénètre jamais dans la prison ! Les récipients sont pris en charge par un de nos employés et un homme à tout faire les porte dans la cellule de Marvin et d'Engelbrecht, en compagnie d'un collègue ou d'un prisonnier. Tous les prisonniers doivent prendre leurs repas dans leur cellule. Les repas sont contrôlés de façon très superficielle... Tu peux chercher ici le meurtrier de Marvin jusqu'en l'an 3000, tu ne le trouveras jamais, je te le dis, moi, avec tous ces travaux ! »

Dornhelm se remit à crier à son tour.

« Boucle-la à la fin, merde alors ! Ton Marvin n'a même pas été empoisonné ! Il est en pleine forme !

— Quoi ?

— Il vit, ton Marvin, il ne lui est rien arrivé, à lui, voilà ! »

Le téléphone sonna dans le salon de Miriam Goldstein, à l'hôtel Frankfurter Hof. Elle souleva l'écouteur.

« Allô ?

— Oh ! Maître Goldstein ! dit une voix de femme en français. C'est formidable !

— Qu'est-ce... qu'est-ce qui est formidable ? demanda Miriam, également en français.

— De vous trouver si rapidement. M. Vitran m'a dit que vous étiez aujourd'hui à Francfort. Le Frankfurter Hof est le premier hôtel que j'appelle, et j'ai la chance de vous trouver du premier coup ! Puis-je vous mettre en communication avec M. Vitran ?

— Bien sûr, Isabelle. »

124

— Ne quittez pas ! »

Une voix masculine prit aussitôt la relève.

« Ici, Gérard Vitran. Bonjour, Miriam !

— Bonjour, Gérard.

— Vous êtes déjà allée au tribunal ?

— Oui.

— Et alors ?

— Gérard, notre ami Markus Marvin est mort.

— Non ! cria-t-il épouvanté.

— Si, dit Miriam.

— Mais, pour l'amour du ciel, Miriam, pourquoi ? Que s'est-il passé ?

— Il a été empoisonné.

— Mais... je croyais qu'il était en prison ?

— Il a été empoisonné dans la prison. »

Elle l'entendit répéter la phrase, et deux voix de femmes se mirent à parler en même temps.

Puis Gérard Vitran revint au téléphone.

« Ecoutez, Miriam, mais c'est... c'est affreux. Pourquoi l'a-t-on tué ?

— Je n'en ai pas la moindre idée, répondit-elle. J'étais justement chez le procureur de la République, Elmar Ritt, quand la nouvelle lui a été communiquée par téléphone. Ritt était bouleversé, il est parti immédiatement pour la prison située à la périphérie de Francfort, et m'a demandé d'attendre des nouvelles ici, à l'hôtel.

— C'est effroyable. Incompréhensible. On en est donc déjà là ?

— Comme vous le voyez...

— Bon. Nous prenons le premier avion pour Francfort, Miriam ! Restez à l'hôtel, je vous en prie, ou laissez un message si vous sortez. Je ne connais pas les horaires de vol, mais nous serons auprès de vous d'ici quelques heures ! »

« Qu'est-ce que ça veut dire : Marvin vit ? demanda Elmar Ritt.

— Il était tellement sidéré qu'il en retrouva un débit normal. — Au téléphone...

— Oui, l'interrompit le commissaire en chef. Cet idiot de surveillant s'est contenté d'indiquer au directeur le numéro de la cellule lorsqu'il a annoncé l'événement. Le directeur savait que cette cellule était occupée par Marvin et Engelbrecht ; aussi a-t-il appelé immédiatement le procureur d'Engelbrecht et celui de Marvin, donc toi, pour leur annoncer la mort de leur client. Je regrette de t'avoir donné une telle émotion, mon petit, ajouta Robert Dornhelm d'une voix douce.

— Je regrette aussi, moi, d'avoir hurlé comme un putois. Quelle journée ! Hansen qui retire sa plainte, en déclarant qu'il ne s'estime pas lésé ; deux témoins qui mentent. Tout ça, si tu veux mon avis, ça n'est pas net ! Entre-temps, ce coup de fil de Munich, à cause d'une saloperie de nazis !

— Pourquoi t'emballes-tu comme ça, mon petit ? Garde ton calme, voyons. Regarde-moi !

— Ah tais-toi ! Qu'est-ce que tu fabriques dans ce bureau ? Tu n'as rien à faire ?

— Non.

— Quoi, non ?

— J'ai mes gens. Des gens sensationnels. Ils font bien leur boulot. Il leur suffit de savoir que la vieille baderne est dans les parages.

— Quelle vieille baderne ?

— Moi, bien sûr. — Dornhelm sourit. — Tu n'as pas idée de ce qui s'est passé ici ! Un chaos invraisemblable, m'a dit le directeur. Jusqu'à ce qu'ils trouvent un médecin. Il fallait lui faire un pompage de l'estomac, bien sûr. Le tuyau ne marchait pas. Le toubib a bien perdu un quart d'heure avant d'entrer dans la cellule. Les deux hommes étaient morts depuis longtemps ! »

La pièce commençait à sentir la poussière et la sueur. Ritt était écarlate ; il respirait bruyamment.

« Les *deux* hommes ? Quels deux hommes ?

— Engelbrecht et Mohnhaupt.

— Je crois que je deviens fou..., dit Ritt dans un soupir. Engelbrecht et qui ?

— Mohnhaupt, l'homme à tout faire qui a porté les récipients aux prisonniers.

— Pourquoi ?

— Parce que Engelbrecht l'a invité à partager son repas.

— Et Marvin alors ?

— On était venu le chercher deux heures auparavant. Il doit être relâché aujourd'hui même, tu l'as déjà oublié ? Il avait un tas de formalités à remplir au service administratif. Il y est encore d'ailleurs. C'est là qu'il a déjeuné.

— Autrement dit, si Marvin est encore en vie, c'est uniquement parce qu'il n'a pas mangé dans sa cellule avec Engelbrecht aujourd'hui ? déclara Ritt à voix haute.

— Enfin ! Tu as pigé ? » cria le commissaire en chef.

126

Du coup, la rose unique et son vase se renversèrent sur le bureau, et l'eau glissa sous les dossiers.

« Ne crie pas, dit Ritt. Je n'aime pas ça !

— Ah ! Tu peux parler, toi ! »

Dornhelm se leva, prit le vase de cristal et alla le remplir d'eau, puis il le posa délicatement sur le bureau.

« Le directeur tient à sa rose... Oui, c'est Mohnhaupt qui a mangé le repas de Marvin ! Une belle mort. Sais-tu ce qui a causé leur mort, à Engelbrecht et à lui ? Un cocktail de crabes. Cordon bleu au riz, et en guise de dessert, un choix de sorbets... Mais ils ne sont pas allés jusqu'au dessert.

— Vraiment ?

— Le poison était dans le riz, a dit le docteur Grünberg, notre médecin. Il en a retrouvé des traces. Ils ont eu le temps de bouffer presque tout le riz, les goinfres, avant qu'il n'agisse. Cyanure. Aucun doute à ce sujet. Oui, une belle mort. Rapide. Sans souffrance. Ils ne se sont aperçus de rien... »

« Donnez-moi un autre cognac, dit le docteur Markus Marvin. Je me sens l'estomac tout barbouillé. »

Il était cinq heures de l'après-midi, ce 19 août, et Marvin se trouvait dans le salon de Miriam Goldstein. Il lui restait aussi quelques traces de sa bagarre avec Hilmar Hansen : la main droite bandée, l'œil droit gonflé qui refusait tout service, le visage parsemé d'hématomes et un pansement sur la tempe gauche.

L'athlète aux cheveux fous était habillé avec plus d'élégance que jadis, à l'île de Sylt. Il portait un costume d'été bleu, une chemise à rayures et même une cravate, malgré la canicule. Miriam Goldstein alla chercher une bouteille de Rémy Martin dans le bar. Il régnait une température relativement agréable dans l'appartement, grâce à un climatiseur efficace.

Comme prévu, Ritt, le procureur de la République, avait téléphoné à l'avocate pour lui raconter tout ce qui s'était passé dans la prison de Preungesheim. Il était soulagé de ce que Marvin ait miraculeusement échappé à la mort, mais la famille et les avocats des deux victimes innocentes ne l'entendaient pas de cette oreille. Le directeur de la prison ne savait plus où donner de la tête ; quant à Ritt et à son ami Dornhelm, il leur fallait trouver le plus rapidement possible les auteurs et les mobiles de ce crime, et la manière dont il avait été perpétré. Et il fallait également élucider au plus vite les raisons qui avaient incité Hansen à retirer sa plainte aussi brusquement.

Autrement dit, un grand nombre de points d'interrogation. Et beaucoup de travail en perspective.

Miriam raconta à son tour l'appel téléphonique de Gérard Vitran, à qui elle avait annoncé, en toute bonne foi, la mort de Markus Marvin, et qui était déjà en route pour Francfort.

« Il vient seul ? demanda Marvin.

— Je ne sais pas. Il m'a dit : Nous arrivons...

— Il vient sans doute avec sa femme. Quel choc pour eux de me voir ici, tout frétillant. — Marvin secoua la tête. — Quand j'y pense, j'ai eu une chance invraisemblable ! Vous vous rendez compte ! Si j'avais déjeuné avec Engelbrecht !

— La chance sourit aux innocents, intervint Bolling.

— Loin de moi la pensée de vous tourmenter davantage, dit Miriam Goldstein. Mais vous est-il venu à l'esprit que ce poison n'était pas destiné à Engelbrecht, mais à vous ?

— Bigre ! dit Marvin. Quelle idée ! Oui, c'est possible après tout.

— En tout cas, c'est aussi l'avis de M. Ritt, poursuivit Miriam.

— Pourquoi quelqu'un en voudrait-il à la vie de Markus Marvin ? demanda Bolling.

— Pourquoi ? s'exclama Valérie Roth. — Elle se tourna vers Philip Gilles. — Lorsque vous êtes venu à Sylt, le lendemain de l'enterrement du professeur Ganz, je vous ai dit que le troisième infarctus de mon oncle avait épargné à certaines personnes la peine de le tuer, vous vous en souvenez ?

— Oui, répondit Gilles.

— Cette fois, c'est le tour de Markus, dit-elle. Miriam a raison.

— En fait, il doit y avoir déjà un bon moment qu'ils m'ont dans le colimateur, dit Marvin spontanément. Depuis que je suis revenu du complexe atomique de Hanford et que j'ai été chassé de la commission de surveillance.

— Ritt prétend que vous pouvez demander la protection de la police, déclara maître Goldstein.

— Je n'en veux pas. C'est inutile. S'ils veulent vraiment me supprimer, ils y arriveront, avec ou sans police, croyez-moi ! — Il grimaça un sourire avant d'ajouter : Non, pas de protection de la police. J'ai de la chance, vous l'avez bien vu. C'est l'essentiel. »

Miriam toucha du bois.

« Ne dites pas cela, Markus. Je suis très inquiète, et Gérard le sera au moins autant que moi. »

Valérie Roth tourna une fois de plus la tête vers Philip Gilles.

« M. Gilles, vous ne savez pas qui sont les Vitran, n'est-ce pas ? De très bons amis à nous. Nous travaillons la main dans la main. »

Les yeux de Marvin se mirent soudain à étinceler.

« Et quels amis ! Gérard et Monique. Vous serez emballé, M. Gilles ! Rien ne les rebute, ces deux-là. Gérard sort d'une des plus grandes écoles de France, l'école Polytechnique, celle qui forme les grosses têtes de la politique et de la finance. Docteur ès sciences physiques, spécialité : physique nucléaire. Mais il ne fait carrière ni dans la politique ni dans l'industrie privée ; il est devenu secrétaire de la section des travailleurs nucléaires du syndicat CDT. Et dans ce cadre, il exploite sa position et tous les moyens dont il dispose pour critiquer les centrales nucléaires et l'énergie atomique en général. Vous pensez, un expert de son niveau ! Il ne cesse d'en clamer tous les risques et les dangers. Les risques que font courir les centrales nucléaires françaises à la sécurité. Il ne représente que les intérêts des travailleurs, qui l'aiment et ont confiance en lui.

— Ça, c'est un vrai gaillard ! renchérit Bolling. Un exemple : sa position à la tête de la CDT lui permettrait de prendre ses repas dans les restaurants de luxe. Mais non ! Il mange toujours à la cantine, avec ses hommes.

— Il a écrit un livre sur les dangers de la technique nucléaire, en collaboration avec Monique, sa femme, dont, soit dit en passant, il a fait la connaissance au syndicat. Elle aussi, elle est spécialiste de physique nucléaire. Elle a trente-cinq ans, et lui quarante et un. Lorsque son livre est sorti en librairie, le personnel de l'usine de retraitement du combustible irradié de la Manche a fait la grève pendant trois mois. Gérard y est allé, bien sûr, en tant que représentant du syndicat. Ce sont les sociétés d'exploitation qui ont exigé sa présence.

— Puis il a été convoqué par le gouvernement, poursuivit Bolling.

— Gérard leur a dit tout de go, intervint Marvin à son tour, que si l'on continuait à gaspiller ainsi l'énergie, la terre serait anéantie avant même qu'on ait pu passer de l'énergie thermique et nucléaire à l'énergie solaire. Qu'il fallait donc commencer par prendre des mesures rigoureuses d'économie d'énergie, puis embrayer sur l'énergie solaire. Il a réussi à convaincre le gouvernement qui lui confia la tâche de rechercher les moyens les plus propres à économiser l'énergie et de rédiger une étude approfondie sur ce sujet. Il y a mille moyens d'économiser l'énergie, vous savez ! Gérard vous en parlera lui-même... Mais une fois de plus, il a trop bien fait son travail, et il a été trop direct. Il a accusé l'industrie de gaspiller l'énergie et a présenté des propositions d'économie tellement radicales — mais réalisables ! — que le gouvernement a été obligé de refuser, devant la pression de l'industrie. Gérard a été limogé une seconde fois. Que croyez-vous qu'il ait fait ? Avec sa femme et quelques amis, il a fondé le ESI — Energy Systems International. Que puis-je vous en dire ? Actuellement, le monde entier s'adresse à l'ESI, sociétés, entreprises et gouvernements même, pour avoir des conseils. »

Le téléphone sonna.

« C'est peut-être déjà les Vitran, murmura Marvin tout excité.

— Maître Goldstein ? »

Une voix féminine.

« Elle-même.

— M. Joschka Zinner est là. Il prétend que vous lui avez donné rendez-vous à cinq heures trente.

— Oh, mon Dieu ! s'écria Miriam. Demandez-lui de patienter quelques instants, je vous prie ! — De la main, elle cacha l'écouteur. — Voilà que j'oublie mes rendez-vous !

— Joschka Zinner ? demanda Philip Gilles.

— Oui. Un producteur de films. Vous le connaissez ?

— Et comment ! s'exclama Gilles en faisant la moue. Que vous veut-il ?

— Je ne sais pas, répondit Miriam en haussant les épaules. Il m'a téléphoné avant-hier, pour avoir un rendez-vous justement. Très urgent. Il s'agissait d'une très grosse affaire à laquelle est mêlée aussi la chaîne de télévision de Francfort. D'ailleurs, j'en ai eu la confirmation par un homme de la télévision. Ils préparent un projet qui doit nous intéresser tout particulièrement, paraît-il. — Miriam jeta un coup d'œil circulaire. — Je voulais vous en parler, mais avec l'histoire de Marvin, j'ai tout oublié. Qu'est-ce que c'est que ce Zinner ? demanda-t-elle à Gilles.

— Un fou ! répondit celui-ci sans hésiter. Mais quel fou ! Attendez-vous à quelque chose de gratiné !

— Si ça tourne mal, je le mettrai à la porte. — Puis elle reprit le téléphone : Mademoiselle, s'il vous plaît, faites monter monsieur Zinner chez moi.

— C'est trop tard, Madame, je suis désolée. M. Zinner a réussi à obtenir le numéro de votre appartement, et il est monté

130

sans en être prié. Il était très excité et parlait très vite. Il sera chez vous d'une seconde à l'autre.

— C'est bon, dit Miriam, et elle raccrocha. Vous disiez qu'il est fou, M. Gilles ?

— Oui. Mais en dehors de ça... Je trouve que son apparition ici, en un tel moment, est pour le moins étrange.

— Vous pensez qu'il y a quelque chose de louche là-dessous ?

— Peut-être que non... — Gilles semblait inquiet. — Mais tout de même, Joschka Zinner... Soyez sur vos gardes ! »

Au même moment, quelqu'un sonna à la porte de l'appartement.

Miriam Goldstein alla ouvrir. Aussitôt, le petit homme qui attendait dans le couloir écarquilla les yeux.

« Philip ! »

Il ignora l'avocate, fonça au milieu de la pièce et se jeta contre Philip Gilles.

« Baissez-vous ! » aboya-t-il.

Gilles obéit, et l'homme l'embrassa sur les deux joues.

« Ah ! Mon meilleur ami, mon plus vieil ami, mesdames et messieurs ! annonça-t-il avec emphase. Il a écrit les scénarios de sept ou huit films pour moi, il y a longtemps de cela ! Le seul homme honnête dans ce milieu pourri, le seul capable ! Il vous dira que j'exagère, que nous n'avons eu que des difficultés ensemble. Sans arrêt en procès, parce que je ne voulais pas payer le troisième versement que je lui devais. Ne l'écoutez pas, il dit ça par modestie... »

Tous le regardaient d'un air incrédule. Il portait un complet de soie blanche sur mesure, avec un col ridiculement haut, et une chemise bleue, une épingle en or surmontée d'un diamant piquée dans la cravate et des boutons de manchettes également en diamant. Il se prend pour Crésus, se dit Gilles. Autrefois, il ne portait que du bon marché, du bas de gamme.

« Je vous présente Joschka Zinner, le producteur de cinéma, dit-il tout haut. Joschka, permettez-moi de vous...

— Non, non, je m'en charge moi-même. Vous faites trop de manières, c'est trop long avec vous. Maître Goldstein...

— Oui. Mais où... »

Elle eut droit à un baise-main rapide.

« Bah ! Je vous connais. Vous êtes célèbre. Et vous, madame, vous êtes le docteur Valérie Roth. C'est un honneur pour moi... — Deux baise-main sonores. — Le docteur Markus Marvin, bien sûr. — Une poignée de main . — Et vous, vous êtes M. Bolling ? Où en est votre asthme, M. Bolling ? Quelle maladie terrible... Mais, c'est justement la raison de ma présence ici. »

Il se laissa tomber sur le divan blanc ; ses courtes jambes ne touchaient pas le sol. Il sourit, exhiba de toutes petites dents et se frotta les mains.

« Vous pouvez me verser un verre d'eau minérale, Maître ? Je ne touche jamais à l'alcool. Merci. Bon, venons-en au fait. Le temps, c'est de l'argent. Il faut que je parte demain pour Hollywood. Et je tiens à tout régler avec vous avant mon départ. Faites bien attention. C'est une idée fulgurante !

— Quoi ? fit Miriam qui sentait la moutarde lui monter au nez.

— Une idée fulgurante ! Les idées fulgurantes, c'est ma spécialité, c'est ce qui a fait ma fortune. Mes meilleures idées me viennent comme un éclair. Producteur de films ? Allons donc, je suis le plus grand producteur d'Europe ! Cinéma *et* télévision. Ces derniers temps d'ailleurs, je travaille davantage pour la télévision. Des coproductions. J'ai eu toutes sortes de prix. Vrai ou faux, Philip ?

— Vrai, approuva Gilles. Ne vous laissez pas impressionner par les manières et l'aspect de cet homme, c'est effectivement un producteur génial. Il trompe les autres tant qu'il peut, mais il a réalisé d'excellents films.

— Ça suffit, Philip, l'interrompit le petit homme. Ces messieurs-dames jugeront eux-mêmes. Ils seront emballés par mon idée fulgurante. »

Markus Marvin ne put s'empêcher de rire.

« Ah ! Vous riez, M. Marvin ! s'exclama Zinner. Vous le pouvez. Je vous apporte la chance de votre vie. J'ai suivi tout votre chemin depuis que vous avez cessé de tourner des documentaires et que vous avez été chassé de la commission de surveillance. Vos activités à Lübeck. Et les vôtres, M. Bolling, et les vôtres aussi, docteur Roth. Exactement ce qu'il faut de nos jours. Il n'est rien de plus important. Il faut que les gens crient ! Qu'ils hurlent ! Et ils crieront, et ils hurleront ! Joschka Zinner a déjà tout préparé. On peut commencer tout de suite. J'ai tous les contrats dans la poche. — Il souleva son porte-documents. — Il n'y a plus qu'à signer.

— Monsieur Zinner..., commença Miriam Goldstein.

— Ne m'interrompez pas, madame, s'il vous plaît. Pardon ! Je vais tout vous expliquer. J'ai déjà tout discuté avec ces messieurs de la télévision et j'ai le feu vert des patrons. Ils sont emballés... —

132

Il parlait de plus en plus vite. — Bien sûr, uniquement parce que j'en suis le producteur! Bon, ne perdons pas de temps. Vous allez avoir une équipe sensationnelle. *Mes* gens à *moi*! A vous de dire ce que vous voulez, ils iront partout. Aucune censure. Tout ce qu'ils tourneront sera projeté. La télévision de Francfort veut un reportage sensationnel. Elle veut que ce soit une *sensation*, vous comprenez? Elle est prête à n'importe quel scandale! Kohl et le gouvernement, ils pourront bien essayer d'y mettre leur grain de sel, rien à craindre! Vous aurez les coudées franches. Liberté absolue, garantie par contrat. Vous surveillerez le montage vous-mêmes. Personne n'essayera de vous influencer. L'argent ne manque pas, vous pouvez en croire Joschka Zinner! — Il jeta un regard circulaire sur son auditoire interloqué; ses yeux étincelaient. — Alors?

— Nous n'avons pas la moindre idée de ce dont vous parlez, dit Valérie Roth.

— Quoi? J'ai pourtant été clair et précis! Aucune censure. Aucun égard pour qui que ce soit. J'admire ce que vous faites. Et je vous dis : Révolution! »

Miriam Goldstein prit la parole et s'exprima avec une lenteur calculée.

« Vous proposez qu'une équipe parcoure le monde avec M. Marvin pour tourner des documentaires?

— Oui, madame.

— Sur la destruction des forêts d'Amazonie?...

— Par exemple.

— Sur le gaspillage insensé de l'énergie?

— Bien sûr.

— Sur le marché des déchets empoisonnés? demanda Valérie Roth.

— Parfait!

— Sur le déversement des acides dilués dans la mer? Sur la stérilisation des océans? renchérit Marvin à son tour.

— Bien sûr! Il le faut!

— Sur le lobby nucléaire? Le diktat des compagnies d'électricité?

— Oui! Tout ce que vous voulez! N'est-ce pas une " idée fulgurante ", comme je vous le disais? »

Joschka Zinner était ébloui par sa propre grandeur.

« Tout ce que j'ai vu et entendu en Amérique? insista Marvin. A Mesa? A Hanford?

133

— Vous voyez ? Il faut absolument que vous y retourniez, c'est l'évidence même !

— Les sales affaires avec le plutonium ? dit à son tour Bolling en ôtant ses lunettes.

— Oui ! s'écria Zinner en levant les mains. Pourtant il faut montrer aussi ce qui est positif. Ne jamais oublier le positif. J'y tiens absolument. Ce n'est plus la mode. Mais ceux qui oublient le positif font la culbute ! Quelle est la bouée de sauvetage de notre univers ? poursuivit-il sans presque reprendre son souffle. L'énergie solaire ! Il faudra le montrer dans votre série télévisée. Le plus grand projet que j'aie jamais élaboré. Mais aussi le plus grand sujet que j'aie jamais abordé ! J'en ai lu, des livres et des articles, croyez-moi ! Je m'y connais !

— Je trouve cela formidable, déclara Valérie Roth.

— Moi aussi », renchérit Marvin.

Suzanne, se dit-il. Si au moins tu entends parler de tout cela, peut-être me reviendras-tu. Ah ! Suzanne...

« Je ne sais pas encore si nous projetterons les films en bloc, à la suite les uns des autres, ou par épisodes. La télévision de Francfort est pour un film par semaine. Et vous allez voir, les étrangers vont se jeter dessus ! J'ai déjà des commandes en provenance de quatorze pays ! Le financement ne pose pas le moindre problème. Je pourrai vous payer des honoraires convenables. Eventuellement aussi une participation. Philip, vous les accompagnerez et vous écrirez les commentaires, n'est-ce pas ? Ne me regardez pas ainsi, il faut toujours qu'il fasse des manières, celui-là ! D'ailleurs, je vous ai déjà vendu à la télévision. Il est temps que l'on entende de nouveau parler de vous ! Rien écrit depuis dix ans, c'est le comble ! Qu'est-ce que vous faites de votre vie et de vos talents ? C'est une honte ! Comme il me regarde, le cher homme ! Ah ! Il n'y en a pas deux comme lui. Alors, on signe les contrats ?

— Monsieur Zinner, dit Miriam Goldstein d'une voix douce.

— Oui, madame ?

— C'est votre méthode habituelle de travail ?

— Oui. Pourquoi ?

— Parce que, avec moi, ça ne prend pas.

— Qu'est-ce que vous voulez dire ? Et qu'avez-vous à voir là-dedans ?

— Je suis l'avocat...

— Et alors ? Où est le problème ?

— Je veux lire les contrats avant de les signer, et j'ai besoin de temps pour les étudier. »

Il n'hésita pas une seconde.

« Bien sûr, Maître, comme vous voudrez. C'est très bien. Bon, je ne partirai pas demain pour Hollywood. Bah ! Hollywood peut attendre. Priorité à notre projet. Nous étudierons les contrats ligne par ligne, vous et moi, et on changera ce que vous voulez. Je connais la valeur du projet. Regardez vos amis, Maître... Ils sont tous emballés. »

Le téléphone sonna une fois de plus.

« Maître Goldstein, dit la voix féminine de la réception. Trois personnes viennent d'arriver, M. et Mme Vitran et Mlle Delamare. Je ne tiens pas à faire de nouveau une erreur et je...

— Faites-les monter, coupa Miriam. Je les attends à la sortie de l'ascenseur. »

« Miriam ! s'écria Gérard Vitran dès qu'il aperçut l'avocate.

— Gérard ! »

Ils se jetèrent dans les bras l'un de l'autre.

« Mon Dieu ! Qui a tué Markus ?

— Gérard...

— Oui ?

— Ce n'est pas lui qui a été empoisonné, c'est un autre. Markus est toujours vivant.

— Quoi ? fit Gérard Vitran stupéfait. Il est vivant ?

— Oui. Il est là, chez moi.

— Viens vite ! »

Il saisit la main de sa femme et se mit à courir, suivi de Miriam. La seconde femme attendit un instant à la porte de l'ascenseur, puis elle les suivit à pas lents. Des yeux bleus, des cheveux blonds coupés court, un visage mince, une peau fine, une taille de guêpe et de longues jambes effilées ; elle donnait une impression de fragilité. Lorsqu'elle arriva dans l'appartement de Miriam Goldstein, Gérard et Monique Vitran serraient encore Markus Marvin dans leurs bras. Monique était aussi grande que son mari, elle aussi avait les cheveux coupés court, mais noirs. Quant à Gérard, il avait le visage fin d'un érudit et des yeux très clairs ; ses cheveux épais grisonnaient aux tempes. Il ne cessait de taper dans le dos de Marvin, tandis que Monique lui caressait la main.

La jeune femme blonde referma doucement la porte de l'appartement et resta à l'écart du groupe. Elle semblait discrète et réservée. Il se passa encore un certain temps avant que Gérard Vitran s'écartât de Marvin.

« Oh, Isabelle ! Excuse-moi ! »

Il la rejoignit à grands pas, lui entoura les épaules de son bras et l'amena dans le salon.

La jeune Isabelle jeta un coup d'œil souriant autour d'elle et se mit à parler un allemand parfait, agrémenté d'un très léger accent.

« Je m'appelle Isabelle Delamare et je suis la secrétaire de M. et Mme Vitran. Et leur interprète. Comme ils ne parlent que l'anglais et voyagent dans tous les pays du monde, je les accompagne presque toujours.

— Comment se fait-il que vous parliez si bien allemand, mademoiselle ? demanda Bolling manifestement séduit par le rayonnement de cette jeune Française.

— J'ai étudié les langues.

— Lesquelles ?

— En plus de l'allemand, l'anglais, l'espagnol, le portugais et l'italien.

— Bigre ! » fit Bolling.

Monique Vitran lui adressa quelques mots en français ; Isabelle se mit à rire et secoua la tête.

« Mais si, mais si ! insista Monique.

— Mme Vitran, dit Isabelle légèrement embarrassée, est très aimable, mais bien entendu, elle exagère... Elle insiste pour que je précise que sans moi, elle et son mari ne pourraient pas travailler. Ce n'est pas vrai.

— Si, c'est vrai ! s'écria Monique. C'est vrai ! »

Tous se mirent à rire et rejoignirent Joschka Zinner. On parla anglais. Puis les trois Français se présentèrent à Philip Gilles qui leur parla dans leur langue. Durant ce bref échange de paroles, Gilles ne quitta pas Isabelle des yeux ; il faisait l'effet d'un homme pour qui tout était devenu brusquement irréel.

La soirée se prolongea longtemps. Joschka Zinner leur exposa son grand projet, en présence cette fois des Vitran qui furent tout de suite séduits. Monique décida que Markus devait immédiatement tourner une série documentaire sur les différentes possibilités d'économiser l'énergie et Gérard offrit de mettre ses relations et ses travaux à la disposition de l'équipe. Ils eurent de nouvelles idées, les questions et les problèmes qu'ils émirent se rejoignaient. Quant à Isabelle Delamare, elle intervenait sans cesse dans le débat au titre d'interprète.

La conversation devint de plus en plus amicale, l'atmosphère de plus en plus intime, et soudain, Philip Gilles eut l'impression de se retrouver à Grünewald, dans sa maison, lorsque comédiens et

136

écrivains, hommes politiques, chanteurs et peintres tenaient salon chez Linda et lui, il y avait fort longtemps de cela. Cette atmosphère d'amitié et de joie intérieure que procure une action commune, une action que l'on voulait et pouvait réaliser ensemble. Il retrouva cette atmosphère chaleureuse ce soir-là à Francfort, et une foule de souvenirs se réveillèrent dans son esprit. Pourtant, se dit-il avec inquiétude, pourtant, ici, c'est tout différent. Ce qu'il voyait, ce qu'il entendait, n'était pas la vérité, non, pas la vérité...

Assis près de la fenêtre, il fumait sa pipe et écoutait sans intervenir. Et sans quitter Isabelle des yeux. Il admirait son calme, la sérénité et la précision avec lesquelles, inlassablement, elle sautait d'une langue à l'autre ; elle avait un don certain d'éloquence. Isabelle lui souriait de temps en temps, et il lui répondait.

Vers neuf heures, ils descendirent au rez-de-chaussée de l'hôtel, et les conversations se poursuivirent pendant le dîner qu'ils prirent au restaurant français. Soudain, Gérard Vitran proposa qu'Isabelle accompagne l'équipe de tournage partout, puisqu'elle parlait parfaitement six langues. Tous approuvèrent avec empressement, Bolling le premier. Gilles était heureux des louanges que Vitran adressait à la jeune fille ; il la suivit des yeux également pendant le repas, le moindre de ses gestes lui plaisait. Leurs regards se croisèrent de temps en temps ; une fois, elle leva son verre dans sa direction, il leva aussi le sien et, durant toute la soirée, il éprouva une grande agitation intérieure.

Evidemment Zinner insista encore pour que Gilles accompagne aussi l'équipe de Marvin et qu'il écrive les commentaires ; tous s'unirent pour le persuader d'accepter, Isabelle le regarda, et à sa grande stupéfaction, il donna son accord.

Après le repas, ils allèrent ensemble au Bar des Lipizzans, pour prendre un pousse-café à la française. Ils étaient tous très excités.

Miriam Goldstein vint s'asseoir près de Philip Gilles. Elle lui dit à voix basse :

« C'est formidable de les voir tous aussi optimistes, aussi enthousiastes, aussi gais, n'est-ce pas ? »

Il la regarda sans répondre.

« Vous ne dites rien, murmura-t-elle. Vous pensez la même chose que moi... »

Silence.

« Voulez-vous que je vous dise à quoi vous pensez ? murmura encore Miriam pour lui seul ; le son de sa voix était étouffé par le brouhaha ambiant et le jeu du pianiste. Vous pensez qu'il se passe vraiment beaucoup de choses en une fois. L'attentat contre Markus Marvin. La volte-face de Hansen. Joschka Zinner qui met tant d'argent à notre disposition et nous ouvre tant de portes. Pourquoi justement maintenant, alors qu'il en aurait eu l'occasion depuis tant d'années déjà ! Pourquoi la télévision de Francfort se décide-t-elle à diffuser cette série de documentaires... justement maintenant ? Pourquoi des gens veulent-ils supprimer Marvin pour le faire taire, et pourquoi, en même temps, d'autres veulent-ils mettre à sa disposition tous les moyens possibles pour qu'il puisse, grâce à un média aussi puissant que la télévision, prévenir des millions de personnes de tout ce que les hommes font aux hommes et à la terre ? C'est bien ce que vous pensez, n'est-ce pas, M. Gilles ?

— Oui, répondit-il. C'est bien ce que je pense. Voilà pourquoi il faut se mettre au travail tout de suite. C'est notre seule chance de découvrir ce qui se cache derrière ces apparences. »

Miriam approuva d'un signe de tête ; sa physionomie était empreinte d'une gravité qui tranchait sur l'allégresse générale. Elle rejoignit les autres. Gilles demeura seul. Au bout d'un moment, il se leva pour prendre congé. Tous lui souhaitèrent une bonne nuit et Isabelle lui tendit la main avec un sourire.

De sa chambre d'hôtel, Gilles appela le Bon Accueil à Château-d'Oex. M. Oltramare lui dit qu'il était justement en train de jouer aux échecs avec Gordon, puis Gordon vint à l'appareil. Gilles lui raconta en quelques mots les événements de la journée et conclut :

« ... J'arriverai donc demain après-midi à Genève avec un avion de la Swissair et je resterai quelques jours à Château-d'Oex, mon vieux. Le 25 août, nous embarquons à Francfort en direction de Rio de Janeiro. Marvin veut commencer par un documentaire sur la destruction des forêts tropicales de l'Amazonie. Un défenseur zélé de l'environnement recommandé par Vitran nous attend à Rio. »

Gordon, l'ancien aviateur qui connaissait par cœur tous les vols, récita :

« Le jeudi, un Boeing 747 de la Lufthansa décolle de Francfort à vingt et une heures cinquante ; il atterrit à six heures trente-cinq, heure locale, sur l'aéroport international de Rio. Numéro de vol 510. »

Et Gilles se dit une fois de plus que chaque individu devait avoir quelque chose à quoi se raccrocher, ne serait-ce que le souvenir de l'époque où il était pilote.

« Oui, Gordon, répondit-il. D'ici là, Miriam Goldstein et Joschka Zinner auront discuté et mis au point toute la partie contrats et finances de l'expédition. Quant à moi, je me contenterai d'écrire les commentaires des films. Pour tout le reste, je peux m'arranger comme je l'entends.

— Tu vas devoir emporter un tas de vêtements, dit Gordon.

— Oui.

— Tu te souviens de ce que je t'ai dit un jour : Nous sommes riches parce que nous sommes protégés de la vie réelle?

— Oui, Gordon.

— Mais tu as raison. On ne peut pas se protéger toujours de tout.

— Non, dit Gilles, on ne peut pas. Et puis, il y a autre chose encore, Gordon.

— Quoi donc?

— Je ne peux pas te le dire, mais je le sens. Je le pressens. J'ai été si longtemps reporter! Je sais tout simplement qu'il se trame autre chose à côté de ce projet de tourner des films qui doivent secouer l'inertie de l'humanité. J'en suis absolument convaincu.

— Et tu veux trouver ce que c'est?

— Il *faut* que je le trouve. Car je sens que c'est quelque chose de sordide. Pas la moindre idée de ce que c'est, mais je te jure qu'il se trame quelque chose. L'apparition soudaine de Zinner! L'attentat auquel Marvin a échappé par un coup de chance inouï! Ce gars, Hansen, qui retire sa plainte. C'est trop beau pour être vrai. Une mise en scène... Oui, une mise en scène...

— Mon Dieu! s'écria Gordon. Voilà Philip tel qu'il était en arrivant à Château-d'Oex. Le Philip de jadis!

— Non. Le reporter de jadis, corrigea Philip.

— OK. Nous irons chercher le reporter de jadis à l'aéroport, M. Oltramare, Happy et moi. Et nous irons le reconduire quelques jours plus tard, pour lui faire nos adieux.

— Vous êtes bien les meilleurs, tous les trois, dit Gilles.

— Allez, à demain!

— A demain! » dit Gilles.

Il raccrocha, et constata que sa main avait conservé le parfum d'Isabelle.

Livre II

Si tu veux trouver la Vérité
Il faut t'en approcher de très près.
Mais si tu vas tout près,
Tu crèves.

Extrait du film américain *Salvador*

1

Alors G. débouche les quatre petites bouteilles de liqueur et sort des poches de son veston kaki deux paquets de cigarettes américaines, les ouvre et partage les bouteilles et les cigarettes avec moi. Nous portons l'un et l'autre un costume kaki et des chapeaux à larges bords pour nous protéger du soleil. La forêt vierge est peuplée de palmiers vénérables et très hauts d'où pendent d'énormes touffes d'orchidées.

Il faut ouvrir les bouteilles, dit G. Les esprits en sont incapables. De même pour les paquets de cigarettes, les esprits ne peuvent pas les ouvrir, c'est pourquoi nous devons le faire, poser les cigarettes à l'entrée des grottes et ne pas oublier les allumettes. — Car les esprits sont capables de craquer eux-mêmes les allumettes, n'est-ce pas? — Ils ont été obligés d'apprendre, dit G. Si nous les allumions nous-mêmes, elles seraient consumées avant leur arrivée. — C'est logique, dis-je. Quelle est ma grotte? — Choisissez-en une. On n'a que l'embarras du choix ici, vous voyez bien. Tenez, voilà des allumettes. — Merci. — Vous arriverez à tout faire? — Très facilement, dis-je. Nous parlons français tous les deux, nous sommes à mi-hauteur du Corcovado, au sommet duquel se dresse la statue du Christ, haute de quarante mètres (c'est ce que m'a appris G.). Nous sommes venus ici pour faire une macumba...

14 juin 1989. C'est le début de la soirée, et après la chaleur torride de cette journée, la température a un peu baissé à Château-d'Oex et dans ma vieille maison. Depuis des mois, j'écris ici. De nombreux clients sont installés sur le gazon, devant le bel hôtel de M. Oltramare. Leurs voix et leurs rires pénètrent jusque dans ma chambre.

Le journal de bord d'Isabelle est posé devant moi sur la table. Elle m'en a fait cadeau et m'a donné l'autorisation d'y puiser à loisir. Je viens d'y prendre ma première citation, et je pense que j'en puiserai encore quelques-unes, d'une part parce que, par excès de bonheur ou de bouleversement, je risquerais de tomber dans le piège du mélodrame, et de l'autre, parce que le manuscrit d'Isabelle me donne la possibilité de rester fidèle à mon rôle de chroniqueur. Isabelle a porté sur ce texte que j'ai commencé à transcrire la date du dimanche 28 août 1988 : je me rappelle parfaitement ce jour et notre macumba. Ses yeux étaient d'un bleu sombre lorsqu'elle se tenait à mes côtés, dans la forêt vierge, et sous le chapeau tropical, je n'apercevais que les pointes de ses cheveux blonds. Elle était à peine maquillée.

Je reviens au journal.

Voilà trois jours que nous sommes à Rio. L'époque la plus chaude de l'année est passée, mais le taux d'hygrométrie de l'air est très élevé. Nous logeons à l'hôtel Miramare, sur l'avenida Atlantica, avec Markus Marvin, Peter Bolling et l'équipe choisie par Joschka Zinner, un cameraman et un technicien.

C'est grâce aux relations de Joschka Zinner que Marvin a eu l'autorisation de quitter l'Allemagne, alors que rien n'avait été éclairci, ni le comportement étrange de Hilmar Hansen ni le double meurtre d'Engelbrecht et de Mohnhaupt. Apparemment, Valérie Roth aussi a fait jouer ses relations, du moins M. Ritt, le procureur de la République, dont j'ai fait la connaissance juste avant le décollage de l'avion, a-t-il lancé quelques allusions dans ce sens. Je me demande bien quel genre de relations ils peuvent avoir. Marvin a donc eu le droit de quitter le pays à deux conditions : donner son adresse à Ritt et à Dornhelm, le commissaire principal, chaque fois qu'il en changera, et être prêt à prendre le premier avion pour Francfort au cas où sa présence serait nécessaire sur place.

Nous bénéficions de très belles chambres, la mienne est contiguë à celle de G., toutes deux donnent sur la façade de l'hôtel, et de notre balcon, nous voyons la plage de Copacabana et la mer, de l'autre côté de l'avenida Atlantica. Lors de son dernier séjour à Rio, m'a dit G., le sable était d'un blanc lumineux et l'eau claire et propre. L'eau est restée claire et propre et le sable d'un blanc lumineux, mais l'un des deux portiers, Carioca Parcas, nous a conseillé d'aller nous baigner ailleurs, car ici les gens attrapent des maladies de l'épiderme.

En 1973, m'a dit G., la plage de Miramare était bondée de touristes venus de tous les pays du monde, et tous riaient ; on y voyait un mélange invraisemblable de races et de couleurs de peau. Les filles étaient superbes. Il y a encore beaucoup de belles filles et de métis de toutes les nuances, mais moins qu'autrefois. Ici, la pollution de la mer et de la plage a chassé beaucoup de monde...

Lorsque nous avons débarqué à Rio, le docteur Bruno Gonzalos, le défenseur de l'environnement qui occupait la première place sur la liste de Marvin, s'était absenté pour le week-end avec sa femme ; manifestement, il n'avait pas compris le sens de notre câble. Comme Isabelle n'était encore jamais venue à Rio, j'ai loué une voiture et lui ai montré la ville. Parcas, le portier, a dit qu'il fallait absolument que la señora fasse une macumba, et Isabelle lui a demandé ce que c'était. Mon vieil ami Carioca Parcas a beaucoup vieilli depuis mon dernier séjour, mais après tout, moi aussi...

C'est une affaire un peu bizarre, répondit le portier. Tous y croient ici, les catholiques les plus dévots et ceux qui ne croient à rien. Vous voyez, miña señora, il y a beaucoup d'esprits puissants qui vivent dans les forêts vierges de Corcovado. Ils peuvent faire du mal aux hommes, s'ils le veulent. — Et il cligna des yeux. — C'est formidable, dis-je en clignant des yeux à mon tour. — Les esprits peuvent aussi satisfaire les moindres désirs, si on arrive à les maintenir de bonne humeur, ajouta le vieux portier. — Que faut-il faire pour les maintenir de bonne humeur, señor Parcas ? — Señor Gilles est au courant, répondit Parcas. Il a déjà fait une macumba. — C'est vrai ? demandai-je à G. — Oui, dit-il, c'est vrai. — Et alors ? — Quoi, et alors ? — Vos désirs ont été réalisés ?...

Ce jour-là, j'ai senti de nouveau le parfum d'Isabelle.

Quant à ma première macumba, je ne m'en souvenais plus du tout ; en revanche, je me rappelais parfaitement la dernière. C'était en 1973. A cette époque, j'ai demandé aux esprits de la forêt vierge l'amour de cette femme avec laquelle je suis allé ensuite passer deux ans en Amérique. Et cet amour s'est terminé de façon dramatique.

M. Gilles ! — Il sursaute ; manifestement, je l'arrache à quelque pensée mystérieuse. Il me regarde et je répète ma question : Est-ce que vos désirs ont été réalisés ?

Il a failli dire « non », puis finit par dire « oui », et je poursuis : Alors, moi aussi, je veux faire une macumba !

Et nous voilà partis pour le Corcovado qui s'élève juste derrière la ville ; nous roulons jusqu'à l'extrémité de la route. Ensuite, nous continuons à pied. G. se rappelle qu'il y avait là un excellent restaurant, lequel en effet existe toujours. Nous nous installons dehors, sous les palmiers et les touffes d'orchidées ; des perroquets domestiqués grimpent dans les arbustes et nous regardent. Un serveur vient nous demander si nous désirons un apéritif et G. répond que le seul apéritif que l'on puisse boire ici avant le coucher du soleil est un gin tonic avec un petit citron vert.

Nous buvons donc notre « sun-downer », puis un peu de vin pour accompagner le délicieux poisson, et lorsque la température s'est un peu rafraîchie, nous allons là où se trouvent les fameuses grottes habitées par les esprits. Un chemin étroit court autour d'un large cratère envahi de buissons, de fougères et d'arbustes qui en cachent la profondeur ; entre ce chemin et le bord du cratère, le versant abrupt est percé de petits trous. Des buissons, des fougères et des arbres cachent la profondeur du cratère. Le soleil brille dans cet étrange amphithéâtre. Je porte dans mes deux mains des petites bouteilles, des cigarettes et des allumettes, et je dis : J'aimerais bien faire ma macumba dans ce trou-ci. D'accord ? — D'accord, dit G. et il s'éloigne de quelques pas, à la recherche d'un autre trou. Je pose mes cigarettes, mes allumettes et mes bouteilles et, ce faisant, je vois des Noirs devant d'autres trous sur le versant opposé du cratère, ainsi que des femmes blanches...

Chaque fois que je suis venu ici, j'ai vu des femmes blanches et chaque fois, je me suis demandé pourquoi elles voulaient acheter l'amitié et l'aide des esprits avec leurs présents ; je me disais qu'elles leur demandaient certainement de n'être pas abandonnées par leur amant et de rester longtemps désirables ; elles priaient aussi sans doute pour que leur corps se conserve bien, que leur peau soit fine et leurs yeux brillants, car à Rio, il y avait beaucoup de belles jeunes femmes et d'hommes au physique avantageux.

Après avoir déposé mes présents à l'entrée de mon trou, je reculai d'un pas et jetai un coup d'œil sur Isabelle. Elle était debout devant sa petite grotte à elle, très mince dans son costume kaki ; elle avait ôté son chapeau, ses cheveux blonds brillaient au soleil, et je me dis, le cœur serré, que cette femme pourrait être ma fille ou ma nièce ; je me dis aussi que j'aimerais bien savoir ce qu'Isabelle avait demandé aux esprits.

Soudain, elle tourna la tête dans ma direction et s'écria :

« J'ai fini. Vous aussi ? »

J'acquiesçai et allai la rejoindre ; dans l'air lourd et humide, son parfum me parut particulièrement fort.

« Ce parfum a dû être inventé pour vous », lui dis-je.

Je réponds : Bien sûr ! Et je vois mon visage tout petit dans ses yeux. — Par Emenaro.

Nous quittons le cratère. G. insiste pour que je marche le long de la montagne afin de ne pas tomber dans le vide. Nous restons silencieux pendant un long moment. Puis nous retrouvons la voiture, et en redescendant vers la ville, G. me demande : Vous avez exprimé de nombreux souhaits ? — Aucun, lui dis-je. — Aucun ? Vous êtes pourtant restée bien longtemps devant votre trou. — Il s'est passé quelque chose d'étrange. — D'étrange ? — Oui, il

146

m'est venu beaucoup de désirs à l'esprit, puis je n'ai pu m'empêcher de penser à cette chose étrange et ça m'a tellement détournée de la macumba que je n'ai plus eu le temps d'y revenir. — Je comprends, dit G., mais bien entendu, il ne comprend rien.

La route n'est qu'une suite de virages en épingle à cheveux et il doit faire très attention en conduisant.

Et vous, vous avez exprimé un souhait ? demandai-je à G. — Non, dit-il. J'ai éprouvé sensiblement la même chose que vous, je vous ai regardée sans que vous vous en aperceviez, et j'ai complètement oublié les esprits. — Oh ! Comme c'est dommage ! — Je peux formuler aussi tous les souhaits que je veux n'importe où, dit-il. Avec ces esprits-là, on ne peut être sûr de rien. Vous ne voudrez pas me révéler ce que c'était que cette « chose étrange » qui vous a distraite ? — Oh non ! dis-je, sûrement pas ! — Puis je ferme les yeux, car le soleil me tombe directement sur le visage, et avec la réverbération de la mer, je suis complètement éblouie et aveuglée. G. conduit lentement et prudemment, et je ne rouvre les yeux que lorsque nous apercevons les premiers bidonvilles des faubourgs.

2

Quelques nouvelles d'actualité :

Les usines de récupération d'animaux de Horstedt, près de Husum et de Niebüll, dans la Frise du Nord, ont traité environ cinq mille cadavres de phoques en état de décomposition avancée qui doivent servir à la préparation de produits alimentaires pour animaux et de graisses industrielles. Le professeur Otmar Wasser-mann, toxicologue à l'université de Kiel, réagit violemment : « La récupération et la réutilisation, pour l'alimentation des animaux et pour la fabrication des graisses, de cadavres chargés à ce point de substances toxiques apportera à la population, déjà soumise à un taux de produits toxiques qui atteint le seuil critique, une charge supplémentaire que l'on pourrait très bien éviter... Pourquoi faut-il que, dans la société industrielle, tout soit récupéré, même les cadavres des phoques, dont, soit dit en passant, nous portons en grande partie la mort sur la conscience[6] ? »

Sa question demeura sans réponse, et les médias ignorèrent ce scandale.

Voici une déclaration faite par des scientifiques de renommée internationale : L'eau potable, l'un des biens les plus précieux de l'humanité, est devenue une mixture dangereuse. L'agriculture et l'industrie sont les grands responsables de la contamination du produit numéro un de la consommation alimentaire.

Quelques révélations, tirées d'une liste sans fin, propres à sonner l'alarme : En Bavière, six nouveau-nés sont morts empoisonnés par de l'eau potable contaminée au cuivre[7]. — Dans la Bade-Wurtemberg, deux cent cinquante puits contaminés ont été fermés. — Dans le « canton à purin » de Vechta, l'eau chargée de nitrates a fait monter le nombre des cancers de l'estomac. — Entre Passau et Flensbourg, des chimistes ont découvert dans les nappes phréatiques quarante-cinq substances différentes qui sont des poisons violents pour les champs cultivés. — De l'eau contenant du métal lourd en suspension déborde du barrage inférieur de Söse, dans le Harz, et pénètre dans les canalisations qui alimentent la ville de Göttingen. — Dans quatre mille six cents puits de la Rhénanie-du-Nord-Westphalie, on a trouvé un taux de nitrate double de celui autorisé.

Au cours d'un débat, le chef du service de l'Environnement de Bielefeld, Uwe Lahl, dénonça la politique écologique de la nation : Les hommes politiques restent passifs devant notre déficit d'exécution. L'industrie chimique continue à faire des affaires en or ; les écologistes ont beau essayer de mettre la population en garde contre le danger des pesticides qui polluent l'eau potable, elle s'en moque. Au cours de congrès spécialisés et de conférences de presse, les représentants de l'industrie, en accord complet avec les chambres d'agriculture et les services phytosanitaires, condamnent l'agitation faite autour de « minuscules ultra-traces ».

La côte sud de l'Alaska vient d'être victime de la plus grande catastrophe écologique de l'histoire des Etats-Unis. Alors qu'il transportait une charge de deux cent onze mille tonnes de pétrole brut, le super-pétrolier *Exxon Valdez* a été éventré en heurtant un écueil dans le Prinz-William-Sund. La nappe de pétrole s'est répandue sur une immense superficie. Des millions de phoques, de poissons et d'oiseaux ont péri de la manière la plus affreuse.

Quatre jours après cet accident, le prix du pétrole brut atteignait son niveau le plus élevé depuis dix-neuf mois dans toutes les Bourses du monde.

Au nord de la Norvège, un sous-marin soviétique à propulsion nucléaire chargé de torpilles s'est échoué par mille cinq cents mètres de fond avec soixante hommes à bord. Seuls quelques-uns ont pu être sauvés. Les survivants déclarèrent qu'ils avaient arrêté le réacteur. Les experts ont alors parlé d'une « bombe atomique à retardement », et les scientifiques norvégiens ont évoqué la catastrophe de Tchernobyl.

Quelques jours seulement après cet incident, il n'en était plus question nulle part.

D'après une enquête menée par l'organisation Greenpeace, quarante-huit ogives nucléaires non explosées gisent au fond des océans, ainsi que onze réacteurs atomiques. Voici ce qu'en dit un porte-parole de Greenpeace : « Cette situation est provoquée par des accidents, des pannes et des négligences. La responsabilité en incombe tout autant aux Russes qu'aux Américains. La contamination de l'environnement est-elle déjà en cours ? Nous ne pouvons pas l'affirmer avec certitude. Mais un jour viendra où, en se désagrégeant, ces armes deviendront dangereuses. Les fusées et les bombes gisent à une telle profondeur qu'il est impossible d'aller les repêcher pour les neutraliser. »

« Je ne peux que souhaiter à la mer du Nord un triste et lamentable été, avec beaucoup de pluie et peu de soleil, déclara le professeur Thomas Höpner, biochimiste et biologue des mers de l'université d'Oldenbourg. La mer du Nord ne supporte plus le beau temps ; sa situation est instable et chaotique. » De l'avis du professeur Höpner, les responsables de cet état de santé désastreux de la mer du Nord sont toutes les ordures, détritus et déchets qui y sont déversés, et en particulier quatre mille millions de mètres cubes d'eaux usagées non épurées, un million et demi de tonnes de composés d'azote et deux cent mille tonnes de phosphates par an. Les innombrables substances nutritives que contiennent les eaux, combinées à la chaleur et à la lumière, « gavent » littéralement les algues. Les algues mortes sont dissoutes par les bactéries, mais pour cela, les bactéries engouffrent d'énormes quantités d'oxygène. Conséquence : les poissons meurent étouffés, et tout le système écologique peut basculer[7].

Voici le résultat d'un sondage pratiqué sur trois mille lycéens de seconde : vingt-cinq pour cent n'ont pas été capables de citer la moindre fleur. Soixante-dix pour cent ne savaient pas que les sapins étaient menacés de disparition. Quatre pour cent seulement connaissaient la signification de l'expression : déchets nucléaires.

3

« Plus de la moitié de toutes les forêts tropicales est déjà détruite ou endommagée de façon irréversible. Personne n'est capable de mesurer, même approximativement, la perte liée à ces destructions dans la faune et surtout dans la flore, déclara le docteur Bruno Gonzalos. — Il attendit qu'Isabelle ait traduit ces deux phrases avant de poursuivre : Mais d'ores et déjà une chose est certaine : les forêts tropicales sont les victimes du plus vaste " écocide " qui ait jamais été commis par l'homme et, par voie de conséquence, de l'extermination du plus grand nombre d'espèces de l'histoire mondiale. »

Clarisse, son épouse, une superbe mulâtresse à la peau foncée, avec des cheveux noirs coupés court et de magnifiques dents étincelantes de blancheur, prit à son tour la parole.

« Déjà Christophe Colomb, à son époque, était enthousiasmé par la " grande beauté " et l' " incroyable variété " des paysages forestiers des Caraïbes, avec " mille espèces différentes d'arbres si élevés qu'ils donnent l'impression de toucher le ciel ". »

Son mari prit un livre en main.

« Et Alexandre von Humboldt écrit ceci, je cite : " J'envie l'homme de la zone tropicale, particulièrement gâté par la nature qui lui accorde de voir toutes les espèces de plantes de la terre sans quitter sa patrie. "

— Mais ceci est du passé maintenant, déclara Clarisse, biologiste de profession. Avec le déboisement, plusieurs espèces d'animaux et de plantes disparaissent tous les jours de notre planète. Si l'on maintient ce rythme de destruction, il disparaîtra plusieurs espèces par heure ! C'est comme si les nations du globe avaient décidé de brûler leurs bibliothèques sans regarder ce qu'elles contiennent.

— Cette destruction, poursuivit Gonzalos, ne signifie pas seulement une perte énorme de formes de vie, mais aussi la désagrégation progressive du processus général d'évolution future. Cet " écocide " ne signifie pas la mort, mais la fin des naissances. »

Après qu'Isabelle eut traduit également ces déclarations, un silence pesant s'installa dans le bureau du docteur Gonzalos. Agé de trente-six ans, Gonzalos était un savant météorologue ; il travaillait pour le compte d'une organisation écologiste des Etats-Unis, et luttait depuis sept années pour sauver de la dévastation totale au moins le reste des forêts tropicales. C'était un homme calme et doux ; il donnait même l'impression d'être timide et craintif. Par contre, quand il parlait, sa voix pouvait prendre toutes les inflexions de la prière et de la supplication, ou, comme c'était le cas actuellement, adopter un ton froid, dur et accusateur. Son visage fin était très clair, ses yeux en revanche sombres, tout comme ses cheveux courts. Il était assis près de la fenêtre d'où l'on avait vue sur le grand bâtiment du Museu Nacional de Belas Artes, dans l'avenida Rio Branco. Gilles et Isabelle avaient visité ce palace le jour de leur arrivée, en attendant le retour des Gonzalos. Gilles, qui s'intéressait beaucoup à la peinture, avait donné de nombreux détails à sa compagne, et la jeune femme avait été très impressionnée par la manière dont il savait parler des tableaux.

Dans le bureau de Gonzalos, Isabelle était assise entre Gilles et Clarisse. Derrière Clarisse, un tableau suspendu au mur représentait un couple d'amoureux d'une conception pleine de poésie et de rêve. Gilles avait immédiatement reconnu le style du peintre Ismaël Néry, ce qui avait fait plaisir à ses hôtes. Ils s'étaient mis aussitôt à parler de ce peintre qu'ils aimaient beaucoup tous les trois, et Isabelle, qui là aussi jouait le rôle de l'interprète, était fascinée par la culture de Gilles ; elle en était même fière et le buvait des yeux, comme si elle le voyait pour la première fois.

Quatre autres personnes se trouvaient dans le bureau. Markus Marvin, Peter Bolling le chimiste, le cameraman et le technicien de l'équipe de Zinner. Gonzalos avait été surpris de constater que la télévision de Francfort réduisait à deux personnes l'équipe de tournage. Bernd Ekland, le cameraman, lui expliqua qu'autrefois, elles en comprenaient cinq, mais que maintenant, avec les caméras modernes, les fameuses BETA, deux suffisaient.

« Les caméras électroniques existent depuis longtemps, dit-il, mais les BETA travaillent avec des bandes magnétiques d'un demi-pouce, qui ne sont pas plus grandes qu'une cassette vidéo normale. Elles ont l'énorme avantage de pouvoir être projetées immédiatement sur écran, de sorte que l'on sait tout de suite si les prises de vue sont réussies, tant sur le plan optique que sur le plan acoustique. De nos jours, le " technicien " occupe à lui seul toutes les fonctions remplies autrefois par l'ingénieur du son, l'assistant du cameraman et l'électricien. Voilà onze ans déjà, ajouta-t-il avec une sorte de tendresse dans la voix, que je travaille avec mon technicien.

— Au début, j'étais ingénieur du son », expliqua celui-ci, une jeune femme habillée comme un adolescent.

Elle s'appelait Katja Raal, avait aussi une coiffure de garçon, et la peau de son visage était parsemée de boutons et de cicatrices d'acné.

« On nous envoie toujours ensemble, Bernd et moi, parce que nous nous entendons très bien, ajouta-t-elle, les yeux rieurs. C'est important, car quelquefois, les missions durent plusieurs mois. »

Elle jeta sur Ekland un regard brillant qui en disait long sur ses sentiments.

« Combien pèse votre fameuse BETA ? demanda Gilles.

— Neuf kilos.

— Et vous la portez sur l'épaule ?

— Oui. On peut aussi la visser sur un pied ou sur un support.

— Neuf kilos, c'est très lourd ! » dit Clarisse.

Et Isabelle traduisait tout, inlassablement.

« Un peu, oui, avoua Ekland. Mais heureusement, Katja m'aide. Sans elle, je ne pourrais pas travailler.

— Vous ? Vous soulevez aussi l'appareil ? demanda Isabelle.

— Bien sûr ! » répondit fièrement la jeune femme.

Bernd lui lança un regard tendre.

« Elle trime comme un bœuf, cette petite. Car elle participe à tout ! Et si vous saviez les kilos de matériel que nous avons à trimbaler partout ! Ah oui, je peux le dire, il est formidable, mon technicien ! »

Katja rayonnait ; elle caressa le bras de Bernd.

« Et avec ça, toujours gaie, toujours de bonne humeur... Une merveille, je vous le dis, une vraie merveille !

— Tais-toi ! dit Katja toute rougissante. Je ne voudrais rien faire d'autre que ce travail... avec toi. »

Et pourtant, ça ne durera plus qu'un an, se dit-elle tout en continuant à sourire, mais le cœur serré de désespoir. Un an tout au plus. Le premier médecin qu'il est allé voir quand il se mit à souffrir vraiment beaucoup de son épaule diagnostiqua une périarthrite huméro-scapulaire. Maladie professionnelle, due au poids de la caméra. Rayons, chaleur, ultra-sons, ondes courtes, et bien sûr, repos complet ! Ne plus travailler. Evidemment, il n'en était pas question. La douleur persista. Injections de cortisone dans l'épaule, régulièrement. Partout où nous nous trouvons. Ça l'a beaucoup soulagé. Jusqu'à ce qu'un autre médecin s'exclame : Comment ? Trois injections de cortisone par semaine ? Vous êtes fou ? Arrêtez immédiatement, sinon vous allez directement vers la rupture du tendon musculaire et ce sera la paralysie définitive. Bien sûr, nous avons pris peur et stoppé la cortisone. Les douleurs ont réapparu, de plus en plus fortes. Actuellement, il ne les supporte qu'à coups d'analgésiques puissants. Voilà six mois qu'il n'a plus consulté un seul médecin, parce qu'il veut filmer, filmer jusqu'au bout ; et s'il ne filme plus, que deviendra-t-il ? Et moi, qu'est-ce que je deviendrai ? Avec mon visage troué comme un gruyère, personne ne veut m'embaucher... Allons, n'y pensons pas, se dit Katja, surtout ne pas y penser, non, non ! Et elle se mit à rire gaiement.

Ils s'étaient réunis ce lundi matin 29 août dans l'appartement de Gonzalos pour discuter de tous les détails concernant le film qu'ils allaient tourner sur la destruction des forêts tropicales.

« Pour que le travail se fasse au mieux sur le terrain, il faut que nous choisissions bien nos interlocuteurs, avait dit Marvin. Nous devons savoir où nous allons, nous devons connaître tous les détails et les mettre au point *avant* le commencement du tournage, pour poser toutes les questions nécessaires, et c'est tout aussi important pour l'interprète. Cela facilite les déplacements de la caméra. »

Puis ils prirent le thé. La fenêtre était grande ouverte ; de la rue montait vers eux la chanson d'un mendiant.

« Que chante-t-il ? » demanda Peter Bolling.

Isabelle écouta et traduisit quelques bribes.

« Ce que mon destin me réserve... Ne m'abandonne jamais... Je ne connais que la tristesse... Je suis né pour elle... moi pour elle... »

Clarisse se leva et mit quelques pièces de monnaie et quelques billets dans une enveloppe qu'elle jeta au chanteur par la fenêtre.

« Génocide... écocide..., dit Marvin. Des mots affreux. Extermination d'un peuple, destruction de la nature... A quelle époque vivons-nous ! »

Isabelle traduisait tout. Elle portait un costume léger bleu clair et des chaussures blanches ; ses yeux se tournaient souvent vers Gilles et elle lui souriait, mais Gilles ne souriait jamais.

« Les hommes peuvent tuer leurs semblables, anéantir des races et des peuples tout entiers, dit Bruno Gonzalos. Mais ils ne peuvent pas tuer la nature. Ils peuvent essayer de la tuer, mais la nature se vengera à un moment ou à un autre, et l'humanité qui l'aura blessée périra. La nature, elle, vivra éternellement ; elle se régénérera sous de nouvelles formes. L'homme a besoin de la nature. La nature n'a pas besoin de l'homme. Ne nous faisons aucune illusion : dans les pays tropicaux comme le Brésil ou l'Indonésie, la population augmente tous les ans de plusieurs millions d'individus, qu'il faut héberger et nourrir. Poussés par la force du désespoir, tous ces malheureux s'attaqueront de plus en plus aux forêts, exactement comme les entrepreneurs d'un système économique uniquement orienté vers le profit. La catastrophe finale, le suicide de l'humanité, est donc *inéluctable*, et elle ne tardera pas à nous frapper si nous ne réussissons pas à imposer partout et le plus rapidement possible un contrôle des naissances efficace, et à interdire aux gouvernements, aux banques et aux industries sans foi ni loi ni morale l'exploitation éhontée de tous les trésors des forêts tropicales.

— Nous commencerons par énoncer cette revendication de principe, décida Marvin. Et nous expliquerons ensuite comment le climat général de la planète réagira à la destruction des forêts tropicales.

— On pourrait commencer par tourner ici même, proposa Bernd Ekland. Cette mise au point ferait une bonne entrée en matière...

— Il a fallu plus de soixante millions d'années à la forêt tropicale pour fabriquer la flore et la faune les plus riches de toute la terre. Jadis, elle couvrait vingt millions de kilomètres carrés. Il n'a même pas fallu un siècle à l'homme pour diminuer de moitié l'immense réserve d'arbres qui entoure l'équateur. Les forêts tropicales de l'Inde, du Bangladesh et du Sri Lanka sont déjà presque entièrement anéanties.

— L'effritement de la ceinture de verdure de la zone tropicale, et en particulier du " poumon vert " qu'est le bassin de l'Amazonie, entraîne des changements de température dans le monde entier », ajouta Clarisse Gonzalos.

Katja la regardait, fascinée. Quelle jolie peau, se dit-elle. Fine comme du velours... Bah ! Tant que Bernd peut tenir sa caméra... Allons, j'ai encore de la chance. Et, un sourire aux lèvres, elle écouta parler Clarisse.

« Si l'on continue à abattre les arbres ou à les brûler, la catastrophe climatique se produira dans un délai très rapproché. Des bulles d'air antédiluviennes trouvées dans les glaces du Groenland et de l'Antarctique montrent que plus la proportion de gaz carbonique émis par les incendies de forêts augmente, plus la température de l'atmosphère s'élève. De nos jours, il y a environ cinq milliards de tonnes de gaz carbonique qui s'échappent dans l'air par an...

— Combien ? s'exclama Marvin, effaré.

— Vous avez bien entendu, M. Marvin, cinq milliards de tonnes de gaz carbonique par an.

— Et on estime que les trois quarts proviennent des incendies

154

volontaires de forêts, ajouta Clarisse. Si l'on continue ainsi, la température générale montera tellement que la glace se mettra à fondre aux pôles, ce qui entraînera la submersion d'innombrables côtes, et la terre sera très rapidement ravagée.

— Si les immenses superficies de terre occupées par les plantes viennent à manquer, la réduction naturelle des gaz carboniques par l'assimilation chlorophylienne et la photosynthèse sera stoppée également », dit Gonzalos.

Bolling se tourna vers Philip Gilles.

« La photosynthèse, cela signifie que les plantes absorbent le gaz carbonique et l'eau de l'air et les transforment en amidon et en sucre avec l'aide de l'énergie solaire.

— Merci, fit Gilles.

— Je vous en prie », rétorqua Bolling, dont l'antipathie qu'il éprouvait d'instinct vis-à-vis de l'écrivain semblait se réveiller.

Gilles ne paraissait pas s'en rendre compte, il n'avait d'yeux que pour Isabelle.

« La réduction des forêts tropicales a également des effets sur toute la circulation de l'eau, poursuivit Bruno Gonzalos. Autrefois, elles jouaient le rôle d'immenses dispensatrices d'humidité qui assuraient le mouvement perpétuel de quelques milliards de tonnes d'eau, grâce au cycle de l'évaporation et de la chute des pluies. Elles stabilisaient donc le climat tropical et évitaient ainsi les inondations et les sécheresses excessives. Mais à force de coupes sombres criminelles dans ces réserves, c'en sera bientôt fini également de cet équilibre. Et enfin, nous perdrons notre fameuse réserve génétique de faune et de flore évaluée à un million sept cent mille espèces dont la science n'a même pas encore réussi à décrire ne serait-ce que la moitié. La forêt tropicale est peut-être — exception faite des océans — le seul espace vital qui a su garder en réserve un nombre infini de nouvelles substances nutritives, de nouvelles substances naturelles pour les médicaments et de matières premières végétales à l'usage d'une humanité en perpétuelle croissance... Or, depuis longtemps, cet espace vital est exploité sans scrupules par des sociétés multinationales, des banques, des trusts et des gouvernements. Nous allons vous le montrer. Nous allons vous montrer tout cela, ma femme et moi.

— Nous allons vous emmener tous au Centre de Calcul de l'Institut de Recherche sur l'espace cosmique, dit Clarisse. Vous y verrez des séries de photos prises par les satellites qui survolent le continent sud-américain. On y voit très nettement les dimensions qu'ont prises les destructions dans le bassin de l'Amazonie.

— Des images, c'est parfait, intervint Ekland. Le plus d'images possible. Les images sont plus convaincantes que les paroles.

— Vous en aurez plus qu'il ne vous en faut, dit Gonzalos. Mon équipe a décidé que je vous accompagnerais au cours de votre voyage. Je serai à votre disposition pour tout ce que vous voudrez filmer. Nous commencerons par aller à Belém, puis à Altamira où s'ouvrira dans trois jours un congrès auquel appellent les Indiens qui protestent contre la construction du plus grand barrage du monde. Je vous conduirai chez les chercheurs d'or ; je vous emmènerai sur le plateau de Carajas où a vu le jour la " Ruhr brésilienne ", sans le moindre égard pour les conséquences de cette exploitation abusive et avec le mépris le plus cynique de tous les contextes écologiques. — Gonzalos baissa soudain la voix et les yeux. — Oui, tous les crimes commis ici, je vous les montrerai. Ce sont des crimes internationaux. Nombreux sont les pays qui s'en sont faits les complices, et en particulier les Etats-Unis, l'Allemagne et le Japon. Nous... — Il hésita. — ... Nous ne céderons pas. Et nous ne sommes pas les seuls, bien d'autres encore sont fermement décidés à ne pas céder. Cependant, pour être franc, il faut que je le dise : je ne sais pas — personne ne le sait ! — si nous pouvons encore éviter la catastrophe. Dans une telle situation, il est absolument impossible de mettre encore des enfants au monde. Car si tout le mal que nous nous donnons reste sans effet, ces enfants devront vivre très vite dans un monde dantesque ; quant aux enfants de ces enfants... »

Clarisse s'excusa ; il fallait qu'elle aille préparer le déjeuner pour tous ses visiteurs.

« Vous venez avec moi ? dit-elle à Isabelle. Je vous montrerai aussi l'appartement. »

Isabelle se leva.

Une femme indienne travaillait dans la cuisine. Clarisse fit les présentations, jeta un coup d'œil sur les préparatifs du repas et invita Isabelle à la suivre dans la chambre à coucher. Aussitôt, elle s'écroula sur le lit, à bout de forces.

« Si vous saviez comme je suis malheureuse, Isabelle. Si vous saviez !

— Pourquoi ? demanda Isabelle effrayée.

— Mon mari ne veut pas d'enfant, vous l'avez entendu ? Moi non plus, je n'en voulais pas. Mais tout est changé maintenant. Je suis enceinte de deux mois, et je veux garder ce bébé. Bruno n'en sait rien encore. Que vais-je faire ? »

Elle bondit sur ses jambes et se jeta dans les bras d'Isabelle

156

émue jusqu'au tréfonds de l'âme. Entre ses sanglots, elle répétait inlassablement : « Que dois-je faire, mon Dieu ? Que dois-je faire ? »

4

Le 4 mai 1945, à Lunebourg, les généraux allemands et anglais signèrent le protocole de capitulation avec la Hollande, la Frise, Brême, le Schleswig-Holstein et le Danemark. Les vedettes lance-torpilles allemandes mouillées dans le port de Svendborg reçurent l'ordre de cesser le feu. Le 6 mai, au lever du soleil, cinq matelots quittèrent leur quartier pour se démarquer des troupes et essayer de rentrer chez eux. Mais ils furent vite repérés et le 9 mai, cinq jours après la capitulation partielle, le jour même où entrait en vigueur la capitulation générale et sans condition du Reich allemand tout entier, ils furent condamnés à mort pour désertion par une cour martiale présidée par le juge Holzwig . Les cinq condamnés furent fusillés le 10 mai et leurs cadavres jetés dans la mer.

Depuis la déclaration de la guerre jusqu'au 31 janvier 1945 (au-delà de cette date, il n'existe plus de recensement), les juges militaires condamnèrent à mort « en toute validité » vingt-quatre mille cinq cent cinquante-neuf soldats allemands. Au moins seize mille d'entre eux furent passés par les armes, pendus ou décapités, la majorité des autres furent « graciés » et transférés dans des compagnies disciplinaires où ils perdirent aussi la vie.

A titre comparatif : les juges de l'armée impériale allemande ont fait exécuter quarante-huit soldats durant les quatre années de la Première Guerre mondiale... Et sur les dix millions d'Américains enrôlés pendant les deux guerres mondiales, un seul et unique a été condamné à mort pour désertion par un tribunal militaire américain, et exécuté...

Après 1945, il n'a été demandé de comptes à aucun juge militaire allemand. Par la suite, la plupart d'entre eux ont fait de brillantes carrières politiques ou professionnelles. On se rappelle le fameux scandale de l'ancien juge militaire, le docteur Hans Filbinger, devenu plus tard Premier ministre de la Bade-Wurtemberg.

Parmi les cinq matelots qui furent exécutés le 10 mai 1945 à la suite d'une condamnation prononcée par le juge militaire Holzwig se trouvait Peter Ritt, vingt-neuf ans. A cette époque, son fils Elmar avait dix-huit mois. Il n'a jamais connu son père.

« Comment ça, un garde du corps ? demanda Elmar Ritt.

— Ce sont bien les termes de l'ordre que vous avez signé vous-même, monsieur le procureur de la République ! dit le jeune agent de la police judiciaire, Karl Wilmers, déconcerté. Le docteur Hansen est gardé vingt-quatre heures sur vingt-quatre. C'est vous-même qui l'avez demandé...

— Moi ? répondit Ritt sèchement. Je n'ai rien demandé de ce genre.

— Vous n'avez... — Wilmers était de plus en plus déconcerté.

— C'est pourtant bien pour cette raison que nous sommes ici, mon collègue et moi ! Si vous ne l'avez pas ordonné, qui l'a fait alors ? »

Cette discussion avait lieu le 29 août 1988, à l'heure de midi, ce même lundi où le docteur Bruno Gonzalos et son épouse Clarisse recevaient dans leur appartement de Rio de Janeiro Markus Marvin et son équipe chargés de tourner des films documentaires sur la destruction de la forêt amazonienne.

Elmar Ritt se trouvait avec un secrétaire dans le hall de réception de l'hôpital général de Francfort-sur-le-Main. Il venait juste d'expliquer au portier qu'il avait un rendez-vous avec Hilmar Hansen, lequel occupait une chambre privée de l'hôpital, lorsqu'un jeune homme s'était avancé vers lui ; il se présenta : Karl Wilmers, inspecteur de la PJ.

« Qui l'a ordonné ? répéta Ritt. Sans doute un collaborateur du procureur général. Et on a oublié de me tenir au courant. »

Ritt se souvint de son père qu'il n'avait jamais vu et se dit : Voilà pourquoi je suis devenu procureur de la République. Je voulais tout faire pour que la justice règne dans ce pays. Pas un seul juge militaire d'alors n'a été dénoncé par ses collègues. Une foule de criminels de guerre nazis qui ont participé à l'Holocauste n'ont jamais été condamnés, pas plus que tant de médecins nazis et tant d'individus coupables de délits économiques. La justice de notre pays a bien des points sombres à son actif. Que se passe-t-il de nouveau ici ? Il est inutile que je me dispute avec ce jeune homme. On l'a envoyé dans cet hôpital, il ne fait qu'obéir. Il faut que je découvre les dessous de cette affaire. Et pourquoi on est passé par-dessus ma tête ! Du calme, mon vieux, ce jeune homme n'y est pour rien, se dit-il.

« Je voudrais parler à M. Hansen.

— Bien sûr, monsieur le procureur de la République. Je vais vous conduire auprès de lui », répondit Wilmers.

Il précéda le magistrat et son secrétaire jusqu'à l'ascenseur et bientôt tous trois arrivèrent au secteur des chambres privées, fermé par une porte en verre dépoli. Le jeune agent sonna ; une infirmière vint ouvrir.

« Tout va bien, Mlle Cornelia, dit Wilmers. Voici M. Ritt, le procureur de la République, je le connais de vue... et son secrétaire, monsieur...

— Jakob Horn », compléta Ritt d'une voix rogue.

Un autre jeune agent était assis devant une porte fermée. Ritt sentit la moutarde lui monter au nez.

« Conduisez-nous auprès de M. Hansen », dit-il avec un sourire.

Le second agent se leva et Wilmers fit les présentations.

« Inspecteur Herterich...

— Tout de suite, monsieur le procureur de la République, dit Herterich. Mais il faut d'abord que je... que je procède... à une petite formalité.

— Laquelle ?

— Il faut que je vous fouille tous les deux pour être certain que vous ne portez pas d'arme sur vous.

— Vous dites ? fit Ritt de plus en plus énervé.

— Personne n'a le droit de pénétrer chez M. Hansen sans être fouillé... Ce sont les ordres... Nous devons faire notre devoir.

— Je... — Ritt respira profondément. Du calme, mon vieux ! — C'est bon, dit-il. Mademoiselle, demanda-t-il à l'infirmière, où puis-je téléphoner, s'il vous plaît ?

— Ici, répondit-elle en lui montrant une petite pièce tapissée d'armoires à pharmacie.

— Merci. »

Il entra dans le réduit, composa son numéro et demanda à parler au procureur général.

« Monsieur le procureur général n'est pas ici, M. Ritt.

— Passez-moi son second.

— Il est absent également. Il...

— Ah bon ! cria Ritt. — Du calme, ne pas crier surtout ! se morigéna-t-il.

— Il n'y a personne, reprit le standardiste à l'autre bout du fil. C'est l'heure du déjeuner...

— Bon, merci », dit Ritt, et il raccrocha.

« Donnez-nous tous les objets métalliques qui sont dans vos poches, disait justement Herterich au secrétaire.

— Obéissez ! » ordonna Ritt à Jakob Horn.

Celui-ci tendit ses clefs et de la menue monnaie. Herterich lui promena un appareil sur tout le corps en murmurant :

« Je n'y peux rien, moi. J'obéis aux ordres.

— Oui, oui, fit Ritt d'un air rageur. — Ces derniers temps, il pensait de plus en plus à son père mort d'une mort ignominieuse et injuste. — Ça va, Herterich. Vous n'y êtes pour rien. Vous entendez, Horn, cet homme n'y est pour rien !

— Nous vous présentons une nouvelle fois nos excuses, dit Wilmers. Venez, messieurs, je vous conduis chez M. Hansen. »

Ils allèrent jusqu'à la porte devant laquelle Herterich montait la garde avant leur arrivée. La porte opposée s'ouvrit et un médecin aux cheveux gris s'approcha.

« Monsieur le procureur de la République Ritt ?

— Oui.

— Docteur Heidenreich. Nous nous sommes parlé au téléphone.

— En effet.

— M. Hansen est encore très faible. Je vous accorde quinze minutes, pas une de plus. »

Puis il ouvrit la porte sur laquelle était suspendu un petit panneau portant ces mots : DÉFENSE D'ENTRER, et déclara :

« M. Hansen, voici ces messieurs du tribunal. »

Elmar Ritt serra la main du blessé et s'installa sur une chaise à son chevet.

« M. Hansen, dit-il. Vous savez qui je suis, et qui est l'homme assis là-bas à la petite table ? J'ai des questions à vous poser. Est-ce que parler vous est pénible ? Il vous suffira dans ce cas de répondre d'un signe de tête.

— Non, ça va », répondit Hansen.

Il zézayait en parlant, Marvin lui avait fait sauter deux dents. Son visage et ses bras étaient couverts d'hématomes et son torse était serré dans un épais bandage. Les côtes cassées, se dit Ritt. Un pansement sur l'œil gauche, une jambe dans le plâtre. Il contempla le crâne fin et racé de Hansen, la toison de cheveux blancs, et les grands yeux sombres et doux. Il a un petit air féminin, il pourrait être une dame très séduisante, charmante et timide à la fois, se dit Ritt.

Le magistrat reprit le dossier qu'il avait étudié dans la voiture en venant à l'hôpital.

Hilmar Hansen avait vu le jour à Francfort le 22 mai 1946 ; ses parents étaient les uniques propriétaires des laboratoires Hansen-Chimie, société en commandite. L'affaire avait été créée en 1827 par l'arrière-grand-père du père de l'actuel Hansen et avait pris

160

un grand essor entre 1925 et 1943, grâce à l'esprit d'initiative du père de Hilmar Hansen, Paul Alexander. Puis la majeure partie de l'usine située sur la rive du Main avait été détruite par les bombardements aériens, et Paul Alexander Hansen s'était lancé sans perdre de temps dans la reconstruction, aidé plus tard par son fils. En 1988, le laboratoire était devenu une sorte de « petit frère » de Bayer et de Hoechst.

Le grand-père de Hilmar Hansen avait fait construire le château Arabella, près de Königstein dans le Taunus, et c'est là que vivait l'industriel, avec son épouse Elisa et leur fils Thomas, âgé de neuf ans.

Ritt se pencha sur le lit.

« Vous pouvez parler, M. Hansen ?

— Mais oui, M. Ritt, je peux parler. Mais pas très fort. Je souffre très peu. »

Malgré le sourire, il y avait une note de mélancolie, d'humilité et de tristesse dans le regard de ses beaux yeux sombres ; sa voix était mélodieuse et claire.

« Très bien, dit Ritt. M. Hansen, avez-vous fabriqué et vendu des articles à base de paradichlorobenzène — ce que l'on appelle des blocs hygiéniques ou déodorants et des produits destinés à l'hygiène des cadavres, comme on dit ?

— Oui, monsieur le procureur. Mais pas très longtemps, pendant six mois seulement environ. Puis la production a été stoppée.

— Pourquoi ?

— Nous avons reçu des renseignements émanant de plusieurs sources, précisant que le paradichlorobenzène était un produit cancérigène. En outre, son utilisation libère des substances toxiques... Ceci, nous le savions — Il parlait plus vite à présent — Après quelques recherches et quelques tests, nous avons pu empêcher que ces substances toxiques deviennent actives, mais nous avons malgré tout suspendu la production, de notre propre initiative, M. Ritt, de notre propre initiative.

— Que signifie " de votre propre initiative " ?

— Jusqu'à maintenant, aucun test n'a pu prouver que le paradichlorobenzène était effectivement cancérigène. Les recherches se poursuivent et dureront encore pendant des années. Mais nous ne voulions prendre aucun risque, vous comprenez ?

— Entre-temps, le ministère de la Santé a interdit les produits à base de paradichlorobenzène ...

— En 1988, monsieur le procureur, intervint aussitôt Hansen

161

de sa voix douce et zézayante. Tandis que nous, nous avons suspendu la production dès 1985. Permettez-moi aussi de vous faire remarquer que ces produits à base de paradichlorobenzène ne sont pas interdits dans tous les pays, loin s'en faut. Les prescriptions allemandes sont particulièrement rigoureuses. »

Le secrétaire enregistrait tous les termes de cet interrogatoire sur sa petite machine silencieuse.

« Vous disiez, M. Hansen, que vous aviez suspendu la production au bout de très peu de temps ?

— En effet.

— N'avez-vous jamais vendu à d'autres pays ces produits interdits chez nous ? Aux pays du tiers monde, par exemple ?

— Non, jamais.

— Pourtant le docteur Valérie Roth et M. Peter Bolling ont déposé plainte contre vous à plusieurs reprises, sous l'accusation précisément d'avoir vendu ces produits à certains pays du tiers monde.

— J'ai gagné les quatre procès, vous le savez bien, M. Ritt. Jamais personne n'a réussi à trouver le moindre indice dans ce sens, à plus forte raison une preuve ! »

Ritt feuilleta son dossier.

« Et pour finir, le docteur Markus Marvin a déposé plainte contre vous pour le même motif ?

— J'ai bénéficié d'un non-lieu, comme vous le savez. »

Ritt se leva.

« Pourquoi êtes-vous placé sous la protection de la police ?

— Parce que vous l'avez exigé, monsieur le procureur de la République, répondit l'industriel non sans un soupçon d'irritation dans la voix. Que signifie cette histoire ? J'ai dit, moi, que je ne voulais pas de protection spéciale, je trouve cela parfaitement inutile, ridicule et agaçant, mais c'est vous-même qui avez insisté, en alléguant que j'avais reçu de nombreuses lettres de menaces de mort, après la publication par les médias de mes prétendues livraisons de poison au tiers monde.

— M. Hansen, affirma Ritt, je n'ai jamais exigé ni réclamé de protection particulière pour vous.

— Vous n'avez jamais...

— Non. Jamais.

— Et pourtant, je suis gardé jour et nuit ! Personne n'a le droit de pénétrer dans cette chambre sans avoir été fouillé... Pas même ma femme !

— Pas même nous, M. Horn et moi, ajouta Ritt.

162

— Alors, qui a donné cet ordre ? Je veux dire... Si ce n'est pas vous ? Et pourquoi ?

— Pour vous protéger, M. Hansen. Les menaces de mort sont toujours prises au sérieux par la police.

— Mais vous au moins, vous auriez dû être prévenu ? — Sa voix trahissait à présent inquiétude et agitation. — Que disent les autres magistrats ?

— Que c'est moi qui ai donné cet ordre.

— C'est complètement idiot !

— Je ne le crois pas, M. Hansen, dit Ritt. Tout a toujours son bien-fondé, vous pouvez en être certain... »

Sauf ici, se dit-il en même temps. Mais il ne voulait pas laisser transparaître sa fureur. Peut-être avait-il vraiment affaire à un innocent ; ou bien alors les apparences étaient trompeuses, et Hansen cachait une partie de la vérité.

« Pollueur, criminel de l'environnement, c'est ainsi que vous êtes étiqueté dans les médias, n'est-ce pas ? Les catastrophes de l'environnement ne cessent de se répéter : accident maximal prévisible, la terre empoisonnée, l'eau empoisonnée, l'air empoisonné. Il y a tant de gens qui ont perdu tout sentiment de sécurité. Bien sûr, il ne manque pas de psychopathes parmi eux. Compte tenu de tous ces facteurs, il est normal que vous soyez placé sous protection spéciale, M. Hansen.

— C'est une des conséquences de l'esprit du temps, dit Hansen résigné.

— Que voulez-vous dire ?

— Voyez-vous, monsieur le procureur... De quoi les gens entendent-ils parler le plus souvent en ce moment ? De l'effet de serre, du trou d'ozone, d'une éventuelle catastrophe climatique. Vingt-quatre heures sur vingt-quatre. D'accord, les incidents et accidents ne manquent pas. Sur tous les continents, l'homme et la nature ont à souffrir de sécheresse et d'inondations, de raz-de-marée, de mauvaises récoltes et de famines. J'ai lu ce matin que vingt-cinq millions de " réfugiés de l'environnement " ont déjà été recensés au Soudan et au Bangladesh. Pourquoi ? Parce que des inondations provoquées par des changements de climat ont déjà pris des dimensions catastrophiques. C'est ce que j'ai lu...

— Vous semblez sous-entendre que ce n'est pas vrai ? Est-ce cela que vous appelez " l'esprit du temps ", M. Hansen ? Une sorte de malin plaisir à prêcher l'apocalypse ? Vous ai-je bien compris ? »

Ritt était debout, au chevet du blessé. Quelle espèce d'homme est-il réellement, ce Hansen ? se demanda-t-il. Et qu'a-t-il dans la tête ?

« Vous ne me comprenez qu'à moitié, répondit doucement l'industriel. Je me permets uniquement de me poser quelques questions : le climat peut-il " collaborer ", ou se laisser " bouffer ", comme on dit de nos jours ? Ou n'y a-t-il pas eu de tout temps des périodes de sécheresse et d'inondations au Soudan et au Bangladesh ? Ne seraient-ce pas les changements démographiques et politiques qui conditionnent le destin accablant de ces vingt-cinq millions de réfugiés de l'environnement, plutôt que le temps ? Est-ce qu'il n'est pas grotesque — excusez ce terme ! — de présenter sans cesse des scénarios précis de catastrophes climatiques qui doivent frapper ces régions dans quarante ou cinquante ans, alors que l'on constate quotidiennement que les météorologues ne peuvent prévoir le temps plus de dix jours à l'avance ?...

— Autrement dit, vous ne croyez pas aux dangers...

— Laissez-moi aller jusqu'au bout de ma pensée, je vous en prie, monsieur le procureur de la République. Tout est beaucoup plus compliqué que ce qu'en disent les médias. Voilà assez longtemps que je pratique ce métier, je pense, pour pouvoir parler en connaissance de cause. Bien sûr, ces dangers que l'on peint sur des écrans gigantesques existent. Ce qu'on appelle la science n'a-t-elle pas perdu dans le passé une grande partie de sa crédibilité en minimisant les problèmes impopulaires ? Certes si ! Cependant...

— Cependant ?

— Cependant, depuis quelques années, il y a de plus en plus de chercheurs — et un grand nombre de leurs disciples qui n'ont rien à voir avec la recherche, qui n'ont jamais rien eu à voir avec elle ! — qui pensent qu'il est temps pour eux de quitter leur tour d'ivoire afin de sauver la nature et l'humanité. Les uns préconisent des inventions bienfaisantes pour résoudre les problèmes les plus accablants — l'énergie solaire, n'est-ce pas, des remèdes contre le SIDA et le cancer, des vaccins pour les phoques contaminés, des engrais chimiques pour les forêts malades — ; les autres lancent des rumeurs de fin du monde à brève échéance, provoquée par l'empoisonnement de l'environnement, par la contamination des océans et des fleuves, de l'air et de la terre, par la mort des espèces, par le trou d'ozone ou justement par le collapsus climatique. »

La porte s'ouvrit, le docteur Heidenreich entra dans la chambre.

« Je suis désolé, monsieur le procureur de la République, il y a

164

longtemps que les quinze minutes sont écoulées. M. Hansen a besoin de calme. Je vous prie de vous en aller maintenant !

— Non ! protesta Hansen dans un cri.

— Mais... commença le médecin surpris.

— Docteur, je vous en prie, laissez-moi terminer ce que j'ai à dire à M. Ritt. C'est important... Je me sens parfaitement bien. Quinze minutes encore... sous ma propre responsabilité, docteur ! »

Le médecin haussa les épaules.

« C'est de *votre* santé qu'il s'agit, monsieur ! »

Il sortit de la chambre, visiblement furieux.

« Il faut bien que je vous explique, monsieur le procureur ! Pour les médias, je suis coupable d'attentat contre l'environnement. Quelle bonne proie pour l'esprit du temps ! Je suis passé plusieurs fois devant le tribunal : il en reste toujours quelque chose, n'est-ce pas ? Mais revenons-en à l'esprit du temps. Les scientifiques des instituts d'écologie qui prônent les " alternatives " ne sont pas les seuls à rendre hommage à l'esprit du temps, en se posant en sauveteurs de l'humanité ou en jouant les prophètes de mauvais augure. Les directeurs des instituts universitaires et des instituts Plancke enfourchent aussi ce cheval de bataille. En partie par conviction, en partie parce que cela leur amène des sympathies. Mais surtout... »

Sa voix s'enfla, comme s'il suppliait qu'on le croie, et Ritt se demanda une fois de plus si cet homme n'était pas vraiment intègre, et victime plutôt que criminel, et si Markus Marvin en revanche n'était pas un fanatique tombé d'un extrême — la passion du nucléaire — dans l'autre — le combat pour la survie de l'humanité —, et donc une nature inconstante. A moins qu'il ne se joue ici un jeu qui me dépasse, dont je n'ai pas la moindre idée et que je ne peux même pas imaginer, se dit-il.

« Mais surtout, répéta Hansen, parce qu'il est question de libérer des milliards pour la recherche et qu'il suffit d'avoir la perspective d'une solution à des problèmes importants pour pouvoir y prétendre. Or il est évident que les problèmes auxquels nous sommes confrontés sont plus qu'importants. Tenez... — Il saisit une revue posée sur sa table de chevet au milieu de beaucoup d'autres. — Voici ce que la dernière édition de *La Gazette du médecin* écrit en première page : " Le SIDA, dans un tout autre domaine, est une bénédiction macabre : c'est seulement depuis que l'on se penche sur le problème du SIDA que la recherche sur les virus est dotée de très fortes subventions. " — Hansen laissa tomber la revue sur son lit. — Nous y voilà, monsieur le procureur ! C'est grâce à la mort des forêts que l'exploitation forestière, négligée jusque-là, revêt soudain une importance extrême. La peste des algues et l'hécatombe des phoques ont valu à la recherche océanographique une propulsion inespérée. Le trou d'ozone et l'effet de serre ont réveillé la recherche sur l'atmosphère et la climatologie de leur sommeil séculaire en les inondant de milliards.

— Vous devriez approuver de telles réactions de la part des instances supérieures.

— Bien sûr, j'approuve, M. Ritt. Ce que je n'approuve pas, en revanche, ce sont les groupes écologiques, les hommes politiques, les journalistes et les scientifiques qui exploitent les dangers auxquels est exposé notre monde pour leur carrière et leur prospérité. Ce que je n'approuve pas, ce sont ceux qui appellent le malheur de tous leurs vœux, avec un cynisme révoltant, parce qu' " il faudra bien qu'il se passe enfin quelque chose sur le plan politique ". Ceux qui se vantent de protéger et de sauver la nature n'ont pas tous des motifs purs, monsieur le procureur de la République. Il est plus que temps d'examiner d'aussi près que possible ces personnes-là, et avec un esprit aussi critique qu'on le fait pour les petits, tout petits délinquants par exemple...

— Allons, calmez-vous, M. Hansen, l'interrompit Ritt en voyant que le blessé commençait à s'agiter.

— Me calmer ? Bien au contraire ! s'écria Hansen. Vous connaissez Paul Watzlawick, je suppose ?

— Le célèbre psychothérapeute autrichien qui travaille en Amérique. Oui, je connais ses livres.

— Eh bien, j'ai lu une interview de Watzlawick dans un magazine autrichien d'actualités [8]. Il parle de ce phénomène étrange : Les Européens — du moins ici — n'ont jamais eu une vie aussi confortable que maintenant. Personne ne souffre de la faim, n'est-ce pas ? Ils profitent presque tous du réseau de prestations sociales. Et pourtant beaucoup d'entre eux ne sont pas heureux ; ils souffrent de dépression, sont très souvent au bord du suicide. A quoi attribuez-vous ces réactions ? demande l'interviewer. Et Watzlawick de répondre : George Orwell, l'auteur de *1984*, a expliqué ce phénomène dans un de ses essais, d'une manière claire et frappante : " Les hommes qui ont l'estomac vide, écrit-il, ne désespèrent pas de l'univers. Ils n'y pensent même pas. " En 1946, dit Watzlawick, Orwell travaillait à Trieste, complètement anéantie par les bombes, chez les hauts fonctionnaires de la police. Alors

166

qu'on manquait de tout, on enregistrait quatorze suicides par an. Dans les années cinquante, alors que la plupart des gens avaient retrouvé du travail, un logement et de quoi manger, le taux de suicides fit un bond : douze par mois ! Cela lui a donné beaucoup à réfléchir, dit Watzlawick.

— Et comment interprète-t-il ce phénomène ? »

Voilà que brusquement Ritt était fasciné par cette conversation.

« L'homme est très mal préparé à vivre dans des conditions de sécurité moyenne, répondit Hansen.

— Ma mère m'a raconté que les églises n'avaient jamais été aussi pleines que tout de suite après la guerre, à une époque de misère noire, où tout n'était que ruine, faim et froid, dit Ritt de plus en plus pensif.

— Vous voyez, M. Ritt ! Voici en gros ce que dit Watzlawick dans cette interview : en cas de danger, les grands modèles sont importants. Quand il est environné de mort et de destruction, l'homme est beaucoup plus orienté vers l'existence, c'est pourquoi il cherchera la foi, ou n'importe quelle autre conviction, qui l'aidera à résister. " Pourrait-on dire alors, demanda son interlocuteur, que si nous avons moins de foi qu'avant, c'est que notre existence est trop bien assurée ? " Et le professeur Watzlawick répondit : " Mais oui, on pourrait très bien le dire. "

— Ce n'est pas un pronostic rassurant, dit Ritt.

— Sûrement pas. Il va encore se passer bien des choses avant l'an 2000, affirme Watzlawick. On peut établir un parallèle avec l'année 999 qui a été marquée, nous disent les chroniques de l'époque, par une hystérie sans exemple. A l'époque, dit Watzlawick, il n'y avait pas de trou d'ozone, pas de pluies acides, pas de SIDA. Et pourtant, on prophétisa la fin du monde et la disparition de la terre dans le feu et la pestilence. Et maintenant, monsieur le procureur, écoutez ce que dit Watzlawick, je cite : " En tant que représentant d'un groupe de penseurs qui croient que nous nous construisons nous-mêmes notre vérité, je me sens confirmé dans mes idées. Car la folie générale de 999 n'a pas atteint les pays qui ne suivaient pas le calendrier chrétien. Pour eux, cette date n'était pas différente des autres... " — Hansen sourit. — C'est formidable, n'est-ce pas ?

— Oui, c'est formidable, dit le magistrat qui ne quittait pas des yeux son interlocuteur. Et pourquoi avez-vous retiré votre plainte contre Marvin qui vous a agressé et blessé de la sorte ? »

Sans la moindre hésitation, Hansen répondit :

« Parce que c'est un de mes vieux amis.

— Marvin, un de vos vieux amis ?

— Oui. Depuis un quart de siècle. Nous avons fait nos études ensemble, moi en chimie, lui en physique. Nous étions pratiquement inséparables. Jusqu'à ce que Markus change complètement d'orientation. Vous savez qu'il était jadis membre de la commission de surveillance atomique du ministère de l'Environnement de la Hesse ? Et que, d'un jour à l'autre, sous l'influence du temps, disons, il a été atteint de la manie de la persécution. Paranoïaque, il faut bien le dire, malheureusement. Toutes les usines chimiques et les laboratoires pharmaceutiques, par exemple, sont à ses yeux dirigés par des criminels qui détruisent notre planète. Et brusquement, il s'est mis à me haïr, oui, à me haïr, moi tout spécialement, puisque j'étais proche de lui. — Sa voix se fit toute petite, Ritt fut obligé de se pencher et de tendre l'oreille. — C'est vraiment tragique. C'est ainsi que notre amitié a été réduite en cendres, l'amitié qui est le bien le plus précieux, n'est-ce pas ? Vous ne lui auriez pas pardonné à ma place, monsieur le procureur ? Vous n'auriez pas retiré votre plainte ?

— Tout cela est faux », dit une voix de femme.

Ritt et Hansen levèrent les yeux vers la porte. Une femme d'une quarantaine d'années était entrée dans la chambre à leur insu.

« Oh ! Elisa ! dit Hansen.

— Hilmar ! Mon chéri ! »

La jeune femme portait un ensemble estival de couleur crème unie, et un bouquet de roses rouges dans les bras. Elle était grande et belle, ses cheveux foncés coupés à la Jeanne d'Arc lui allaient très bien.

Elle se pencha sur le lit et déposa un baiser léger sur les lèvres de son mari.

« Elisa, dit ensuite Hilmar Hansen, je te présente M. Ritt, le procureur de la République, et son secrétaire, M. Horn. »

Horn ne dit pas un mot.

« Je sais, chéri, dit Mme Hansen.

— Comment cela ? Pardon, messieurs, je vous présente ma femme.

— Enchanté », dit Ritt.

Horn garda encore le silence.

« Qu'est-ce qui est faux ? demanda aussitôt Ritt.

— Le motif pour lequel mon mari a retiré sa plainte contre Markus... contre M. Marvin.

— Elisa, je t'en prie, intervint faiblement Hansen.

— Laisse-moi parler! répondit-elle. De toute façon, M. Ritt finira bien par le découvrir.

— Alors? insista le procureur.

— C'est sur ma demande que Hilmar a retiré sa plainte, dit-elle simplement.

— Qu'est-ce qui vous a poussée à faire cette demande?

— J'ai été mariée pendant huit ans avec Markus Marvin.

— Quoi?

— Et nous avons une fille, Suzanne. Vous savez sans doute qu'entre-temps, Suzanne a abandonné aussi son père?

— Oui, je suis au courant. Mais pourquoi...

— Attendez, je vais tout vous expliquer, monsieur le procureur de la République. — Elle semblait particulièrement énergique, cette Elisa Hansen. — J'ai quitté Markus il y a onze ans; il ne me l'a jamais pardonné. Et il n'a jamais pardonné à Hilmar de m'avoir acceptée comme épouse.

— Elisa! supplia Hansen, horriblement gêné.

— Cette agression contre mon mari, M. Ritt, a été provoquée par la jalousie féroce d'un homme abandonné par sa femme au profit d'un autre. Elle n'a aucun rapport avec quoi que ce soit de politique ou d'économique. »

La porte s'ouvrit et le docteur Heidenreich parut.

« Monsieur le procureur de la République...

— Voilà! Voilà! Excusez-moi, nous partons. »

Il fit signe à Horn de ranger son matériel et se tourna vers Elisa Hansen :

« Mais nous avons encore à parler, vous et moi, madame!

— Quand vous voudrez, répondit-elle. Je suis à votre entière disposition. »

Dans la voiture de fonction qui les avait amenés à l'hôpital et les ramenait à présent au tribunal, le chauffeur avait branché la radio. C'était l'heure des informations.

« ... Ce matin pour la première fois, le ministère de l'Environnement a déclenché l'alarme générale à l'ozone, disait le speaker. Ce sont surtout les enfants, les personnes du troisième âge, les sportifs et les asthmatiques qui sont en danger. Les autorités mettent en garde ces groupes à risque contre toute espèce d'effort exagéré. Le SPD a lancé l'interdiction absolue et à effet immédiat de circuler aux voitures dépourvues de catalyseur... »

Le chauffeur jonglait avec la circulation. A la radio suivit une brève interview du docteur Manfred Breitencamp, expert des questions atmosphériques près le ministère allemand de l'Environnement. Le reporter lui posa une première question :

« Pouvez-vous nous expliquer d'où vient cet ozone, M. Breitencamp ?

— Par les températures caniculaires de ces jours-ci, il a son origine dans la circulation automobile. Le simple fait de prendre de l'essence libère du carbure d'hydrogène qui se mélange aux oxydes d'azote des gaz d'échappement, dirais-je pour simplifier. Quand le rayonnement solaire est très intensif, le résultat de ce mélange donne de l'ozone, un gaz qui a une odeur légèrement douceâtre. Le terme " ozone " vient du grec et signifie " qui a une odeur ".

— Mais comment expliquer cette double inquiétude à propos de l'ozone : d'une part l'excès d'ozone provoqué par la circulation automobile en période de canicule, et de l'autre le manque d'ozone qui est à l'origine de ce fameux " trou d'ozone " ?

— Nous appelons troposphère les deux couches inférieures de l'atmosphère ; elle va de la surface de la terre à quinze kilomètres d'altitude environ ; la couche moyenne est la stratosphère, qui va de quinze à soixante kilomètres d'altitude. Or, dans la stratosphère, c'est l'ozone qui entretient la vie sur la terre : il protège les hommes, les animaux et les plantes des rayons infra-rouges cancérigènes. C'est dans cette couche-là que s'est formé le trou d'ozone fatal qui menace notre planète. En revanche, dans la troposphère, l'excès d'ozone est nocif : il tue les bactéries, les germes, les virus et les plantes ; c'est sans doute lui aussi qui est à l'origine de la mort des forêts. Chez les hommes et les mammifères, il provoque une irritation des voies respiratoires et amènera sans doute, dans les cas extrêmes, des étourdissements, des vertiges et des saignements de nez, qui évolueront en œdèmes pulmonaires mortels. Pour s'en protéger, les médecins conseillent de prendre de la vitamine E en capsules, en guise d'antidote. »

Le chauffeur fut obligé de stopper, l'embouteillage s'était transformé en paralysie totale.

« A ce propos, poursuivit la voix du speaker, je viens de recevoir un autre message. Deux députés du CDU/CSU ont violemment protesté contre ce déclenchement de l'alarme à l'ozone et réclament le renvoi immédiat des responsables[9]. A leurs yeux, cette mesure n'est qu'un moyen de semer la panique, et ils exigent que l'on relève immédiatement le taux d'ozone autorisé par mètre cube d'air... Union soviétique : Dans son édition d'aujourd'hui, l'organe gouvernemental *Izwestia* parle d'une invasion de souris et de rats, évaluée à quatre mille approximativement, dans les environs de la centrale nucléaire de Tchernobyl qui a explosé en 1986. Ces animaux sont d'une taille trois fois supérieure à la normale et extrêmement agressifs. De même, des arbres qui s'étaient desséchés après la catastrophe se mettent brusquement à croître dans des proportions gigantesques. Les feuilles de peupliers atteignent une longueur de dix-huit centimètres et les bourgeons de très nombreuses espèces végétales s'épanouissent à contretemps... »

Jakob Horn, le secrétaire, était assis au fond de la voiture sans faire un mouvement. Si Marie vient à mourir, se dit-il, je me suicide... Marie, c'était sa femme, qu'il aimait passionnément ; atteinte de sclérose en plaque, elle était déjà condamnée à la chaise roulante.

En entrant dans son bureau, dont il fermait toujours la porte à clef lors de ses absences, Elmar Ritt trouva une enveloppe sur le parquet, qui avait été glissée de l'extérieur. Il l'ouvrit ; la lettre portait l'en-tête du procureur général du tribunal de grande instance.

A M. Ritt, procureur de la République

> *Mon cher collègue,*
> *Je me vois dans l'obligation de vous informer par la présente que l'étude du dossier Hilmar Hansen/Markus Marvin est confiée au docteur Werner Schiskal à partir de ce jour. Je vous en donnerai les raisons.*
> *En conséquence, je vous prie de transmettre à M. Schiskal ce jour-même, 29 août 1988, d'ici quinze heures au plus tard, toutes les pièces concernant cette affaire et de lui faire un rapport sur la situation de l'enquête.*
> *Bien collégialement vôtre*
> *— Signature manuscrite et cachet —*
> *Le procureur général*

Me voilà démis de l'affaire Hansen, se dit Ritt. Et de l'affaire Marvin. La machine n'a pas perdu de temps. Que se passe-t-il donc ? Qu'est-ce qu'il est nécessaire de cacher ? Qui faut-il protéger ? De qui ? De quoi ? Pourquoi ?

Il jeta un coup d'œil absent sur sa montre. Il était exactement deux heures et deux minutes. Ecroulé dans son fauteuil, Elmar Ritt ne fit pas un mouvement. Il pensait à son père.

5

« Que vais-je faire ? Que vais-je faire ? » demandait Clarisse Gonzalos entre deux sanglots.

Isabelle lui entoura les épaules de son bras et la conduisit doucement vers le lit sur lequel elles s'assirent toutes les deux.

« Si vous désirez tant cet enfant, il faut le garder, dit Isabelle.

— N'est-ce pas ? — Clarisse releva la tête. — Non, je voulais simplement dire : Que vais-je faire pour convaincre mon mari, Isabelle ? Moi, je suis tout à fait décidée à le garder. »

Isabelle approuva d'un signe de tête et garda le silence.

« Un avortement signifierait la résignation, poursuivit Clarisse. Mon mari et moi, nous combattons de toutes nos forces pour la survie des forêts tropicales et de toute la planète. Si je refusais de mettre au monde mon enfant, cela signifierait que tout au fond de moi-même, je ne crois pas à l'utilité de nos efforts, que je suis convaincue de la destruction à brève échéance de toute la terre, n'est-ce pas ?

— Oui, Clarisse, vous avez tout à fait raison.

— Je crois au contraire que cet enfant est très important, pour notre ménage et pour notre travail !

— Certainement. Vous parlerez à votre mari, vous lui apporterez ces arguments de vie, d'espoir, de confiance, et il comprendra. Il faut le comprendre aussi, lui qui vit avec ces horreurs quotidiennes. Il lui faudra peut-être un certain temps pour se laisser convaincre, mais vous y arriverez. Quelles affreuses périodes l'humanité a-t-elle déjà traversées ! Cela ne l'a pas empêchée de mettre des enfants au monde, qui sont devenus grands... Malgré la peste, le choléra, les guerres, les révolutions, les pluies de bombes...

— Je ne vous connais que depuis quelques heures seulement, mais vous m'avez été tout de suite sympathique. Je vous remercie du fond du cœur, Isabelle ! dit Clarisse d'une voix vibrante d'amitié.

— Vous verrez, tout se passera bien, affirma Isabelle avec un sourire. Le blue-bird ne disait-il pas qu'en fin de compte, il revient au printemps pour chanter ?

— Je ne comprends pas...

— Robert Frost, dit Isabelle. C'est...

— ... un des plus grands poètes américains, je sais, l'inter-

172

rompit Clarisse. Il n'y a malheureusement que quelques-uns de ses poèmes qui ont été traduits en portugais.

— En français aussi, ajouta Isabelle. Je ne saurais dire lesquels je préfère. Certainement en tout cas celui où le blue-bird prononce cette dernière phrase. C'est un conte pour enfants.

— Qu'est-ce que le blue-bird ? L'oiseau bleu ?

— Oui, l'oiseau bleu, répéta Isabelle. Cette espèce n'existe qu'en Amérique du Nord, c'est le messager du printemps. Chez Robert Frost, il est en même temps un symbole... Attendez, je vais essayer de vous traduire ces lignes adressées à un enfant, pour que vous puissiez les réciter à votre mari... Il fallait qu'il s'envole... Mais il envoie ses amitiés à Leslie et lui recommande d'être sage... de bien porter son bonnet rouge... de chercher dans la neige les traces de la moufette... et de faire tout ce qui lui procure de la joie... Et au printemps peut-être... L'oiseau bleu reviendra pour chanter.

— C'est beau, dit Clarisse songeuse en pensant à la petite Leslie. Quel est l'oiseau annonciateur du printemps, du jour nouveau, de la joie et de l'espérance chez vous ?

— L'alouette.

— Chez nous aussi. En Allemagne et en Angleterre aussi. L'homme désire la joie, l'espoir, l'avenir, sous quelque ciel que ce soit, mais il ne les trouve que s'il les cherche et s'il laisse ses semblables y prendre leur part ; alors seulement il trouve l'alouette... Et l'alouette lui apporte, à lui et à tous, la joie et l'espérance. Vous, Clarisse, et votre mari, et tant d'autres encore, par votre travail, vous cherchez l'alouette, l'oiseau du matin... Et vous le donnez aux autres. Tant que les hommes cherchent, et donnent aux autres ce qu'ils trouvent, l'alouette reviendra au printemps pour chanter...

— Oui, répondit Clarisse. Mais l'oiseau de Robert Frost fait dire à Leslie qu'il reviendra *peut-être* au printemps pour chanter. Peut-être... »

Isabelle approuva d'un signe de tête.

« Si les hommes cessent de chercher l'alouette, ajouta-t-elle, parce qu'ils agissent d'une manière impardonnable, il arrivera un jour de printemps où ce sera vraiment la dernière fois qu'elle chantera pour eux...

— Oh ! fit soudain Clarisse.

— Qu'y a-t-il ?

— Avec vos films, vous voulez secouer les hommes, vous voulez leur faire prendre conscience du danger qui les guette, n'est-ce pas ?

— Certainement...

— Est-ce que ce ne serait pas un bon titre pour votre série documentaire ?

— Un bon titre ?

— Oui, dit Clarisse. " Au printemps, l'alouette chantera pour la dernière fois "... »

Quand tout aura été écrit, les grandes chroniques et les anecdotes tragiques, les histoires mélodramatiques et grotesques, quand on aura parlé de tous les événements qui secouent la terre en cette fin du deuxième millénaire du calendrier chrétien, quand on aura décrit la marche titubante de la planète vers son terme inexorable, alors on se rappellera l'histoire et le destin des hommes qui ont tout fait pour sauver encore une fois l'univers, à condition évidemment qu'on ait échappé encore une fois à l'apocalypse.

« Allô, M. Marvin ?

— Oui. Qu'y a-t-il ?

— Ici, Miriam Goldstein, de Lübeck.

— Miriam Goldstein..., fit Markus Marvin d'une voix endormie. Ah, excusez-moi, je dormais. Il est six heures du matin ici, vous comprenez ? Quelle joie d'entendre votre voix, Mme Goldstein !

— Je sais que ce n'est pas une heure pour vous téléphoner. Ici, en Allemagne, il est déjà onze heures. Je n'aurais pas appelé s'il n'y avait pas urgence.

— Parlez ! Que se passe-t-il ?

— Vous vous souvenez de l'irruption brusque et inattendue de ce Joschka Zinner, ce producteur de cinéma complètement farfelu, au Frankfurter Hof ?

— Bien sûr ! Brusque et inattendue, on peut le dire ! Et puis soudain, il avait tant d'argent à mettre à notre disposition ! Et cette hâte à nous expédier aux antipodes pour tourner ces films... C'était pour le moins étrange...

— En effet, M. Marvin. A propos, je vous appelle d'une cabine publique. Je ne sais pas si mon téléphone n'est pas sur table d'écoute.

— Que s'est-il passé, madame ?

— Le procureur de la République, M. Ritt, vous vous souvenez de lui ?... Il m'a appelée lui aussi d'une cabine téléphonique, pour me demander d'aller dans un bureau de poste où j'aurais les coudées franches.

— Ritt vous a téléphoné?

— Pour me dire qu'on l'avait dessaisi de l'affaire Hansen/ Marvin.

— Mais... pourquoi?

— C'est justement là le point d'interrogation. Ritt a essayé de joindre le ministre de la Justice de la Hesse pour avoir une explication...

— Qu'on ne lui a pas donnée, bien entendu?

— En effet. Il est parti pour Wiesbaden, a fait du grabuge chez le ministre. Apparemment, tous ceux qui savent pour quelle raison on l'a dessaisi de l'affaire sont en déplacement professionnel! Aussi a-t-il téléphoné au docteur Valérie Roth et à moi-même pour nous demander de l'aider. Valérie Roth a des relations. Quant à moi, je vais demander un entretien avec Mme Hansen. Personne ne peut m'en empêcher. Je vous appelle parce que vous avez probablement remarqué de votre côté aussi des détails curieux...

— Non, rien. Nous nous envolons après-demain pour Belém, et de là, pour Altamira, à un congrès de protestation organisé par les Indiens. Le congrès doit durer cinq jours. J'ouvre tout grands mes yeux et mes oreilles. Merci de m'avoir appelé, madame! Et bonne chance!

— Bonne chance à vous aussi, M. Marvin! »

« Ce fut un travail de titan, dit le physicien Carlos Bastos en s'adressant à Markus Marvin. Nous sommes restés cloués devant nos écrans jour et nuit, Erico Veleso et moi. A tour de rôle, douze heures d'affilée. Au-dessus de nous, à une altitude de huit cent trente kilomètres, les satellites météorologiques NOAA 9 et 10 survolaient toutes les cent deux minutes le continent sud-américain; ils passaient au-dessus de nos têtes et nous fournissaient les documents concernant cette catastrophe sous forme d'images sur nos écrans... »

La BETA de Bernd Ekland était fixée sur un pied. Le matin du 30 août 1988, un mardi, l'équipe de tournage travaillait dans le Centre de Calcul de l'Institut brésilien de Recherches spatiales. L'immense laboratoire inondé de lumière des physiciens Bastos et Veleso abritait des douzaines d'ordinateurs et d'appareils compliqués, et une infinité d'images informatisées très agrandies qui couvraient tous les murs. Les deux savants se tenaient devant l'un de ces murs, et Markus Marvin légèrement à l'écart.

Katja Raal, le technicien aux yeux rieurs et au visage ravagé par l'acné, avait eu beaucoup de travail avant le début de l'interview ; elle avait été chargée du câblage de toutes les personnes qui participaient à l'entretien. Bartos et Veleso portaient un petit microphone accroché à la première boutonnière de leur blouse blanche, et Marvin le portait au col ouvert de sa chemisette. Sous les blouses, la chemisette et le long du pantalon des trois hommes pendait un câble reliant les microphones aux magnétophones de Katja.

Dans une petite pièce contiguë, Isabelle était installée devant une table de laboratoire ; elle aussi était raccordée par un câble à l'appareil de Katja. Elle tenait un micro en main et portait à l'oreille un bouton d'argent d'où pendait aussi un cordon. Katja en avait également adapté un à chacun des deux physiciens. Ainsi Bastos, Veleso et Marvin entendaient-ils la voix d'Isabelle qui traduisait en allemand ou en portugais toutes les paroles prononcées, ce qui évitait les coupures dans l'interview, malgré les difficultés dues aux langues différentes. Les appareils de Katja enregistraient les voix originales et toutes les traductions. Plus tard, en studio, la voix d'Isabelle serait remplacée par celle d'une speakerine professionnelle et ainsi, les traductions couvriraient les voix brésiliennes.

Veleso, le physicien brésilien, reprit :

« Nous avons quadrillé notre territoire en secteurs d'un kilomètre carré pour le sonder plus facilement. Il s'agissait d'évaluer les dimensions qu'avait prises la destruction de la forêt vierge brésilienne par le feu et le déboisement. Tous les jours, nous avons essayé de rassembler toutes les données fournies par les satellites sous forme d'images informatisées. — A l'aide d'une baguette flexible, il montra la première image d'une série d'agrandissements. — Ceci, par exemple, date de juillet 1987, au début d'une période de sécheresse de trois mois...

— Arrêtez ! dit Markus Marvin.

— S'il vous plaît ? demanda Veleso. Pourquoi faut-il arrêter ?

— Ça ne donnera rien si la BETA est fixée sur un pied, expliqua Marvin. Bernd, il faut que vous ayez une parfaite liberté de mouvement. Nous ne pouvons pas nous contenter de faire pivoter l'objectif devant ces images à partir d'un point fixe.

— En effet ! » approuva le cameraman.

Katja Raal dévissait déjà les boulons du pied. Elle aida Ekland à poser la BETA sur son épaule droite.

« Ça va ? murmura-t-elle.

— Oui, aujourd'hui, ça va très bien », lui chuchota-t-il à l'oreille.

Elle retourna à ses appareils, jeta un coup d'œil sur les cadrans et déclara :

« OK. »

La caméra se remit à tourner.

Le docteur Veleso reprit :

« Ceci, par exemple, date de juillet 1987, au début d'une période de sécheresse de trois mois. Les dommages sont encore assez limités... Ce n'est qu'un secteur minuscule du bassin de l'Amazone, dont la superficie globale est incommensurable... Les points noirs que vous voyez sur ces images sont des foyers d'incendie. Au début du mois de juillet 1987, NOAA 9 et 10 n'ont enregistré que sept cent cinquante-deux foyers d'incendie... »

Veleso passa à pas lents devant la longue rangée de photos ; Ekland le suivait en chaussettes, calme, sans la moindre hésitation ni le moindre tremblement. J'ai bien fait de prendre deux comprimés de plus ce matin, se dit-il. Katja ne le quittait pas des yeux ; il émanait de toute sa personne un amour et une admiration sans bornes.

« Mais dès le 14 août, poursuivit Veleso en montrant de sa baguette une nouvelle série de photos, on en comptait déjà six mille neuf cent quarante-neuf... et début septembre plus de dix mille... Vous vous rendez compte ! Plus de dix mille ! Ici... et là... Dans chacun des secteurs quadrillés. Il y en avait partout ! Le feu se propageait comme une énorme traînée de poudre... »

Il montra des images sur lesquelles on distinguait les taches noires formées par les surfaces brûlées et déboisées. Ekland filmait. D'une image à l'autre, le nord du Brésil s'assombrissait.

« Cette traînée de feu, poursuivit cette fois Carlos Batos, et l'œil de la caméra quitta le mur pour se braquer sur lui, provoque d'immenses nuages de fumée, les plus épais et les plus vastes que l'on ait jamais observés... — Bastos montra une autre image, un peu plus loin. — Voici des photos prises d'avion... — Ekland pivota très lentement sur lui-même, la caméra se déplaçait imperceptiblement. — C'est terrible, n'est-ce pas ? dit Bastos. Nous avons ici un écologiste très connu, Chico Mendes. Ses travaux lui ont valu de nombreuses décorations et distinctions de la part de l'ONU. Après avoir survolé ce secteur, Mendes a déclaré : " C'est l'apocalypse... Où que se soient portés mes regards, je ne voyais que des arbres qui fumaient comme des cheminées. La forêt, elle... Mon Dieu, dit-il encore. Nom de nom,

177

elle était roussie, grillée, elle bouillait, elle cuisait. Le ciel avait disparu derrière la couche de fumée ; pendant des nuits et des nuits, pas une étoile ne brilla ; quant à la lune, n'en parlons pas ... Nous agissons, dit Mendes, comme si nous étions la dernière génération à vivre sur cette terre et qu'après nous devait venir le déluge, la fin du monde, l'apocalypse, oui, l'apocalypse... " Le pilote, lui, déclara qu'il avait l'impression que tout le Brésil était en feu... Leurs yeux à tous les deux pleuraient, ils finirent par ne plus rien voir. Après leur atterrissage, la compagnie d'aviation VASP dut supprimer trente-cinq liaisons aériennes rien que pour le nord-est, parce que les pistes d'envol et d'atterrissage étaient obscurcies par la fumée et impraticables... Vous le voyez ici, sur ces images... C'est à peine si on les voit... »

Ekland avait oublié ses souffrances. Quelles images ! se dit-il. Mon Dieu, quelle horreur !

Dans la pièce contiguë, Isabelle traduisait sans relâche. Elle portait un pantalon bleu très ample en tissu léger, des sandales bleues sur ses pieds nus et une chemise blanche dont les pans étaient noués sous sa poitrine. Assis à côté d'elle, Philip Gilles manipulait lui aussi un petit magnétophone, car il avait besoin de tous les détails des interviews pour rédiger ses textes d'accompagnement.

« ... ce monstrueux nuage de fumée, traduisait justement Isabelle, cachait parfois la vue sur un million et demi de kilomètres carrés...

— Un million et demi de kilomètres carrés ! ne put s'empêcher de répéter Marvin effaré.

— Oui, dit Bastos en montrant d'autres images. Voilà l'état de la forêt vierge en octobre 1987. Un immense pays constellé de plaques noires. Voilà le message d'horreur destiné à l'humanité, déclara Bastos tourné vers la caméra. Entre-temps, tous les ans, plus de cent quarante mille kilomètres carrés de forêts vierges tropicales sont détruites par le feu ou l'abattage. Tous les ans [10] ! Ainsi tous les ans disparaît une superficie de forêts qui dépasse la moitié de l'Allemagne fédérale. Jamais, dit Bastos, Erico et moi, nous n'aurions imaginé que cela prendrait de telles proportions. »

Ekland approcha l'objectif tout près de son visage, puis fit glisser très lentement la caméra sur les images d'horreur collées au mur, avant de revenir à Erico Veleso.

« Les scientifiques de presque tous les pays tropicaux, enchaîna ce dernier, font des observations aussi alarmantes qu'ici, l'Indonésie, la Thaïlande, la Côte d'Ivoire, le Ghana, Haïti ou l'Equateur.

— La caméra resta fixée sur le visage de Veleso. — Si l'on ne met pas rapidement un terme à la dynamique de ce processus destructif, les forêts de presque tous les pays tropicaux seront en grande partie détruites au cours des cinquante années à venir[11].

— Durant la saison sèche, reprit Bastos, les arbres sont abattus à la scie mécanique et les bois précieux évacués par bulldozer. Les autres grillent au soleil, jusqu'à ce qu'ils deviennent comme de l'amadou. Vers la mi-août, les bûchers sont allumés pour transformer la forêt morte en champs et en pâturages... »

La BETA avait repris place sur son pied.

« L'essartage est une vieille technique paysanne, car il permet de brûler les résidus végétaux qui libèrent ainsi des produits nutritifs, lesquels augmentent la fertilité des sols engraissés avec de la cendre. Mais au bout de quelques années seulement, la couverture végétale se crevasse. La charrue détruit la terre et le soleil tropical la calcine. Le vent disperse la terre arable, les averses diluviennes inondent le sol et le désertifient... — Dans son petit bureau, Isabelle traduisait, traduisait sans relâche ; elle avait le front et les ailes du nez couverts de perles de transpiration. — Il ne reste plus qu'un désert rouge de sable et de glaise ferrugineuse, et pour finir, la terre a l'aspect que lui a trouvé Chico Mendes, cet homme qui lutte pour la survie des forêts tropicales depuis dix ans : le squelette d'un animal écorché vif...

— Et presque partout, compléta Veleso, des mesures politiques ou économiques provoquent, favorisent ou approuvent cette œuvre de destruction.

— Pouvez-vous nous donner quelques précisions sur ce point ? demanda Marvin.

— Premièrement, la politique d'implantation humaine ici, au Brésil, expliqua Veleso. On veut transplanter dans le nord des millions de personnes vivant dans la misère au sud du Brésil qui fignolent l'œuvre d'essartage entreprise par le déboisement. Hors de ces régions forestières essartées, ils n'obtiennent pas un pouce de terrain. Que peuvent-ils faire d'autre ? Ils essaient alors d'élever du bétail sur leurs parcelles brûlées... Deuxièmement, les forêts continuent à être décimées par de gros négociants en bois, avec, en tête de liste les Japonais, puis viennent les Allemands et ensuite les Américains. Les besoins en bois dur et en bois précieux ne font que croître dans les pays industrialisés. »

Dans la petite pièce contiguë, Gilles épongea de son mouchoir le front et le nez d'Isabelle. Elle lui sourit. Cette traduction simultanée interminable épuisait ses forces et ses nerfs.

« Revenons-en à l'élevage du bétail, dit Bastos. On avait mis au point un projet agricole bénéficiant de privilèges fiscaux grâce auquel le Brésil devait devenir le plus grand producteur et exportateur de bétail du monde. Nos militaires, gros propriétaires fonciers, et les grands trusts internationaux financèrent pour plus d'un milliard de dollars l'installation et l'équipement de fermes spécialisées dans l'élevage du bétail. Ainsi par exemple, la firme Volkswagen do Brasil participait aussi à cette affaire. Volkswagen do Brasil fit payer une partie de sa *fazenda* Rio Cristallino, un territoire vaste comme Berlin, Hambourg et Brême réunies, par l'Etat... De nombreux konzern en firent autant... et abandonnèrent le projet par la suite, comme Volkswagen do Brasil [12].

— Pourquoi ? demanda Marvin.

— Voyez-vous, M. Marvin, dit Veleso, l'herbe sèche qui pousse sur les sols pauvres nourrit tout juste un bœuf ou une vache par hectare, et encore, pendant quelques années seulement. La production de viande n'atteignit que seize pour cent du volume prévu. Les grandes fermes, dont chacune reçoit en moyenne un million deux cent soixante-dix mille dollars par an de subventions de l'Etat, se mirent à péricliter dès que les subventions s'épuisèrent. Voilà pourquoi Volkswagen abandonna l'affaire dès 1986.

— Mais, ajouta Bastos, comme la propriété foncière née du déboisement recevait des privilèges fiscaux, les investisseurs continuèrent à livrer la forêt au feu et aux scies, sans jamais y installer d'élevage de bétail. De très nombreux parlementaires établis dans la capitale Brasilia agissent de même, ils font partie eux aussi des grands propriétaires fonciers. De toute cette entreprise spéculative, il resta d'immenses étendues de terrains pratiquement stériles, dont le sol est si mauvais que la situation alimentaire misérable de la population s'est encore énormément aggravée.

— Chico Mendes ne cesse d'aborder ce sujet, intervint Veleso. Il accuse tous les éleveurs de bétail en bloc : ils prétendent, dit-il, qu'ils continuent à exploiter leur élevage pour venir en aide aux Brésiliens frappés par la famine. Et le côté cynique de l'histoire, ajoute Chico Mendes, c'est que la viande produite est entièrement réservée à l'exportation... pour la fabrication de boulettes à l'usage des chaînes américaines de fast-food par exemple.

— Troisièmement, reprit Bastos, les banques et les hommes politiques ambitieux s'enthousiasment pour toutes les installations monumentales, usines, barrages et centrales nucléaires qui prennent la place des immenses forêts détruites. Des banques et des sociétés viennent de tous les horizons, qui ont décidé d'exploiter les gigantesques gisements de fer dans les régions forestières des tropiques, et de faire pression sur les prix du marché mondial avec les masses de minerai brésilien... afin d'encaisser elles-mêmes des milliards. Elles aussi détruisent les forêts. Choqué par les résultats de nos enquêtes, — il montra des images sur les murs —, mon ami Erico Veleso écrivit un éditorial pour une grande revue d'information, dans lequel il cita toutes les causes de destruction de la forêt vierge... ainsi que les noms des destructeurs. Il a même écrit que seule une catastrophe nucléaire pourrait surpasser les effets globaux de cette destruction.

— Quels noms avez-vous cités ? demanda Marvin à Veleso.

— Le gouvernement brésilien, répondit le physicien, le marché international du bois, la Banque mondiale, la Communauté européenne, l'Institut national de Crédit allemand pour la Reconstruction, des banques privées allemandes et japonaises qui se sont immiscées dans l'affaire du minerai de fer à coups de milliards. Vous ne lisez pas les journaux ? La Communauté européenne s'est assuré pour quinze ans un tiers de la production annuelle de minerai de fer au prix de 1982. Le trust Thyssen à lui seul en a commandé huit millions de tonnes. La Banque mondiale veut accorder au Brésil un crédit supplémentaire de cinq cents millions de dollars pour le secteur énergétique. Les Etats-Unis refuseront sans doute ce crédit, avec leurs dix-neuf voix dans le conseil de direction de la Banque mondiale. Hugh Foster, leur représentant, a déjà qualifié de " folie pure " le premier crédit pour l'énergie, à cause des conséquences pour l'environnement. Ainsi donc, ai-je écrit, l'Allemagne fédérale, qui détient cinq pour cent des parts de la Banque mondiale, jouera un rôle clef dans la décision. A cette proposition contestée de crédit faite par la Banque mondiale sont liés des crédits beaucoup plus élevés encore de banques privées allemandes, japonaises et américaines — d'un volume global de un milliard sept cent mille dollars ! Ces fonds serviront aussi à payer l'achèvement des deux réacteurs nucléaires Agrar II et III que construit votre konzern Siemens à l'ouest de Rio de Janeiro. Si ces piles atomiques s'avéraient un mauvais investissement, Siemens pourrait réclamer à l'Allemagne des indemnités de compensation d'une valeur de plusieurs milliards, à soutirer sur les revenus fiscaux, parce que le gouvernement de l'Allemagne fédérale a cautionné ces projets gigantesques [13].

— En janvier de cette année, au Bundestag, ajouta Bastos, votre ministre de l'Environnement plaignait le destin du Brésil à qui, dit-il, " Dieu n'a fourni pratiquement aucun support énergéti-que fossilaire. On n'a pas le droit de condamner le Brésil, s'il accepte d'exploiter sa force hydraulique et de développer son énergie nucléaire... " Alors que nous pourrions couvrir la moitié de nos besoins en énergie avec des investissements minimes, toutes proportions gardées, si nous savions utiliser d'une manière plus judicieuse nos réserves de courant électrique. Ceci est la conclu-sion d'une expertise faite par la Banque mondiale. Rich, l'expert environnemental, disait, non sans amertume il est vrai, que cette étude aurait aussi bien pu être écrite sur la lune... Tout cela, précisa Bastos, se trouvait dans cet éditorial, et plus encore, bien plus. Et puis, à la suite de cela...

— Tais-toi, Carlos ! dit Veleso.

— Pourquoi me tairais-je ?

— Parce que... Je vous en prie, débranchez votre caméra ! dit Veleso. Je pense que nous avons déjà tourné l'essentiel.

— De quoi s'agit-il ? intervint Marvin sur le ton de l'irritation.

— Voilà. Mon ami Erico Veleso a travaillé pendant six années pour écrire un livre sur la destruction de l'environnement et sur la protection de la nature... un livre extraordinaire, précisa Bastos. Le manuscrit était déjà accepté par une maison d'édition. Après ce fameux éditorial, il y a eu de vives réactions, une quantité de querelles dans les journaux proches du gouvernement, à la radio et à la télévision, ce qui a incité très rapidement ces froussards d'éditeurs à refuser d'imprimer l'ouvrage.

— Ils ne sont pas les seuls éditeurs sur la place, dit Marvin.

— Quand l'un a la trouille, ils ont tous la trouille, dit Veleso. C'est la même chose chez vous, j'imagine. C'est la même chose dans le monde entier. Un manuscrit refusé par un éditeur... Vous ne le placerez jamais ailleurs ! Bon, passons. N'empêche, six ans de travail, ça m'aurait fait plaisir. Allons, il y a des choses pires que ça sur la terre. »

Peter Bolling venait d'entrer dans le laboratoire. Il courut presque rejoindre Markus Marvin, ôta ses lunettes et se mit à lui parler.

Gilles demanda à Isabelle :

« Vous entendez ce que dit Bolling ? Et ce que dit Marvin ? »

Au même moment, Gilles vit Marvin détacher son petit microphone et tirer le fil. Il posa le tout sur son siège et s'éloigna avec Bolling dans un coin de la pièce.

« Pas de chance, dit l'écrivain.

— Que se passe-t-il ? Qu'est-ce qu'il vous arrive ?

— Rien, répondit Gilles. Je... euh... Une idée complètement idiote qui m'est passée par la tête. N'y pensez plus. »

Il sourit.

Dans leur coin, Peter Bolling et Markus Marvin semblaient avoir une discussion sérieuse.

6

Mercredi 31 août 1988 : Gilles veut dîner avec moi. Nous nous envolons demain pour Belém, puis ce sera Altamira, dans la forêt vierge. Qui sait ce qui nous attend là-bas ! Nous allons manger du serpent et des lézards. Est-ce que nous tiendrons le coup ? Donc ce soir, ce sera le dernier repas des condamnés. Qu'est-ce que j'aimerais manger, au fait ? — Quelque chose de typiquement brésilien. — Aussitôt il se sauve et me rapporte cinq propositions de menus.

Nous nous décidons pour des avocats, coupés en dés et assaisonnés en salade. Oui, c'est vraiment différent de vos avocats à la vinaigrette ou à la sauce provençale, ma chère ! Puis des camarão com catupiri, d'énormes crevettes avec du fromage, la spécialité du Brésil, vous n'en trouverez nulle part ailleurs dans le monde ! Et comme dessert, des prunes macérées dans du lait de noix de coco, à la manière dont on les prépare ici, vous en rêverez jusqu'à la fin de vos jours, ma belle ! Parler gastronomie, c'est le meilleur moyen de m'attraper ! Vous êtes un gourmet, dit-il, avouez-le ! Et vous aimez faire la cuisine ? — Oui. — C'est normal. La citoyenne d'un pays dont l'immense culture se manifeste déjà dans le fait qu'il compte plus de quatre cents sortes de fromages, encore que... pas de catupiri... je ne fais qu'accomplir mon devoir patriotique en allant dîner avec lui. Un beau couple, elle, superbe dans la fraîcheur de la jeunesse, avec un homme qui a largement dépassé la première jeunesse, lui. Tous les gens le regarderont bouche bée, lui, et l'envieront, elle (ou le contraire, si je le veux).

OK, allons au jugement dernier ! Cet homme me plaît sur bien des points. Il se moque sans cesse de moi. Il est si sûr de lui. Avec lui, on peut parler sérieusement, rire gaiement et raconter des sottises. Cet homme d'un certain âge, solitaire et très soigné, m'attend à sept heures au bar de l'hôtel. Lorsque nous quittons le bar ensemble, les gens nous suivent des yeux. A cause de moi, dit-il. Lui, il ne se contenterait pas de me suivre des yeux, il me courrait après ! dit-il encore. Jusqu'au bout du monde !

En voiture. Une circulation infernale. Direction... Restaurant Caesar, c'est du moins là que G. veut aller. Au vingt et unième étage de l'Hôtel du Parc. Le maître d'hôtel nous salue comme ses plus vieux amis. C'est effectivement un vieil ami de G. Il a beaucoup vécu dans les hôtels,

183

m'explique-t-il, et s'est toujours très bien entendu avec les portiers, les maîtres d'hôtel, les barmen. Pourquoi pas, après tout ? Ça peut servir. Du reste, G. manifeste une telle gentillesse et une telle cordialité vis-à-vis d'eux qu'ils l'aiment tous bien. Il ne cherche pas à paraître, ni à faire la roue, il ne cherche pas du tout à m'impressionner non plus. Tout cela est naturel pour lui. Il est heureux que son ami le maître d'hôtel nous installe à la meilleure table du restaurant, dans une niche devant une paroi vitrée. Un vase de cristal contenant une orchidée sur la table. Tiens ! G. est déjà venu ici dans l'après-midi. C'est lui qui a apporté cette orchidée, choisie par lui chez la fleuriste. La plus belle de toute la ville.

Il commande le menu que nous avons programmé. Le ballet des serveurs commence. Le maître d'hôtel me regarde de ses yeux brillants. Puis-je me permettre de faire un compliment à mademoiselle ? Mademoiselle est très jolie et très élégante ! Ravissante ! Il allume une bougie. Premier conseil à propos du champagne. Un Dom Pérignon de 1980 ? J'en ai bu pour la première fois après mon diplôme, dis-je. Imprudence. Aussitôt, G. déclare que c'est ce qu'il nous faut.

Ah ! Assez, G., vous êtes fou ! — Bien sûr, dit-il. De vous ! — Nous nous retrouvons seuls, et nous attendons les apéritifs. Nous nous regardons longtemps, droit dans les yeux, jusqu'à ce qu'il dise : On a une belle vue, n'est-ce pas ? — Moi aussi, j'aurais eu du mal à le fixer plus longtemps. Bon, alors, la belle vue. Des traînées de lumière sur la Praia de Ipanema, des voitures, des files de voitures dans les deux sens. Les bateaux sur la mer, illuminés de blanc, de rouge, de bleu, c'est merveilleux, c'est tape-à-l'œil, mais après tout, pourquoi pas, nous sommes au Brésil !

G. me raconte une fois de plus que je suis belle, et ça me fait plaisir, je suis heureuse de l'entendre constater que j'ai toujours le parfum Emenaro. Il me va parfaitement, dit-il. C'est bien mon avis, il s'y connaît en parfums, mais il n'a pas reconnu la marque dans la forêt lorsque nous avons fait notre macumba, c'est une honte, ça ne lui est jamais arrivé. Nous éclatons de rire. Ah ! Comme je ris de bon cœur avec cet homme-là ! Comme je me sens bien, comme je m'amuse bien !

« Moon River », dit-il. — Quoi ? — Le pianiste joue « Moon River ». Sa chanson préférée... Quelle est ma chanson préférée à moi ? — « Summertime ». — Ah c'est vrai ! C'est très beau aussi. — Cinq minutes plus tard, il s'excuse, un instant seulement, et disparaît. Puis il revient. Et bientôt, le pianiste joue mon « Summertime ». — Merci, G. — Il n'y a pas de quoi, dit-il.

Les martinis arrivent. Que va-t-il dire ? A nous ? A notre rencontre ? — Nous buvons. Que dit-il ? — Ainsi vous aimez Emenaro ? Et pas seulement ses parfums ! Au Frankfurter Hof, vous portiez un ensemble Emenaro, non ? Il le décrit dans ses moindres détails. Quelle mémoire ! Il était écrivain jadis,

184

il y a très longtemps de cela, il raconte ça comme un conte de fées, il fallait bien qu'il sache habiller ses héroïnes. Voilà pourquoi il s'est toujours intéressé à la mode.

Oui, c'est ce que j'ai dit ce soir-là. Je n'étais pas aussi décontracté que j'en avais l'air. Après tout, elle a trente-deux ans, et moi soixante-trois. J'ai commencé à raconter l'histoire de l'écrivain. Et j'y suis resté, comme je peux le constater en lisant le journal d'Isabelle...

... Après tout, il est aussi écrivain, dit G. Ou il l'était. Si jamais il le redevient, s'il écrit un livre sur cette expédition cinématographique, il lui faudra bien mentionner Isabelle Delamare, de gré ou de force, n'est-ce pas ? — De gré ou de force, dis-je à mon tour. Et mentionner aussi de gré ou de force quelqu'un comme lui, n'est-ce pas ? — Oui, dit-il. Donc, si je dois parler de vous et d'une soirée comme celle-ci, il faut bien que je sache quelle personne vous êtes, quelle robe vous portez, c'est normal, non ? — Bien sûr, dis-je. — Il tire un bloc de sa poche, prend son crayon et griffonne quelques lignes. La robe, la tenue, le parfum, les chaussures, pas de collant, dit-il après avoir jeté un coup d'œil sous la table, une chaîne en or autour du cou et une pièce de monnaie en guise de pendentif, une amulette sans doute, d'une signification toute particulière. Mais Isabelle ne révélera pas son secret. — Un secret, ça fait toujours bel effet dans une histoire, dit G.

Le sommelier apporte le champagne, remplit les coupes à moitié, nous levons nos verres. « A nous », cette fois, sur ma proposition.

G. laisse tomber par terre les dernières gouttes de champagne. Pour les dieux qui habitent sous terre, dit-il. Ils ont aussi soif que ceux de la forêt vierge, et quand on leur sert un Dom Pérignon, cuvée 1980, ils apportent la chance.

Non, je ne lui révélerai jamais le secret de mon pendentif. Ce n'est d'ailleurs pas le seul secret ! Ce qui s'est passé en moi ce jour-là, dans la forêt, quand j'ai fait ma macumba au cours de laquelle on peut formuler tout ce que l'on désire obtenir.. J'avais déjà posé les allumettes, l'alcool et les cigarettes dans le trou, il m'observait, je l'ai remarqué du coin de l'œil. Oh, si j'en avais, des souhaits à formuler ! Mais j'ai été captivée par une pensée étrange qui m'a fait perdre tout pouvoir de concentration. Cette pensée étrange ? Brusquement, j'ai compris que G. m'avait fait une très grande impression. Et pourtant, c'est à peine si nous nous étions parlé. A trente-deux ans, on a déjà vécu quelques histoires d'amour, bien sûr, mais jamais encore je n'avais rencontré un homme qui m'ait attirée aussi fort dès le premier contact, qui m'ait rendue joyeuse et m'ait rempli le cœur d'espoir comme G. D'où cela vient-il ? Pourquoi ? Voilà ce à quoi je pensais dans la forêt. J'étais déconcertée, troublée. C'est ainsi que tout a commencé, mes chers enfants, c'est ainsi que tout a commencé (Kipling).

Ce soir-là, au Restaurant Caesar, c'est moi qui ai le plus parlé, et parlé de moi. Cela ne m'était jamais arrivé auparavant. Je me suis toujours appliquée à laisser parler les autres, à écouter, et à garder pour moi mes impressions et mes sentiments. Toujours sur la réserve. Mais pas ce soir-là! Et bien sûr, j'en suis venue aussi à parler de mon « idée fixe »...

Ah oui, son idée fixe!

Elle me dit qu'elle est vraiment engagée. Et croit que nous en sortirons une fois encore. Mais elle croit aussi que pas un homme n'est capable de juger l'époque dans laquelle il vit. Il faut le recul du temps pour pouvoir juger. « C'est bientôt la fin du monde », combien de fois n'entend-on pas prononcer cette phrase! Non, ce n'est pas possible, dit Isabelle. Qu'est-ce que la vie d'un homme, sa pensée et tout son savoir? Une étoile filante dans un univers infini, qui brille pendant une fraction de seconde... et disparaît. Il est certes logique que chacun cherche à tout juger, de son point de vue à soi, mais comment peut-on le faire? Que sait-on? Rien, absolument rien. Comment vivons-nous l'histoire dans notre brève, si brève existence? Comme dans un film en accéléré. Les gens ne comprennent pas que l'histoire est infinie, dans les deux sens, qu'elle n'a pas de commencement et pas de fin...

Et maintenant, son idée fixe! Dans son enfance, elle passait toujours l'été avec ses parents à la campagne. Aux environs de Beaugency, près d'Orléans, sur la Loire. Et elle a entendu les prophéties proférées par les paysans. Par exemple : quand les femmes porteront des pantalons et que l'eau de la Loire coulera dans l'autre sens, alors ce sera la fin du monde.

« Vous dites? ai-je demandé. Que les femmes portent des pantalons, et ce sera aussitôt la fin du monde? Mademoiselle n'est donc pas partisan de l'émancipation? Je ne m'en serais pas douté...

— Ecoutez donc, s'écria Isabelle. Ce sont les *paysans* qui disent cela, les paysans de la région de Beaugency. Ce n'est qu'un exemple, et vous le savez bien! Aux yeux des paysans, si les femmes portent des pantalons, expliqua-t-elle d'une voix légèrement pâteuse, c'est qu'elles refusent le rôle qui leur a été assigné par la nature. Si l'eau des fleuves s'accumule au point de faire changer la direction du courant — ce qui, après tout, à notre époque, n'est pas impossible —, le monde est proche de sa fin. Nous vivons dans la durée. Le temps n'est pas l'histoire. La

186

recherche historique n'a encore mené à rien. Mais le temps... Pourquoi n'y a-t-il pas de recherche sur la psychologie du temps ? » demanda-t-elle.

La psycho-histoire ! Voilà ce qui serait important ! Ne pas juger les événements dans le sens d' « événements », mais dans celui de la recherche sur les conditions préalables aux événements. Pouvoir dire : si vous faites ceci ou cela pour tel ou tel motif (ou si vous ne le faites pas pour tel ou tel motif), on peut prévoir à coup sûr ce qui arrivera. Depuis qu'elle se rappelle les prophéties des vieux paysans, la pensée de la recherche sur la psychologie du temps ne la quitte plus. Comprendre comment le temps s'est écoulé, dans quels rythmes, comprendre le pourquoi des crêtes et des creux de la vague, pour que nous soyons préparés très très tôt aux époques catastrophiques, au lieu d'y être confrontés in extremis comme ce fut le cas jusqu'à présent. Alors, on pourrait dire enfin : il s'est passé ceci, ce doit être la conséquence. Voilà pourquoi ceci ou cela doit arriver ! Voilà pourquoi il ne faut plus que ceci ou cela arrive, parce que nous ne survivrions pas aux conséquences !

Alors, nous ne serions plus des étoiles filantes. Alors nous aurions la possibilité et le droit de juger notre présent, ce que nous sommes en train de vivre.

Voilà tout ce que dit Isabelle, et voilà ce que dit son journal...

... Cette fois, vous avez réussi à me faire prononcer un discours, G. Avec l'aide du champagne. C'est ce qui s'appelle prendre quelqu'un en traître ! Vous êtes un hypocrite ! — Et vous, vous êtes vraiment merveilleuse, dit-il. — Taisez-vous immédiatement. — Je n'ai encore rien dit. Les femmes intelligentes portent toujours des objets importants sur elles, par exemple, des épingles de sûreté. Vous aussi, j'en suis sûr, vous portez une épingle de sûreté quelque part, n'est-ce pas, ma belle ? — Oui, dis-je, déconcertée. Pourquoi ?

Il prend l'orchidée violette. — Parce que je vous prie de mettre cette fleur dans votre décolleté. — Si cela peut vous faire plaisir, monsieur... — Oui, voilà comment tout a commencé, mes chers enfants, voilà comment tout a commencé.

Tard, vers deux heures du matin, de retour dans notre hôtel. Il me ramène jusqu'à la porte de ma chambre, il me baise la main, me demande s'il peut m'embrasser sur la joue, il peut, j'embrasse la sienne. Il attend que je sois dans ma chambre et que j'aie refermé la porte. L'orchidée dans un verre d'eau. Sur la table du vestibule, une montagne de petits colis. Tous enveloppés de papiers de couleurs différentes et ficelés avec du ruban doré. Allons j'ai trop bu ! Mais les petits paquets sont bien réels, et je m'assieds devant la table, en

*robe du soir, pour les compter. Il y en a neuf. Vite, une paire de ciseaux. Tout
un étalage de produits de beauté, uniquement des Emenaro. Un grand flacon
de parfum, un autre d'eau de toilette, body-spray, sans chloro-fluoro-
carbones, c'est précisé sur les flacons, savon pour le corps, mousse de bain,
poudre parfumée, lotion corporelle, crème pour le corps, huile pour le corps...
Je reste assise là, pétrifiée — comme cette femme de l'Ancien Testament qui
ne devait pas se retourner et qui n'a pas su résister, bien sûr — devant toute
cette panoplie de flacons et de bouteilles ; pour finir, je me mets à rire et je
demande la communication téléphonique avec G. Il répond aussitôt. — G.,
vous êtes fou, complètement fou ! — Il me semble que j'ai déjà entendu ce
reproche une fois ce soir. Mademoiselle préférerait-elle que je sois normal ? —
Oh non ! Surtout pas ! — Voilà. — Dois-je emporter demain dans la forêt
vierge cette collection des œuvres d'Emenaro ? — Au moins le parfum et l'eau
de toilette. Nous en aurons certainement besoin. Tout le reste sera gardé par
Carioca Parcas, mon vieil ami. Nous repasserons par Rio avant de reprendre
l'avion pour l'Europe. Alors nous emporterons tout avec nous. — Quand
avez-vous acheté tout cela, G. ? — Cet après-midi, en même temps que
l'orchidée. C'est presque toute la collection d'Emenaro, la jeune vendeuse de la
parfumerie m'a donné une liste. — Et les paquets ? Qui les a faits, ces jolis
petits paquets ? — Elle, selon mes instructions, mademoiselle. — Bon, je...
je vous remercie, monsieur ! — C'est moi qui dois vous remercier,
mademoiselle. Vous remercier d'exister, d'être là. Dormez bien ! Ah ! Vous
savez que les écologistes ne prennent pas de bain, voilà pourquoi il n'y a pas
de body bath. Douchez-vous avec le shower bath et n'oubliez surtout pas la
lotion après la douche ! — C'est bien, monsieur, je suivrai vos instructions à
la lettre, moi aussi. — Ah, j'allais oublier. Demain, la vendeuse de la
parfumerie apportera un deuxième flacon de parfum, plus grand. Nous avons
besoin de réserves. Bonne nuit, Belle Dame au mystérieux talisman. —
Bonne nuit, dis-je, et je raccroche. Je vais dans la salle de bain, j'ouvre le
shower bath et respire l'odeur Emenaro avant de me déshabiller. Tout est
complètement fou, parfaitement impossible et parfaitement merveilleux.*

7

« L'énergie ? cria l'Indienne aux longs cheveux ébouriffés couverts
d'une coiffe bariolée d'où pointaient quelques plumes, et vêtue
d'une chemise déchirée et d'une ample jupe marron. L'énergie ?
Qu'est-ce que c'est que ça ? Je n'en ai pas besoin, moi ! »

Elle se dressa de toute sa hauteur et brandit la machette qu'elle
tenait à la main. Ainsi armée, elle fendit la foule, monta sur le
podium et se précipita sur José Muniz qui, épouvanté, aurait

voulu reculer pour se mettre à l'abri ; mais il était littéralement prisonnier d'une masse humaine : Indiens, gardes du corps, reporters de télévision. La vieille Indienne était hors d'elle. Son bras levé et sa machette sifflaient au-dessus de la tête de Muniz qui essayait de parer le coup tant bien que mal. La peur, une peur démente, criait dans son regard.

La foule hurlait et piétinait dans la grande salle des fêtes d'Altamira. Toutes les caméras étaient au travail, y compris la BETA de Bernd Ekland. Les flashes fusaient de toutes parts.

« Sainte Vierge, bredouilla-t-il pour lui-même. Fais qu'elle continue à jouer de la machette au-dessus de sa tête... Qu'elle continue ! Ah ! Les belles images que voilà ! »

Il était entouré de Katja Raal, Markus Marvin, Peter Bolling, Isabelle Delamare, Bruno Gonzalos et Philip Gilles. L'équipe était au complet. Tous avaient les yeux braqués sur l'estrade. José Muniz, le directeur du département de la Planification de l'Electronorte, le fameux géant local de l'énergie électrique, était pâle comme la mort. Il avait été envoyé dans ce guêpier d'Altamira, sur le fleuve Xingu, afin d'expliquer aux Indiens les raisons pour lesquelles leur pays et leur sol devaient être transformés en un immense barrage, le plus grand du monde, et que, par conséquent, il fallait qu'ils aillent s'établir ailleurs.

« Hé ! Ho ! Hé ! Ho ! Hé ! Ho ! » scandaient en rythme plus de trois cents Indiens coiffés de plumes, armés de lances d'acier pointues de plus d'un mètre de longueur, afin d'exciter la femme qui était en quelque sorte leur porte-parole. Ivre de fureur et de désespoir, celle-ci ne cessait de brandir son dangereux couteau, car, elle le savait, et tous les Indiens présents à ce congrès le savaient aussi, ils avaient depuis longtemps été trahis, et avaient perdu la partie.

Dehors, le thermomètre montait à trente-cinq degrés. A l'intérieur de la salle, il faisait beaucoup plus chaud encore, une véritable étuve. Les hommes étaient torse nu et ne portaient qu'un short ; les femmes aussi étaient en short et en T-shirt : la sueur ruisselait sur les visages et les corps, les T-shirts étaient trempés depuis longtemps, Isabelle avait l'impression d'être nue tant ses vêtements légers lui collaient à la peau. Le pauvre Bolling, blême, avait de la peine à respirer, son asthme s'accommodait mal d'un tel traitement. Ekland manipulait sa BETA de ses mains moites ; lui aussi, il souffrait.

« Si elle le tue..., bredouilla Isabelle. Si elle le tue...

189

« Qu'elle se décide à la fin, merde ! grogna Ekland avec ferveur. Allez, la vieille, vas-y ! »

José Muniz était plus mort que vif. Son pantalon aussi était trempé, et pas seulement de transpiration.

« Assassins ! hurla la vieille Indienne dont la machette infatigable allait et venait au-dessus des têtes. Assassins ! Assassins ! »

« Hé ! Ho ! Hé ! Ho ! Hé ! Ho ! » hurlaient les Indiens en battant la mesure de leurs pieds nus et en brandissant leurs lances en cadence.

Les rayons des projecteurs perçaient la brume de chaleur et de moiteur qui noyait la salle.

« Assez ! Arrête ! hurla Paulinho Paiakan, le chef des Indiens Kaiapo, qui était venu au congrès entouré de trois cents guerriers. Arrête, Carca ! »

Il se faufila à travers la foule pour rejoindre la vieille femme sur le podium ; celle-ci se contentait à présent de frapper les joues de José Muniz du plat de la lame.

Un silence de mort se fit dans la salle ; les Indiens eux-mêmes se calmèrent.

Le chef tira Carca en arrière pour l'écarter. Elle chancela, tomba sur le sol et resta étendue. Les yeux noyés de larmes, elle se mit à tressauter comme une hystérique. La foule recula.

« Tu as encore assez de film ? cria Marvin à Ekland. S'il faut changer de cassette maintenant, c'est la poisse !

— Cinq minutes encore ! » répondit Ekland.

Katja tenait déjà en main la cassette vierge ; elle aussi transpirait à grosses gouttes.

Paulinho Paiakan avait invité des journalistes du monde entier à participer à ce congrès, pour que le monde entier apprenne qu'au Brésil, on détruisait la nature, on exterminait les Indiens et on voulait lancer l'entreprise la plus insensée du siècle [14].

Ils étaient venus de partout en pleine forêt amazonienne, correspondants des agences de presse, reporters des grands quotidiens et des stations de radio, photographes et équipes des chaînes de télévision, plus de cent personnes armées de tout leur matériel. En réalité, la majorité de ces reporters n'avaient pas été envoyés à l'autre bout du monde pour assister à une manifestation de protestation des Indiens, cela va de soi ; celle-ci à elle seule n'aurait déplacé qu'une demi-douzaine de journalistes tout au plus. La construction du gigantesque barrage avait entre-temps suscité l'intérêt des hommes politiques et de nombreuses banques de plusieurs pays. Il s'agissait ici d'une guerre d'influence, d'une

190

prépondérance de pouvoir entre l'Est et l'Ouest, de milliards de dollars, d'institutions internationales ; il s'agissait aussi d'un concours général de manœuvres douteuses, de scandales financiers et de corruption. Ce qui intéressait beaucoup plus la presse de monde entier que les protestations d'une tribu d'Indiens.

José Muniz maudissait ses chefs qui l'avaient envoyé ainsi à la curée pendant qu'eux, douillettement enfoncés dans leur fauteuil, avec climatiseur et boisson glacée, suivaient les événements en direct sur leurs écrans de télévision. Toujours moi, se dit-il ; là où ça chauffe, c'est toujours moi qu'ils envoient.

Paiakan avait bien préparé sa représentation. Avant que Muniz n'ait eu le temps d'ouvrir la bouche pour expliquer ce qu'était le « Plan 2010 » et les avantages qu'il apporterait à l'humanité — à savoir une production de onze mille mégawatts de courant électrique, environ dix fois plus qu'une centrale moderne —, les trois cents guerriers, armés de leurs plumes, de leur traditionnel gourdin pointu en bois, de leurs lances, de leurs arcs et de leurs flèches, avaient commencé à danser au rythme de leurs « Hé ! Ho ! Hé ! Ho ! ». Après cette agression simulée contre Muniz, Paiakan prit la parole en portugais, et Isabelle traduisit son discours à haute voix pour que Katja puisse l'enregistrer.

« Savez-vous ce que signifie " kararaô " ? Nous déclarons la guerre ! Oui, nous déclarons la guerre ! L'honorable señor Wanderlan de Olivera Cruz, président et porte-parole de l'honorable société des grands propriétaires fonciers, a déclaré ceci : " Le progrès ne sera pas arrêté par trois cents Indiens ! " En d'autres termes, tous ici, nous sommes candidats à la mort. Et ce n'est pas exagéré. Au Brésil, vingt mille Indiens seulement, sur les dix millions d'autrefois, ont survécu au triomphe de la civilisation ! — Hurlements. — Dans les bars, au bout du troisième caipinrinha, on chuchote : " Cette fois, c'est le tour de Paiakan. " Car ici, les lois n'ont guère de valeur, n'est-ce pas ? Les journaux ne parviennent pas jusqu'à Altamira. Celui qui possède quelque chose commence par engager des gardes du corps. — Hurlements. Toutes les caméras ronronnaient, véritable ballet de flashes. — Mes frères et mes sœurs, tous ensemble, nous mettrons obstacle au progrès de l'honorable société ! Ah ! Il faut nous fusiller, nous empoisonnner, nous pendre, nous écraser, nous exterminer... pour le progrès des grands propriétaire terriens ? Je le dis ici, face aux reporters de tous les pays : nous ne quitterons pas notre pays. Et même si ce barrage se fait, nous préférons mourir ici, chez nous, que n'importe où ailleurs ! »

La chaleur de la salle, les cris et les battements de tambour rendaient l'atmosphère presque insupportable. Isabelle eut une syncope, elle s'écroula contre la poitrine de Bolling qui la retint d'une poigne ferme.

« Isabelle ! »

Elle se redressa aussitôt.

« Ça va, c'est passé. Il fait étouffant ici. »

Il prit son mouchoir et lui tamponna le front et le cou.

« Non, protesta-t-elle. Non... »

Elle se détourna. La respiration haletante, Bolling la suivait des yeux.

« Hé ! Ho ! Hé ! Ho ! Hé ! Ho ! »

Trois cents guerriers dansaient, le visage grimaçant.

Marvin prit le micro en main.

« ... On projette donc de construire ce barrage gigantesque à Altamira. A cause de la dénivellation minime du fleuve Xingu, qui se jette dans le delta de l'Amazone, au nord-ouest de Belém. Il faudra créer un lac artificiel de mille deux cents kilomètres carrés de superficie, plus du double du lac de Constance, derrière la voûte inférieure. Or, ce territoire appartient aux Indiens ; c'est donc lui ainsi que la forêt tropicale qui seront sacrifiés et noyés sous ces masses d'eau.

— Arrêt, dit Ekland.

— Pourquoi ?

— Changement de cassette. »

Katja s'activa ; elle souriait mais se sentait très mal. Elle luttait contre la syncope et se forçait à sourire malgré tout. Des rigoles de transpiration coulaient sous son casque.

« Terminé ! cria Ekland. A toi, Markus !

— Un instant ! » intervint Katja.

Elle traça quelques mots sur une feuille de papier et la tint devant la caméra : ALTAMIRA III / SALLE DES FÊTES

« Le son ? cria Ekland.

— Ça va ! répondit le technicien.

— On y va ! » conclut le cameraman.

Markus Marvin poursuivit :

« Il n'y a pas que les Indiens Kaiapo qui sont venus à Altamira pour protester contre ce projet, mais aussi des écologistes brésiliens... — Ekland braqua sa BETA sur le docteur Bruno Gonzalos. — ... américains, asiatiques, européens... Le chanteur pop Sting est venu également d'Angleterre pour déclarer à un groupe d'Indiens du Brésil, du Mexique et des Etats-Unis : " Je sais que les Américains protègent les forêts, ici et partout dans le monde. Si la forêt tropicale meurt, mon pays aussi en souffrira ! " Terminé ! — Il s'adressa directement à Ekland : Tu as suffisamment de matériel sur Sting ?

— En masse !

— Sur sa musique aussi ?

— Oui, autant qu'on en veut.

— Parfait. On en mettra un peu ici. »

Le calme Gonzalos avait écrit un mot sur un morceau de papier et le montra à Marvin : *Hélio.*

Marvin fit un signe à Ekland. La BETA se remit à tourner. Marvin reprit la parole.

« On ne peut pas dire que nous ayons été reçus avec enthousiasme ici. Peu avant le début de la conférence, Hélio Gueiros, le gouverneur de l'Etat de Para, nous a abordés sans aménité : " Voilà les démagogues de Suède, de Serbo-Croatie et de Bulgarie qui débarquent pour essayer d'empêcher le développement de notre pays. » Mais pour les écologistes d'Amérique du Nord qui sont certainement représentés en plus grand nombre que ceux de la Serbo-Croatie ou de la Bulgarie, le gouverneur tient un discours d'accueil tout différent : " Vous êtes des spécialistes, vous ! Vous êtes les mieux placés pour savoir comment on extermine les Indiens ! " »

Vingt minutes s'étaient écoulées depuis ce discours.

A peine Paulinho Paiakan avait-il réussi à éloigner la vieille femme et sa machette du directeur José Muniz, à peine s'était-il mis à parler lui-même, qu'un vacarme assourdissant vint de la rue.

« Ma copine Tuesday Wells, d'ABC, nous donnera le texte du discours du gars, dit Ekland. Allons voir ce qui se passe dehors ! »

Katja démonta le pied, installa la BETA sur l'épaule de Bernd, et ils sortirent tous en file. Dehors, une autre manifestation commençait, à un carrefour situé au centre de la ville ; l'heure en avait été choisie avec précision et habileté.

Excité par l'ampleur du travail, Ekland oubliait tout, la chaleur, le poids de la BETA, ses souffrances. Il filma la foule hurlante, chantante, dansante.

« Demande aux gens qui ils sont ! cria Marvin à Isabelle, qui fila aussitôt et revint très rapidement.

— Une organisation de gros propriétaires terriens. Radicaux de droite. Uniao Democratica Ruralista, UDR. Tiens, je te l'ai écrit sur un morceau de papier. »

Des gauchos à cheval paradaient en faisant cabrer leurs montures. Des douzaines de mortiers craquèrent en même temps, suivis de salves ininterrompues. Toute la ville était sur pied par une chaleur de trente-cinq degrés ; des centaines d'autos, tous klaxons hurlants, des camions de transport de bétail et même des énormes machines de chantier roulèrent sur la route. Un bruit infernal, une chaleur infernale ; on était véritablement en enfer.

Inconsciemment, Ekland grimaçait. La BETA calée sur l'épaule, il filmait sans relâche. Pas une banderole, pas un panneau n'échappait à la vigilance de son objectif.

« Isabelle, traduis les textes, s'il te plaît ! »

Elle traduisit dans le micro les textes inscrits sur les banderoles : « Nous produisons quatre mille tonnes de café par an !... Nous élevons mille bœufs et cinq cents porcs... Voilà pourquoi nous avons besoin d'énergie... Energie nucléaire, non ! Energie hydro-électrique, oui !... Ce pays est *notre* pays, il nous appartient... Le Brésil aux Brésiliens ! »

De lourds camions passèrent devant eux.

« Qu'est-ce que c'est ? » cria Marvin.

Isabelle lut les noms inscrits sur les bâches.

« Ce sont les camions des éboueurs.

— Comment se fait-il qu'ils soient du côté des propriétaires terriens, ceux-là ? Et du côté de l'Electronorte ?

— Parce qu'ils sont payés par eux, répondit Bruno Gonzalos, et Isabelle traduisit. Les gauchos et les autres... ils sont tous achetés.

— Tiens, voilà une banderole originale, avec un texte qui rime : " Nous sommes pour l'écologie. Avec le progrès et l'énergie ! " »

Marvin répéta ces quelques mots ; il se trouvait de nouveau face à la caméra.

« Tout cela tourne au carnaval, dit-il. Un carnaval mortel. Voilà maintenant que les gauchos tapent sur les écologistes et les reporters... — Il recula. Ekland filma la bagarre. La voix de Marvin : Les cavaliers s'approchent... Les machines des chantiers... Les hommes qui les occupent sont armés de chaînes de vélos et de barres de fer... — Une sirène hurla. — L'ambulance... Quelque part... On ne peut pas voir... Elle ne passera jamais... Deux médecins courent, l'un d'eux, sévèrement frappé par les gauchos, tombe... »

Sur les plates-formes de chargement des camions, les habitants d'Altamira dansaient comme si c'était vraiment le carnaval. Beaucoup étaient ivres. La chaleur, la lourdeur de l'air, l'alcool. Et toujours les trois mots clefs répétés en chœur :

« Energie ! Gringos dehors !... Energie ! Etrangers dehors ! »

« Les plus pauvres d'entre les pauvres soutiennent les intérêts des propriétaire terriens et du géant de l'énergie Electronorte, reprit Marvin dans le microphone. Ils frappent les écologistes et les reporters... pour une poignée de cruzeiros... »

Tout près d'eux, un photographe américain voulait savoir quelque chose. Un géant en haillons lui hurla quelques mots à la figure d'un air menaçant.

« Qu'est-ce qu'il dit ? demanda le photographe à Isabelle.

— Avec lui, il faut parler portugais ! »

Le géant se tourna vers Marvin.

« Qu'est-ce qu'il veut ? Que dit-il, Isabelle ?

— Pourquoi nous refusez-vous le progrès, à nous ? cria Isabelle. Pourquoi nous refusez-vous le progrès ? »

Avant que Marvin ait pu lui répondre, un gaucho juché sur son cheval lui frappa la tête de sa matraque de bois. Marvin poussa un cri et porta ses deux mains sur son crâne. Le sang se mit à couler. Ekland le filma, et la caméra le suivit lorsqu'il s'écroula sur le sol. Des images ! se dit Ekland. Des images ! Des images !

« Allez, on s'en va d'ici ! Vite, on s'en va ! » cria le docteur Gonzalos.

Lui et Philip Gilles aidèrent Marvin à se relever et le soutinrent. Il avait le visage et les mains inondés de sang. Les autres remballèrent en hâte leur matériel ; ils étaient tombés au milieu d'une bagarre. Les mortiers continuaient à exploser. Les haut-parleurs installés sur des voitures diffusaient une musique stridente. Sur les camions, les gens continuaient à danser et à crier : « Energie ! Energie ! Gringos dehors ! »

« Restez derrière moi ! Tenez-vous à ma ceinture ! » se mit à hurler Bruno Gonzalos, lui d'habitude si doux et si mesuré.

Il baissa la tête et fraya un passage pour lui et sa petite troupe à travers la foule hurlante, au milieu d'hommes ivres que la canicule rendait à moitié fous. Il tapait à droite et à gauche, suivi de son équipe vacillante. Le sang de Marvin tombait goutte à goutte dans la poussière de la rue. Ils finirent par atteindre un poste de secours établi sur un terrain occupé par des ruines, où ils découvrirent une cinquantaine de blessés. Les infirmiers couraient de l'un à l'autre, soignaient, pansaient, disaient quelques mots d'encouragement à chacun. Ekland reconnut certains de ses collègues des chaînes de télévision étrangères, photographes et reporters, dont plusieurs femmes.

Le médecin qui désinfecta la plaie de Marvin et lui fit un pansement provisoire dit quelques mots en portugais.

Isabelle s'était assise sur le sol, et c'est de là qu'elle traduisit.

« Qu'est-ce que vous venez faire encore ici ? Ça ne vous suffit pas ? C'est *vous* qui êtes responsables de tout ça ! Un pays dont la moitié de la population n'a rien à bouffer ! Tout ce que nous produisons est réservé à l'exportation. Si la forêt tropicale est détruite pour faire place à une centrale hydroélectrique, c'est *vous* qui en êtes responsables ! Les fermes à bétail et l'exploitation du sous-sol, tout ça, c'est *vous* ! Ah ! Vous êtes des rusés, hein ? Au début, personne ne s'est douté de quoi que ce soit. Nous, nous étouffons sous les dettes ! Dix-huit milliards de dollars d'intérêts par an, voilà ce que nous devons payer pour notre endettement ! Rien qu'en intérêts ! Ah, votre protection de la nature, elle a bon dos, hein ? Quelle noble affaire ! Les Indiens ? Tout ça, c'est de la merde, vous m'entendez, c'est de la merde ! Pendant ce temps, qui s'enrichit, s'engraisse et gagne du pouvoir ? La Communauté européenne ! Vos banques ! Vos trusts ! Shell et BP ! Texacon et Exxon ! Et ne criez pas, surtout ! »

Marvin se mordit les lèvres jusqu'au sang.

Bruno Gonzalos s'était assis par terre à côté d'Isabelle. Tandis que craquaient les mortiers, hurlaient les sirènes, criait et chantait le peuple, Gonzalos dit avec un sourire timide :

« Voilà déjà un temps fou que je voulais vous dire quelque chose : ma femme attend un bébé.

— Ah ! Je suis contente pour vous deux, docteur Gonzalos ! dit simplement Isabelle.

— Elle m'a annoncé cette nouvelle juste avant notre départ. Au début, j'étais bouleversé et j'avais des doutes, mais ensuite... ensuite... et maintenant en particulier, au milieu de ce chaos... C'est de la folie pure, n'est-ce pas ? Je veux dire... A présent, je me suis fait à l'idée que nous allions avoir un enfant... — Il sourit de nouveau. — Et même... oui, maintenant, j'en suis ravi ! »

Sur ces mots, il se leva et disparut derrière les ruines, comme s'il avait honte d'exhiber ainsi ses sentiments tout neufs.

L'ambulance antédiluvienne qui transportait Markus Marvin fonçait à toute allure à travers la ville. Le chauffeur était ivre, il chantait à tue-tête. Gonzalos et Bolling avaient pris place à ses côtés. Assis sur la seconde civière, Gilles et Isabelle se cramponnaient pour ne pas tomber et retenaient le blessé pour qu'il ne glisse pas par terre. Le médecin qui l'avait soigné avait insisté pour qu'il se fasse examiner à l'hôpital. Depuis, Marvin ne décolérait pas.

Il avait des vertiges et souffrait beaucoup. Bernd et Katja sont devant nous, se dit-il, Katja au volant. Il veut filmer le soulèvement de la ville. Ils roulent en Landrover. Celle que nous avons amenée de Belém. Landrover, se dit-il encore. Pourquoi suis-je obsédé par cette Landrover ? J'ai déjà roulé en Landrover quelque part, moi aussi. Mais où ? Et quand ? Sur des chemins de terre... Ah oui ! C'était avec Ray Evans, le fermier américain, nous sommes allés rendre visite au bétail atteint de malformations congénitales. Il faut que j'y retourne, se dit-il encore. Seigneur, quel boulot ! Ça ne fait que commencer ! Il faut que nous nous dépêchions. Les mines d'or. Mon Dieu, si au moins je n'avais plus mal...

L'ambulance passa devant un bâtiment somptueux, le siège de l'Evêché. Le seul bâtiment somptueux de la ville, se dit Gonzalos. A part ça, des hôtels de troisième catégorie et des bordels. Une vraie ville de chercheurs d'or. Et une clinique archibondée, à coup sûr, où l'on risque sa vie à tout instant. Ici, on couche les malades dans un lit avec un fusil-mitrailleur. Le meurtre d'un citoyen n'a aucune importance, se dit-il encore. C'est de l'autre côté de la frontière, en Colombie, que l'on trouve les meilleurs tueurs. Et les moins chers. Ça coûte entre trente-deux et soixante-quatre dollars, d'après les récentes enquêtes de la police. S'ils pratiquent des prix discount là-bas, c'est qu'ils ont ruiné le marché colombien par une surproduction de tueurs professionnels. Les « Gants blancs », les « Moines », les « Carrés de fromage » ou la « Crème fouettée », comme se sont baptisées ces bandes, assurent la sécurité des trafiquants de drogue de Colombie qui, traditionnellement, placent leurs revenus dans les propriétés rurales. Les propriétaires terriens d'ici vont presque tous chercher leurs gardes du corps, leurs forces de sécurité, leurs tueurs en Colombie. Ce sont les meilleurs, ils sont formés dans des « écoles du meurtre » et des « académies du meurtre » [15].

Ils passèrent devant des bordels, plusieurs villas luxueuses équipées de surveillance électronique, quelques centaines de huttes toutes de guingois. Une église, un supermarché, un porno-shop, un hôtel, encore un hôtel, une église, une autre église. Le chauffeur freina, Gonzalos se dit : Pourvu qu'Ernesto Geisel, ce médecin avec lequel celui du poste de secours vient de parler par radio, soit là. L'ambulance stoppa enfin. Gonzalos descendit, le chauffeur aussi. Ils se trouvaient devant l'hôpital du Cœur de la Vierge Marie.

« Dehors, les gringos ! dit le chauffeur à Gonzalos. Aidez-moi, *homem* ! »

Il ouvrit les deux battants de la porte arrière. Isabelle et Gilles installèrent Marvin sur un brancard, Marvin lâcha un juron. Pendant que les deux autres sortaient le brancard de la voiture, Gilles aida Isabelle à descendre. Il la prit dans ses bras, la souleva, et son cœur se mit à battre ; elle était si légère, si légère !

« Une radiographie », dit l'homme vêtu d'une blouse blanche maculée de taches qui s'était approché de Markus Marvin dans un couloir du deuxième étage, sale et encombré de blessés. Katja venait aussi d'arriver, tandis qu'Ekland était parti faire le plein de la Landrover.

« Il n'en est pas question, protesta Marvin. Isabelle, traduis, je t'en prie ! »

Isabelle traduisit.

« Dites-lui qu'il n'a pas à jouer la comédie ici, répondit le docteur Ernesto Geisel, radiologue de son état. Le señor voit comment ça se passe chez nous. Ce maudit congrès vient à peine de commencer, et nous sommes déjà tous à moitié morts. Traduisez, s'il vous plait, Señora ! »

Isabelle traduisit.

« Il n'en est pas question ! répéta Marvin, et Isabelle traduisit encore. Je refuse ! J'ai entendu dire que, chez vous, on fusillait les malades. Je n'ai pas confiance dans le Cœur de la Vierge Marie.

— Il ne veut vraiment pas, traduisit Isabelle.

— Qu'il crève alors ! dit le docteur Geisel. — Dehors, on entendit des sirènes hurler, puis se taire. — A votre guise. Voilà les suivants. Et c'est ainsi jour et nuit. Qu'il crève !

— Il faut vraiment te laisser radiographier, dit Isabelle à Marvin. Le docteur a raison, c'est trop dangereux. Sois raisonnable, Markus, nous ne te quitterons pas d'une semelle.

— Ils me feront la peau ! Ils me connaissent maintenant, ils m'attendaient, c'est sûr ! Une seringue, un peu d'air dans la veine, et le tour est joué. Ce sont des tueurs diplômés. Gonzalos m'a tout raconté.

— Que dit-il ? demanda le médecin épuisé de fatigue.

— Il a peur.

— C'est ridicule !

— Moi aussi, j'ai peur, dit Isabelle en portugais.

— Je vous donne ma parole d'honneur qu'il ne lui arrivera rien. Bon, pour la dernière fois, il faut faire une radio du crâne. S'il y a un hématome dans le cerveau, il risque de devenir muet, sourd ou aveugle, sourd-muet ou idiot... Traduisez. »

Isabelle traduisit, fidèlement cette fois.

« Bon, admit enfin le blessé. Allez, emmenez-moi. »

Bolling et Gonzalos le portèrent dans la salle de radiographie et restèrent auprès de lui pendant tout le temps de l'opération. Puis ils durent attendre que les clichés soient développés, dans une salle bondée de monde, dans laquelle régnait une odeur épouvantable. Au bout d'une heure, Bolling s'excusa; il dit qu'il avait envie de vomir, mais qu'il reviendrait très vite.

« Moi aussi, j'ai envie de vomir », dit Katja à Isabelle.

Elle suivit Bolling. Dehors, l'air empestait moins que dans la salle d'attente. Katja respira profondément. Puis elle écarquilla les yeux : au lieu d'aller vomir dans les toilettes, Bolling descendit l'escalier jusqu'au standard téléphonique.

Que se passe-t-il? se demanda Katja inquiète. Elle suivit le chimiste, en prenant soin de ne pas se faire remarquer, mais Bolling ne tourna pas une seule fois la tête. Katja se cacha derrière un pilier, d'où elle entendit tout ce qui se disait au standard.

« Je dois téléphoner, dit Bolling à l'une des standardistes. A Hambourg.

— Quoi?

— A Hambourg, en Allemagne.

— Il faut passer par Belém. Ce sera très long.

— Faites vite, insista Bolling en posant un billet de dix dollars sur la table.

— D'accord, dit la jeune fille avec un grand sourire. Le numéro? »

Bolling donna le numéro, que Katja nota sur un morceau de papier derrière son pilier. La standardiste prit contact avec Belém.

« Cinq minutes d'attente, déclara-t-elle bientôt. Il faut payer d'avance. Cent dollars. Ici... c'est le règlement.

Six minutes plus tard, il avait la communication.

« Cabine trois, dit la jeune fille.

— Où est la porte de la cabine?

— Il n'y en a pas. Allô? Voilà Hambourg. Vous parlez, oui ou non? »

Bolling entra dans la cabine sans porte, se présenta puis demanda :

« M. Joschka Zinner! Vite, andouille! »

Joschka Zinner ! se dit Katja sidérée. Le producteur ?

« C'est vous, Zinner ? — Il avait un débit nerveux. — Nous sommes à Altamira... dans la clinique... Marvin a été radiographié... Commotion cérébrale, vraisemblablement... Il n'y a rien de plus facile que de supprimer un homme ici... Il faut que nous nous dépêchions... »

A ce moment-là, deux médecins arrivèrent en courant. L'un d'eux se heurta à Katja.

« Que faites-vous là ?

— J'attends pour téléphoner. »

Katja vit bien que Bolling continuait à parler, mais elle ne comprenait plus ce qu'il disait.

« Le téléphone est réservé aux médecins ! s'écria l'homme qui avait heurté Katja.

— Et celui-là, c'est un médecin peut-être ?

— On va voir ça tout de suite. »

Katja vit le médecin attraper Bolling par le col et le tirer de force de la cabine. Le chimiste essaya de se défendre. Le second médecin lui arracha l'écouteur de la main.

« Allez-vous-en, sinon j'appelle la police ! lui cria-t-il. Nous avons besoin du téléphone ici. Tous les gars là-haut vont tomber comme des mouches si l'hélicoptère chargé des flacons d'oxygène n'arrive pas. »

Bolling retourna au standard et Katja en profita pour s'esquiver et remonter en courant dans la salle d'attente où était étendu Marvin.

Au bout de deux heures encore, un médecin s'approcha du brancard de Marvin.

« Je m'appelle Banquero, dit-il. Le docteur Jesus Banquero.

— Où est le docteur Geisel ? » demanda Bolling, qui était remonté aussitôt après Katja.

Isabelle traduisit.

« Il opère, répondit Banquero. Le señor Marvin a beaucoup de chance. Une légère commotion cérébrale seulement. Quatre jours de repos absolu au lit. Je viendrai le voir tous les soirs. Vous paierez plus tard.

— Nous voulons un garde-malade, dit Gonzalos. Non, deux. Jour et nuit. Vingt-quatre heures sur vingt-quatre.

— Ah ! Parfait ! dit Peter Bolling. Vingt-quatre heures sur vingt-quatre. Quand on voit ce qui se passe ici ! »

Tiens, tiens ! se dit Katja.

200

« Vous êtes aussi de cet avis ? demanda-t-elle au chimiste qui buvait Isabelle des yeux.

— Bien sûr. Et tout de suite !

— C'est complètement idiot, bougonna Markus Marvin.

— Toi, tu n'as pas la parole », dit Bolling.

Que se trame-t-il donc ici ? se demanda Katja troublée. Qu'est-ce qui lui arrive, à Bolling ? Cette conversation téléphonique avec Joschka Zinner ? Quel jeu joue-t-il ?

« Nous exigeons deux gardes-malades, dit Bolling. — Et à Isabelle : Demande-lui combien coûtent deux gardes-malades vingt-quatre heures sur vingt-quatre ?

— Il a dit " quatre jours au lit " ? aboya Marvin.

— La paix ! dit Bolling.

— Il n'en est absolument pas question ! » cria encore Marvin.

Et aussitôt, il poussa un gémissement de souffrance.

Isabelle se renseigna sur les tarifs des gardes-malades.

« Cinq cents, dit-elle. Pour les deux. Armés, bien entendu.

— Bien sûr », approuva Bolling.

Il remarqua le regard de Gonzalos fixé sur lui.

« Pourquoi me regardez-vous ainsi ?

— Vous avez de beaux yeux, répondit Gonzalos.

— Et vous, vous me faites...

— Ne vous fâchez pas, c'est un compliment, intervint Banquero. Nous sommes au Brésil ici !

— Voilà ! conclut Gonzalos dans un sourire. Mais cinq cents dollars, c'est trop cher.

— Pour quatre jours ! précisa Banquero.

— Il est fou ! » grogna Bolling.

Isabelle traduisait.

« Il dit que c'est cinq cents dollars ou pas de garde-malade. Et il prend deux cents dollars d'honoraires.

— D'accord pour les honoraires, mais pas pour les gardes-malades, répéta Gonzalos.

— Il a eu la consultation et la radio gratuites, expliqua Banquero. C'est un prix d'ami. Parce que le señor Marvin est allemand. J'aime l'Allemagne.

— Deux cents », proposa Bolling.

Il faut absolument que je parle de ça à Bernd, et le plus vite possible, se dit Katja. Il se passe ici des choses qui ne sont pas catholiques.

« Quatre cents, proposa Banquero.

— Deux cent cinquante, renchérit Bolling.

— Trois cents.

— Bon alors, cent cinquante seulement, dit Bolling.

— Eh ben quoi ? » dit le docteur Jesus Banquero en enfouissant les deux cents dollars dans sa poche, puis il disparut.

Au bout d'un quart d'heure, il revint accompagné d'un géant.

« Voilà Santamaria, dit Banquero. Le meilleur de toute la garnison. Il part sur-le-champ avec vous. Douze heures de garde, puis un collègue viendra le remplacer.

— Où est son arme ? » demanda Bolling.

Santamaria souleva sa chemise verte avec un sourire. Un pistolet automatique neuf millimètres était enfoncé dans son pantalon. Et il sortit de sa poche trois magasins pleins de balles.

« OK ? demanda-t-il.

— OK », répondit Bolling.

Ils retraversèrent la ville, entendirent de nouveau les balles et les cris. Santamaria était assis devant, entre Katja et le chauffeur.

« Il faut nous dépêcher ! cria Gonzalos qui était au chevet de Marvin avec Gilles, Isabelle et Bolling. Les propriétaires terriens ont fait dire qu'à dix-huit heures, un bataillon de leurs troupes de sécurité allait venir sur la place. »

Katja tourna la tête et vit Bolling parler tout bas à Marvin. Qu'est-ce qu'ils mijotent encore, ces deux-là, se demanda-t-elle. Qu'est-ce qui leur arrive ?

Les hôtels les moins mauvais d'Altamira étaient déjà complets lorsqu'ils avaient débarqué de Belém. Ils n'avaient plus trouvé de chambres que dans un hôtel baptisé Paraiso. Ce paradis était un vaste bâtiment de soixante-deux chambres dans lequel, aux jours de pointe, dormaient jusqu'à cent cinquante personnes. Avec l'aide de quelques dollars, ils avaient réussi à obtenir de l'hôtelier des chambres individuelles. Au moins, ils pourraient coucher dans un vrai lit et se doucher.

L'ambulance stoppa devant le Paraiso.

Santamaria et le chauffeur portèrent le brancard de Marvin dans le hall d'entrée exigu, où un petit portier aux vêtements et aux mains sales les regarda d'un air mauvais. Il murmura quelques mots.

« Que dit-il ? demanda Peter Bolling.

— Il dit qu'il déteste tous les gringos.

— Et moi, je l'aime, intervint Gilles. Dis-lui que je l'embrasserai plus tard. Pour l'instant, il nous faut la clef du 215.

— Elle n'est pas là, elle doit être en haut », traduisit Isabelle.

Ils montèrent Marvin par l'escalier jusqu'au deuxième étage. La clef du 215 était bien dans la serrure.

« Attention ! dit Bolling. Reculez tous. Attention ! »

Santamaria prit son automatique ; il leva la jambe et frappa la porte du pied ; elle s'ouvrit d'un coup. Le garde-malade sauta sur le côté et brandit son revolver, prêt à tirer.

Une jeune fille mince aux cheveux chatain foncé et aux yeux gris sortit de la chambre. Elle portait la veste et le pantalon légers d'un vêtement de camouflage de l'armée américaine.

Marvin écarquilla les yeux.

La jeune fille s'agenouilla à son chevet.

« Papa », murmura Suzanne à son père, et elle déposa un baiser léger sur les lèvres couvertes de sang caillé de Markus Marvin.

8

« J'ai beaucoup aimé Markus, Mme Goldstein, vous pouvez me croire. Et je l'aime encore. Non, c'est faux. Je comprends maintenant ce qu'il a fait. J'ai pitié de lui. Oui, le grand amour de jadis s'est transformé en une immense pitié, dit Elisa Hansen d'un air grave, les mains jointes sur les genoux et un sourire mélancolique aux lèvres. C'est pourquoi j'ai fait tout ce que j'ai pu pour que mon mari, je veux dire Hilmar, retire sa plainte. Encore un peu de café ? Servez-vous de sucre. »

Ces paroles furent prononcées presque au moment où, à des milliers de kilomètres de là, à Altamira, Suzanne Marvin déposait un baiser léger sur les lèvres tuméfiées de son père. Elisa Hansen et Miriam Goldstein étaient assises sur la terrasse du petit château Arabella, à Königstein dans le Taunus. La gracieuse avocate portait une robe d'été à rayures noires et blanches et des chaussures dans les mêmes tons. Elle s'était fait conduire en taxi depuis Francfort.

« Une belle région, avait dit le chauffeur, c'est là qu'habite M. Hansen. Dire que j'ai connu son père ! Quand on pense qu'il a tout reconstruit après la guerre, l'usine n'était plus qu'un monceau de ruines. Ah oui, c'était un grand homme, je lui tire mon chapeau ! J'ai souvent l'occasion de transporter son fils, et Mme Hansen. Ce sont des gens bien. Ils ont acquis leur fortune à la sueur de leur front, ça, on peut le dire. Et en plus, il fabrique des médicaments pour les gens malades, des produits pour l'industrie qui ne nuisent pas à l'environnement... Bravo, je dis, moi ! Voilà, il faut que je vous dépose ici, madame, je ne peux pas aller plus loin. »

Ils étaient arrivés devant un portail, surveillé par deux mini-caméras de télévision.

« Tout est bouclé ici. C'est normal, hein ? Surtout après ce qui est arrivé à M. Hansen. A mon avis, ce salaud de Marvin mériterait une peine exemplaire ! C'est un communiste. Poussé par l'Est.

— Qui vous l'a dit ? demanda Miriam.

— Je n'ai pas besoin qu'on me le dise. C'est l'évidence même... Ça fera quarante-cinq marks, madame... Merci beaucoup, et bonne journée ! »

Miriam alla jusqu'au portail et sonna. Aussitôt, une voix d'homme se fit entendre.

« Vous désirez ?

— Je suis Miriam Goldstein, et j'ai rendez-vous avec Mme Hansen à quinze heures.

— J'arrive tout de suite », dit la voix.

Un homme apparut.

« Reiter, dit-il en s'inclinant. Police judiciaire. Je vous connais, Maître, mais malgré tout, vous devez vous soumettre à la fouille. C'est le règlement.

— Je vous en prie. »

La formalité terminée, elle revint dans le parc et vit arriver une dame de haute taille, vêtue d'un kimono noir brodé de fil doré, et de chaussures également noires brodées de fil doré. Elle avait une démarche élégante et pleine de grâce.

« Bonjour, madame, dit la femme en kimono. Je suis Elisa Hansen. — Elle lui tendit la main, une main froide et sèche. — Je suis ravie de faire votre connaissance. Venez par ici, je vous prie. J'ai fait servir le café sur la terrasse, à l'abri d'un parasol. Cela vous convient-il ?

— Parfaitement », répondit Miriam.

Elle vit autour d'elle de nombreux arbres très hauts, d'un âge vénérable ; certains appartenaient à des espèces exotiques. Dans le calme du parc, on n'entendait que le crissement des chaussures sur le gravier et le chant des oiseaux.

« Veuillez excuser cette formalité de la fouille. C'est très désagréable pour les visiteurs, et pour nous aussi. Voyez-vous, Thomas, notre petit garçon, n'a même plus le droit de jouer avec ses copains. Les gardes du corps l'accompagnent tous les jours à

204

l'école, à l'aller et au retour. Il ne comprend pas pourquoi, le pauvre enfant, et n'aime pas cela.

— Et vous, vous comprenez cela ?

— Quoi donc ?

— Ces mesures de sécurité exceptionnelles.

— Ma foi, oui... Après ce qui s'est passé... Toutes ces lettres anonymes, ces menaces de mort... Il ne faut pas prendre de risques, disent ces messieurs.

— Cela vous est déjà arrivé dans le passé ?

— Oh oui ! cela arrive régulièrement... Des fanatiques, des jaloux, des concurrents, des handicapés mentaux... Il paraît que nous fabriquons des produits nocifs pour la santé et l'environnement... Vous savez ce que c'est, n'est-ce pas ?

— Non, rétorqua Miriam. Je ne sais pas. Qu'est-ce que c'est ?

— Je vais vous l'expliquer. Je vais tout vous expliquer, madame. Sur la terrasse. Merci, M. Reiter », ajouta-t-elle à l'adresse du jeune fonctionnaire de la police qui les avait suivies jusqu'à la maison.

Elles entrèrent dans le château Arabella. Ce petit castel du XIXᵉ siècle était vraiment très joli. Miriam, précédée d'Elisa Hansen, pénétra dans une vaste pièce inondée de lumière dont les murs étaient occupés par des tableaux de Degas, de Matisse et de Liebermann. Un véritable musée privé d'une valeur de plusieurs millions de marks, se dit Miriam. Elles arrivèrent ensuite dans une salle de séjour moderne. Un grand portrait d'Elisa Hansen, dans un cadre luxueux, doré et lourd, dominait la cheminée en marbre blanc. Les yeux de la jeune femme semblaient suivre les déplacements des visiteurs dans la pièce. Un des murs de la salle était fermé par des portes vitrées coulissantes, à moitié ouvertes ce jour-là à cause de la chaleur ; elles donnaient sur une vaste terrasse en marbre blanc également. Sous un parasol bleu, quelques sièges de tissu, bleu, entouraient une table de verre préparée pour le café.

Une femme aux cheveux noirs apparut ; elle portait une robe de lin blanc fermée jusqu'au cou.

« Nous nous débrouillerons toutes seules, Thérèse, dit Mme Hansen. — La dame sourit et disparut. — Venez, chère madame. On est très bien ici, il y fait frais, ce qui est très appréciable par cette température ! »

Les cimes des arbres centenaires abritaient la terrasse de leur ombre bienfaisante. Mme Hansen servit le café et présenta une coupe de biscuits secs. Puis elle s'assit à son tour.

« N'est-ce pas que c'est beau ? dit-elle dans un sourire.

— A peine croyable, murmura Miriam charmée par ce décor insolite.

— Ici au moins, mon mari peut se détendre. Nous avons trois terrasses comme celle-ci. Tout autour de la maison. Nous pouvons suivre le soleil du matin au soir. Ou le fuir... Mais l'endroit préféré de Hilmar, c'est cette terrasse-ci. Voilà pourquoi c'est ici que je vous ai fait venir. Le café est à votre goût ?

— Oui, madame, il est excellent. Merci beaucoup.

— Pas trop fort ?

— Non.

— Ni trop clair ?

— Non, c'est parfait, madame. Je vous remercie de m'avoir reçue aussi rapidement. Vous savez que je suis l'avocate de Markus Marvin et...

— Vous entendez ce rossignol ? la coupa Elisa Hansen.

— Superbe. Permettez-moi de vous dire que je compatis à vos soucis. Votre mari souffre encore, je crois.

— Hélas, oui. Nous avons ici un véritable paradis pour oiseaux. Hilmar aime s'asseoir là et les écouter chanter.

— Je ne veux pas vous déranger trop longtemps...

— Me déranger ? Allons donc ! Je suis heureuse que vous soyez venue, heureuse de pouvoir tout vous raconter... Encore une tranche de ce gâteau ?

— Merci, madame. Vous êtes bien aimable. Vous disiez donc que vous aviez quelque chose à me raconter...

— Oui. — Elisa Hansen se cala contre le dossier de son fauteuil et leva les yeux vers le ciel d'un bleu sans tache. — Voyez-vous, Hilmar, Markus et moi, nous nous connaissons depuis l'âge de seize ans. Nous sommes allés ensemble au lycée. Nous avons passé le bac en même temps, et nous sommes entrés à l'université en même temps aussi. Oui, nous nous connaissons depuis vingt-six ans. Nous avons tous les trois le même âge. Quarante-deux ans.

— Vraiment ? » fit Miriam en pensant : ses mains tremblent. Pas beaucoup, mais tout de même. Tiens ? Elle s'est rendu compte que je l'avais remarqué, et elle les cache. Pourquoi ses mains tremblent-elles ? Pourquoi est-elle aussi nerveuse ? Est-elle malade ? C'est possible après tout.

« Je suis... très heureuse de pouvoir raconter tout cela à une femme... et non à un homme... au procureur Ritt par exemple. — Un bref sourire crispé. — Hilmar et Markus... Ils sont tellement différents, mais pour moi, quand j'étais jeune, ils étaient tous deux également fascinants. Hilmar si doux, si tendre, si délicat, tout esprit... Et Markus si grand, si vigoureux, plein de force et si... réaliste... Il avait tellement les pieds sur terre! Ils me faisaient tous les deux la cour. C'est agréable, n'est-ce pas, d'être courtisée par deux hommes à la fois.

— Certainement, Mme Hansen.

— Finalement, c'est évident, on ne se connaît plus soi-même... Je veux dire... Il arrive souvent que l'on ne se retrouve plus dans ses propres sentiments... Je n'ai pas honte, vous savez, j'étais jeune, romantique. Pendant longtemps, je n'arrivais pas à me décider entre ces deux hommes. Au début même... au cours des années... je suis devenue la maîtresse de Hilmar, puis celle de Markus. Je vous le dis sans crainte, parce que je suis persuadée qu'une femme intelligente comme vous...

— Je vous comprends, madame. Vous étiez jeune et éblouie par l'admiration de deux hommes exceptionnels... »

Pourquoi ses mains tremblent-elles ainsi?

« Je savais que vous comprendriez... Encore une tasse de café?... Bien sûr, cette situation ne pouvait pas s'éterniser. Il faut bien prendre une décision un jour... J'ai enfin choisi... Markus. Nous nous sommes mariés.

— Quand?

— En 1969. Le 21 mai. A Starnberg, au sud de Munich. Mes parents ont une propriété là-bas. C'était la moindre des choses que le mariage n'ait pas lieu à Francfort... par égard pour ce pauvre Hilmar.

— Bien sûr.

— A propos, il a tenté de se suicider ce jour-là.

— Oh!

— Il s'est ouvert l'artère du poignet. Pendant trois jours, il est resté entre la vie et la mort; puis les médecins l'ont sauvé. Nous ne l'avons appris que beaucoup plus tard. Pauvre Hilmar...

— Et après, Mme Hansen? » demanda Miriam avec une grande douceur dans la voix.

Ces mains qui continuent à trembler...

« Après? Au début, tout était merveilleux. Markus travaillait à l'Institut de Physique théorique et il tournait des films documentaires. Bien entendu, il ne gagnait pas des sommes fabuleuses. Heureusement, je suis d'une famille fortunée. Nous étions heureux. Très heureux. En 1970, notre fille Suzanne est venue au monde... Il y avait déjà... une ombre... Oui, une ombre planait déjà sur notre couple. »

Mme Hansen soupira ; elle essayait de cacher ses mains comme elle pouvait.

« Une ombre ? répéta Miriam.

— Oui. Nous arrivons... à ce que vous devez savoir, ma chère. Je dis ce que je dis, avec beaucoup de prudence... Croyez-moi, Mme Goldstein, j'ai aimé Markus à la folie. Je peux comprendre ce qu'il a fait, je ressens ce qu'il ressent, j'ai pitié de lui...

— L'ombre sur votre ménage... insista Miriam.

— Markus avait changé, je m'en suis vite rendu compte. Ce que je n'avais pas encore deviné, c'est que Markus semblait avoir souffert depuis très longtemps... au lycée déjà... et sans doute aussi dans son enfance... De tels sentiments prennent toujours leur source dans l'enfance... Oui, il souffrait de plus en plus...

— De quoi souffrait-il, madame ? »

Elisa Hansen se redressa brusquement.

« De sa position d'outsider, déclara-t-elle à voix haute et dure. Résultat ? Insatisfaction chronique, ambition blessée, complexe d'infériorité, qui ne firent que s'aggraver. Et il s'ensuivit tout d'abord des fantasmes, puis il est devenu agressif, envieux, orgueilleux, fanatique, il savait toujours tout mieux que les autres. De l'amertume, qui ne fit que croître, elle aussi, et pour finir, de l'injustice permanente à l'égard du monde entier, et en particulier des êtres qui lui étaient les plus proches... Suzanne et moi... et enfin... de la haine... oui, de la haine...

— De la haine contre qui et quoi ?

— Contre tout, ma chère. Mais surtout contre Hilmar Hansen.

— Son ami d'enfance ?

— Oui. Réfléchissez donc, madame, à la différence de carrière des deux hommes ! Markus travaillait à l'Institut. Parfait ! c'était exactement ce qu'il lui fallait. Je le savais. Mais lui... Il n'avait d'yeux que pour Hilmar... Hilmar qui redresse toute l'usine avec son père... qui la dirige et la mène là où elle est maintenant... qui augmente la production... Hilmar créatif... Oui, créatif... Le succès de Hilmar ne faisait que croître. Il obtenait des honneurs, des prix, des distinctions. Sur le plan international aussi. Sans oublier le côté financier. Il parcourait le monde entier, faisait des conférences partout... Il obtint un diplôme de docteur honoris causa, vendit des licences de production dans de nombreux pays, un programme de recherche extrêmement vaste et varié... Et Markus ? Mon Markus ? En constatant que ses films documentaires ne lui apportaient pas de lauriers, il se fit nommer à Wiesbaden, dans la commission de surveillance atomique du

208

ministère de l'Environnement de la Hesse. Mon Dieu, il me faisait tellement pitié, malgré ses injustices, sa méchanceté, sa manière de me blesser, parce qu'il ne pouvait blesser que moi, vous comprenez! Bien sûr, j'étais malheureuse; toutes les nuits, je pleurais dans mon lit, mais je comprenais son désespoir, j'essayais de le soutenir, bien que, avec le temps, cela fût devenu de plus en plus dur. »

Madame Hansen sortit un petit mouchoir de dentelle de sa poche et se tamponna les yeux. Cette femme essaie de m'impressionner en jouant les martyres patientes et résignées, ne put s'empêcher de penser Miriam Goldstein.

« Je suis d'une famille catholique, vous savez, et... peut-être suis-je anachronique, mais je crois profondément et sincèrement en Dieu... »

Moi aussi, se dit Miriam. Mais d'une tout autre manière.

— « ... Markus est athée, lui, il l'a toujours été. Rien d'étonnant pour un scientifique, me direz-vous. Ce n'est pas sûr. J'ai toujours admiré les idées de Markus, de même que celles des agnostiques et des athées... A propos, Hilmar, lui, est un catholique pratiquant... Je n'ai mentionné ici l'athéisme de Markus que parce que plus il devenait amer, plus il le brandissait avec fureur... Et en particulier, il semait le trouble dans l'esprit et dans le cœur de notre petite Suzanne...

— Vous dites qu'il était très malheureux, reprit Miriam à mi-voix.

— Amer, j'ai dit. Aigri. Irritable. Colérique. Et sa rage tourna en méchanceté. Dans sa position modeste de membre de la commission de surveillance de l'Environnement, il avait souvent l'occasion de la mettre en pratique, cette méchanceté née de ses échecs répétés, vous pensez bien! Il créa des difficultés à d'innombrables laboratoires pharmaceutiques et cosmétiques, et à d'innombrables usines chimiques. Et en premier lieu, bien sûr, à Hilmar Hansen.

— Je pensais qu'il n'avait commencé à s'attaquer à M. Hansen que tout récemment, à propos de cette affaire de paradichlorobenzène?

— Mon Dieu! Ça dure depuis des années! Chicanes incessantes, règlements, plaintes, tout l'éventail y passa. Enquêtes sur les mesures de sécurité, les machines, les cheminées, les filtres, il ne lui faisait grâce d'aucun détail. Markus était devenu un maniaque, Mme Goldstein. N'oubliez pas qu'il a été mon mari, et que je l'ai beaucoup aimé. Plus que Hilmar. Mais il est devenu aussi littéralement insupportable, croyez-moi ! Parfois même, il se comportait comme un fou. Il provoquait des scandales... Chez mes parents, par exemple... Mon père qui avait fait deux infarctus...

— Que se passa-t-il chez vos parents ?

— Nous étions invités à la chasse, avec beaucoup d'autres. Il faut que je vous dise... Papa possède un domaine de chasse en haute Bavière. Pendant des années, Markus avait sauté de joie chaque fois que nous étions conviés à une chasse... Mais cette fois-là, il alla encore d'échec en échec... Il rata trois bêtes toutes proches, la colère le prit au point qu'il tira en l'air, vous vous imaginez ? Tout en jurant comme un charretier, devant tout le monde !

— Et alors ? » fit Miriam.

Mme Hansen ignora l'interruption.

« Lorsqu'il m'a frappée pour la première fois... jusqu'au sang, Mme Goldstein !, ce fut la goutte d'eau qui fit déborder le vase. Je n'en pouvais plus. Je suis partie. Le cœur lourd, car à l'époque, Suzanne n'avait que sept ans. J'ai emmené la petite avec moi, loué un appartement et demandé le divorce. Je l'ai obtenu... Et je suis venue m'installer chez Hilmar Hansen, ici, dans cette maison.

— Mais, Suzanne...

— Elle a été confiée à la garde de son père, avoua Mme Hansen, et elle se mit à pleurer sans retenue. — J'ai agi en dépit du bon sens... Bien sûr, avant le divorce déjà, je voyais souvent Hilmar... J'avais besoin de soutien... L'enfant ne comprenait pas, elle ne comprenait pas pourquoi j'avais quitté son père.

— Mais pourquoi Suzanne a-t-elle été confiée à la garde de son père ? insista Miriam. Calmez-vous, je vous en prie. »

L'avocate se leva et contempla le jardin. Elisa Hansen sanglota un instant, puis finit par sécher ses larmes. Son joli visage, ravagé par le chagrin, avait perdu beaucoup de son charme. Ses mains tremblaient de plus en plus, elle ne cherchait même plus à les cacher.

« Dans mon désespoir, Mme Goldstein, j'ai accumulé les erreurs. J'ai pris un travail... Je n'en pouvais plus... J'étais à bout de forces... Hilmar me soutenait avec de l'argent... beaucoup d'argent... Je fus mise en demeure de revenir au domicile conjugal, mais refusai... Markus fit une démarche auprès du service d'Aide sociale à l'Enfance... Bien sûr, Hilmar Hansen venait souvent nous rendre visite... Le service d'Aide à l'Enfance décréta que la petite vivait dans un environnement dangereux... pour son

évolution... Je... Je ne peux pas vous donner tous les détails...
Toujours est-il que Markus obtint la garde de notre fille... et moi,
un droit de visite limité... Tout se passa normalement pendant un
certain temps, puis Suzanne refusa de mettre le pied dans cette
maison... excitée par son père, bien sûr ! Elle était complètement
égarée, la pauvre... et finit par s'embarquer dans l'extrême
gauche... A ses yeux, Hilmar était un criminel, tout comme
Markus qui, à l'époque, défendait à cor et à cri l'énergie
atomique... Et ce fut la cause de la brouille entre Suzanne et son
père... Vous savez qu'elle l'a quitté à la suite de l'incident de la
centrale nucléaire de Biblis, et qu'elle n'est plus jamais revenue ?

— Oui, je sais, madame.

— Il a bien des torts, le pauvre Markus, croyez-moi, Mme Goldstein. Et il les a payés cher. Vous voyez comment l'amertume, la
haine, la colère, la solitude — qu'il ne doit qu'à lui-même ! —
n'ont fait que le détruire à petit feu... Il est devenu de plus en plus
agressif, de plus en plus injuste, de plus en plus illogique et
inconséquent... Il lutte en faveur de l'énergie atomique, puis, du
jour au lendemain, rejoint les militants et les apôtres de l'environnement... Excusez ce terme péjoratif. Le docteur Roth et M.
Bolling et tous les membres de cette société de Lübeck sont
certainement des personnes intègres... Mais avec Markus — et
cela me fait mal de devoir prononcer ces mots, croyez-moi —, ils
ont hérité une loque humaine... un homme incapable de se
maîtriser et de se contenter de ce qu'il a, un homme qui a gâché sa
vie, et pas seulement la sienne... »

Elle se tut pendant un long moment ; le chant d'un rossignol
emplit le silence. Puis elle reprit :

« Bon, passons. Quand il s'est attaqué à mon pauvre Hilmar si
doux et beaucoup plus faible que lui, avec une brutalité sans égale,
je l'ai haï. Oui, haï. Mais pas longtemps. J'ai fini par le
comprendre et j'ai demandé à mon mari de retirer sa plainte. Ce
qu'il a fait sur-le-champ. Il comprend Markus, lui aussi... Voilà,
maintenant, vous savez tout, Mme Goldstein.

— Merci, dit Miriam. J'aurais encore une question à vous
poser.

— Allez-y, posez-la !

— Qu'est-ce qui, à votre avis, a pu inciter quelqu'un à tenter
de supprimer mon client à la prison ? »

La réponse ne se fit pas attendre.

« Vous voyez, je crois que la police, le procureur de la
République et vous, vous êtes tous victimes d'une erreur.

— Que voulez-vous dire ?

— Il n'a jamais été question de supprimer Markus. »

Un petit garçon arriva sur la terrasse, suivi d'un homme de la police judiciaire en civil. L'homme salua et se retira discrètement.

L'enfant avait environ neuf ans. Il portait une culotte courte et une chemise blanche.

« Bonjour, Maman.

— Bonjour, mon petit. »

Il embrassa Elisa Hansen, puis s'inclina devant Miriam.

« Je vous présente mon fils, Thomas, dit Mme Hansen. Thomas, voici Mme Goldstein. »

L'enfant ressemblait beaucoup à sa mère, les mêmes yeux, les mêmes lèvres pleines, les longues jambes, les épaules larges et les hanches minces.

« Bonjour, madame.

— Alors, tu as bien nagé ? C'était agréable ?

— La piscine, oui, mais... dit-il en baissant les yeux.

— Quoi, mais...

— Toujours la même chose, tu sais bien.

— Ne t'en fais pas pour ça, ce sont des sots.

— Peut-être, mais pourquoi répètent-ils toujours ça, Maman ? Ce n'est pas vrai !

— Bien sûr que non ! Je te l'ai déjà dit, ce sont leurs parents qui les excitent.

— Pourquoi ?

— Mon Dieu... — Elisa Hansen avait les larmes aux yeux. — Vous voyez où nous en sommes, madame ? dit-elle en tournant la tête vers Miriam. Répète à Mme Goldstein ce que disent les enfants à l'école. »

Thomas regarda la visiteuse d'un air grave.

« Ils disent que mon père est un criminel.

— N'est-ce pas terrible ? s'écria Elisa. Si jeune ! Voilà ce qu'il entend tous les jours à l'école.

— Pourquoi les professeurs ne réagissent-ils pas ?

— Ils font ce qu'ils peuvent... sans succès.

— Tout ça, c'est triste, conclut le petit garçon au visage trop grave. — Il s'inclina devant Miriam. — Au revoir, madame. Je vais rejoindre Thesi, Maman. »

Il entra dans la maison, les épaules basses.

Elisa Hansen éclata de nouveau en sanglots.

Miriam ne disait rien, elle observait la mère désespérée.

Dans le parc, les oiseaux chantaient le coucher du soleil.

Quelques minutes plus tard, Elisa Hansen s'était ressaisie.

« Pardonnez-moi... Tout cela est bien triste, en effet. Qu'allons-nous devenir, Mme Goldstein ?

— Il est certain que vous êtes exposés, tous les trois, et que cette situation nécessite pour l'instant des mesures de sécurité, répondit Miriam gravement. Vous veniez de dire qu'il n'avait jamais été question de supprimer Markus Marvin...

— Oui, en effet, c'est ce que j'ai dit au moment où Thomas est arrivé.

— Mais...

— Je sais ce que vous allez répliquer... Il ne doit la vie qu'à un hasard. Mais ce hasard n'a rien à voir avec le fait qu'il n'existe aucune raison pour laquelle quelqu'un supprimerait Markus. L'autre, ce trafiquant d'armes, était sans aucun doute, lui, un danger pour bien des gens... en particulier pour des complices qui craignaient d'être dénoncés par lui. C'est aussi l'avis de mon mari. Et nous n'arrivons pas à comprendre que personne n'ait pensé à cette version qui nous paraît pourtant l'évidence même ! Et que personne n'ait songé à faire une enquête dans cette direction.

— Une enquête est faite aussi dans cette direction, madame, bien entendu.

— Sinon, ce serait grotesque. Personne ne voulait empoisonner Markus, c'est certain... même s'il est vraisemblable que sa mort aurait soulagé quelques personnes...

— Soulagé quelques personnes ? Que voulez-vous dire ?

— Dans cette époque agitée que nous vivons ! Il se trouvera toujours des gens pour dire qu'il était gênant, cet écologiste fanatique toujours prêt à chercher la petite bête chez tous les fabricants de produits chimiques et pharmaceutiques ! Et il se trouvera toujours des gens pour le croire... Tenez, les parents des enfants de la classe de Thomas... Les ennemis de ce trafiquant d'armes en tout cas... »

« ... ont atteint leur but. Il est mort, me déclara Mme Hansen. Peu après, je la quittai, et suis venue directement ici », dit Miriam Goldstein une heure plus tard à Valérie Roth et Elmar Ritt, le procureur de la République.

Ils s'étaient réunis de nouveau dans le salon de l'appartement que Miriam occupait depuis deux jours au Frankfurter Hof.

« Il est possible que Mme Hansen ait raison. Ce qu'elle a dit est parfaitement logique. Cela expliquerait-il que l'on vous ait dessaisi de l'affaire, M. Ritt? » demanda Miriam.

Le procureur était écroulé dans son fauteuil ; il haussa les épaules.

« Bien sûr. Mais, dans ce cas, pourquoi toutes ces mesures de protection pour les Hansen?

— Parce qu'il a effectivement reçu des lettres de menaces, répondit Valérie Roth. Des menaces de mort, qu'il faut absolument prendre au sérieux, dit-on à Bonn. J'y ai des relations, qui nous ont souvent été d'un grand secours, nous, c'est-à-dire l'Institut. Mme Goldstein est là pour le confirmer, M. Ritt.

— Je n'en doute pas... Vous ne me direz d'ailleurs pas ce que sont ces relations, je suppose?

— Sûrement pas... Je ne reçois des renseignements et de l'aide qu'à la condition formelle de ne dévoiler aucun nom. La dernière fois, j'ai réussi à obtenir pour Marvin l'autorisation de quitter le sol allemand. La vôtre ne suffisait pas, si vous vous rappelez, M. Ritt? Et brusquement, elle a suffi... »

Valérie le regarda droit dans les yeux.

« Mais pourquoi ces menaces de mort contre Hansen? Est-ce que vous êtes au courant, grâce à vos relations?

— Oui, M. Ritt... Le pauvre Markus est pour ainsi dire responsable de ces menaces... Nous tous, qui avons attaqué Hansen sous l'accusation de détruire l'environnement, nous en sommes aussi responsables. L'opinion publique est très montée contre lui, à juste titre, Miriam, quoi qu'en dise Elisa Hansen. Il fabrique des produits dangereux. Mais cela ne change rien au fait que cet Engelbrecht soit un salaud qui avait beaucoup d'ennemis. Sinon, on ne vous aurait jamais dessaisi de l'affaire Marvin/Hansen. Vous allez recevoir demain une lettre du procureur général. Une lettre très courtoise dans laquelle il s'excuse d'une erreur regrettable fondée sur un malentendu. Cette affaire n'aurait jamais dû vous être enlevée. A partir de demain matin, elle vous revient. »

Ritt fit la grimace.

« Chère madame, tout est possible dans mon métier... Mais pas cela.

— Si, insista Valérie, cela aussi. Vous avez raison, dans l'appareil judiciaire de notre pays, c'est inimaginable. Vous avez déjà entendu parler des droits de réserve des Alliés... La conviction de Mme Hansen est exacte, je le répète.

— Qui s'est approprié l'affaire Engelbrecht? demanda

Miriam. Les Américains ? Les Anglais ? Les Français ? Que vous a-t-on dit à ce sujet, Valérie ?

— On n'est pas entré dans les détails. On ne m'a parlé que des droits de réserve.

— On vous a laissé entendre que les trafics d'armes de cet Engelbrecht étaient d'un tel intérêt pour un Allié... ou pour plusieurs... que l'on a mis en scène toute cette comédie avec moi ? demanda Ritt.

— En effet.

— Tant de bruit pour des trafics d'armes ?

— Apparemment il ne s'agit pas seulement de trafics d'armes, M. Ritt.

— Et si je m'agite, moi, maintenant ? Si je veux absolument savoir pourquoi on m'a dessaisi de l'affaire Marvin/Hansen ?

— On vous la rend !

— Bon. Mais alors, pourquoi me l'a-t-on enlevée pendant deux jours ? insista Ritt têtu. Et si je veux absolument savoir pourquoi Engelbrecht est d'un tel intérêt pour certains services qu'ils... je veux dire, que les pays pour lesquels ces services travaillent... ont poussé les autorités judiciaires à une telle démarche...

— Invité, corrigea Valérie Roth.

— Vous dites ?

— Qu'ils ont invité les autorités judiciaires à faire cette démarche, M. Ritt. Oui, c'est ce qu'on m'a laissé entendre. On m'a dit aussi que le procureur de la Cour fédérale suprême avait été informé.

— Le procureur de la Cour fédérale suprême ? répéta Ritt en clignant des yeux.

— Oui ! s'exclama Valérie. Cela vous donnera peut-être une idée de l'importance de l'affaire Engelbrecht ?

— En effet. Et si justement à cause de cela, j'essaie d'obtenir des éclaircissements complets ? »

Valérie Roth se pencha et lui répondit à voix lente, en pesant chacun de ses mots :

« Vous n'obtiendrez rien du tout. Tout au plus quelques explications. Evidemment, votre expérience professionnelle vous permet d'exprimer le soupçon que les Alliés s'intéressaient vivement à Engelbrecht — à son milieu, et pas seulement à lui. Mais vous savez parfaitement que vous n'obtiendrez rien de cette manière !

— Toute cette histoire est vraiment grotesque.

— Bien sûr. C'est pour cette raison qu'on vous rend le dossier.

Parce que, dans la justice, en fin de compte, c'est la " raison " qui l'emporte. Mais si vous insistez trop, vous mettrez mes " relations " en danger, ce qui serait inquiétant et néfaste, pas seulement pour eux. Pour nous aussi... et une grande perte...

— Je partage tout à fait l'avis de Valérie, déclara Miriam Goldstein.

— Moi aussi, dit Ritt dont le visage s'était assombri. Mais cela ne signifie pas que je me désintéresserai de cet Engelbrecht après qu'il a croisé mon chemin par hasard. Et je suis sûr que mon ami, le commissaire principal Dornhelm, réagira de la même façon. Lui, il est en plein dans l'étude du meurtre d'Engelbrecht. Un instant ! Pourquoi ne l'a-t-on pas dessaisi de l'affaire, lui aussi ?

— On l'en a dessaisi, M. Ritt. Vous n'êtes pas au courant de ce qui s'est passé. On a en effet dessaisi M. Dornhelm de l'affaire pour quelques jours, et il a été obligé de jurer qu'il n'en parlerait à personne.

— Sous quel prétexte, ce serment ?

— Votre ami Dornhelm a réclamé un mandat de perquisition, ce qui a causé sa perte.

— Un instant ! intervint Miriam Goldstein. Est-ce qu'il y a eu perquisition chez Engelbrecht ?

— Oui.

— On vous l'a dit ? insista Ritt.

— On me l'a dit.

— Quelle a été la réaction de Mme Engelbrecht ? Si vous saviez comme elle nous a retournés sur le gril, Dornhelm et moi, après l'assassinat de son mari !

— Pour l'instant en tout cas, elle est fort calme.

— Que voulez-vous dire ?

— Elle est plongée dans une cure de sommeil profond. En service psychiatrique. Elle a eu une crise de nerfs il y a deux jours.

— En voilà, des nouvelles intéressantes ! s'exclama Ritt. A Bonn, on ne vous a pas dit *qui* avait perquisitionné le domicile d'Engelbrecht, bien sûr ?

— Non, bien sûr.

— Et pas non plus si on avait trouvé quelque chose d'intéressant ? Et si oui, ce dont il s'agit, j'imagine ?

— M. Ritt, je vous en prie. Il ne faut pas aller trop loin. Mes relations sont discrètes. Et leur aide a aussi ses limites. Je vous le répète, elles ne peuvent nous aider que dans la mesure où leur identité reste secrète. C'est clair ?

— Oh ! Parfaitement clair », répondit Ritt.

Il jeta un coup d'œil à Miriam qui agita rapidement les paupières. Elle savait qu'Elmar Ritt pensait à son père. Miriam pensait au sien. Et tous deux pensaient à la justice.

A l'hôtel Paraiso, la chambre de Markus Marvin était plongée dans l'obscurité et noyée dans une chaleur lourde et humide. Il était étendu de tout son long sur un vieux lit de laiton, Suzanne veillait à son chevet ; de temps en temps, elle épongeait le visage et les épaules de son père, inondés de transpiration. Dans le couloir, Santamaria, le géant, montait la garde, assis sur un tabouret.

« Suzanne ! dit soudain Marvin. Si tu savais comme je suis heureux ! Tout cela me paraît tellement irréel ! Depuis que tu as quitté la maison, je n'ai plus jamais entendu parler de toi. Comment se fait-il que nous nous retrouvions ici ?

— Je travaille au Brésil, répondit-elle en lui caressant gentiment la joue. Les gens de Greenpeace m'ont prise avec eux. Nous sommes ici, dans le Nord-Est, depuis des mois. Pardonne-moi, Papa, je t'en prie ! J'ai été méchante et injuste avec toi.

— C'est toi qui avais raison, dit-il. Depuis ton départ, j'ai fait de nombreuses expériences. J'ai vu des choses affreuses, les plus affreuses que l'on puisse imaginer. Voilà pourquoi je travaille depuis des mois pour l'Institut de Physique de Lübeck. Tu le connais ?

— Bien sûr. — Elle lui essuya le visage ; une ambulance passa dans la rue, toutes sirènes hurlantes. — Mais j'ignorais que tu étais passé de notre côté, Papa ! Si je l'avais su, je t'aurais téléphoné tout de suite, tu penses bien ! Il y a trois jours seulement que je l'ai appris. J'ai appris en même temps, il y a trois jours, que tu allais venir ici, à Altamira. Tu penses comme cette nouvelle m'a bouleversée ! Je travaille en ce moment à Belém, c'est notre base. Nous avons là des machines à écrire, une bibliothèque, un ordinateur. Ainsi qu'une imprimerie. Nous publions des notices d'information. C'est très difficile, la majorité de la population locale ne sait pas lire... Il faut donc toujours trouver quelqu'un qui puisse leur lire les textes. Le responsable de ces brochures est un certain Chico Mendes, il faut absolument que tu fasses sa connaissance ! De son métier, il est récolteur de caoutchouc. Il travaille et vit dans un petit village, Xapuri, en pleine Amazonie.

— Oui, dit Marvin. J'ai déjà entendu parler de lui.

— Il va venir à ce congrès des Indiens. Le dernier jour. Il faut que tu le rencontres, Papa ! Je lui ai téléphoné. Pour l'instant, il est à São Paulo où il parle tous les soirs devant une foule immense.

Mon Dieu, comme je suis heureuse, moi aussi! — Suzanne se pencha sur son père et l'embrassa avec fougue. Il ne put retenir un cri. Elle recula. — Oh! Que je suis bête! Excuse-moi.

— Embrasse-moi encore une fois, Suzanne!

— Ça te fait mal...

— Mais non, pas du tout, dit-il. C'est merveilleux. J'ai été si malheureux, Suzanne, si tu savais! Tout seul... Et maintenant... »

Elle l'embrassa encore, avec prudence et tendresse, cette fois.

« Oh! Que je suis heureux! Je n'ai jamais été aussi heureux de ma vie, je crois, ma petite fille.

— Moi non plus, Papa... — Elle lui caressa le bras. — Maintenant, nous travaillons ensemble, n'est-ce pas?

— Oui, Suzanne.

— Tu me prendras dans ton équipe quand tu seras rétabli? J'ai tant de choses à vous montrer et à vous expliquer ici!

— Bien sûr! Nous resterons ensemble maintenant, Suzanne. »

Un camion passa dans la rue, bondé de gens vêtus de haillons qui chantaient et criaient.

« Ce Chico Mendes, reprit Suzanne, il a quarante-quatre ans et il est président du syndicat local des ouvriers agricoles. L'ONU lui a décerné le prix de l'Environnement intitulé " Global 500 ". Il lutte contre le déboisement de la forêt tropicale. Une chose est certaine, c'est grâce à lui que la Banque mondiale a suspendu — momentanément du moins — le crédit de deux cents millions de dollars pour la construction de la route de Porto Velho à Rio Branco. Tu sais que la Banque mondiale hésite aussi devant ce projet de barrage insensé sur l'Amazone? — Il approuva d'un signe de tête. — Mais même si elle refuse définitivement, le projet se réalisera. Il ne manque pas d'autres banques, japonaises ou allemandes, qui sauteront sur l'occasion, tu penses bien! Chico a beaucoup discuté aussi avec des récolteurs de caoutchouc comme lui, des écologistes, des pêcheurs et des marchands qui sillonnent les fleuves; et il a enfin réussi à les persuader de s'unir pour protester tous ensemble contre la construction de la route. Car bien entendu, cette route ne fera qu'accélérer le déboisement de la forêt... »

Il sourit dans l'obscurité. Il avait l'impression que sa tête allait exploser, mais son cœur bondissait de joie. Suzanne est près de moi, Suzanne est revenue!

« En septembre dernier, poursuivit la jeune fille, Chico a gagné une nouvelle victoire. Le gouverneur de la province d'Acre a déclaré la région de Cachoeira da, près de Xapuri, zone de production protégée. C'est une immense forêt d'arbres à caout-chouc. Tu sais ce que ça signifie ?

— Non, je ne sais pas.

— Ça signifie, répondit Suzanne, qu'il est interdit de déboiser ce territoire pour y pratiquer l'élevage du bétail. On n'y construira pas de barrage et on n'y fera pas de prospection de minerai de fer. Seules les activités en rapport avec l'arboriculture sont autorisées, la récolte des noix et les saignées de latex. Est-ce que ce n'est pas formidable ? Eh bien, c'est l'œuvre de Chico. Et il obtiendra encore beaucoup plus de résultats positifs si vos films présentent une discussion entre toi et lui devant la caméra... »

Quelqu'un frappa à la porte.

Suzanne se leva et alla ouvrir. Isabelle attendait dans le couloir, à côté de Santamaria qui tenait son revolver automatique prêt à tirer. Elle portait un turban et un peignoir de bain en tissu éponge.

« Je m'excuse de vous déranger, dit-elle. Je suis chargée par tous les autres de prendre des nouvelles de votre père.

— Merci, dit Suzanne. Il va beaucoup mieux. Vous voulez le voir ?

— Non, protesta Isabelle. Non, vous êtes auprès de lui. Vous avez sûrement beaucoup de choses à vous dire. Nous sommes tous si heureux que vous vous soyez retrouvés ! »

9

Mercredi 31 août 1988

En passant devant la chambre de G., j'entends le cliquetis de sa machine à écrire. Je frappe. G. à sa petite table, près de la fenêtre, uniquement vêtu d'un short et de ses lunettes. Il tape à toute allure. De la rue montent des cris et des chants, des bruits de moteur et des tirs de balles. Il fait affreusement lourd. Une ampoule électrique nue se balance au plafond, au-dessus de la machine.

Il se lève, ôte ses lunettes. — Il écrit, dis-je. Gilles écrit ! Et moi, j'ai déjà trouvé un titre. — Il cligne des yeux. — Un titre ? Pour quoi ? — Pour le livre. — Ah bon ! Et quel titre ? — Au printemps l'alouette chantera pour la dernière fois. — Ce n'est pas mal ! dit-il. Où donc as-tu... Attends ! The last word of a blue-bird... Il y a un rapport ? — Bien sûr ! dis-je. — Tu connais l'histoire de Robert Frost ? — C'est mon poème préféré en langue anglaise, dis-je. — Ça alors ! Le mien aussi. La voie du destin, dit-il. Impossible de lui échapper. Mais pourquoi « pour la dernière fois » ? Le poème dit, littéralement : « And perhaps in the spring he would come back and sing... » Elle reviendra peut-être et chantera... — Oui, mais Clarisse

Gonzalos, avec qui j'en ai parlé, a eu une idée qui justifie cette modification. Une idée que je trouve très belle. Voilà... — Inutile, dit-il. Je l'achète, si tu la trouves très belle. Si nous formions une équipe, toi et moi ! Maintenant que nous avons une histoire d'amour et un titre pour le livre. Si nous continuons sur notre lancée... — Il redevient sérieux. — J'ai longuement réfléchi... à ce que tu m'as dit à Rio, ta psycho-histoire... et à tout le reste, les paroles de cet homme de l'Electronorte, les banderoles des propriétaires terriens, ce projet insensé de barrage sur l'Amazone, et aussi à ce qu'a dit le chef des Indiens, Paiakan : Vingt mille Indiens seulement sur dix millions ont survécu au triomphe de la civilisation au Brésil... Et cela ne fait réagir personne ! Oui, j'ai commencé à écrire. — Il sourit d'un air embarrassé. — Quelque chose qui se trouve entre Le Monstre *de Horstmann et ta psycho-histoire. — Je peux lire ? — Non, par pitié, non ! — Oh, je t'en prie ! — Et pour finir, j'ai la permission, bien entendu...*

Voilà en gros ce qu'il a déjà écrit :

« Tout porte à croire depuis longtemps que, après d'innombrables tentatives, l'évolution se sert de nous à présent pour essayer de montrer si, dans la perspective de la Création, nous ne formerions pas une autre branche qui aurait pris le relais de l'avenir sur l'arbre de la Vie. Si notre monde touche à sa fin, ce n'est pas pour obéir à une loi de la nature, mais c'est la conséquence de la sottise, d'une sottise tout à fait banale ; et le fait que nous sommes probablement les créatures les plus intelligentes que l'évolution ait jamais produites ne nous est d'aucun secours. Au contraire ! Car là se trouve la leçon équivoque que peut nous enseigner notre fin prochaine : dans le jeu de l'évolution, l'intelligence n'est pas une valeur absolue, elle ne l'est qu'en rapport avec le pouvoir. On pourrait déterminer quantitativement la domination, la souveraineté, comme la relation entre l'intelligence et le pouvoir. Cette relation descend au-dessous du point critique au plus tard lorsque nous réussissons la fission de l'atome. Depuis que nous intervenons avec succès dans la génétique, ce " facteur domination " est passé largement dans le domaine du négatif... »

Voilà le sens de ce qu'il a écrit. Et il continue :

« Nous devons notre perte, notre condamnation à mort, à la vitesse effarante avec laquelle nous transformons le monde, car elle ne laisse aucune chance aux moulins de l'évolution, dont le mouvement est marqué par la lenteur, de faire valoir leur veto. Comment devrait être structurée l'intelligence qui serait nécessaire pour maintenir en équilibre la progression fulgurante de notre pouvoir sur la transformation du monde [je trouve cette idée formidable] ? Au moment même où l'on commence à farfouiller dans la banque des données de l'évolution, on ne peut espérer obtenir de bons résultats que si l'on dispose de l'expérience globale de cette évolution. Ce pourrait être un des remèdes offerts par la nature, un autre pouvant être la prise de pouvoir

de la raison : le veto opposé à tout ce qui est le fruit de la sottise, de la cupidité, de l'avidité, de la vanité, qui nous font toucher à tout et faire n'importe quoi, même sans avoir la moindre idée des conséquences. Nous sommes conscients de la menace qui pèse sur nos principes vitaux. Il ne se passe pas un jour sans que les journaux parlent d'un scandale écologique. Les hommes politiques de tous les partis font assaut de professions de foi en faveur de la protection de la nature et de la responsabilité que nous avons envers notre univers et celui des générations futures. Mais alors, pourquoi les perspectives s'assombrissent-elles au fur et à mesure que se multiplient ces belles paroles ? Est-ce que nous ne pouvons pas faire passer dans la réalité ce que nous avons reconnu comme absolument indispensable, ou est-ce que nous ne le voulons pas ? Car il ne fait aucun doute que nous le pourrions, si nous le voulions. Mais sommes-nous prêts à en payer le prix ? Cette question est inséparable de la nature même du " vouloir ". Il existe manifestement encore une catégorie entre pouvoir et vouloir que notre langage ne peut appréhender, faute de terme adéquat : ne pas vouloir vraiment, sérieusement, instamment. C'est la " velléité " du buveur, du fumeur, de n'importe quel toxicomane qui, dans la majorité des cas, veut cesser — ou plutôt voudrait cesser. La clef de la catastrophe vers laquelle nous fonçons tête baissée, et les yeux grands ouverts, c'est l'autre, cet être social qui laisse faire sans réagir et dont le nombre forme cette fameuse " majorité silencieuse ". Nombreux sont ceux qui croient encore que la race humaine est capable d'apprendre, de tirer les leçons de l'histoire. Une simple question-test : Quelle leçon avons-nous retenue du dernier Holocauste, ou plutôt de l'avant-dernier ? Et la question n'est pas de savoir ce que nous avons appris sur le plan historique, mais de cerner l'influence qu'il a sur notre comportement social. »

Voilà où en était Gilles. Après avoir lu ces quelques feuillets, Isabelle releva la tête.

« C'est vrai, dit-elle. C'est tout à fait vrai, Philip. Et alors ?

— Et alors ? Et alors ? répéta-t-il. Il y a quelque temps, la ZDF (deuxième chaîne de télévision) a diffusé un film assez extraordinaire sur la vie quotidienne durant le Troisième Reich... A l'aide de documents que l'on connaissait déjà en partie, mais surtout d'épisodes reconstitués. Le metteur en scène Erwin Leiser menait une enquête sur le thème suivant : Comment la barbarie la plus sanglante a-t-elle pu éclater dans un peuple hautement cultivé du monde chrétien du XXᵉ siècle ? Ce qui vous serre le cœur dans ce film, ce n'est pas tant les criminels politiques sur la scène publique, ni les troupes de choc des SA et des SS, pas même les assassins des camps de concentration et leurs monceaux de cadavres, mais le père de famille qui, le soir, après sa journée de travail, veut avoir la paix, la maîtresse de maison qui pense à son prochain menu, le fonctionnaire à sa retraite, l'épicier à son chiffre d'affaires, tous ces gens devant lesquels on brise les vitrines de leurs voisins juifs en leur collant une étoile jaune sur la poitrine, et qui laissent faire sans la moindre protestation... mais oui, Isabelle, des gens comme toi et moi ! »

Le regard de Gilles se perdit au loin, dans le crépuscule naissant ; seule sa feuille de papier faisait une tache claire à la lumière de l'ampoule nue. Il écouta pendant un instant le tapage de cette maison de fous ivre, rebelle et sanglante qui avait nom Altamira ; ses pensées s'étaient évadées très loin de là.

« Nous tournons un film : " Toi qui ne dis rien, réponds-moi... Qui a rendu notre monde inhabitable ? ", murmura-t-il enfin. Maintenant, ici, aujourd'hui. Il ne faut pas que nous attendions cinquante ans, comme Erwin Leiser, pour ressortir péniblement tout le matériel des archives. Et pourquoi le ferions-nous ? Tous les jours, nous sommes témoins de l'inertie des membres de cette " majorité silencieuse ". Des scènes ? Nous en voyons en masse, et en naturel. Le personnage clef, commun à toutes les catastrophes, complice de tous les abus, c'est lui, " celui qui ne dit rien "... J'ai eu une fois une conversation avec un homme exceptionnel à Munich, Lothar Mayer ; soit dit en passant, il était lui aussi interprète simultané. Il travaille dans le cadre de la Société pour l'Ecologie Schuhmacher, et a publié un article dans le *Suddeutsche Zeitung* qui m'a fasciné [16]. Nous avons pris rendez-vous et avons bavardé pendant des heures, lui et moi ; il m'a dit une foule de choses qui expliquent une foule de choses... Pourquoi laissons-nous faire n'importe quoi dans ce monde sans rien dire ? Cela me revient à l'esprit. Et moi... Juste ciel ! dit Gilles. J'ai vraiment recommencé à écrire ! Diable ! Diable !

— Continue ! dit Isabelle. Continuez à écrire, Camarade ! Je m'en vais.

— Non, reste, je t'en prie !

— Si je reste, tu ne continueras pas à écrire.

— Si, je te le promets. Reste, s'il te plaît. — Gilles approcha un vieux fauteuil en rotin. — Tiens, assieds-toi là ! Tu veux un peu d'eau glacée ?... Allez, viens !

— Mais, ce que tu voulais écrire tout de suite...

— Je te le raconterai, et je l'écrirai ensuite. Je le jure...

— Toi ? Tu jures ? Toi ?

— Oui, je le jure.

— Toi qui ne crois à rien ?

222

— Si, dit-il très sérieusement cette fois. Je crois !

— A quoi ?

— A toi. »

Pendant quelques instants, ce fut le silence complet dans la chambre, tandis que, dehors, éclatait un tintamarre apocalyptique.

« Tes yeux, dit-il. Les voilà tout sombres. »

Isabelle ne réagit pas.

« Ne dis rien surtout ! Tu n'as pas besoin de parler. C'est mon affaire, n'est-ce pas ? Est-ce que ça te regarde si je... si je crois en toi, que diable ? — Il se renversa sur le dossier de sa chaise et continua à parler calmement. — La loi fondamentale de la majorité silencieuse. Première loi de Lothar Mayer. La condition de réussite de tous les crimes contre l'environnement. De tous les crimes nazis. Seule différence, le verdict prononcé sur nous, les gens d'aujourd'hui, devrait être beaucoup plus dur que celui prononcé sur les gens des années trente, car que pourrions-nous invoquer comme circonstances atténuantes, nous ? S'il y avait un chômage généralisé, une misère noire... A l'époque, il y avait six millions de chômeurs en Allemagne... Ce n'est pas une excuse, mais, comme je le disais, aux yeux de nombreux contemporains, une circonstance atténuante. Aujourd'hui ? Aujourd'hui, notre problème ne consiste pas à nous demander comment nous allons calmer notre estomac, mais comment nous pouvons rester mince et svelte malgré tout le superflu qui nous est offert. Voilà ce qu'a écrit Mayer... Qu'est-ce qui nous oblige à produire des déchets radioactifs pour les millénaires à venir ? Qu'est-ce qui nous oblige à anéantir la forêt tropicale ici et partout, et à brûler une telle quantité de mégatonnes de pétrole et de charbon que le climat de la terre en est affecté de façon irréparable ? Qu'est-ce qui nous oblige à gaver le sol de produits chimiques et de métal lourd, ce qui le rendra stérile pendant des siècles ? »

Il avait prononcé ces derniers mots avec un accent de rage dans la voix.

Gilles et Isabelle échangèrent un long regard.

« Quel désespoir, quelle misère pourrions-nous alléguer en guise de circonstance atténuante pour notre justification ? demanda-t-il pendant qu'elle ne voyait que ses yeux, ses yeux gris si jeunes dans son visage sillonné de rides. La misère de l'Afrique et des autres pays du tiers monde peut-être ? Non ! Celui qui voudrait se servir de cet argument à notre décharge devrait être ou bien extrêmement naïf ou bien terriblement cynique. Nous tirons précisément notre prospérité obscène d'un système économique mondial qui, avec ses lois, s'est donné surtout pour objectif de saigner les plus pauvres du monde jusqu'à la dernière goutte de sang. »

Isabelle approuva d'un signe de tête.

« Sans aucun doute, poursuivit-il, nous avons actuellement la possibilité de savoir à chaque instant tout ce qui se passe dans le monde — encore et toujours les idées et les paroles de Mayer. Il existe des kilomètres de films documentaires sur ces sujets, on nous en montre presque tous les soirs à la télévision. Nous pouvons tout savoir sur tous les crimes qui sont commis contre l'environnement. N'oublions pas ceci : les nazis avaient tellement bien mis au point leur système de terreur que protester coûtait la vie à l'époque — mais nous, qui nous empêche de protester aujourd'hui ? Personne. Alors, pourquoi protestons-nous si peu ? Pourquoi ne nous indignons-nous même pas ? Ou si peu ? Pourquoi ceux qui réagissent et agissent contre les crimes immondes commis sur notre planète sont-ils si peu nombreux ?

— Nous, la majorité silencieuse, compléta Isabelle.

— Oui, la majorité silencieuse, complice inerte de la destruction écologique, approuva Gilles. Nous, les muets, comme autrefois. Aujourd'hui mille fois plus muets encore qu'alors. Il n'existe plus de Joseph Goebbels pour nous poser la question : Voulez-vous la guerre totale contre la nature ? Et cependant notre réponse retentit tous les jours dans les caisses des supermarchés et des grands magasins, lorsque nous payons notre lait en sachets de plastique, nos légumes à croissance forcée à coups de pesticides et nos steaks d'un rouge lumineux : Oui ! Oui ! Oui ! C'est notre *way of life* avec lequel, jour après jour, mais par petites portions pour que ce ne soit pas trop visible, nous donnons notre approbation à la contamination des nappes phréatiques, à la destruction de la couche d'ozone, au déboisement des forêts tropicales et à l'empoisonnement de la mer du Nord. »

Elle se demanda ce qui avait bien pu métamorphoser à ce point cet homme, et en si peu de temps !

« Et nous continuons à nous taire, dit-il. C'est le silence conspirateur de la Mafia, de tous ceux qui profitent plus ou moins du crime organisé. *You never had it so good,* dit-on. C'est vrai. Nous n'avons jamais eu la vie aussi belle. Or, derrière cette prospérité unique dans l'histoire de l'humanité se cachent des affaires louches, ou du moins doivent se cacher des affaires louches dont nous préférons ne rien savoir, et nous ne voudrions pour rien au monde qu'on nous le fasse toucher du doigt ! Jadis, nous nous taisions, les oreilles bouchées et les yeux fermés. Nous n'avions pas

224

les charniers devant notre porte, n'est-ce pas ? Ils sont là-bas, au loin, quelque part en Pologne ou en Moravie. Aujourd'hui, ils sont programmés pour l'an 2000, voire un peu plus tard. — Gilles but un grand verre d'eau. — Et de nouveau, nous nous taisons. D'ailleurs, nous sommes si corrompus que nous nous tairions même si nous devions nous avouer à nous-mêmes que l'héroïne des patrons de la Mafia est vendue à nos enfants dans la cour de l'école... »

Elle était fascinée par ce discours et par l'homme qui le prononçait.

« ... Nous détruisons les forêts qui appartiennent à nos enfants. Nous leur transmettons en héritage un sol empoisonné qui ne portera plus que des fruits empoisonnés... A condition même qu'il en porte ! Nous contaminons les nappes phréatiques de nos enfants à coups de nitrate. Nous leur faisons avaler la radioactivité à doses minimes dès leur naissance, avec le lait maternel. Et nous nous taisons — parce que nous avons la vie plus belle que l'ont jamais eue nos prédécesseurs. Nous nous taisons, bien qu'aujourd'hui, plus personne ne soit envoyé en camp de concentration pour démoralisation de l'armée, ou en prison comme dissident. Sur ce plan, nous vivons donc une vie plus " humaine ", nous pouvons être satisfaits de notre système, en comparaison des régimes totalitaires. »

Elle lui demanda :

« Quel est alors le sens des films que nous sommes en train de tourner ? Quel sens a tout le travail que nous nous collons sur le dos ? Absolument aucun ! Est-ce que tout cela n'est pas du temps perdu ?

— Ma chère..., dit Gilles. — Il se leva et posa la main sur l'épaule d'Isabelle. — ... rien n'est inutile, à coup sûr, de ce qui est fait de manière droite et honnête... dans un but plus élevé, sur le plan personnel. Mais une espèce qui est incapable d'apprendre les leçons du passé et d'en tenir compte n'a pas d'avenir. N'a pas *mérité* d'avenir !

— Non ! cria-t-elle, soudain furieuse contre lui. Non, non et non ! A Rio, je t'ai donné mon point de vue. Nous ne pouvons pas juger la situation à partir de l'époque où nous la vivons.

— Cette réflexion, il est vrai, répliqua-t-il, m'a beaucoup impressionné. — Ils se dressaient face à face, tout proches l'un de l'autre. — Aujourd'hui, je n'ai réfléchi qu'à la raison pour laquelle les hommes gardent le silence sur ce qui se passe. Abandonner ? Jamais ! Jamais tu ne dois abandonner ! Moi aussi, malgré mon pessimisme latent, ancré dans ma nature, je commence à être fasciné par ce projet — en particulier depuis que j'ai fait ta connaissance, Isabelle ! Je vois maintenant à quel point il est important que nous fassions ces films. Car l'histoire a toujours connu des élans de la raison, à l'initiative de petits groupes au début, et qui se sont transformés par la suite en élans collectifs... »

On frappa à la porte.

« Oui ?

— Señora Delamare est chez vous, señor Gilles ? »

Il alla ouvrir. Dans le couloir, il aperçut le second concierge de l'hôtel Paraiso, un petit homme estropié aux yeux tristes.

« Perdao ! Téléphone pour la señora, dit-il. De Paris. — Puis il regarda Isabelle et lui parla en portugais : Il faut descendre, Señora ! La cabine est dans le hall d'entrée. »

Elle sortit de la chambre en courant et s'enferma dans la cabine.

« Allô ?

— Señora Isabelle Delamare ? demanda une voix féminine.

— Oui. Ici, le bureau de poste de Belém. On vous appelle de Paris. Parlez !

— Allô ? cria Isabelle. Allô ?

— Isabelle, ma petite ! Gérard à l'appareil !

— Mon Dieu, Gérard ! Quelle joie de t'entendre ! Comment m'as-tu dénichée ?

— Il y a si longtemps que nous n'avons pas eu de vos nouvelles, Monique et moi, que nous commencions à nous faire du souci, surtout pour toi, bien sûr. J'ai donc appelé Rio. Clarisse Gonzalos m'a dit que vous étiez allés à Altamira pour assister à un congrès de protestation organisé par les Indiens. Mais elle ne savait pas où vous logiez. Alors j'ai appelé ce producteur dément à Hambourg, M. Zinner, qui m'a donné votre numéro. L'hôtel est bien ?

— Tu parles ! Un cinq étoiles, au moins !

— Tu vas bien, ma petite ?

— Très bien, répondit-elle, et elle se sentit rougir jusqu'à la racine des cheveux.

— Les autres aussi ?

— Marvin a été frappé aujourd'hui... — Elle raconta l'histoire dans tous ses détails. — Que se passe-t-il, Gérard ?

— Hier, un homme est venu ici, à l'Institut, un Américain... Du moins, d'après l'accent. Il a posé un tas de questions... Peut-être sommes-nous placés sur table d'écoute. Tant pis ! L'homme voulait savoir ce que vous faisiez, la nature du film que vous étiez en train de tourner, qui finançait l'entreprise, et sans arrêt, il posait des questions sur Markus Marvin. Sur son passé, sur sa vie privée...

— Alors ?

— Eh bien, Monique et moi, nous avons seulement dit que lui et nous, nous étions de vieux amis.

— Vous ne lui avez pas demandé *pourquoi* il voulait savoir tout cela ?

— Si, bien sûr.

— Et alors ?

— Apparemment, pour une agence de renseignements. Il rassemble des informations pour le compte d'un client. Aussi l'ai-je fichu à la porte.

— C'est étrange.

— Il faut que tu préviennes Markus ! Il faut qu'il le sache !

— C'est bon, je le lui dirai, Gérard.

— Combien de temps restez-vous encore au Brésil ?

— Je ne sais pas exactement. Deux semaines peut-être. Demain, nous allons aux mines d'or.

— Je pose la question parce que j'ai trois types formidables pour Marvin. L'un d'eux connaît tous les dessous des scandales qui tournent autour de cette dioxine qui a pratiquement empoisonné le monde entier. Je ne peux pas te dire son nom au téléphone. Le second sait tout ce qui concerne les installations d'incinération des ordures ménagères et les trafics de déchets ; c'est le docteur Michael Braungart, un homme extraordinaire qui travaille à Hambourg. Et le troisième est un expert en énergie solaire. Un des meilleurs. Un de mes vieux amis. Le docteur Wolf Loder. Un Allemand, comme Braungart. Il a inventé un système formidable. Dans vos films, vous n'allez certainement pas vous contenter d'expliquer, documents à l'appui, la fin du monde, je suppose, mais vous allez montrer aussi ce que l'on peut encore faire pour l'enrayer et ce qui est fait dans ce sens, n'est-ce pas ? Je propose que vous commenciez par l'expert en dioxine, puis vous viendrez nous voir à Paris. Loder est justement ici, vous ferez sa connaissance ; cela nous donnera l'occasion de parler aussi du gaspillage d'énergie. Et pour finir, vous prendrez l'avion pour aller voir Braungart.

— D'accord, Gérard. Je te téléphonerai quelques jours avant la date prévue pour notre retour, pour que tu puisses fixer des rendez-vous.

— Ma petite Isabelle ! — La voix vibrante de Gérard traversait les montagnes, les forêts et les mers avant de parvenir à son oreille. — Et toi, qu'est-ce que tu fabriques ? »

Elle raconta sa toute récente discussion avec Philip Gilles, leur soirée au restaurant et leurs éclats de rire. Toute l'histoire d'Emenaro. Combien il était gentil...

Monique! hurle Gérard dans le téléphone. Notre petite est tombée amoureuse! — Une lutte brève autour de l'appareil, puis la voix de Monique : Mon petit chou, c'est vrai que tu es tombée amoureuse? — Il semblerait... — Oh! Quelle chance! Je l'ai toujours trouvé très sympathique. Mes félicitations! — De qui parles-tu au juste? — De Markus Marvin, bien sûr! — Ah, lui... Que je suis bête. Pourquoi leur avoir dévoilé mon secret? Parce que ce sont mes meilleurs amis et qu'il fallait que j'en parle à quelqu'un. Je suis tellement déphasée. — Quoi, ah lui? demanda encore Monique. Ce n'est pas lui? — Non. — Qui est-ce alors? — Philip Gilles. — Silence. — L'écrivain? demande finalement Monique. — Oui, Monique. — Et lui? — Je crois que je ne lui déplais pas. — Il te l'a dit? — Non. — Ecoute... Vous n'en parlez pas? — Pas encore. — C'est certainement un homme remarquable, dit Monique. L'esprit ouvert, beaucoup d'expérience. Mais, n'est-il pas un peu vieux pour toi, Isabelle? — La voix de Gérard s'interpose : Tu sais ce que tu fais, ma petite Isabelle. Allez, on t'embrasse et on vous souhaite à tous les deux du bonheur, beaucoup de bonheur! — Merci, dis-je.

En sortant de la cabine, je suis en nage. Le bonheur. Oui, je nous souhaite aussi du bonheur, à lui et à moi. Nous en aurons besoin.

10

Le lendemain, il faisait encore plus chaud et plus lourd. Tous ensemble, Gonzalos, Ekland et Katja, Bolling, Isabelle et Gilles, ils avaient loué un gros bateau à moteur avec pilote pour descendre le Xingu. Suzanne était restée auprès de son père.

Isabelle et Philip Gilles étaient assis côte à côte, fouettés par les embruns. Il avait passé son bras autour des épaules de la jeune fille. Peter Bolling ne les quittait pas des yeux.

Le matériel de cinéma faisait partie du voyage. Bernd a très mauvaise mine aujourd'hui, se dit Katja.

« Tu souffres beaucoup? » lui demanda-t-elle tout bas à l'oreille, à cause du bruit du moteur.

D'un simple mouvement de tête, il répondit par l'affirmative.

« Les médicaments? »

Il haussa les épaules.

« Ah! C'est vraiment trop dur! dit Katja. Promets-moi de ne

plus jamais soulever la BETA tout seul! Promets-moi de m'attendre! »

Il lui sourit et leva la main droite. Elle l'embrassa sur la joue, se blottit tout contre lui et se mit à rire.

Au bout de deux heures, le pilote ralentit la vitesse. Ils étaient arrivés au premier *garimpo*, la localité la plus proche des mines d'or. Ressaca, annonça le pilote[17]. Ils l'avaient déjà aperçue de loin, les *garimpeiros* travaillaient avec du matériel lourd qui ne passait pas inaperçu.

Lorsqu'ils débarquèrent, Katja aida son compagnon à fixer la BETA sur son pied. Ils filmèrent le village et les environs du haut d'une colline. Le pilote, Pedro, expliqua la situation, Isabelle traduisit dans un micro. Gilles avait branché son magnétophone, lui aussi.

« ... Les machines avec lesquelles travaillent les hommes sont des pompes à haute pression. Ils commencent par brûler la colline jusqu'à ce qu'elle soit totalement nue, puis ils la désagrègent littéralement à la pompe. — La caméra d'Ekland suivait à la lettre les descriptions d'Isabelle. — La terre et l'eau coulent sur un système de plusieurs tamis différents... à la suite de quoi il ne reste que de la terre rouge stérile, le signe le plus sûr qu'elle ne contient plus la moindre parcelle d'or... mais aussi que plus jamais il n'y poussera un seul arbre, un seul buisson, le moindre brin d'herbe. »

Les surfaces chauves s'étendaient à l'infini.

« Le mieux pour vous, c'est d'aller d'abord voir Anselmo..., dit Pedro. Il a des tas de choses à vous raconter. C'est un malin... »

Pedro courait pieds nus, sa chemise déchirée volait au-dessus de son caleçon verdâtre. Il portait un vieux chapeau de paille sur la tête, comme tout le monde, à cause du soleil ardent.

Tous ensemble, ils transportèrent la BETA et le matériel jusqu'à une cabane en planches qui s'avéra être une boutique. Elle appartenait au malin Anselmo. Ekland dirigea l'objectif sur Bolling et le marchand pour filmer leur conversation. Anselmo Almeida avait vingt-sept ans ; il était venu ici sept ans auparavant, après avoir quitté la métropole industrielle de São Paulo. Il avait commencé par chercher de l'or comme tout le monde, mais bientôt...

« ... Bientôt j'ai compris que c'était idiot. On travaille comme des abrutis, et en trois ans, on est liquidé. Aussi j'ai construit cette cahute, j'ai acheté des boîtes de conserve, de la vaisselle, des fusils et des munitions — tout à crédit bien sûr, au début. Et maintenant, la boutique marche bien. Ou du moins, je gagne plus que les gars qui cherchent de l'or ici. — Il souriait en parlant, Isabelle traduisait. — OK, je suis un peu plus cher que là-bas, à Altamira ...

— Plus cher ? demanda Bolling. De combien ?

— Bah ! Trois ou quatre fois plus cher, répondit Anselmo. Et après ? — Il pouvait faire payer ce qu'il voulait, il n'avait pas de concurrence dans ce trou. — Il y a en permanence dans les deux mille hommes ici, c'est bon à prendre. En 1974, dit-on, il n'y avait que deux vieillards qui vivaient dans ce coin.

— Quelle quantité d'or peuvent-ils encore espérer trouver à Ressaca, ces *garimpeiros* ? » demanda encore Bolling.

Anselmo haussa les épaules.

« Vingt ou vingt-cinq grammes, cent grammes, cinq cents grammes... mais ça arrive très rarement.

— Et ils risquent leur vie pour si peu ?

— Vous voyez bien !

— Combien y a-t-il de *garimpeiros* dans l'Etat de Para ?

— On ne peut jamais savoir exactement, dans les trois cent cinquante mille peut-être.

— Tant que ça ?

— Il arrive parfois qu'un homme ait de la chance et qu'il déniche une poignée d'or. Ils appellent ça " la chance jaune ". Ça rend les autres fous pour plusieurs années.

— Trois cent cinquante mille hommes ! Iriez-vous jusqu'à dire que la recherche de l'or est devenue une véritable branche de l'économie, Anselmo ?

— Madonna, oui ! La plus importante ! Et la plus destructrice ! Quand ils ont fini de " nettoyer " un endroit, les *garimpeiros* s'en vont à côté. Ici, ce sera bientôt la fin. Moi aussi, je déménagerai. »

Les cheveux blonds d'Isabelle dansaient autour de son chapeau tropical, Bolling ne la quittait pas du regard.

Pendant qu'ils bavardaient, Ekland, courbé sous le poids de sa BETA, se mordait les lèvres tant il souffrait. Katja l'observait, les yeux soucieux et le sourire aux lèvres.

« Ce sont les propriétaires terriens qui gagnent le plus, reprit Anselmo. Les *garimpeiros* doivent leur donner dix pour cent de l'or qu'ils trouvent, en échange de quoi ils les laissent déboiser leur territoire, construire des huttes et laver le métal comme ils veulent, c'est-à-dire au mercure.

— Au mercure ?

— C'est le moyen le plus rapide d'isoler l'or de la terre et du sable.

230

— Donc le mercure se répand dans ce fleuve, et dans beaucoup d'autres ?

— Bien sûr, fit Anselmo d'un air placide.

— Ici, dans le bassin de l'Amazone où le poisson est la base de l'alimentation ? Mais le mercure doit aussi se concentrer dans les poissons ?

— Bien sûr, répéta Anselmo comme s'il n'y avait rien de plus naturel. Et il se concentre ensuite dans ceux qui mangent les poissons au mercure. On a fait des enquêtes à ce sujet, et on a trouvé d'importantes proportions de mercure dans les organes de nombreux consommateurs de poisson.

— Pourtant, d'après ce qu'on nous a dit, le mercure est interdit ! »

Anselmo sourit.

« C'est possible, nous en avons entendu parler.

— Et alors ?

— Madonna, homen ! Jamais un membre du gouvernement ne s'aventure jusqu'ici ! Et sans mercure, le lavage de l'or est incroyablement plus difficile ! »

Katja avait réclamé un petit temps de repos avant qu'Ekland ne recharge sa BETA sur l'épaule pour prendre en gros plan les misérables indigènes à moitié nus qui travaillaient aux pompes et aux tamis, leurs visages, leurs mains, leurs yeux, la terre rouge stérile, l'eau empoisonnée. Pendant ce temps, Peter Bolling attira Bruno Gonzalos, Isabelle et Katja à l'écart.

« Tu as parlé à Marvin du coup de téléphone de Vitran, Isabelle ?

— Oui. A Marvin et à Philip. Suzanne sait aussi que cet Américain est venu chez Vitran pour se renseigner sur son père. »

Et Miriam Goldstein le sait aussi, ajouta Katja en secret, pour elle seule. Je lui ai téléphoné, moi, pour le lui raconter, ainsi que le coup de téléphone de Bolling à Joschka Zinner.

« Il se passe quelque chose, dit Bolling. J'ai parlé avec Markus. Il se passe certainement quelque chose, mais nous ne savons pas quoi. On finit par se demander s'il a été attaqué par hasard devant la salle des fêtes, ou bien s'il devait être supprimé !

— Supprimé ? Pourquoi ? demanda Isabelle.

— Réfléchis un peu ! fit Bolling d'une voix forte. Ce que nous faisons, et en particulier ce que nous faisons en ce moment, ne plaît pas à tout le monde, loin s'en faut ! Il y en a beaucoup à qui ça ne peut pas plaire ! Que ça doit déranger ! Surtout ce film ! Tu n'y as jamais pensé ?

— Si, Peter, bien sûr, répondit Isabelle. Ce Joschka, il nous a joué là un tour de cochon ! »

Isabelle était très gênée par le regard ardent de Bolling. Le mieux que j'aie à faire, c'est de l'ignorer, de ne rien voir, se disait-elle souvent. Mais ce n'était pas facile.

« J'ai vu une fois un film, reprit-il. Un film américain intitulé *Salvador*. L'histoire de plusieurs reporters qui cherchaient la vérité sur des intrigues politiques sordides. Excellents comédiens et dialogues très soignés. Je me souviens d'un passage où l'un d'eux disait : La vérité ? Si tu veux trouver la vérité, il faut t'en approcher de très près. Mais si tu vas tout près, tu crèves ! — Il se mit à tousser. — Nous aussi, nous recherchons la vérité. Nous voulons la filmer pour la montrer à la population de tous les pays. Cela ne fera pas l'affaire des gros pontes de l'industrie, de la politique et de l'économie. Pas du tout ! »

Au bord de la crise d'asthme, Bolling saisit son inhalateur et se pulvérisa de la cortisone dans la gorge, sous les yeux de Gilles et d'Isabelle, muets. Au bout de quelques minutes, il put respirer de nouveau normalement.

« Voilà, c'est passé, dit-il un peu gêné. Oui, cela ne fera pas l'affaire de beaucoup de personnes très riches, très puissantes, très haut placées. Tant mieux ! C'est ce que nous voulons, n'est-ce pas ? Depuis tant d'années que nous travaillons pour arriver à ce résultat ! Nous en approchons. Nous approchons de la vérité, mais nous ne tenons pas à en crever, hein ? Le plus en danger de nous tous, c'est Markus Marvin.

— Pourquoi lui ? » demanda Gonzalos.

Qu'est-ce qu'il a dans le crâne, celui-là, se demanda-t-il. Joue-t-il la comédie ? Quel rôle joue-t-il d'ailleurs ? Et quel rôle joue Marvin ?

« C'est Markus qui dirige l'expédition, répondit Bolling. Il en sait plus que nous tous. Il est le plus capable et le plus connu de nous tous. Je suis persuadé qu'il est aussi le plus visé. — Ah ? se dit Gonzalos. Tu en es persuadé ? — Et il a besoin de protection, poursuivit Bolling en ôtant ses lunettes et en se levant. Je vous remercie du fond du cœur, M. Gonzalos, d'avoir exigé la présence constante d'un garde-malade auprès de lui.

— C'était normal, dit Gonzalos.

— Donc, Markus est en sécurité pendant quelques jours, poursuivit Bolling. Pourvu que personne ne vienne corrompre le gardien. On peut s'attendre à tout ici. C'est pourquoi j'ai téléphoné à Joschka Zinner... de l'hôpital même. »

De deux choses l'une, se dit Katja : ou bien il a un culot monstre, ou bien je l'ai soupçonné à tort.

« Vous avez téléphoné à Zinner ? demanda-t-elle de son air le plus naturel.

— Oui.

— Mais pourquoi ? voulut savoir Isabelle.

— Parce que Markus a besoin de protection. Ces gardes-malades ne sont qu'une solution de fortune. Il nous faut des professionnels.

— Et pourquoi appeler Zinner ? demanda encore Katja.

— Parce qu'il a un cousin à Bogotá qui travaille depuis longtemps pour lui. Vous ne le saviez pas ?

— Non, répondit le jeune technicien. Mais quel rapport entre le cousin de Zinner et nous ?

— Bogotá est la capitale de la Colombie, répondit Bolling. Or, la Colombie et le Brésil ont une frontière commune. Le cousin en question s'occupe de rechercher et d'engager le plus rapidement possible quelques professionnels pour les envoyer ici. »

Malgré la pluie, la procession des éclopés, des invalides avec leurs prothèses, leur voiture roulante et leurs béquilles, des aveugles, des manchots et des boiteux, traversa le parc et passa devant la grande église qui dominait le mont Monserrate, à l'est de Bogotá.

Cette procession se renouvelait tous les jours ; elle se traînait dans la Calle del Candelero jusqu'à un ermitage transformé en chapelle pour abriter un reliquaire en verre contenant « Le Christ Renversé ». Ils venaient là le matin et l'après-midi pour baiser le reliquaire et supplier le Christ de les délivrer de leurs maux et de leurs misères. L'après-midi, à Bogotá, la pluie était presque toujours au rendez-vous.

A l'abri du péristyle de l'église, deux hommes suivaient la procession d'un œil attentif.

« Donc deux bravos », dit l'un d'eux, un grand métis qui ressemblait à un avocat mondain. Il s'appelait maître Ignacio Nigra, était effectivement avocat de son état, et portait un imperméable, tout comme son interlocuteur. « Bon, c'est urgent. A Altamira. Parmi les meilleurs bien sûr. Je vais faire tout mon possible, señor Machado. Bien que de nombreux bravos se soient recyclés dans la petite criminalité, comme vous le savez, depuis le

233

manque de rentabilité de l'économie du crime pour cause de marché saturé. Et même beaucoup parmi les meilleurs, malheureusement. »

La procession priait, suppliait, gémissait. Des marchands ambulants offraient du thé chaud, des amandes, du beurre, des gâteaux et des châles en cachemire, à grand renfort de cris rauques.

Le dénommé Machado, Achille Machado, tout aussi élégant que l'avocat, était un importateur, cousin du producteur de films de Hambourg, Joschka Zinner.

« Mon client a besoin avant tout de protection, maître Nigra. Le plus vite possible. Le mieux possible. Les gardes du corps les plus capables que l'on puisse trouver sur la place.

— Oui, bien sûr, répondit l'avocat. Il n'y a rien de mieux que les bravos. Les trafiquants de drogues qui placent leurs revenus dans les propriétés terriennes et les trafiquants d'émeraude ont besoin aussi de protection, vous le savez bien, n'est-ce pas ? Les bravos les plus capables et les plus sûrs sortent des Académies du Meurtre. Car, entre nous, que signifie " protection " ? Eliminer le plus rapidement possible les agresseurs, non ?

— C'est juste, répondit le cousin de Zinner.

— La jeunesse, reprit maître Nigra en regardant la ville de Bogotá avec une lueur d'émotion dans les yeux. La jeunesse est obsédée par l'idée de gagner de l'argent le plus vite possible ; elle se laisse donc très facilement tenter par l'art du crime pour pouvoir améliorer son niveau de vie. Les jeunes bravos sont les plus demandés. Je vais m'efforcer de vous satisfaire, señor Machado... étant donné surtout notre collaboration si fructueuse dans les affaires. Et aussi, bien sûr, étant donné les sentiments d'amitié que je vous porte.

— A titre de réciprocité, mon cher maître, dit Machado.

— Bon, reprit l'avocat. Je vais essayer d'obtenir deux bravos des " Abricots ", de Medellin. Cette bande surpasse vraiment toutes les autres d'une bonne coudée, señor Machado. Ainsi par exemple, c'est elle qui a organisé et réalisé l'assassinat du ministre de la Justice, Rodrigo Lara Bonillas, du juge de la Cour suprême, Hernando Baquero et du propriétaire du journal *El Espectador*, Guillermo Cano. On ne peut trouver de meilleurs exécutants dans aucune autre bande, croyez-moi. Et malgré tout, ces tueurs d'élite ne sont pas trop chers, étant donné la saturation du marché, señor Machado.

— Parfait, maître Nigra. En l'occurrence, l'argent importe peu. C'est la protection qui joue le rôle principal... quel que soit son prix.

— Vous verrez, vous serez satisfait. Je n'ai fait que de bonnes expériences avec les gars des " Abricots ".

— C'est d'accord. Mais, rappelez-vous, c'est très urgent, n'est-ce pas ?

— Bien sûr ! »

« Pitié ! Pitié ! » clamait la procession d'une voix geignarde.

Même le 3 septembre, Markus fut contraint de rester au lit, ordre formel des médecins. Il s'inclina, ne souhaitant qu'une chose, être parfaitement rétabli lorsqu'il rencontrerait Chico Mendes dont sa fille lui avait parlé avec tant d'enthousiasme.

Suzanne s'était procuré un gros ventilateur en ville, qui brassait l'air lourd et brûlant de la chambre sans le rafraîchir pour autant.

Le soir, toute l'équipe se réunit au chevet de Marvin. Ils avaient beaucoup travaillé et purent passer les films sur un moniteur, comme des cassettes vidéo sur un écran de télévision. Ils étaient tous là, Gonzalos, Suzanne, Gilles, Bolling, Isabelle, Katja et Bernd Ekland. Le ventilateur leur donnait une illusion de fraîcheur. Isabelle était assise à côté de Suzanne.

La première interview qui passa sur le moniteur avait été tournée près d'Altamira, avec un jeune homme du nom de Flavio Frossard. Le film commençait pas montrer deux immenses fermes qui faisaient partie des propriétés de la famille de Flavio et étaient gérées par le jeune homme lui-même. Puis vint l'interview proprement dite, animée par Bolling.

« Il y a quinze ans, expliqua Flavio, toute cette région de pâturages et de champs était couverte de forêts. Nos *fazendas* m'intéressent beaucoup et m'amusent. C'est l'avenir ! Regardez ! Nous élevons du bétail, nous plantons du café et tant d'autres produits encore !

— Vous avez assez de main-d'œuvre ? demanda Bolling.

— Je ne peux pas en occuper tellement, vous savez ! Et une racaille pareille ! répondit Flavio sans cacher son mépris. — C'était un beau gars, ancien pilote d'hélicoptère, très fier de lui. — Si je ne suis pas sans cesse à leurs trousses, le fusil en bandoulière, ils ne font rien.

— D'où viennent-ils ?

— Du Sud. Ils n'ont aucune expérience du bétail ni de la culture, ces canailles. »

« Coupe, Bernd », dit Bolling.

Ekland s'exécuta.

« Nous pourrons y joindre de nombreux commentaires sur les

vues d'avion que nous possédons de la forêt dévastée, Markus. Il faut dire, par exemple, qu'il s'agit de cinq ou six millions d'individus — personne ne connaît le nombre exact — qui ne trouvaient pas de travail dans le Sud et sont donc montés ici. Il en vient sans arrêt des colonies entières, qui réduisent à néant les efforts des écologistes.

— Au Brésil, intervint à son tour le docteur Gonzalos, l'Eglise catholique a depuis toujours encouragé les naissances. Les familles émigrent dans les forêts de l'Amazonie avec, pour tout bien, les vêtements que les gens portent sur eux. Ceux qui ne sont pas embauchés dans les *fazendas* peuvent tenir le coup au maximum cinq ans sur les lopins de terre que leur ont donnés les grands propriétaires, à charge pour eux de commencer par les déboiser et les défricher par le feu. Au bout de ce laps de temps, le sol est privé de tous ses éléments constitutifs, et la terre, qui n'est plus ni retenue ni protégée par les arbres, a été évacuée par les pluies tropicales. Aussi la migration de ces millions de malheureux doit-elle recommencer. J'ai eu une fois un entretien avec le directeur du Museu Goeldi, un remarquable institut de recherche de Belém — au fait, il faudrait que vous alliez y faire un tour. " Que peut-on faire contre ces gens ?, m'a-t-il demandé. Leur déclarer la guerre ? Et d'ailleurs, comment puis-je expliquer à un homme dont le propriétaire terrien donne deux dollars pour chaque arbre abattu que cette terre est vouée à la stérilité si elle n'est pas protégée et que, pour cette raison, il ne doit pas abattre les arbres ? "

— Deux dollars, répéta Suzanne d'un air désolé. Cela suffit pour un repas copieux... mais presque aussi pour payer un tueur de premier ordre. Le Brésil fait partie des dix nations les plus étendues du monde, et pourtant la moitié de sa population vit dans la misère. Sans compter que cette population augmente de plus de deux pour cent par an. Tant que la misère sociale n'est pas résolue, on aura besoin de l'Amazonie, pour ses matières premières, pour ses sources d'énergie — et en guise de soupape de sécurité intérieure. Tant que rien ne change fondamentalement sur le plan politique, tant que la grande majorité du territoire appartient à quelques douzaines de gros propriétaires, la forêt tropicale n'a aucune chance de survie !

— C'est bon, déclara Markus Marvin. Bernd, vas-y, on continue ! »

Le beau Flavio réapparut sur l'écran.

« Les gars qui viennent ici sont des bandits. Rien que des

bandits. Ils ont tous commis quelques méfaits dans le Sud. — La voix du jeune seigneur vêtu d'un costume kaki se faisait de plus en plus mordante et coupante, pleine de morgue, et Isabelle, en traduisant ses paroles, adoptait le même ton. — Ils ont tué, volé, trompé. Des criminels, tous des criminels, comme le chef de la police d'Altamira, d'ailleurs. Celui-là, le matin, il empoche des pots-de-vin pour signer des permis de séjour et des permis de travail ; à midi, il descend un type, et l'après-midi, il s'installe dans un bar et s'enivre. Personne ne paie d'impôts ici. Tout le monde vole. L'ancien maire a même emporté les meubles et la climatisation de la préfecture lorsqu'il a été nommé ailleurs. »

Tous les yeux étaient fixés sur le moniteur, sauf ceux de Bolling qui suivaient les moindres gestes d'Isabelle. Dans le film, il faisait face à Flavio, et c'est lui qui parlait.

« Et qu'en est-il de la loi qui n'autorise que l'essartage de la moitié seulement d'un terrain ?

— Oh ! C'est bien simple, Señor ! répondit le jeune fermier avec un sourire. On vend la moitié non essartée ; l'homme qui l'achète abat les arbres de la moitié de cette moitié et la défriche par le feu ; il revend l'autre moitié non déboisée. Le troisième acheteur fait la même chose, etc., et quand tout le terrain est déboisé, vous le rachetez. »

Il se mit à rire, ravi de cette habile manœuvre.

« Quelle trouvaille ! fit Marvin.

— Oh, attends ! riposta Suzanne. Il y a bien pire encore ! »

Puis Bolling demanda, sur le moniteur :

« Et qu'en est-il de l'interdiction d'exporter les bois précieux bruts ? »

Cette fois, Flavio Frossard eut une véritable crise de fou rire. Ekland avait fait un gros plan sur son visage qui emplissait tout l'écran.

« Allez donc jeter un coup d'œil sur la baie de Marajo ! » dit Flavio dès qu'il eut retrouvé l'usage de la parole.

« Nous y sommes allés en hélicoptère, Bernd et moi, dit Katja. Nous avons fait des prises de vues sensationnelles. On pourrait les intégrer ici... »

« La baie de Marajo se trouve dans le delta de l'Amazone, poursuivit Flavio. Près de Belém. Il y flotte des kilomètres et des kilomètres de grumes, dans l'attente d'être embarquées sur des cargos... »

« Oui, nous les avons filmées aussi, dit encore Katja. De l'hélicoptère. »

« Qui se pose des questions ? reprit Flavio dans un sourire. Qui demande si ces grumes aboutiront dans des fabriques brésiliennes, européennes ou japonaises ? L'équipe de fonctionnaires chargée de contrôler les forêts est responsable d'un territoire plus vaste que l'Europe occidentale, mais elle ne compte même pas trois cents hommes. Voyez-vous, señor Bolling, certains propriétaires terriens d'ici sont des idéalistes ; ils sont soucieux de la survie de la forêt dont ils vivent et qu'ils continuent à exploiter. C'est pourquoi ils ne font abattre qu'un nombre déterminé d'arbres sur un terrain. Mais arrive ensuite toute une racaille sur les routes qui sillonnent la forêt maintenant, des centaines de milliers de bandits qui reçoivent un morceau de terrain des autres propriétaires pour abattre tous les arbres, et ils le font, bien sûr, ils abattent tous les arbres, sinon ils ne pourraient pas défricher par le feu et ils n'auraient pas de sol qui les nourrisse pendant un certain temps, n'est-ce pas ? Voilà pourquoi les idéalistes par instinct ne sont que des idiots. Et ils s'en rendent compte eux-mêmes. »

Le jeune homme éclata une fois de plus d'un rire sonore.

« Voilà, dit Katja. C'est fini. — Elle changea les cassettes. — Nous allons passer maintenant au haut plateau de Carajás... »

Les premières images avaient été prises d'un wagon de chemin de fer qui roulait à travers la forêt vierge au milieu d'une cinquantaine d'autres. La caméra montra un homme maigre à la peau cuivrée, puis vira sur la forêt. L'homme parlait en portugais, et l'on entendit la voix d'Isabelle qui traduisait.

« Je m'appelle Luis Carlos. Je suis le chef du département Environnement de l'entreprise nationale Companhia Vale do Rio Doce. Notre entreprise exploite à la fois l'extraction du minerai de fer et quelques compagnies de chemin de fer. Le bruit des trains de minerai qui roulent, même s'il ressemble au tonnerre des canons, ne tue pas la forêt tropicale. Mais le long de cette ligne de chemin de fer de neuf cents kilomètres qui relie Serra dos Carajás à São Luis sur l'Atlantique Sud, et sur laquelle nous roulons actuellement, sont répartis une trentaine de puits d'extraction de minerai de fer, et c'est ça qui porte un coup mortel à la région... »

L'image changea brusquement. La forêt disparut. Un immense paysage industriel apparut, filmé lui aussi du wagon. La voix de Bolling domina le bruit du train.

« Nous voici à Serra dos Carajás. Le complexe qui est en train de sortir de terre ici depuis ces vingt dernières années est déjà baptisé " la Ruhr brésilienne ". Ici se trouve Ferro Carajás, le programme de développement intégré le plus vaste du monde... »

238

Le film montra des images spectaculaires de cette région industrielle. Des puits d'extraction au coude à coude, des usines, des trains, des wagons, un enchevêtrement de voies ferrées, des gares de marchandises, des grues, une foule d'ouvriers.

Puis on entendit de nouveau la voix de Luis Carlos, couverte par celle d'Isabelle.

« En 1967, des équipes de géologues d'Amérique du Nord et du Brésil découvrirent les " Montagnes de fer " sur ce haut plateau de la forêt amazonienne. A côté d'immenses dépôts de manganèse, de chrome, de bauxite, de nickel, de cuivre, d'étain, d'or, de molybdène et de tungstène dort ici, d'après les estimations, une réserve de minerai de fer qui doit couvrir les besoins pendant cinq cents ans. Dix-huit milliards de tonnes sous une mince couche de terre. On a commencé l'exploitation en 1985. L'objectif : un volume d'extraction de trente-cinq à cinquante millions de tonnes par an. »

Bolling apparut à l'arrière-plan de ce complexe industriel fantastique.

« Les pays industrialisés de l'Occident, dit-il, se sont engagés dans l'exploitation de Ferro Carajás : la Communauté européenne y a apporté une somme de six cents millions de dollars par le truchement du Traité européen du Charbon et de l'Acier. En échange, on lui a garanti pendant quinze ans le tiers de la production annuelle... au prix de 1982. La Banque mondiale s'est chargée d'une partie du financement pour la somme de trente millions de dollars. Des crédits affluent du Japon et des Etats-Unis dans ce projet évalué à quatre milliards neuf cents millions de dollars. La Société de Crédit (Creditanstalt) de Francfort pour la Reconstruction fait aussi partie des créanciers. La République fédérale d'Allemagne achète depuis des années déjà du minerai de fer brésilien. Depuis 1985, le trust national brésilien fournit les hauts fourneaux de Salzgitter, de Thyssen, de Mannesmann, de Klöcker, de Korf et de Dillingen. Actuellement, dit-on, quarante pour cent du fer traité dans la République fédérale vient du Brésil... La plus grande partie, environ cinquante-six pour cent, est achetée par l'industrie sidérurgique japonaise [18]... »

Apparut alors sur l'écran une suite impressionnante d'images représentant la monstrueuse « Ruhr brésilienne ». Jamais encore, Bernd Ekland n'avait tant filmé en si peu de temps.

La voix d'Isabelle couvrait derechef celle de Luis Carlos.

« Pour l'exploitation des mines, la Companhia Vale do Rio Doce fit construire une ville champignon destinée à abriter neuf mille individus... Mais il en arriva trente-deux mille... »

« Qu'est-ce que c'est que ces prises de vue ? l'interrompit Marvin.

— Des documents d'archives qui viennent de l'entreprise. Ils sont de mauvaise qualité, répondit Ekland. — Son bras lui faisait tellement mal qu'il en avait les larmes aux yeux. — Mais cela en souligne l'authenticité, non ?

— C'est très bien, Bernd, dit Marvin. Toi aussi, Katja, tu es formidable. Vous êtes vraiment tous formidables ! »

D'autres documents d'archives suivirent.

« ... Quatre cent mille hectares de forêts ont été essartés pour construire les installations minières dans la montagne et la ligne de chemin de fer. »

Des milliers d'arbres géants tombèrent sur le sol en gémissant.

« L'US Steel a fourni les voies, et la filiale brésilienne de l'AEG allemand les installations de signalisation... »

Des hommes sur le chantier de la ligne de chemin de fer... Les images chevrotantes, tremblotantes, étaient d'une telle médiocrité technique, elles offraient un tel contraste avec les prises de vue de Bernd qu'elles en paraissaient presque effrayantes.

« Dans la ville portuaire de São Luis, le gouvernement fit déménager par la force vingt mille personnes... — Des soldats qui poussent les gens vers les trains. Des wagons bondés. Des enfants et des vieillards piétinés. Des maisons qui explosent dans l'air. Une poupée cassée. Un soldat qui frappe une femme de la crosse de son fusil. Encore une série de maisons qui explosent. Une petite fille qui pleure, assise sur un bloc de béton. — Ici on a construit par la suite un port artificiel immense pour accueillir les gros cargos chargés du transfert du fer. »

D'autres images encore, plus rapides celles-ci, prises du train en marche ou d'un hélicoptère. De nouveau, la voix de Bolling.

« Mais à Carajás, la vie ne tourne pas seulement autour du minerai de fer et d'autres matières premières. Le programme de développement Grande Varajas embrasse plus de huit cent mille kilomètres carrés. A titre comparatif, la République fédérale couvre une superficie de deux cent quarante-huit mille kilomètres carrés. Grande Varajas occupe dix pour cent de la superficie totale du Brésil. Elle comprend des centrales, des puits de mines, des fermes consacrées à l'élevage, de vastes plantations de soja et de maïs, des routes, des voies ferrées, la construction de canalisations... On continue à construire sans arrêt... toujours plus... sans tenir compte des impératifs écologiques, sans prévoir les conséquences catastrophiques de cette exploitation forcée pour le Brésil et pour le monde entier. On investit des milliards, on gagnera des milliards. Ou du moins, quelques-uns investiront et gagneront des milliards. Et ces " quelques-uns " savent qu'en détruisant la forêt tropicale, ils contribuent à la destruction du monde. Ils ont eux aussi des enfants, comme les autres milliards d'êtres humains. Des enfants qui étoufferont parce qu'ils respireront un air empoisonné. Ceux qui détruisent ainsi la forêt tropicale ne pensent pas qu'ils sont les assassins de leurs propres enfants ! Quel est l'objectif prioritaire de ces hommes politiques, de ces banquiers, de ces industriels ? Ils veulent le succès, le pouvoir, l'argent. Ils veulent toujours plus d'argent. Ils doivent être fous ! Savez-vous ce qu'ils se disent ? " Quand il n'y aura plus d'air respirable, nous en *achèterons* ! " »

Quand tout aura été écrit, les grandes chroniques et les anecdotes tragiques, les histoires mélodramatiques et grotesques, quand on aura parlé de tous les événements qui secouent la terre en cette fin du deuxième millénaire du calendrier chrétien, quand on aura décrit la marche titubante de la planète vers son terme inexorable, alors on se rappellera l'histoire et le destin des hommes qui ont tout fait pour sauver encore une fois l'univers, à condition évidemment qu'on ait échappé encore une fois à l'apocalypse.

Ils étaient en train de mettre au point l'interview filmée de Markus Marvin avec Chico Mendes, fixée au lendemain de ce jour, lorsque quelqu'un frappa à la porte.

Suzanne alla ouvrir.

Elle aperçut Santamaria, le garde-malade, encadré par deux hommes jeunes vêtus de costumes tropicaux beiges. Ils paraissaient tous deux très sérieux et très distingués.

L'un d'eux s'adressa à la jeune fille dans un anglais parfait.

« Bonjour, miss. Je m'appelle Sergio Cammaro. Et voici mon collègue Marcio Sousa. Nous venons de Bogotá. Mister Achille Machado, le cousin du producteur de films de Hambourg, mister Zinner, a demandé des gardes du corps pour mister Markus Marvin. Notre centrale nous a priés de venir ici le plus rapidement possible.

— Vous avez vos papiers ? » demanda Suzanne.

Ils présentèrent leurs passeports.

« Notez, je vous prie, miss, les numéros des passeports, la date et le lieu où ils ont été délivrés, dit Marcio Sousa. Voici une lettre de recommandation de mister Machado et une de l'avocat maître Nigra, qui s'est chargé de transmettre cette demande à notre centrale », ajouta-t-il en tendant son passeport et deux enveloppes cachetées.

Suzanne lut les deux lettres, sur lesquelles étaient épinglées les photographies des deux hommes, qu'elle compara à celles des passeports.

« Un instant, je vous prie !

— Bien sûr, miss...

— Marvin. Je suis la fille de M. Marvin. »

Suzanne revint peu après avec un bloc à la main.

« C'est exact, dit-elle. Nous avons reçu un appel téléphonique de M. Zinner hier soir, de Hambourg. Il nous a donné vos coordonnées et nous a annoncé votre arrivée pour aujourd'hui. Tous les renseignements correspondent. Entrez, je vous prie. »

Elle pénétra dans la chambre, suivie des deux jeunes gens. Ils ressemblent à des mannequins, se dit Isabelle pendant que Suzanne faisait les présentations.

« C'est un honneur pour nous d'assurer votre sécurité, mister Marvin, dit Sergio Cammaro.

— Et celle de ses amis, ajouta Marcio Sousa ; il avait une cicatrice de deux centimètres de long sous l'œil gauche.

— Ah ! Je suis heureux que vous soyez là ! s'écria Bolling en secouant chaleureusement les deux mains basanées.

— Pouvons-nous commencer immédiatement ? demanda Sousa.

— Pourquoi pas ? Bien que... Santamaria n'a pas terminé son service, dit Marvin.

— Nous le renverrons chez lui, affirma Cammaro. Soyez sans crainte. Nous vous dérangerons le moins possible.

— Qui vous paie ? demanda Markus Marvin.

— Mister Machado, le cousin de mister Zinner, a réglé ce problème avec notre centrale. Il y aura une facture à la fin du service. C'est toujours ainsi que nous procédons, ajouta Cammaro avec un sourire lumineux.

— Vous logez à l'hôtel ? demanda Suzanne.

— Bien sûr, miss Marvin.

— Mais il est complet ! intervint Bolling.

— Pour nous, il reste toujours une chambre libre, répondit Cammaro en souriant. Nous travaillons à tour de rôle. Chaque fois que vous quitterez cette chambre, mister Marvin, nous

242

serons évidemment tous les deux à vos côtés. Nous occupons le 311 et le 314.

— Notre matériel n'est pas encore déballé, précisa Sousa. Pour le moment, nous ne portons que des revolvers. — Il ouvrit son veston pour montrer son arme fixée sous son bras gauche. — Je serai le premier à monter la garde devant votre porte, si vous le permettez. Avec un fusil-mitrailleur. »

Isabelle prenait une douche. Pour la seconde fois de la nuit. L'air était tellement lourd et épais qu'elle ne pouvait pas dormir. L'eau tiède lui donnait une illusion de fraîcheur.

Soudain, deux mains la saisirent et l'arrachèrent à la douche. Elle poussa un cri et aperçut Peter Bolling. Il ne portait qu'un pantalon de pyjama. Sa physionomie était celle d'un dément.

« Peter! cria Isabelle. Lâche-moi!

— Tu me rends fou... Tu m'as rendu fou dès que je t'ai vue...

— Va-t'en! » hurla la jeune Française.

Il posa une main sur sa bouche, l'attira contre lui, la jeta sur le lit et tomba sur elle de tout son poids. Isabelle fut prise de panique. Il lui serra les poignets. Ses lèvres cherchèrent celles de sa victime qui se défendit avec l'énergie du désespoir. Que pouvait-elle faire, sinon agiter la tête d'un côté à l'autre pour fuir les lèvres du forcené.

Le visage de Bolling était écarlate, il avait ôté ses lunettes. Sa respiration se fit de plus en plus haletante. Isabelle rassembla toutes ses forces et elle réussit à dégager une jambe; de son genou, elle assena un coup violent dans le bas-ventre de Bolling qui poussa un hurlement, roula sur le côté et tomba du lit. Le souffle court, il demeura étendu sur le sol crasseux. Isabelle se leva, Bolling agita les bras.

« Bas les pattes! » cria-t-elle.

Les bras de l'homme retombèrent sans forces par terre.

Isabelle saisit son peignoir de bain et l'enfila. Bolling se mit à bredouiller :

« Pardonne-moi... Je t'en prie, pardonne-moi... Tu es si belle, je ne sais pas ce qui m'a... »

Mais il n'alla pas au bout de sa phrase. D'un geste égaré, il porta les mains à son cou, et roula sur le sol à droite et à gauche, les yeux exorbités; on lisait dans son regard l'angoisse de la mort.

« Errrr... errrr... errrr... »

Isabelle s'agenouilla près de lui; elle le prit par les épaules et l'adossa au mur. S'il reste étendu sur le dos, il est sûr d'étouffer, se dit-elle.

Dans la salle de bain, l'eau continuait à couler et inondait le plancher.

Isabelle se sauva en courant dans le couloir et frappa des deux poings à la porte voisine.

« Philip ! hurla-t-elle. Philip !

— Oui, fit une voix endormie. Un instant ! »

La porte s'ouvrit brusquement. Philip apparut, vêtu d'un pyjama bleu, les yeux bouffis de sommeil.

« Peter..., commença Isabelle à bout de nerfs.

— Quoi, Peter ?

— Une crise d'asthme... chez moi...

— Et son médicament ?

— Il ne l'a pas sur lui.

— Je vais le chercher dans sa chambre... Rassure-toi, on ne meurt pas si vite ! Je reviens tout de suite ! »

Elle retourna auprès de Bolling. Il avait roulé sur le côté et était étendu de tout son long sur le ventre. Isabelle le redressa et le rassit contre le mur. Il avait la bouche ouverte et les yeux révulsés, sa langue pendait à la commissure des lèvres. C'est à peine si ses membres réagissaient. Il roula de nouveau par terre.

Gilles arriva en courant avec le flacon de corticoïde à la main.

« Tiens-le assis, je vais lui pulvériser sa cortisone miracle dans la gorge. Attends... »

Il fit trois ou quatre pulvérisations de suite. Aucune réaction. Encore une. Et une autre.

« Rien », bredouilla Isabelle.

Gilles appuya une nouvelle fois sur le bouchon du flacon. La vie revint lentement dans les yeux de Bolling. Il regarda Isabelle.

« Je...

— Silence ! » dit-elle.

Elle sauta sur ses jambes et courut à la salle de bain pour arrêter le robinet d'eau, puis revint vers les deux hommes. Bolling respirait presque normalement. Il se releva, fit quelques pas mal assurés dans la chambre, prit son flacon et s'en alla. Sans un mot.

Silence dans la chambre.

Isabelle ne dit rien. Gilles ne posa pas de question.

« Bon, finit-il par dire. Si tu as encore des problèmes, frappe tout simplement au mur. Je viendrai immédiatement.

— Merci, Philip, dit-elle.

— Il n'y a pas de quoi. Ferme ta porte à clef et essaie de

dormir. Si tu es trop nerveuse, reprends une douche. Je vais en faire autant, moi. L'eau de toilette est sur la table de nuit. Tu te fais une bonne friction sur tout le corps. Ça rafraîchit. Il n'y a rien de meilleur qu'Emenaro.

— Philip...

— Hum ?

— Tu es un chic type... Oui, vraiment, un chic type, lui dit-elle en français.

— Je sais. Toutes les femmes sont folles de moi. »

11

Quelques nouvelles d'actualité...

Un rapport sur les dangers de l'industrie du plutonium publié par l'ARD raconte les problèmes causés par un cadavre : il s'agissait du cadavre d'un ancien employé de laboratoire de nationalité turque qui, vu sa haute teneur en radioactivité, ne pouvait être ni incinéré, ni inhumé dans un caveau, ni reexpédié dans son pays d'origine [19].

Les ravages commencent à s'accélérer en Tunisie. Il y a vingt ans, ce pays était encore capable d'entretenir plus de dix millions d'habitants. Aujourd'hui, la Tunisie est le quatrième importateur de produits alimentaires du tiers monde. Le processus de détérioration atteint déjà la moitié du territoire tunisien. Depuis trois ans, la pluie se fait de plus en plus rare. Il se perd dix mille hectares de sol cultivable par an.

PROSTI, ARAL ! ARAL, PARDON ! Voilà ce que l'on peut lire sur la coque d'un bateau de pêcheur en train de pourrir au bord de la mer d'Aral. Mais ce n'est pas cette prière qui permettra d'échapper à l'une des catastrophes naturelles les plus dévastatrices de l'Union soviétique, précise l'agence de presse allemande. Au contraire, les écologistes soviétiques craignent un désastre « d'une ampleur inimaginable » dans la mer d'Aral qui fut jadis la quatrième mer intérieure du globe par son étendue. Il y a trente ans, elle couvrait encore une superficie double de celle de la Belgique. En effet, la mer d'Aral, qui avait autrefois la réputation d'être une réserve inépuisable de poissons, s'assèche. Des projets gigantesques d'irrigation au profit des immenses champs de coton des républiques soviétiques du centre de l'Asie coupent la mer d'Aral de ses artères vitales. Pour les réaliser, il a fallu détourner le cours des deux fleuves qui l'alimentent, l'Amou-Daria et le Syr-Daria : ils ne traversent plus la mer d'Aral que sur les cartes de géographie d'antan. Au début des années soixante, la mer couvrait encore plus de soixante-six mille kilomètres carrés ; aujourd'hui, sa superficie est réduite à vingt-deux mille kilomètres carrés, un tiers seulement de celle de 1960. Cette mer, qui était jadis légèrement salée, se transforme peu à peu en un lac salé : son niveau baisse de quatre-vingt-dix centimètres par an, et les fonds asséchés sont maintenant des déserts. De l'avis des experts, soixante-cinq millions de tonnes de poussière salée nocive montent de l'ancien fond marin dans l'atmosphère chaque année. De l'espace, les cosmonautes ont pu distinguer une traînée de poussière de cent à quatre cents kilomètres de longueur et de quarante kilomètres de largeur. D'après les experts, les agressions dont est victime la mer d'Aral mettent en danger la santé et la vie de près de trois millions d'individus. La situation est encore aggravée par l'utilisation démesurée de produits chimiques dans l'agriculture. De nos jours, la mortalité des nouveau-nés chez les Karakalpaks est près de six fois plus élevée que la moyenne de l'Union soviétique [20].

Une feuille d'horaire déposée dans le train Eurocity Hambourg-Coire présentait ces deux annonces l'une en face de l'autre [21] :

ORDURES MER DU NORD
TROU D'OZONE RHIN

Ecrivez-nous !
Vous recevrez gratuitement toutes informations sur ces deux thèmes écologiques et sur d'autres encore.

LE MINISTRE DE L'ENVIRONNE-MENT, DE LA PROTECTION DE LA NATURE
ET DE LA SÉCURITÉ ATOMIQUE
SERVICE DES RELATIONS PUBLIQUES
BOÎTE POSTALE 12 06 29
5300 BONN I

QUO VADIS ?
(Où vas-tu ?)

Jésus dit : Je suis le Chemin, la Vérité et la Vie ; personne ne peut aller à Dieu, mon Père, si ce n'est par moi (Jean, 4,6)

OÙ VAS-TU ?
Si vous avez des questions à poser, adressez-vous au
CENTRE DE VIE ADELSHOFEN
7519 EPPINGENZ
TÉL. : 07262/5077

En République fédérale allemande, une espèce végétale sur trois est menacée d'extinction, déclare l'Union pour la Protection de l'Environnement et de la Nature.

Les engrais, les biocides et le béton tuent de plus en plus de papillons, annonce l'Union suisse pour la Protection de l'Environnement. Pour des raisons analogues, les abeilles sont menacées d'extinction. Ces insectes sont de remarquables révélateurs de l'état de notre environnement : leur disparition s'accompagne d'un appauvrissement extrêmement rapide de la flore et de la faune.

Déclaration de Noël Brown, le savant américain de l'Office de l'Environnement des Etats-Unis : « Si nous n'arrivons pas à stopper dans les dix prochaines années le réchauffement de l'atmosphère terrestre, nous devrons nous attendre à la fonte de la calotte glaciaire des pôles et à une élévation d'un mètre du niveau des mers. Il est peut-être déjà trop tard aujourd'hui pour arrêter cette évolution. Si cette tendance au réchauffement ne peut pas être stoppée, de nombreuses côtes et régions côtières seront englouties sous les eaux. A côté de ce raz-de-marée, de nombreuses régions de culture seront menacées de sécheresse et deviendront des déserts de poussière. Les inondations déclencheront d'énormes migrations de réfugiés. »

Un des tubes de l'année 1988 en tête du hit-parade : « Don't worry, be happy ! »

12

« Pour finir, conclut le petit homme aux cheveux et à la barbiche noirs dans la salle des fêtes bondée d'Altamira, pour finir, je voudrais faire encore une déclaration personnelle. »
Francisco Alves Mendes Filho, dit Chico, écologiste et récolteur de caoutchouc de son état, avait prononcé un discours intelligent et courageux avec de très nombreux arguments convaincants contre le « Plan 2010 » et la construction du barrage, devant des Indiens, des hommes politiques, de gros industriels et des représentants de la presse. Les caméras de toutes les chaînes de

télévision s'en donnèrent à cœur joie. Markus Marvin, qui avait rendez-vous avec Chico Mendes après le discours, se tenait légèrement à l'écart, à côté de Suzanne. Sa valeureuse petite équipe était venue presque au complet — seul Peter Bolling manquait à l'appel. Il avait disparu dès le matin de ce jour, et on ne l'avait plus revu. Les deux gardes du corps, Sergio Cammaro et Marcio Sousa, ne quittaient pas Markus Marvin d'une semelle. Malgré la canicule étouffante, ils portaient ce jour-là aussi un costume tropical et tenaient un étui de violon à la main.

« Voici ce que j'ai encore à vous dire, reprit Chico Mendes. Deux gros propriétaires terriens ont, il y a un certain temps déjà, chargé des tueurs professionnels de me liquider. Beaucoup d'entre vous connaissent le nom de ces deux hommes, car ils demeuraient dans les parages avant de disparaître. Voilà maintenant sept semaines que j'ai livré leurs noms à la police. Je vais vous les donner encore une fois ici, en public, pour profiter de la présence simultanée en ce lieu de tant de journalistes et de reporters des médias brésiliens et étrangers. Il s'agit de Darly Alves et de son frère Alvarinho Alves. Depuis douze ans, déclara le petit homme d'une voix calme et forte, un mandat d'arrêt est lancé contre eux pour double meurtre, sans que les autorités judiciaires se soient vraiment donné de mal pour les retrouver. — Il s'arrêta un instant, des petits nuages de poussière dansaient un ballet plein de grâce dans les rayons des projecteurs. — J'ai déjà subi sept agressions, poursuivit Mendes. Si un messager du ciel descendait sur la terre pour m'assurer que ma mort pourrait contribuer à renforcer notre combat, je serais peut-être disposé à mourir. Mais l'expérience nous prouve le contraire. Ce ne sont pas des défilés de cadavres qui sauveront la forêt amazonienne. Je tiens à rester en vie. — Nouvelle pause — Voilà mes dernières paroles. Je déclare maintenant, amis et adversaires ici présents, que ce congrès prend fin. Que Dieu vous protège tous, et chacun de vous en particulier[22] ! »

Pendant plusieurs minutes, la salle retentit d'un tonnerre d'applaudissements et de cris. Tous se déchaînèrent, Indiens, métis de toutes sortes, Brésiliens à la peau blanche et Brésiliennes à la peau cuivrée, représentants de nombreuses nations étrangères, reporters, photographes, cameramen et techniciens. Chico Mendes s'inclina. Puis il franchit les quelques marches qui descendaient de l'estrade et disparut dans une pièce contiguë.

La salle se vida lentement. Les équipes de télévision remballèrent leur matériel. Toutes, sauf Bernd Ekland et Katja Raal.

Isabelle, qui avait traduit également le discours de Mendes, se tourna vers Marvin.

« Et maintenant ? demanda-t-elle.

— Nous attendons que tous les reporters soient partis. C'est ici que nous aurons notre conversation. Katja, une nouvelle cassette, s'il te plaît ! »

Elle ne se le fit pas dire deux fois et prépara tout le matériel nécessaire à cette nouvelle interview, avec l'aide de Bernd. Ce jour-là, 4 septembre, il se sentait en pleine forme. C'est à peine si j'ai mal au bras, se dit-il. Sans avoir pris de comprimés. Il avait annoncé la bonne nouvelle à Katja, et Katja était heureuse. Ils ne cessaient d'échanger de longs regards en souriant de leur secret commun.

Près d'une demi-heure se passa encore avant que la salle ne soit vide.

« Où allons-nous tourner ? demanda Ekland.

— Sur la scène, répondit Marvin. Nous pourrons utiliser les projecteurs de la salle. »

A trois, ils installèrent la BETA sur son pied, et la portèrent sur l'estrade.

Les deux gardes du corps suivaient Markus Marvin dans ses moindres déplacements. Quatre agents de police pénétrèrent dans la salle des fêtes.

« Fais attention, dit Marvin au cameraman. Le docteur Gonzalos va aller chercher Chico Mendes. Il doit paraître seul dans l'encadrement de la porte ; Suzanne et moi, nous irons à sa rencontre et nous le saluerons de quelques mots. Puis, tous les trois, nous viendrons vers la caméra et nous resterons à cet endroit-ci... — Il l'indiqua de la pointe de sa chaussure.

— OK, dit Ekland.

— Vous êtes prêts ?

— Le son ? demanda Ekland.

— OK, répondit Katja.

— Isabelle, s'il te plaît, comme toujours tu te mets le plus loin possible pour qu'il n'y ait pas de surcharge de voix dans le micro », précisa encore Ekland.

Isabelle approuva d'un signe de tête. Elle alla à l'extrémité du banc avec son matériel d'enregistrement, micro en main, et s'assit. Gilles la rejoignit aussitôt avec son magnétophone portatif.

« Les deux gardes du corps, Markus, doit-on les voir sur l'image ?

— Non. »

Sergio Cammaro et Marcio Sousa se retirèrent avec discrétion.

« Docteur Gonzalos, je vous en prie ! » dit Marvin.

Le météorologue approuva d'un signe de tête ; il alla jusqu'à la porte et disparut dans la pièce contiguë. Puis Chico Mendes apparut ; il souriait d'un air intimidé, s'avança vers Marvin et Suzanne et leur serra la main. Suzanne embrassa le petit homme.

« Salut, Chico ! dit-elle en souriant. Voici mon père. Je lui ai déjà beaucoup parlé de toi et... »

Elle ne put en dire davantage. Sergio Cammaro et Marcio Sousa, qui s'étaient reculés jusqu'à l'entrée de la salle des fêtes, pointèrent sur eux leur fusil-mitrailleur, précédemment caché dans les étuis à violon.

Chico Mendes s'écroula sur le sol.

Suzanne s'était aussitôt laissée glisser par terre, ainsi que son père, qui roula sur le côté. Gilles arracha Isabelle à son banc et se jeta sur elle pour la protéger. Au moment de tomber, il vit les deux gardes du corps sortir de la salle en courant et en continuant à tirer sur tout ce qui se présentait. Les agents de police se mirent à tirer eux aussi, et les Indiens à hurler comme des bêtes sauvages.

Puis il y eut un brusque silence, un silence terrible, un silence spectral. Comme s'il ne s'était rien passé, Ekland se tenait derrière sa caméra, il continuait à tourner, Katja à ses côtés. Les images ? Les images ? Tous deux fascinés, comme tous les reporters du monde devant un spectacle d'horreur. Quelles images on va avoir...

D'autres policiers arrivèrent dans la salle, et un homme en blouse blanche. Chico Mendes sortit de dessous l'estrade, sain et sauf. L'un des agents le regarda d'un air sidéré, se signa et bredouilla :

« Un miracle... Un miracle... »

Mendes était blême, mais un léger sourire se jouait aux commissures de ses lèvres.

« Oui, dit-il. Le huitième miracle. »

La caméra de Bernd Ekland continua à tourner, infatigable.

Markus Marvin s'était relevé ; il se pencha vers sa fille qui restait étendue sur le dos sans faire un mouvement, le sourire aux lèvres.

« Suzanne... Suzanne... C'est moi, ton père... Tu ne peux pas parler ?... Bien sûr, le choc... Tout va bien. Il y a un médecin... »

De l'extérieur, on entendit le hurlement d'une sirène, puis plus rien.

« Une ambulance... On va t'emmener à l'hôpital... Ma petite fille... Ma petite fille chérie, n'aie pas peur... »

Le médecin s'approcha.

« Excusez-moi... »

Il parlait anglais.

Marvin inclina la tête. Bouleversé, il glissa sur le côté, toujours à genoux. Le médecin se pencha vers Suzanne.

« Alors ? Qu'est-ce qu'elle a ? » demanda Marvin tandis que le médecin posait l'oreille sur la poitrine de la jeune fille et lui prenait le pouls, et que les policiers, fusil-mitrailleur en joue, formaient cercle autour d'eux.

Isabelle et Gilles aussi s'étaient relevés.

« Je crois qu'elle a eu un choc, docteur, dit Markus Marvin. Peut-être a-t-elle été touchée ?... Légèrement... Le choc... »

Il répétait toujours les mêmes mots, hébété.

La caméra continuait à filmer la scène.

« Légèrement, n'est-ce pas ? Je ne vois pas de sang... Je ne vois pas de sang... »

Sans prononcer un mot, le médecin déboutonna la veste kaki de Suzanne. Au-dessous, le chemisier était rouge de sang.

« Ce ne sont que des plaies... sans gravité, n'est-ce pas ? De simples blessures...

— Taisez-vous, à la fin ! dit le médecin d'une voix suppliante. Taisez-vous ! Mon Dieu, vous ne voyez pas que cette femme est morte ? »

Livre III

Ce pays étouffe sous le cynisme de ses managers économiques et politiques.

Déclaration d'un membre du gouvernement
de la république fédérale d'Allemagne
au cours d'une conversation avec l'auteur

1

*Bien entendu, tu as peur. Et bien entendu, tu ne montres pas que tu as peur.
Tu ris un peu trop fort, tu mets les poings sur les hanches tout en regardant la
machine souffler de l'air chaud dans le ballon et l'énorme ballon prendre
forme, se dresser, rond et lisse, avec ses peintures chatoyantes. Combien se sont
déjà envolés dans un ballon semblable à celui-là, au-dessus de Paris occupé,
par-delà les mers et les montagnes, dans le monde entier ! D'ailleurs on t'a dit
que c'était inoffensif, qu'il n'y avait aucun danger, mademoiselle, alors
pourquoi t'arriverait-il un accident, justement à toi ?*

Ces quelques lignes, tirées du journal d'Isabelle, dataient du
11 septembre 1988. Elle avait relaté auparavant tout ce qui s'était
passé après l'assassinat de Suzanne Marvin à Altamira. Nous en
reparlerons plus loin.

*... Et voilà que le monstre s'élève, sans bruit et sans secousse ; déjà tu
planes, à quelques centimètres de l'herbe verte, puis un peu plus haut, sans
t'en rendre compte, et pourtant, tu montes très vite, de plus en plus haut, il
suffit de regarder la colline qui approche. Toute la perspective change, les
montagnes s'aplatissent, les rues, les maisons, les autos se métamorphosent en
jouets. Toi seule, tu restes grandeur nature, ainsi que le pilote, et G. à tes
côtés, si près, si proche, mais c'est à peine si vous pouvez vous toucher dans la
nacelle, avec la bouteille de propane à vos pieds.*

*Tu ne dis rien. Tu ne le regardes pas. Dans cette apesanteur, il serait si
facile de se dire tant de choses... Si tu hésitais encore, si tu n'étais pas encore
tellement sûre de toi. Maintenant, tu l'es. Maintenant, tu le sais. D'une
certitude absolue. Et tu sais qu'il éprouve le même sentiment, exactement le
même. Mais tu ne dis rien, pas un mot. Ta réserve, ton éternelle réserve, la
voilà présente au rendez-vous, une fois de plus !*

*Au moins, tu poses ta main sur la sienne. Il la serre très fort. C'est cela,
notre amour. Cela ne regarde personne. Tu n'en as parlé qu'à Monique et
Gérard parce qu'ils sont tes meilleurs amis. Gordon Trevor et M. Oltamare,
à Château-d'Oex, les amis de G., il faut les mettre au courant aussi. Du
reste, ils l'ont tout de suite deviné avant-hier, dès notre arrivée ici. Inutile de*

leur expliquer avec des mots, ils connaissent tellement bien G. Ils ont tout de suite compris, et ils sont si gentils avec nous ! Ils font tout ce qu'ils peuvent pour que nous passions ces quelques jours de repos dans le calme et la détente, après tout ce que nous avons enduré là-bas. Aujourd'hui, Gordon nous a invités à ce baptême de l'air en montgolfière.

Quel calme, quelle paix ici, pendant que nous restons suspendus entre ciel et terre ! Gordon Trevor crache par-dessus la nacelle ; il adore suivre des yeux la courbe de son crachat, cela lui indique la direction précise du vent, qui diffère suivant les couches d'air, et l'aide à piloter son engin. Il arrive en effet à diriger le ballon à l'endroit précis où il doit atterrir, à l'endroit où l'attend le jeune Suisse à la lisière d'une pâture, près d'une grange. Il se pose juste à côté de sa vieille Rover couverte de poussière et de son horrible chien qui bondit de la voiture et se précipite sur lui en glapissant de joie. Nous montons dans la voiture. Sans dire un mot. Nous nous tenons par la main.

« Summertime », ma chanson préférée. Lorsque, après le dîner, je reviens dans la vieille maison de G. avec Gordon Trevor et monsieur Oltramare, j'entends cette mélodie de Porgy and Bess. *G. a branché la chaîne stéréo. Il nous sourit. Je suis bouleversée. Cette chanson... Mais il y a si longtemps de cela, la page est tournée, bien que je porte toujours au cou la chaînette et le pendentif. G. me regarde, les yeux brillants de bonheur. De Rio, il a téléphoné à Gordon pour lui demander d'aller acheter l'enregistrement de* Porgy and Bess *en disque compact, pour que je puisse l'entendre en arrivant.*

On of these morning's you goin' to rise up singin',
Then you'll spread yo'wings an' you'll take the sky...

Clarisse ! The blue-bird ! L'alouette, me dis-je. Et un jour... Non, et demain, elle va se réveiller, chanter, étirer ses ailes, et le ciel lui appartiendra. L'alouette chantera et la vie sera belle...

Je ne peux m'empêcher de fermer un instant les yeux. C'est la voix de Diana Ross. Les violons, le piano, ces vagues majestueuses qui roulent inlassablement, cette mélodie du tréfonds d'un été doré. Quel génie que ce Gershwin. Mort à trente-neuf ans... « Summertime »...

« Ah Philip, je ...

— Oui, Isabelle, moi aussi. C'est affreux, dit-il. C'est fou.

— Une douce folie », dit-elle, et la voix continue à chanter. Maintenant, je peux parler, se dit-elle. Dans le ballon, je n'aurais pas pu. Ma réserve. Mon éternel complexe. Il est resté suspendu là-haut, dans les airs.

« Douce, ma foi, je ne sais pas, dit-il. Il règne ici un lourd parfum de Lolita, si tu vois ce que je veux dire.

— Arrête, Philip !

— Bon, bon, j'arrête. Je peux te dire exactement ce que tu es pour moi. Mais moi ? Que suis-je pour toi, sinon un vieil homme ? »

Ils restèrent assis, silencieux, pensifs. Entre eux, le « Penseur ». Par la porte ouverte leur parvenaient des effluves de fleurs et de foin.

« Le livre, dit-il au bout d'une éternité de silence. Le livre que j'écrirai peut-être un jour sur cette expédition, sur notre petite équipe. Que penseront les lecteurs si je mentionne des personnages comme nous — une jeune femme, un vieil homme. Comment rendre cela crédible ? »

Elle se mit à rire.

« Ah ! dit-il, quand tu ris, le soleil se lève !

— Alors, tu veux que nous fassions une répétition, ou plus exactement, le travail préparatoire à une répétition, Philip ?

— Le travail préparatoire à une répétition ? Jolie métaphore, dit-il. Après tout, oui, ma belle, faisons ce que tu dis.

— Bon, tout de suite alors ! dit-elle. De l'humour. Ça commence avec de l'humour. Ton personnage, il faut qu'il ait de l'humour. Quel que soit son âge. Et ensuite, Philip, quel âge lui donneras-tu, à ton héroïne ?

— Dans les... trente-deux ans peut-être.

— Ce n'est pas très vieux, dit-elle. Mais elle sait déjà ce qu'elle veut, ce dont elle est capable, n'est-ce pas ? Physiquement, elle paraît peut-être moins de trente-deux ans, mais sans doute est-elle trop vieille de caractère pour les hommes de son âge. Tu ne prends pas de notes ? Tu n'enregistres pas ?

— Non, je retiens tout. Continue, Isabelle !

— Bon, dit-elle. Donc ton héroïne s'est rendu compte d'elle-même que les hommes de son âge ne lui convenaient pas. Expériences douloureuses. Je veux dire, une femme de trente-deux ans a déjà vécu des histoires d'amour, n'est-ce pas ? Elle sait ce qu'elle attend. Et voilà qu'un homme de soixante-trois ans lui offre une espèce de relation qui lui plaît, et — ceci est très important, Philip — il ne manifeste ni embarras ni incertitude, il est sûr de lui, ce qui, pour une femme de cette nature, est extrêmement séduisant.

— Hum, hum, fit-il. Je comprends. Vu sous cet angle, on peut déjà décrire la situation de ce couple étrange d'une façon beaucoup plus crédible en effet.

— Bien, dit-elle. J'en suis ravie. »

Jeux d'adultes, se dit-elle, pourquoi pas ?

« Je pense justement au vieux, reprit-il. A l'homme de mon roman. Je sais pourquoi il aime cette jeune personne.

— Tu le sais ?

— Oui. Parfaitement bien.

— Et alors, Philip ?

— Parce que je te prendrai comme modèle pour décrire cette femme, Isabelle. Avec toutes les qualités que tu as et que l'on aime en toi.

— A savoir ?

— Mis à part l'humour, dit-il, tu es brave, intelligente, franche et honnête. Tu es belle, d'une beauté unique et incomparable. Tu diffuses courage et force. Au personnage du livre, tu donnes le courage et la force de faire ce qu'il avait décidé de ne plus jamais faire parce qu'il ne s'en jugeait plus capable : écrire ! C'est son œuvre à elle, ça, son influence. Parce qu'il est tellement impressionné par la passion avec laquelle elle travaille, l'application, la persévérance, sans caprices, sans jamais caler, sans jamais manifester ni lassitude ni épuisement. Autrement dit, cette femme l'a tiré de sa léthargie.

— Ce sont évidemment des motifs très forts, dit-elle. Nous progressons, Philip. Ainsi, je serais le modèle de ton héroïne ? Elle a donc tout ce que tu aimes en moi, comme tu dis ?

— Oui, oui, mais c'est seulement la raison pour laquelle le héros de mon roman aime l'héroïne, et non pas vice versa.

— Mais pourquoi, Philip ? Qu'est-ce que ça veut dire ? Quelle sorte d'homme une personne de cette nature peut-elle aimer ? Un champion de ski, ce n'est pas mal, mais c'est un peu maigre pour son goût. Ecoute, vraiment ! L'homme qu'elle peut aimer doit être avant tout une personnalité, il doit avoir de l'expérience. C'est cela qu'elle souhaite, ton héroïne. Un homme avec qui elle puisse parler, qui sache écouter, qui ait du temps. Il n'y a plus un homme, actuellement, qui ait du temps ! Il pourrait être... écrivain par exemple, le héros de ton roman !

— Hum... Oui, peut-être.

— Bon. Ce qui fait vivre un écrivain, c'est précisément le temps qu'il consacre à écouter les autres, à s'intéresser à eux, à découvrir *what makes them tick*. Je veux dire... avec un chirurgien par exemple, ça ne marcherait pas.

— Oui, de toute évidence, ce serait bien si mon personnage était un écrivain, approuva-t-il.

— Alors je propose que ton héroïne soit interprète simultanée.

Je t'explique pourquoi. Mon père était interprète simultané. Ma mère aussi. Non, ne ris pas, c'est sérieux! Ils m'ont traînée dans tous les pays du monde. Combien de fois ai-je assisté à des congrès et à des conférences quand Papa et Maman travaillaient! Et j'aimais cela. Ce n'est pas par hasard que je suis devenue interprète à mon tour. Ce n'est pas par hasard que je suis douée pour les langues! J'ai vu tellement de gens! Des hommes! A peine me suis-je dit : " Tiens, pourquoi pas celui-ci? Il n'est pas mal ", qu'il s'écrie : " Mon Dieu, vous êtes une intellectuelle, vous! Doit-on avoir peur de vous? " Tu te rends compte, Philip. Un homme qui a déjà peur de devoir avoir peur de moi! Non, merci bien! Ou bien ceci : un homme t'envoie un petit mot pour te dire qu'il *faut* absolument qu'il te revoie, et il s'avère que s'il est tellement fasciné par toi, c'est parce que tu lui parais forte et sûre de toi, alors que lui, il est bourré de complexes à cause de toutes les mauvaises expériences qu'il a faites avec les femmes. Et l'autre qui, la plupart du temps au lit, te demande de l'aider à obtenir un job d'interprète à l'ONU, tu as tellement de relations, toi, tandis que " moi, je n'ai jamais eu de chance ". Mon père... et ma mère... Oui, oui, Philip. Voilà comment sont les hommes. Il faut que tu connaisses parfaitement l'état d'esprit de ton héroïne! Il n'y a pas tellement de Philip Gilles de par le monde! Et si une Isabelle en rencontre un, son âge lui est complètement indifférent, car un Gilles de cette nature, c'est un homme avec lequel elle ne remarque même pas la différence d'âge. Entre parenthèses, les femmes sont toujours plus mûres que les hommes, n'est-ce pas?

— Certes, dit-il. Tous les enfants savent ça.

— L'héroïne prend acte de ce qu'il est plus âgé, mais elle ne le sent pas.

— Au début, dit-il d'un air grave. Pendant un certain temps. Mais pas très longtemps sans doute. Car enfin, cet homme a soixante-trois ans. Il peut d'une seconde à l'autre être terrassé par un infarctus et transporté d'urgence dans un service de réanimation.

— Ça peut arriver à tout le monde, à n'importe quel âge. A vingt ans aussi.

— Mais c'est tout de même plus probable à soixante-trois ans. Voilà pourquoi cette affaire est destinée à périr rapidement.

— Pourquoi? Ce peut être aussi une source de joie et d'enrichissement pour l'un et pour l'autre — dans le roman bien sûr — si chacun sait à quoi s'en tenir sur l'autre. »

Et je le pense profondément, se dit-elle. L'amour est quelque chose de beau, de clair, de joyeux ! Et tel il sera avec Philip, je le sais.

« Il me vient un autre argument à l'esprit, dit-elle.

— Quoi donc ?

— Un homme d'un certain âge peut accepter les qualités d'une femme comme cette Isabelle. Ces mêmes qualités qui lui causent sans cesse des difficultés avec les hommes de son âge à elle. Car ceux-là, ou bien ils n'ont aucune personnalité, ou bien ils ont une personnalité si faible qu'ils ne peuvent pas supporter une femme qui a des idées et qui sait juger. C'est donc la bagarre perpétuelle. Tandis qu'un homme d'expérience, Philip, il saura très bien supporter une femme comme celle-là, il pourra même l'aider ! Ça, Philip, c'est quelque chose à quoi la femme de ton roman aspire, quelque chose de merveilleux. C'est ça, l'amour, Philip ! Toujours dans ton roman, bien entendu.

— Bien entendu, Isabelle, bien entendu, dit-il.

— Un homme qui comprend tout, ajouta-t-elle. Qui comprend qu'elle aime se doucher souvent et longtemps...

— Avec du shower bath Emenaro...

— Qui comprend sa manie Emenaro, sa façon de s'habiller, ou qui comprend que parfois elle a besoin d'être seule, sans qu'il y ait tout de suite matière à soupçon, être seule, tout simplement. Seule avec elle-même. L'homme de ton livre, Philip, tout cela le rend heureux. Et elle ne l'aimerait pas ? Ce ne sont que des conseils, bien entendu. Mais une femme de trente-deux ans sait ce dont elle parle. Tu peux donc prendre mes conseils au sérieux en toute quiétude. Et puis, l'écrivain de ton livre peut aussi dire : J'ai fait quelque chose de ma vie, j'ai toujours été OK dans mon métier...

— Ça, dit-il, l'héroïne de mon livre peut le dire aussi. Tu sais, cette interprète. Elle peut dire : Je fais de mon mieux. J'aime mon travail. Malgré tout, je suis une femme qui ne rechigne pas devant le luxe.

— Absolument, approuva-t-elle. Elle ne rechigne pas devant le luxe. »

Et maintenant, ce jeu, ce travail préparatoire à une répétition, devient complètement dément, nous ne faisons plus que jouer avec nous-mêmes. — Parfaitement, renchérit G. Parfaitement, car elle travaille dur pour obtenir ce qu'elle veut : un bel appartement, de jolies robes, descendre dans des hôtels de luxe. Elle travaille parce qu'elle ne pourrait pas vivre sans travailler. C'est pourquoi elle a le droit de faire de son argent ce qui lui plaît. — Exactement comme l'homme d'un certain âge, dis-je à mon tour. Voilà donc que deux

personnes de cette nature se rencontrent. Et elle ne serait pas attirée par lui ?
Elle n'a pas à craindre de rompre une relation existante, ni d'être poursuivie
par un homme qui est seul et qui a besoin d'une femme, n'importe laquelle,
pourvu qu'elle soit belle, cultivée et bien élevée. De l'argent, il en a à revendre,
et en plus, il a un complexe de Pygmalion. Oui, mais justement, l'homme de
ton livre est très différent. Il est bon pour elle, il la rend heureuse ! Alors,
Philip ? Tu crois que — avec mon aide — tu sauras trouver le ton juste pour
décrire cette histoire d'amour ? — Je le pense, dit-il en souriant. Je souris
aussi et il ajoute : Il y aura bien sûr des critiques qui écriront que ce
scribouillard dépeint la fin du monde en l'enjolivant d'une histoire d'amour !
— La fin du monde, dis-je, sera toujours ornée d'une histoire d'amour !

2

Le vendredi 9 septembre 1988, une Mercedes sortit du cimetière vers dix-sept heures et s'éloigna en direction du Sonnenberg, à Wiesbaden. Elle était suivie d'une grosse BMW. Valérie Roth conduisait la Mercedes, à sa droite était assis Markus Marvin. Tous deux portaient des vêtements de deuil. La voiture stoppa devant le 135, l'immeuble dans lequel Marvin avait loué un appartement après avoir vendu sa maison située à proximité. La BMW s'arrêta à une vingtaine de mètres derrière. Ses deux occupants avaient ôté leur veston, il faisait horriblement chaud et lourd ce jour-là. Marvin se dirigea vers eux.

« Alors, M. Marvin ? lui demanda le chauffeur à travers la vitre baissée.

— Monsieur l'Inspecteur, dit Marvin, je sais bien que vous-même, votre collègue, M. Neumaier et les autres, vous êtes obligés d'obéir aux ordres du commissaire principal Dornhelm... lesquels stipulent que depuis mon retour du Brésil, je dois être protégé vingt-quatre heures sur vingt-quatre. Mais moi, je vous demande de cesser immédiatement cette surveillance.

— Nous n'avons pas le droit, M. Marvin, répondit le jeune inspecteur qui s'appelait Worm.

— Téléphonez à M. Dornhelm ! Vous avez le téléphone dans votre voiture ! J'exige qu'il annule sur-le-champ son ordre. Il m'a suffi à moi de vous voir au cimetière, près de la tombe de ma fille. Maintenant, c'est fini !

— Vous ne pouvez pas refuser les gardes du corps que vous impose le commissaire principal.

— Si, je le peux. Je suis un homme libre. Je ne suis plus

fonctionnaire du ministère de l'Environnement de la Hesse. En ma qualité de citoyen ordinaire, j'ai le droit, d'après la loi, de refuser la protection de la police. Et vous le savez fort bien, M. Worm.

— Mais vous êtes vraiment en danger ! protesta Worm. Vous avez besoin d'être protégé !

— A Altamira aussi, j'étais protégé. »

Worm le regarda longuement, droit dans les yeux, puis il se tourna vers son collègue.

« Essaie de joindre le commissaire principal. »

Neumaier demanda la communication. Puis il dit à Marvin :

« Il est dans son bureau. Un instant... »

Marvin approuva d'un signe de tête et attendit.

Au bout d'un certain temps, Neumaier se mit à parler, puis il écouta, et quand il raccrocha, il dit :

« M. Dornhelm exige une déclaration écrite signée de votre main. Voici un bloc. »

Marvin alla s'asseoir à l'ombre d'un arbre. Il écrivit quelques lignes, signa et revint vers la voiture.

« Ça suffit ? demanda-t-il à Worm.

— Oui. Vous êtes certain de bien savoir ce que vous faites ?

— Oui. Merci, et bonne journée ! »

La BMW s'éloigna, Marvin la suivit des yeux. Puis il rejoignit Valérie Roth qui était descendue aussi de la Mercedes. Soudain, le monde sembla tourner autour de lui comme un manège.

« Tiens-moi ! cria-t-il. Je tombe... »

Une heure plus tard, il était remis de son malaise, confortablement installé dans son bureau frais et obscur où il avait baissé tous les stores.

« Tu veux vraiment renoncer à la protection de la police ? lui demanda Valérie.

— Oui, répondit Marvin. Après la prison, Altamira. Tu ne trouveras personne qui n'ait son heure. La mienne n'est pas encore venue. J'ai quelque chose à faire avant de mourir.

— Nombreux sont ceux qui nous en veulent, certes, et en veulent à notre travail. Mais de là à aller jusqu'au meurtre !... C'est de la terreur pure et simple ! Cet attentat dans la prison, cet attentat à Altamira... Pourquoi cette haine mortelle, Markus, pourquoi, grands dieux ?

— Je ne trouve qu'une explication, dit-il. Il se prépare, ou il

262

se passe, ou il s'est passé quelque chose de monstrueux, et
ceux qui en sont responsables ont peur que je ne retrouve leur
piste.

— Mais pourquoi toi ?

— Ça, je n'en sais fichtre rien.

— Et de quoi peut-il s'agir ?

— Je n'en sais pas davantage. Je ne sais qu'une chose,
Valérie : il faut tourner les films. Pour Suzanne. Pour l'amour
de Suzanne. Elle était si heureuse de travailler avec nous.
Peut-être visaient-ils Chico Mendes et moi, à Altamira, et ont-
ils tué Suzanne par erreur, bien que je n'en sois pas
convaincu. Ils ont tiré dans le tas, tout simplement. Je pense
que nous devions y passer tous les trois. Non, je n'ai plus de
larmes, je les ai épuisées. Je suis furieux, furieux au-delà de
toute expression. Nous tournerons ces films, tu m'entends ? Et
nous déposerons plainte. Et nous découvrirons ce qui se passe
ici en sous-main.

— Tu es formidable.

— Je suis complètement désespéré, dit-il. Et pour comble de
paradoxe, c'est le désespoir qui me donne de la force ! Nous
allons faire des recherches. D'abord sur le scandale de la
dioxine. Puis à Paris, chez les Vitran, où nous rencontrerons
cet expert de l'énergie solaire. »

Le sonnerie du téléphone le fit sursauter.

« Allô, Markus ? entendit-il à l'autre bout du fil. Ici, Hilmar.

— Bonjour, Hilmar.

— Je suis au chevet d'Elisa, à l'hôpital central. Toutes nos
pensées vont vers toi. Elisa ne voulait pas te déranger dans
ton chagrin, c'est pourquoi elle n'est pas venue aux obsèques.
Les roses blanches viennent de nous, ce sont les fleurs préférées de Suzanne.

— Oui, dit Markus Marvin. Les fleurs préférées de
Suzanne.

— Quels que soient les griefs qui nous séparent, Elisa, toi et
moi, c'est terminé. Ça n'existe plus. Va ton chemin. Il faut
que tu ailles ton chemin. Elisa et moi, nous te souhaitons
bonne chance. Je te la passe. »

Puis Marvin entendit la voix d'Elisa.

« Dans une pareille situation, les paroles de consolation sont
inutiles, Markus. Mais il faut que tu saches que je souffre avec
toi. Suzanne était aussi ma fille.

— Oui, Elisa », dit-il.

Il abrégea la conversation et raccrocha.

« Donne-moi mon carnet d'adresses, Valérie ! s'écria-t-il. Je veux prendre rendez-vous avec les Vitran et convoquer l'équipe. Le travail doit... »

Sa tête tomba sur la table de travail ; il se mit à pleurer à gros sanglots, tout son corps tremblait.

Miriam Goldstein était assise auprès de sa mère aveugle, dans le jardin sauvage de sa maison, à Lübeck. Elle lui avait raconté tout ce qui s'était passé.

Les oiseaux chantaient dans les arbres, Sarah Goldstein les entendait. Miriam se rappela l'après-midi qu'elle avait passé chez Elisa Hansen, bercé par le chant des oiseaux dans le parc.

« Miriam, dit la vieille dame bien calée dans son fauteuil d'osier.

— Oui ? » répondit Miriam, le regard fixé sur les yeux vides de sa mère.

Une pomme tomba du pommier et roula sur l'herbe.

« J'ai peur, ma petite fille.

— Il ne faut pas avoir peur, Maman. Nous avons déjà survécu à tant de périls qu'il n'y a plus rien à craindre.

— Oh si, Miriam. Il y a vraiment de quoi avoir peur ! Pour toi, pour moi, pour l'humanité tout entière. Ah ! Si tu savais comme j'ai le cœur serré ! »

3

« Mon Dieu, quel malheur ! Quelle misère ! soupira maître Ignacio Nigra en secouant sa tête aux cheveux grisonnants. — Il paraissait sincèrement au comble de l'affliction. — Quel crime abminable ! Et quel chagrin atroce pour le pauvre père. Où est-il, le malheureux ?

— A Wiesbaden, répondit Elmar Ritt, le procureur de la République.

— Où ?

— A Wiesbaden, répondit cette fois Miriam Goldstein. En Allemagne. Il est rentré là-bas avec le cercueil de sa fille, après que la police la lui eut rendue. C'était le 7 septembre. Les obsèques ont eu lieu le 9 à Wiesbaden. Nous sommes aujourd'hui le 12 septembre.

— Oui, je sais, madame. Et vous dites que le tournage de ce ... de ces documentaires a été interrompu ?

— Provisoirement, monsieur, provisoirement. Après l'assassi-

264

nat de sa fille, M. Marvin s'est excusé de n'être plus en état de poursuivre le travail. Il voulait être seul. Tout le monde l'a bien compris. Ses collaborateurs sont repartis en Allemagne avant lui. Ils prennent quelques jours de vacances. Mais M. Marvin veut absolument terminer le tournage des films, m'a-t-il dit.

— Bien sûr, maître Goldstein. »

L'avocat brésilien caressa sa superbe cravate, une cravate assortie à son complet, lequel s'adaptait parfaitement aux meubles et à la tapisserie de son cabinet établi dans une vieille demeure somptueuse de la Plaza Bolivar, au cœur de Bogota. Il pleuvait cet après-midi-là à Bogotá. Il pleuvait presque tous les après-midi à Bogotá.

« Señor Nigra, commença un homme de grande taille aux yeux tristes et au crâne dégarni ; c'était le commissaire Henrique Galazzi qui travaillait à l'Office de Sécurité de la République colombienne, ce qui expliquait sans doute la tristesse de son regard. Señor Nigra, cette dame et ces messieurs venus d'Allemagne jusque chez nous sont à Bogotá depuis deux jours. Ils désirent s'entretenir avec vous. C'est compréhensible, n'est-ce pas ?

— Tout à fait, répondit Nigra en s'inclinant devant ses visiteurs sans bouger de son siège.

— Ces messieurs, poursuivit le commissaire, aimeraient que vous leur expliquiez vous-même le rôle que vous avez joué dans la recherche des deux gardes du corps qui ont tué la señorita Marvin. De plus, ils aimeraient également que le señor Machado... — il se tourna vers l'importateur — ... leur raconte sa conversation avec vous, maître Nigra. Señor Machado, votre cousin, M. Joschka Zinner, le producteur de films allemand, est venu aussi de Hambourg ; il est certainement très ému de retrouver un membre de sa famille comme vous, qu'il n'avait pas revu depuis fort longtemps. »

Ce commentaire avait un relent d'ironie, mais d'une ironie triste.

« Je pense bien ! » dit Achille Machado.

Il posa sa main sur l'épaule de Zinner, en s'efforçant de le regarder droit dans les yeux ; Zinner en fit autant.

« Les liens de famille sont les liens du sang, dit Machado.

— Excellente définition, commenta maître Ignacio Nigra.

— Si nous en venions au fait », intervint Elmar Ritt en frissonnant de froid.

Ils étaient tous descendus au Tequendama, un des trois

meilleurs hôtels de la ville, et la pluie froide de l'après-midi ainsi que l'air léger de l'altitude ne convenaient pas du tout au procureur de la République. Bien entendu, se dit-il, ces deux gars-là sont complices. Et ce Galuzzi aussi. Je finirai bien par découvrir ce qui se trame ici, dussé-je en crever ! Je trouverai la vérité ; il faut que je la trouve ! Il pensa à son père et sentit le regard de Miriam fixé sur lui. Il sourit, elle lui rendit son sourire.

« Bon, reprenons, dit le procureur en anglais à Joschka Zinner. — Ils parlaient tous anglais. — Le 2 septembre, vous avez téléphoné de Hambourg à votre cousin ici présent pour lui demander de recruter le plus rapidement possible deux gardes-malades pour Markus Marvin. C'est cela ?

— Je vous l'ai déjà dit trois fois. Deux fois dans l'avion et une fois à l'hôtel. C'est la quatrième fois. Savez-vous que deux grandes productions sont stoppées ! Stoppées, parfaitement ! L'une à Berlin et l'autre à Tel-Aviv, parce que je n'y suis pas ? Vous savez ce que ça coûte par jour ? Les assurances sont là pour payer, direz-vous ! Allons donc ! Ces salauds refusent de payer ! Ils prétendent que ma présence n'est pas nécessaire. Il *faut* que j'y sois, sans moi, ça ne marche pas. Ça me coûte des centaines de mille !

— Mais les liens du sang ? dit Ritt. Le souci que vous vous faites pour votre cousin ! Lequel pourrait bien avoir des difficultés dans la situation présente.

— Me suis-je embarqué avec vous, oui ou non ? s'écria Zinner furieux.

— Messieurs, je vous en prie..., intervint le commissaire Galuzzi de sa voix triste.

— Cet homme me déteste, gémit Zinner.

— Allons donc, c'est ridicule, dit Galuzzi en haussant les épaules.

— Et comment ! continua Zinner. Je me demande bien pour quelle raison. Je ne lui ai jamais rien fait. C'est la première fois que je le rencontre. Et ces deux productions géantes stoppées. Des centaines de millions, je vous dis...

— Maître, l'interrompit Ritt en s'adressant à l'avocat colombien. Le 2 septembre, vous avez rencontré ici M. Achille Machado, le cousin de M. Zinner.

— Pas ici, bien sûr, précisa Ignacio Nigra. Là-haut, sur le Monserrate, sous le péristyle de l'église. C'est là que nous nous sommes donné rendez-vous.

— Pourquoi pas ici ? demanda Miriam Goldstein.

— Vraiment, chère madame... »

Nigra secoua la tête.

« Que voulez-vous dire ?

— Ce que nous avions à discuter ne sortait pas du cadre de la légalité, absolument pas, n'est-ce pas, señor Galuzzi ? »

Le commissaire approuva du chef.

« Malgré tout, il n'est pas d'usage de discuter d'une telle affaire dans le cadre du cabinet. Les murs ont des oreilles. J'aime mon pays. Mais c'est un pays où il faut être très prudent. Peut-être êtes-vous le mieux placé de nous tous, monsieur le commissaire Galuzzi, pour expliquer ce que je veux dire... »

Galuzzi exhala un long soupir.

« C'est un pays difficile, dit-il d'une voix lugubre. L'Office de Sécurité lutte sur de nombreux fronts. Notre plus grave problème est évidemment constitué par les bas-fonds armés des pauvres. Comme ils ne font que s'étendre, le besoin de sécurité des riches ne fait que croître dans les mêmes proportions, je veux dire le besoin de s'entourer de gardes du corps. Il faut peut-être que je vous dise encore, pour que vous compreniez dans quel climat difficile et quelle situation explosive nous travaillons ici, que, outre cette centrale qui procure des gardes du corps — parmi lesquels se trouvent évidemment des tueurs potentiels —, il existe environ cent quarante groupes paramilitaires d'extrême droite, ainsi que six groupes de guérilla orientés vers la gauche. On se demande comment l'Etat colombien peut encore exister dans de telles conditions. Poursuivez votre interrogatoire, je vous prie, conclut Henrique Galuzzi à mi-voix ; il paraissait très malheureux.

— Quel a été le sujet de votre conversation sous le péristyle de l'église ? » demanda Miriam.

Elle aussi, elle souffrait du climat et avait mal à la tête. De plus, elle se rendait compte, tout comme Elmar Ritt, que toute cette comédie était absurde et inutile. Mais je ne lâcherai pas, se dit-elle. La justice n'est pas seulement un mot, et la vérité est quelque chose de concret. Nous la découvrirons sûrement, Ritt et moi.

« Señor Machado, mon ami de toujours, m'a prié, sur l'ordre de son cousin, M. Joschka Zinner, de recruter le plus rapidement possible deux des meilleurs gardes du corps et de les expédier à Altamira, avec mission de protéger M. Markus Marvin. Il y a longtemps que vous le savez d'ailleurs, répondit Nigra.

— Et après ? demanda Ritt.

— Après ? J'ai donné satisfaction à mon ami, le señor Machado. — Nigra commençait à adopter une attitude désinvolte. — Je me suis mis en rapport avec señor Filippi Terzi. C'est un homme qui accepte ce genre de missions. Il l'a transmise à l'une de ces sociétés.

— Comment le savez-vous?

— Il me l'a dit lui-même.

— Quand?

— Ce même 2 septembre, en fin d'après-midi. Il m'a téléphoné. Lorsque Suzanne Marvin a été assassinée, j'ai immédiatement averti la police et j'ai raconté tout ce que je savais sur cette affaire. Vous êtes témoin, n'est-ce pas, monsieur le commissaire?

— C'est exact, répondit le triste Galuzzi. Depuis, Filippi Terzi est en fuite; on le cherche dans tout le pays. Ce qui est absurde, ajouta-t-il sur le ton de la résignation, car on ne le trouvera jamais. Un homme qui est en relation d'affaires avec les " Abricots "!

— Avec qui?

— Avec les " Abricots ". C'est le nom de la société la plus célèbre de formation de gardes du corps et de tueurs. Elle a son siège à Medellin.

— Ah! Medellin! s'exclama maître Nigra en levant les yeux au ciel d'un air rêveur. La capitale mondiale des orchidées... Le plus sublime article d'exportation de Medellin...

— Les plus sublimes articles d'exportation de Medellin, ce sont des tueurs dignes de confiance, dont vous avez engagé deux exemplaires, répliqua Ritt.

— Moi? — L'avocat se leva. — Suis-je obligé de supporter de telles accusations, monsieur le commissaire?

— Non, vous n'êtes pas obligé, répondit Galuzzi en soupirant. Et à Ritt: M. Nigra a déclaré qu'il avait commandé à Filippi Terzi, disparu depuis, deux gardes du corps pour Markus Marvin à Altamira, ce qui n'est pas défendu par la loi. Chacun a le droit d'engager des gardes du corps, lesquels, il est vrai, n'ont pas le droit de tuer.

— Mais ils tuent néanmoins, monsieur le commissaire.

— Hélas, monsieur le procureur de la République!

— Bon, je lui présente mes excuses.

— Je les accepte, déclara Nigra d'un air digne. C'est tout ce que je sais, monsieur le commissaire.

— Peut-être M. Machado en sait-il plus, lui? insista Miriam à mi-voix.

— Oui, répondit Achille Machado. Le 3 septembre, le señor Terzi m'a appelé pour me dire qu'un messager allait m'apporter les photos et toutes les coordonnées des deux gardes du corps engagés. Vous n'avez sans doute pas oublié que l'affaire était

268

d'une extrême urgence. Il s'agissait de Sergio Cammaro et de Marcio Sousa. J'ai enfermé tous ces papiers dans une grande enveloppe que j'ai envoyée, cachetée, avec un courrier — chez nous, on peut louer des courriers, chez vous aussi, en Allemagne, j'imagine, madame — qui a pris le premier avion pour Altamira et l'hôtel Paraiso où — m'a garanti la police brésilienne — elle serait remise à M. Marvin pour qu'il puisse avoir en main la preuve de l'identité des gardes.

— Et pour qu'ils aient une autre garantie de sécurité, vous avez même appelé votre cousin, Joschka Zinner, à Hambourg, pour lui donner, à lui aussi, les coordonnées des deux hommes.

— En effet.

— Pourquoi avez-vous appelé aussi M. Zinner ?

— Parce que Joschka m'avait demandé de prendre cette double précaution. Il voulait avoir la protection la plus sûre pour son collaborateur. C'est ce que j'ai fait.

— Ça, on peut le dire ! grogna Ritt.

— Non, murmura Miriam à l'intention du procureur. Il ne sert à rien de se mettre en colère.

— Je fais comme si je n'avais pas entendu, dit Machado d'une voix douce. Mais je vous en prie, pas d'autre insolence de ce genre, je ne le supporterai pas ! J'ai aidé mon cher cousin Joschka, c'était bien normal, non ?

— Et le señor Nigra vous a aidé, et le señor Filippi Terzi, qui, depuis, s'est évanoui dans la nature, a aidé le señor Nigra, et c'était aussi normal, n'est-ce pas ?

— Ah, vous recommencez ! se plaignit l'avocat. Monsieur le Commissaire ?

— Je vous en prie, M. Ritt, intervint le commissaire pessimiste. Laissez cela, ça ne mène à rien.

— Qu'est-ce qui mène à quelque chose alors, dans ce pays ? demanda Ritt.

— Voilà une bonne question, dit le commissaire. Je me la pose souvent. »

La pluie frappait les vitres sans discontinuer.

« M. Zinner, reprit Ritt, vous avez — double sécurité — téléphoné aux Marvin à Altamira pour leur donner les coordonnées des deux bandits et leur ouvrir ainsi toutes grandes les portes, n'est-ce pas ? »

Joschka Zinner bondit sur ses courtes jambes et frappa deux ou trois fois du pied sur le sol.

« Et je l'ai fait, continua-t-il dans un cri, pour que la fille du principal responsable de mon projet soit assassinée sans doute ! Alors que ce n'était probablement pas la fille de Marvin qui était visée, mais Chico Mendes. Est-ce que je ne me suis pas débrouillé comme un chef ? Est-ce que je ne mérite pas les félicitations du public ? C'est moi, moi, et moi seul qui suis responsable de tout ! Enfin, nous y voilà !

— Asseyez-vous et bouclez-la ! dit Ritt.

— Personne ne me parle sur ce ton, à moi ! cria le petit homme. Personne ! Je ne le supporterai pas. Reprenez vos paroles immédiatement.

— Je les reprends volontiers à condition que vous vous asseyiez et que vous vous teniez tranquille.

— Je ne m'assiérai et ne me tiendrai tranquille que quand vous aurez repris vos paroles ! »

Un vrai jardin d'enfants, se dit Ritt. Un jardin d'enfants meurtriers.

« Je les reprends. »

Joschka Zinner se rassit aussitôt.

« J'avais un autre motif encore pour appeler mon cousin, reprit Machado.

— Lequel ? demanda Miriam qui se sentait de plus en plus mal.

— J'ai eu la visite d'un Américain. Il déclara s'appeler Robert Lee et voulait des renseignements sur Markus Marvin.

— Quel genre de renseignements ?

— Toutes sortes. Pour qui il travaillait. Dans quel contexte. Pour qui les films étaient tournés. Pourquoi. Qui allait les passer. Quand... Toutes sortes de questions. »

Ritt échangea un coup d'œil avec Miriam Goldstein.

« A Paris aussi, un Américain s'est renseigné sur Markus Marvin, dit Miriam. Mlle Isabelle Delamare m'a appelée d'Altamira pour me le dire, et j'en ai fait part immédiatement à M. Ritt. Vous avez prévenu votre cousin, M. Machado ?

— Comme je viens de le déclarer...

— Pourquoi, M. Zinner, n'avez-vous averti ni Maître Goldstein ni moi ? insista Ritt.

— Je ne voulais inquiéter personne.

— En nous avertissant qu'un Américain ici à Bogotá posait d'étranges questions et voulait tout savoir sur le principal responsable de votre production ? demanda Miriam.

— Parfaitement ! Je ne voulais inquiéter personne !

— Ne criez pas, M. Zinner, je vous en prie.

— Je crie quand j'en ai besoin, monsieur le procureur de la République. Et j'en ai besoin maintenant. »

Miriam regarda de nouveau Elmar Ritt et hocha la tête.

« Merci beaucoup, M. Zinner, dit Ritt.

— Si vous me soupçonnez...

— Je ne vous soupçonne de rien, M. Zinner. »

Le pâle et souffreteux commissaire Galuzzi intervint de sa voix lugubre.

« Maintenant, vous avez une petite idée de la manière dont nous devons travailler ici. Vous ne trouverez jamais la vérité, maître Goldstein, ni vous, monsieur le procureur de la République.

— Oh si ! dit Miriam avec un sourire. Oh si, monsieur le commissaire, nous la trouverons. Cela prendra peut-être beaucoup de temps, mais nous la trouverons. Nous découvrirons pourquoi tout cela est arrivé, et pourquoi il continue à arriver d'autres phénomènes du même genre. Nous... — elle jeta un bref coup d'œil sur le procureur — ... nous ne cesserons pas de rechercher la vérité dans ce monde de juges corrompus et de témoins découragés. Nous n'abandonnons jamais, n'est-ce pas, M. Ritt ?

— Jamais, confirma-t-il. Cela vous paraît grandiloquent, n'est-ce pas ?

— Oh non ! Pas du tout ! dit le commissaire Galuzzi. Je vous souhaite bonne chance.

— Merci. Le reste de cette histoire est connu de tout le monde. Les assassins de Suzanne Marvin se sont présentés à la police brésilienne le lendemain du meurtre. Les autorités brésiliennes ont déclaré qu'ils appartenaient tous les deux à l'association des grands propriétaires terriens d'extrême droite, l'Union nationale démocratique, et que l'attentat visait Chico Mendes.

— Pourquoi me regardez-vous en disant cela ? demanda Joschka Zinner.

— Parce que c'est à vous que je m'adresse, répondit Ritt. J'ai l'habitude de regarder droit dans les yeux les personnes avec lesquelles je parle, M. Zinner.

— Vous êtes tombé sur la tête ! s'écria ce dernier. Je n'ai pas la moindre idée de qui peut être ce Chico. Et même si je le connaissais ... ! C'est moi qui ai lancé la production de ces films ! Je suis donc du même bord que ce Chico, et non du côté des tueurs !

— M. Zinner, intervint Miriam Goldstein, nous savons que vous êtes le producteur de ces films. Lorsque vous êtes venu me rendre visite dans mon hôtel, à Francfort, vous nous avez expliqué vos motivations. M. Ritt vient de mentionner que cet attentat visait Chico Mendes. Cela doit donc vous intéresser !

— Cela m'intéresse en effet, répondit Zinner d'une voix parfaitement normale. Mais M. Ritt ne cesse de me regarder d'un air qui ne me plaît pas. Voilà ce contre quoi je me défends. Parce que monsieur le procureur de la République a un jugement préconçu contre moi.

— Je n'ai aucun préjugé contre vous, M. Zinner, répondit Ritt. Pas encore... »

On entendit les accents d'une marche militaire en provenance de la rue.

« La " Badenweiler Marsch ", murmura Miriam d'une voix sans timbre. C'est celle qu'on jouait toujours avant l'apparition de Hitler dans une manifestation de masse.

— Il est cinq heures précises, annonça maître Nigra.

— Et alors ? fit Ritt.

— A cinq heures précises a lieu tous les jours la relève de la garde devant le Palaccio Presidencial — suivant le modèle prussien. Venez, regardez ça de la fenêtre. Le Palaccio se trouve juste en face de nous. »

La vaste place était dominée par la statue du libérateur de l'Amérique du Sud, Simon Bolivar, dans une pose héroïque.

« Cette statue en bronze est l'œuvre d'un sculpteur italien, Tenerani », expliqua fièrement maître Nigra.

Derrière des barrières se pressait la foule, sous une pluie battante, autochtones et touristes armés de caméras et d'appareils photo. Les soldats d'opérette marchaient au pas de l'oie ; ils s'arrêtèrent, saluèrent et se mirent au garde-à-vous.

« Tous les après-midi, sur cette place, la circulation est bloquée par la foule des curieux, expliqua Nigra. C'est vraiment une place superbe ! Bordée de notre splendide cathédrale. Du meilleur style classique. Terminée en 1823 et érigée à l'endroit même où avait été construite en 1538 la première petite église de la première petite colonie qui est devenue notre magnifique capitale, Bogotá. »

La marche préférée de Hitler continuait à retentir sur la place et à faire vibrer les fenêtres.

Ritt posa une main sur l'épaule de Miriam Goldstein.

Nigra continua à jouer son rôle de guide touristique enthousiaste.

« Il faut absolument que vous alliez visiter la cathédrale, madame et messieurs ! Avec la précieuse chapelle de sainte

272

Elisabeth de Hongrie! Le tombeau du fondateur de la ville, Quezada, celui de Gregorio Vasquez de Arce y Ceballos...

— Qui est-ce? demanda Joschka Zinner de l'air de quelqu'un qui est passionné par le sujet.

— Le plus grand peintre de la Colombie, répondit son cousin.

— A côté de la cathédrale, avec ses imposantes portes de bronze, vous voyez la maison de Manuela Sáenz...

— Qui est-ce, celle-là? demanda encore Zinner.

— ... la fougueuse maîtresse de Simon Bolivar, qui lui sauva la vie...

— Comment..., commença Zinner.

— ... en le jetant par la fenêtre. Sa maison est actuellement occupée par le président. Son mari venait de rentrer à l'improviste et ce fut pour elle le seul moyen de sauver son amant. Il s'en tira avec une jambe cassée... Regardez les soldats. N'est-ce pas grandiose? Tous les après-midi à cinq heures. Il vient des touristes du monde entier à Bogotá et...

— Le voilà! déclara Achille Machado.

— Qui? demanda Zinner.

— L'Américain! répondit son cousin en levant l'index vers la rue.

— Quel Américain? questionna Nigra.

— Celui qui est venu chez moi, pardi! Qui a posé des questions sur Markus Marvin!

— Où est-il? demanda Joschka Zinner en s'approchant de la fenêtre.

— Là-bas... Le voilà qui court... Tu ne peux plus le voir, Joschka. Pendant tout ce temps, il a dû lever les yeux vers nous. Et moi, pauvre idiot que je suis, j'ai tendu la main dans sa direction. Il m'a vu, bien sûr, et il s'est sauvé...

— Vous êtes tout à fait certain que c'est bien votre Américain? demanda le commissaire Galuzzi.

— Absolument! Je suis prêt à le jurer! »

La marche militaire préférée d'Adolf Hitler n'en finissait pas.

La pluie tombait plus drue encore. Il pleuvait presque tous les après-midi à Bogotá.

4

La voix de Valérie Roth dans le haut-parleur[23].

« Le poison le plus dangereux jamais fabriqué de la main de

l'homme est le 2-3-7-8-TCDD. Depuis le grave accident de 1976, on l'appelle la " dioxine Seveso ". Voici quelques caractéristiques de ce super-poison : il est cancérigène, provoque des lésions dans le patrimoine génétique et des malformations, il est dix mille fois plus toxique que le cyanure, et soixante mille fois plus dangereux sur le plan des malformations que la thalidomide... »

Le moniteur, qui faisait partie du matériel de la BETA, était posé à même le plancher de la petite chambre d'hôtel. Il diffusait tous les enregistrements électroniques qui devaient servir à une autre série d'émissions sur l'écologie réalisées par Marvin et son équipe. La pension se trouvait à la périphérie d'une grande ville allemande. Bernd Ekland et Katja y habitaient provisoirement, les autres logeaient à l'hôtel. Ce 13 septembre, malgré l'heure tardive, le cameraman et son technicien, Markus et Valérie Roth voulaient encore contrôler la qualité des enregistrements faits jusqu'à cette date, avant de rentrer chez eux.

Sur l'écran apparut Valérie, un micro à la main, devant une sorte d'immense arbre généalogique qui se composait de formules chimiques très complexes et couvrait tout le mur d'un laboratoire.

« La dioxine 2-3-7-8-TCDD — autrement dit le tétrachlordibenzodioxine — a connu la célébrité dans le monde entier, la triste célébrité, devrais-je dire, grâce à l'accident de Seveso. Mais le TCDD n'est que l'un des représentants d'une famille de soixante-quinze dioxines différentes. Et cette dynastie possède en outre une parenté extrêmement étendue et parfois tout aussi toxique. Ce sont cent trente-cinq produits appelés les dibenzofuranes chlorés. Quand nous parlons ici de dioxines, nous évoquons les deux cent dix membres de cette honorable tribu, et non pas seulement le 2-3-7-8-TCDD libéré à Seveso. »

La caméra montra cette fois le ministre de l'Intérieur allemand, à Bonn. La voix de Marvin prit le relais.

« Le gouvernement fédéral de Bonn, et plus précisément le ministre de l'Intérieur, M. Zimmermann, responsable à l'époque de la Protection de l'Environnement, a reçu en 1983 — en 1983 déjà ! — un " mandat d'arrêt " contre la famille Dioxine. Il est vraisemblable que, les années suivantes, d'autres papiers de ce genre aient suivi, lorsqu'on a institué un ministère de l'Environnement et nommé un ministre de tutelle. Nous ne possédons que le rapport de 1983, et nous ne sommes parvenus en sa possession que grâce aux insomnies d'un fonctionnaire qui commençait à déprimer tant il était inquiet pour notre univers, et nous en a fait parvenir une photocopie. Etant donné le grand nombre de fonctionnaires et de collaborateurs qui gravitent autour du ministère, il est impossible de retrouver l'homme qui nous a transmis ce matériel secret... »

« Je l'espère bien ! fit Marvin en tapant trois petits coups sur la table de bois.

— Tu peux être tout à fait tranquille, dit Valérie. Philip s'est très bien débrouillé pour rédiger un texte qui ne fait courir aucun risque à qui que ce soit. Vous savez que notre homme vient d'ailleurs. »

Un épais dossier couvrit l'écran tout entier.

La voix de Marvin :

« Le document en question porte le titre *Affaire Dioxine* et a été rédigé à l'Office fédéral de Berlin. L'occasion en a été fournie par la vive discussion publique du printemps 1983 sur la disparition des quarante et un fûts de déchets contenant de la dioxine en provenance de l'usine accidentée de Seveso. »

La voix de Valérie :

« Ce document se trouvait sur le bureau du ministre dès le mois de mai 1983. Il porte la référence [on la voit sur l'image] I4-9-7-0-6-1/61, et le cachet [la caméra le montre aussi en gros plan] DC. »

La voix de Marvin :

« DC, cela signifie : Document confidentiel. Réservé aux besoins du service. »

« Coupe ! » demanda Valérie à Ekland.

Il arrêta la cassette.

« Est-ce que les textes de Philip vous paraissent satisfaisants ?

— Tout à fait, dit Marvin. Et cette alternance des voix aussi. Pour l'instant, ce sont nos voix à tous les deux, Valérie, mais plus tard, elles seront remplacées par des voix de professionnels de la télévision... Continuons, Bernd ! »

La voix de Valérie :

« Nous allons prendre connaissance des informations secrètes dont disposait le premier responsable de la Protection de l'Environnement de l'Etat en 1983 sur la famille des dioxines ; elles datent donc de cinq ans. »

La voix de Marvin :

« La déclaration la plus choquante est la révélation de l'omniprésence de la dioxine ; on la trouve partout maintenant, dans nos produits alimentaires et dans l'air que nous respirons. Et cela, le gouvernement allemand le sait depuis des années ! »

La voix de Valérie :

« Voici ce qu'on lit dans le rapport, il y a de quoi nous rassurer :

" Les concentrations de TCDD que l'on trouve partout dans les produits alimentaires et dans l'environnement ne constituent pas un danger réel pour l'homme. " Et cette citation tout à fait alarmante : " Les citoyens normaux ne peuvent absorber la dioxine que par la nourriture et l'air qu'ils respirent. Parmi les produits alimentaires, entrent surtout en ligne de compte les viandes grasses, les produits laitiers en provenance des vaches et la chair des poissons. " »

La voix de Marvin :

« Ainsi, nous ne pouvons absorber la dioxine que par la nourriture et l'air que nous respirons ! Est-ce une blague ou une plaisanterie ? Et comment encore ? Sous forme de comprimés ou de sels de bain peut-être ? »

La voix de Valérie :

« A d'autres endroits, nous apprenons que les poissons d'eau douce, dans certaines eaux, sont déjà chargés d'une telle teneur en dioxine que la consommation régulière de deux cents grammes seulement par semaine expose l'homme au danger d'attraper un cancer ou de provoquer des malformations chez les nouveau-nés, par les lésions causées dans le patrimoine génétique de l'embryon. Bien entendu, il s'agit de la consommation de deux cents grammes seulement de poisson d'eau douce par semaine, sans tenir compte de l'absorption de dioxine par l'air et les autres produits alimentaires.

— D'où vient cette omniprésence de la dioxine ? demandèrent les cinématographes. Comment se fait-il que ces produits ultra-toxiques aient pu ainsi s'infiltrer partout ? »

Et dans leur reportage, dont la première mouture se déroulait dans la chambre d'une petite pension de faubourg, ils répondirent eux-mêmes à leur question :

« ... Tandis que toute l'Europe retenait son souffle lorsque les hommes politiques et les médias organisèrent en 1983 une spectaculaire chasse à courre derrière les quarante et un fûts de Seveso ne contenant que deux cents grammes de TCDD, sur presque tous les lieux où s'était établie la grande chimie, des installations industrielles continuaient à produire, le cœur en paix, des quantités inconnues de dioxines. Jour et nuit, cinquante-deux semaines par an... »

« Les dioxines, expliquait le film en montrant sans cesse de nouvelles images et des rapports d'experts, sont des produits secondaires qui proviennent, premièrement, de certains procédés de production industrielle ; deuxièmement, de processus thermiques ; troisièmement, de procédés photo-chimiques. En d'autres termes : partout où se trouvent des hydrocarbures chlorés, il y a risque de formation de dioxines.

« A Seveso, par exemple, la fabrication d'hexachlorophènes conduisit à la catastrophe. C'est là que s'est formé ce terrible produit secondaire, le 2-3-7-8-TCDD. L'hexachlorophène fut autrefois un bactéricide extrêmement puissant et efficace, que l'on utilisait dans la fabrication du savon, du rouge à lèvres, de la poudre pour bébé, des déodorants et même des atomiseurs destinés à la toilette intime. Aujourd'hui, on a abandonné ces formes d'utilisation. Néanmoins, dans la seule Allemagne fédérale, on fabrique trois millions et demi de tonnes d'hydrocarbures chlorés, et dans le monde entier, quarante à cinquante millions de tonnes par an. Non seulement le feu, donc toutes les formes d'incendies, et les usines d'incinération des ordures ménagères qui ne respectent pas les normes libéreront les dioxines déjà présentes dans ces quantités énormes de déchets, mais il s'en créera encore d'autres, produites par les réactions chimiques réciproques des différents éléments.

« " Ne pas respecter les normes " signifie : procéder aux incinérations de déchets par des températures inférieures à onze cents degrés environ. Les dioxines sont en effet des produits extrêmement résistants qui, au-dessous de ces températures, s'échappent intactes. Il faut une chaleur supérieure à onze cents degrés pour les détruire. Malgré tout, nombreuses sont les usines d'incinération des ordures ménagères qui n'atteignent pas ce degré de chaleur, évidemment très élevé. »

« J'aurais un nouveau titre pour cette série, dit soudain Marvin : " Le monde pervers ".

— Et moi, un meilleur encore, renchérit Valérie : " Le monde rêvé par Satan ". »

Le film continuait à se dérouler sur l'écran.

La voix de Valérie :

« D'après une étude américaine datant de 1980, il suffit d'une concentration de dioxine incroyablement minime de cinq trillionièmes du poids dans la nourriture pour que ce produit soit cancérigène. Or, le poisson d'eau douce cité plus haut contient cinquante fois cette teneur ! Même si l'on fait exception de ce poisson, est-ce que l'omniprésence des dioxines constatée dès 1983 n'est pas un danger dont on devrait le plus rapidement possible éliminer les sources ? Le rapport en tout cas n'en parle pas : pas un mot dans ce sens ! Afin de nous informer sur ce point, nous sommes allés au ministère de l'Environnement. »

Katja arrêta la cassette et déclara :

« C'est fini. Nous ne sommes pas encore allés au ministère de l'Environnement.

— J'ai une théorie, dit Marvin. Regardez un peu : tous les jours, les hommes politiques nous rabâchent que nous n'avons encore jamais eu une aussi longue période de paix en Europe. Quelle en est la raison ? Les armes atomiques. Ou plutôt la dissuasion que représentent les armes atomiques. L'équilibre de la peur. Et l'industrie chimique pense exactement la même chose. Ses patrons disent : Jamais encore nous n'avons mené une vie aussi agréable. Pourquoi ? Grâce aux chlorures. Parce que les chlorures sont les éléments les plus importants de la vie moderne. Si nous ne les avions pas, tout s'écroulerait, ce serait la fin. La paix et la prospérité grâce aux chlorures ! — Il regarda Katja : Quand avons-nous rendez-vous avec le ministère de l'Environnement ?

— Le 17 octobre.

— Alors, nous tournerons juste avant cette date l'interview avec Braungart à Hambourg sur les usines d'incinération des ordures ménagères. En attendant, nous irons à Paris pour voir les Vitran et cet expert de l'énergie solaire. »

5

Le professeur Werner Loder, physicien, travaillait depuis 1942 au Centre d'essais des fusées de Peenemünde avec d'autres savants, sous la direction de Wernher von Braun. Il était spécialisé dans la construction des systèmes de commande. Après la guerre, il fut tout d'abord sollicité par les Français, puis par les Egyptiens, car le président Nasser voulait à tout prix posséder des fusées spatiales. Son fils Wolf vint au monde en 1944, il étudia la physique et obtint, lui aussi, son diplôme de professeur.

En 1970, Werner Loder fut invité à une fête de retrouvailles à Cap Canaveral par ses anciens collègues de Pennemünde, et il emmena son fils avec lui. Au cours de la soirée, l'un des invités cita la phrase de Wernher von Braun : « Le XXIe siècle ne sera pas le siècle des vols spatiaux, mais celui de l'énergie solaire. »

Cette phrase impressionna énormément Werner et Wolf Loder, car ils venaient de commencer la construction de fours solaires à Binzen, petite ville située à la frontière germano-suisse.

Le soir, à l'hôtel, Wolf dit à son père :

« Ce que je vais te dire, Papa, n'est pas un reproche à ton égard, car si tu as travaillé à Peenemünde, c'était contraint et forcé. Mais moi, je ne participerai jamais à des programmes qui peuvent être utilisés à des fins offensives, pour la lutte de l'homme contre l'homme. S'il y a combat, que ce soit pour le bien de l'homme et contre les menaces de la nature. Nous sommes sur le bon chemin, Papa! Continuons à construire des fours solaires!

— D'accord », dit Werner Loder.

Le soir du 14 septembre 1988, un mercredi, le professeur Wolf Loder traversa à pas lents le quartier de Montmartre qu'il aimait tout particulièrement. Paris l'émouvait toujours, mais Montmartre lui faisait battre le cœur. Il ne put s'empêcher une fois de plus de penser à la phrase d'Ernest Hemingway : « Paris, une fête pour la vie. »

Arrivé à la vieille porte en bois du 50, rue du Cardinal-Dubois, il étudia la plaque d'émail écaillée et appuya sur un bouton. L'immeuble avait cinq étages. La tête de Gérard Vitran apparut à une fenêtre du quatrième.

« Je descends! cria-t-il.

— D'accord! »

Loder attendit. Un vieil homme passa avec son petit chien et le salua, comme dans une ville de province.

« 'soir, monsieur.

— Bonsoir. Il fait beau, hein? » répondit Wolf Loder qui parlait très bien le français.

La porte de bois grinça dans ses gonds. Gérard Vitran se présenta en chemise et en pantalon. Les deux hommes se connaissaient depuis longtemps, ils s'embrassèrent.

« Wolf! Si tu savais comme je suis content de te revoir!

— Et moi donc, mon vieux! Me retrouver chez vous! A Paris!

— Les autres sont déjà arrivés, dit Gérard. Monique et Isabelle s'activent dans la cuisine, le reste de l'équipe est dans le bureau. Ce sont des gens formidables, tu verras, tu les apprécieras et tu les aimeras certainement. Monique et Isabelle préparent un gigot.

— Ah! s'exclama Loder, ravi.

— Un gigot, parce que c'est ton plat préféré! »

Gérard le précéda dans l'escalier de pierre étroit et usé. Une odeur de vieille bibliothèque traînait à tous les étages, il avait si souvent rêvé de ce parfum d'érudition ! Au quatrième étage, il aperçut une plaque fixée sur la porte peinte en vert : ENERGY SYSTEMS INTERNATIONAL — ESI.

Loder suivit son ami dans l'appartement. C'était un duplex spacieux, un vrai labyrinthe de couloirs, de petites marches et de vastes pièces dans lesquelles régnait un désordre majestueux. Des journaux et des revues s'empilaient dans les coins. Les murs étaient couverts d'étagères plus ou moins branlantes qui menaçaient de s'écrouler sous le poids des livres, des documents et des dossiers. Les vieux planchers gémissaient et grinçaient à chaque pas.

Dans son bureau, Gérard présenta ses collaborateurs à son ami Wolf : Markus Marvin, Philip Gilles, Bernd Ekland et Katja Raal. Ils étaient dispersés autour d'une table couverte également de livres et de papiers, d'une vieille photocopieuse qui produisait encore des photocopies humides, d'une machine à écrire électrique, de plusieurs terminaux d'ordinateurs et de boîtes contenant des archives. Pour compléter le décor, il y avait un télécopieur sur une petite table et un bar roulant à trois niveaux, chargé de nombreuses bouteilles. Un verre de Ricard à la main, Wolf Loder admira une fois de plus la forêt de clochers, de tours et de coupoles par la fenêtre grande ouverte, les hôpitaux, la Tour Eiffel et les cent mille immeubles et toits qui constituaient cette ville unique. Il se dit qu'il était heureux, très heureux, de se retrouver à Paris et de revoir ses vieux amis Monique et Gérard Vitran.

Ils dégustèrent presque en silence le repas succulent mijoté par Monique et Isabelle. Une atmosphère d'amitié profonde régnait dans la vaste cuisine où ils déjeunaient, au milieu des casseroles de cuivre suspendues au mur, des bouquets d'ail et des épis de maïs. La fenêtre ouvrait aussi sur les toits de Paris. Il faisait chaud, tout le monde s'était mis à l'aise. La simplicité était le dénominateur commun de ces savants et de leur style de vie. Gilles sourit à Isabelle qui allait et venait pour faire le service. Katja sourit à Bernd, qui, depuis quelques jours, souffrait tellement de son bras qu'il ne pouvait même plus couper sa viande lui-même. Le gigot fondait dans la bouche, le vin était excellent. Les cuisinières reçurent un déluge de compliments.

Ils entamèrent la conversation au fromage — en anglais. Monique et Gérard étaient au courant de ce dont parlait le professeur Loder, mais il fallait initier en quelque sorte les autres dans un domaine qui n'allait pas tarder à devenir d'actualité.

« Bon, alors, l'énergie solaire ! commença le jeune physicien allemand dont le père avait construit des systèmes de commande pour les V 1 et les V 2 des nazis. Théoriquement, l'énergie solaire dispensée sur la terre pourrait couvrir quinze mille fois les besoins en énergie primaire de l'humanité. En effet, toute l'énergie dépensée par les hommes est de l'énergie solaire transformée : le vent et l'eau, le pétrole, le charbon, le bois de chauffage. Mais l'humanité en ce moment consomme en une année la quantité de charbon et de pétrole que la terre a accumulée pendant cent mille ans en énergie solaire concentrée. Les résidus fossilisés datant des époques primitives seront bientôt épuisés, le pétrole n'a plus que trente ans d'existence. Il est donc plus que temps, devrait-on se dire, de s'arranger avec la constante " soleil ", de concentrer habilement l'énergie solaire et d'exploiter la puissance du soleil — jour et nuit. Mais avant que cette énergie ne soit consommable, il faut absolument que l'humanité freine rapidement et radicalement sa consommation d'énergie. C'est le problème auquel se sont attelés Monique et Gérard. Si nous voulons avoir un avenir, c'est par là que tout doit commencer. Et c'est *vous* qui devez mettre cet impératif en évidence », conclut Wolf Loder en regardant Markus Marvin, qui approuva d'un signe de tête.

Tous connaissaient son chagrin intime, mais il les avait priés de ne pas s'attarder en paroles de condoléances.

« Nous en viendrons plus tard à notre travail, Wolf. Pour aujourd'hui, c'est de toi qu'il s'agit.

— Très bien. Comment faire pour recueillir, accumuler et distribuer raisonnablement l'énergie solaire ? reprit-il, après s'être copieusement servi de fromage. Comment peut-on la concentrer, et en disposer partout et à tous moments, les jours de pluie, la nuit, sous terre ? La meilleure formule est de la transformer en une forme d'énergie accumulable et facilement transportable — en gaz, autrement dit en hydrogène, le support énergétique secondaire idéal. »

Le soleil baissait lentement sur la ville tentaculaire. Des millions de fenêtres s'illuminèrent de points dorés, de plus en plus brillants.

« Comment l'énergie de l'hydrogène peut-elle naître de l'énergie solaire ? demanda Bernd Ekland.

— Il existe plusieurs systèmes, répondit Loder. Nombreux sont ceux qui fonctionnent déjà de façon remarquable. Nous, à Binzen, nous avons mis au point un système tout particulier. Le gros problème, c'est que les systèmes ne fonctionnent que lorsque, comme nous disons, le soleil brille, n'est-ce pas ? Par temps de pluie ou la nuit, tout s'arrête. Notre système à nous fonctionne le jour et la nuit ! Par temps ensoleillé ou sous un ciel gris ! C'est une sacrée trouvaille ! Il faudrait que vous veniez voir ça ! Vous serez les premiers autorisés à tourner un film sur notre territoire. L'hydrogène... dit-il soudain sur un ton rêveur. Si tout va bien, cet élément volatil donnera son nom à tout un siècle. Ce n'est pas pour rien que Ludwig Bölkov a déclaré un jour : " Le XXIe siècle sera l'ère de l'hydrogène solaire. Sinon... bonne nuit, la Terre ! "

— L'hydrogène, intervint Gérard Vitran, est l'élément le plus répandu dans l'espace. Un kilogramme d'hydrogène libère en brûlant trente-trois kilowatts-heure d'énergie, trois fois plus que l'essence ! A partir de l'hydrogène, on peut fabriquer sans peine de la puissance, de la chaleur et du courant électrique. »

Un long silence suivit cette déclaration rassurante. Tous les regards se portèrent sur la fenêtre à travers laquelle la ville de Paris semblait enflammée par le soleil couchant.

« La plupart du temps, reprit Wolf Loder finalement, ce sont les hommes âgés qui voient loin dans l'avenir. La vie lointaine, devenue inaccessible pour eux, semble les fasciner. Peut-être cherchent-ils ainsi à réparer les dégâts qu'ils ont causés dans le passé, à leurs semblables et à la terre. D'aucuns pourraient mener une vie pleine d'agréments en dépensant uniquement les intérêts de leur fortune, et au lieu de cela, ils préparent les temps nouveaux. Ainsi mon père qui, tous les matins avant sept heures, est déjà au travail dans notre labo de Binzen.

— Carl Friedrich von Weizsäcker, dit Marvin, le frère du président de la République fédérale, soixante-seize ans, physicien nucléaire et philosophe, appelle de tous ses vœux " le soleil, principale source d'énergie du siècle prochain ". Et Robert Jungk écrit, à soixante-quinze ans : " L'instauration de l'ère solaire, voilà la question déterminante pour l'avenir de l'humanité. "

— En effet, reprit Loder, nous n'avons plus de temps à perdre. Le charbon a mis cent ans à refouler le bois de chauffage. Il a fallu trente ans au pétrole pour percer, et il ne sera plus jamais question d'un élément analogue au pétrole dans l'histoire future de l'humanité. Depuis vingt ans, l'énergie nucléaire exerce une pression sur tous les marchés. Résultat : dix pour cent au total de l'énergie primaire et trente pour cent environ des besoins énergétiques sont couverts par les centrales nucléaires, du moins en Allemagne. L'industrie est toute-puissante. Il suffit que l'homme *veuille*.

— Et il ne veut pas ? demanda Katja.

— Les hommes, si, répondit Loder. Mais le *Verbund*, lui, ne veut pas.

— Qu'est ce que c'est, le Verbund ? demanda Bernd.

— Chez nous, en Allemagne, c'est l'un des groupements d'intérêts les plus puissants de l'économie. Il réunit huit trusts énergétiques et jouit d'une richesse, d'une puissance et d'une influence immenses. Je vous en raconterai davantage sur ce clan Mégawatt un peu plus tard. Mais nous progressons néanmoins, malgré lui ! La question à présent, c'est qu'il faut aller vite, très vite ! L'énergie solaire, cela signifie : la paix entre les hommes et la terre nourricière, car la nature ne veut plus être détruite et empoisonnée globalement. Cela signifie : la paix à l'intérieur du pays, parce que l'énergie solaire n'a besoin ni de la police ni de la protection de l'Etat. Et cela signife enfin : la paix entre les générations, entre nous et ceux qui viennent après nous.

— Dahlberg, le savant spécialisé dans les recherches sur le soleil, dit Vitran à son tour, a raison lorsqu'il déclare que l'énergie solaire et l'hydrogène rempliront les promesses faites par l'énergie nucléaire, et qu'elle n'a pas tenues.

— Nous avons nos modèles, reprit Loder. Certains en ont d'autres. Nous avons besoin de plusieurs modèles différents, pour des régions différentes et des domaines d'utilisation différents. Ce qu'il nous manque, c'est l'argent. Nous n'avons pas assez d'argent. Nous en recevons un peu pour la recherche, mais si nous voulons passer à la production, là commencent les difficultés. Dans notre pays, il semble que le clan Mégawatt, les tout-puissants de l'approvisionnement en énergie électrique ne puissent pas supporter l'idée que de petites entreprises soient capables, elles aussi, de créer les conditions de vie de l'ère solaire et que nos inventions viennent à remplacer les centrales nucléaires. Le Verbund a des milliards et des milliards à sa disposition ; il s'intéresse aussi à l'énergie solaire bien sûr. Et ils ont déjà leurs modèles dans des tiroirs, bien entendu. Tant d'argent, d'intelli-gence, d'enthousiasme ont été investis dans l'énergie nucléaire ; pour l'instant, elle tient encore le coup. Pourquoi faudrait-il l'abandonner alors qu'elle est encore rentable ? Un jour viendra où ce ne sera plus le cas, d'accord. Mais à ce moment-là, il faudra que le clan Mégawatt ait le monopole absolu sur l'énergie solaire, comme il l'a maintenant sur l'énergie nucléaire et sur toutes les autres formes d'énergie. Ils tiennent aussi à gagner autant d'argent plus tard que maintenant, pardi ! Et ils tiennent à rester ceux qui tirent les ficelles de l'évolution ! Ceux qui commandent au progrès ! Ceux dont tout dépend ! Ah, les Mégawatts ! Eux, et personne d'autre ! La mise au point du moteur diesel Volkswagen a coûté douze milliards de marks — mais pas l'invention du moteur lui-même ! Les huit grands trusts allemands de l'électricité ont dépensé plus de douze milliards par an jusqu'à présent pour la modernisation des installations de sécurité des centrales nucléaires et d'autres milliards pour les projets concernant l'énergie solaire... Leurs caisses sont approvisionnées par des prélèvements automatiques sur les factures d'électricité et de gaz de tous les consommateurs. »

Katja secoua la tête.

« Ils peuvent donc tout se permettre, ces gros-là ? Ils ont un pouvoir de décision sur tout ?

— Oui.

— Comment est-ce possible ?

— Grâce à Adolf Hitler, répondit Wolf Loder. En 1935, lorsqu'il préparait déjà la guerre, Hitler donna au président de la Banque du Reich, Hjalmar Schacht, mission de s'arranger pour que l'industrie de l'armement ait à sa disposition, à tout moment, jour et nuit et trois cent soixante-cinq jours par an, suffisamment d'énergie pour tourner à plein régime. Or bien entendu, Schacht avait des amis dans l'industrie lourde, n'est-ce pas ? Lesquels amis furent ravis lorsque le président de la Banque du Reich fit passer en 1935 la loi sur " la priorité de la distribution de l'énergie à l'armement ". Les Mégawatts avaient le droit — ou plutôt le devoir — de produire le maximum de courant électrique. En quantités énormes. Pour la guerre. Nous avons perdu la guerre en 1945 et Hitler s'est donné la mort. Mais la loi de 1935, la loi qui donna aux " grands " le droit de produire du courant et de le vendre à leur guise, cette loi est encore en vigueur de nos jours, dans sa structure !

— Non ? s'exclama Katja indignée.

— Mais si ! affirma Loder. La loi nazie de 1935 est restée la règle de conduite dans tous les Länder de l'Allemagne fédérale. Aujourd'hui encore, le Verbund, ce groupement des huit grands monopolistes de l'électricité, propose les quantités de courant à produire et fixe les prix ! Personne n'ose prendre des mesures pour empêcher cet état de fait. Personne n'empêche les huit grands du Verbund de régler les pertes avec l'argent de leurs clients, autrement dit l'argent des contribuables, et d'empocher intégralement les bénéfices. Que pourraient faire les gens qui ont besoin de

284

courant? Dès qu'ils allument leur commutateur, dès qu'ils branchent une prise de courant, ils dépendent du Verbund. Cette dictature du courant électrique représente un phénomène unique dans le monde occidental.

— Mais c'est un scandale révoltant! s'écria Katja, au comble de l'indignation cette fois.

— Non, madame, répondit Wolf Loder. Ce n'est pas un scandale révoltant. C'est la conception allemande du droit. »

Presque au même moment, Bernd Ekland laissa échapper un gémissement.

« Qu'y a-t-il? fit Katja affolée. Tu as mal? »

Il répondit d'un signe de tête et serra les lèvres.

« Il s'est fait un tour de reins avec la BETA, expliqua-t-elle aux autres. Il y a quelques jours déjà. Et depuis... C'est grave, Bernd? Tu veux que j'appelle un médecin?

— Non, dit Ekland. C'est sans doute à cause de la chaleur. Je ne veux pas gâcher la soirée. Tout est formidable ici, l'amitié, le repas, je vous remercie pour tout, mais je suis obligé de partir maintenant. Il faut que j'aille m'étendre. Ne m'en veuillez pas.

— Mais non, bien sûr, dit Monique Vitran. Pourquoi ne l'avez-vous pas dit plus tôt? Attendez, j'appelle un taxi. »

Dix minutes plus tard, Katja et Bernd roulaient dans une vieille Citroën en direction de la gare de l'Est où se trouvait leur petit hôtel. Le bureau parisien de la télévision de Francfort avait loué des chambres d'hôtel pour Marvin, Isabelle et Gilles. Bernd Ekland préférait les petites pensions toute simples où il se sentait comme chez lui. Et bien entendu, Katja le suivait toujours.

Dans le taxi, il dit à sa compagne :

« Ce n'est pas grave, tu sais, rassure-toi.

— Qu'est-ce qui n'est pas grave?

— Mon bras. Je voulais m'en aller, voilà tout.

— Qu'est-ce qui te dérangeait? Je trouvais la discussion très intéressante, moi!

— Justement, dit-il.

— Quoi, justement?

— Nous y voilà, dit en allemand le chauffeur, un homme d'un certain âge déjà. J'aime l'Allemagne, vous savez. J'ai épousé une Allemande que j'ai ramenée de captivité, Gertrude. Et dès que j'arrêterai de travailler, je file là-bas. Dans la Forêt-

285

Noire... Bon, ça vous fera... Oh! Merci beaucoup, monsieur. Merci. »

Une fois rentrés dans leur chambre, ils poursuivirent en paix la conversation amorcée dans le taxi.

« Alors, que se passe-t-il, Bernd? demanda Katja.

— Ah oui, c'était si intéressant, n'est-ce pas, ce qu'ils racontaient là! Que les lois nazies étaient encore en vigueur.

— Et alors?

— Tout est intéressant dans cette histoire, dit-il sur un ton véhément. Depuis le début. Les propres gardes du corps de Marvin qui descendent sa fille. Chico Mendes qui échappe d'un cheveu à l'attentat. Bolling qui a disparu corps et biens. Dans notre équipe, on ne se fait plus confiance, on se surveille mutuellement... à juste titre sans doute. Et maintenant, cette histoire de lois nazies. Ecoute-moi, Katja, nous, il faut que nous restions en dehors de tout ça. Toute cette affaire sent plus que mauvais. Toi-même, tu as eu ta petite expérience à Altamira, lorsque Bolling a téléphoné à ce Joschka Zinner. Tout ça, je te le dis, ce n'est pas clair. C'est même révoltant! Toi et moi, nous sommes en dehors du coup, ça ne nous concerne pas. Je veux la paix, moi. Pour toi et pour moi. Tu es trop curieuse.

— Ce n'est pas vrai! J'y ai été mêlée tout à fait par hasard!

— Ma foi... Mais maintenant, il faut que tu prennes tes distances, et le plus vite possible. Nous faisons notre boulot; plus tôt nous aurons fini, mieux ça vaudra. Nous sommes mêlés malgré nous à une sale histoire, tu peux me croire. J'ai du flair pour ce genre de choses, tu le sais bien. Je ne tiens pas à crever comme la pauvre Suzanne. Et toi, surtout, je ne veux pas qu'il t'arrive quoi que ce soit, c'est compris? C'est pourquoi, quand ils en sont arrivés aux lois nazies qui restent encore en vigueur en Allemagne, cette Allemagne que le chauffeur de taxi français adore, je me suis dit : " Allez, nous, on file! " Nous ne sommes au courant de rien! C'est notre seule chance d'en sortir sains et saufs. Et ensemble.

— Vraiment, Bernd?

— Quoi, vraiment?

— Tu veux vraiment qu'on reste ensemble? demanda-t-elle avec des sanglots dans la voix.

— Bien sûr! Allez, arrête!

— Oui. Tu sais, si jamais il t'arrive quelque chose, je...

— Ou à toi...

— Oh! Moi, ce n'est pas grave. Mais à toi... Après, je serai toute seule.

« — Et s'il t'arrive quelque chose, à toi ? C'est moi qui serai tout seul.

— Mon Dieu, Bernd, avec cette horrible figure...

— Tais-toi, Katja, je t'aime avec ton acné. Mais attends. Il y a un professeur à Hambourg qui traite et guérit l'acné la plus rétive. Nous irons le trouver et il te guérira.

— J'ai déjà tout essayé.

— Dix à douze séances de rayons spéciaux, trois minutes chacune et tu auras la peau aussi fraîche et aussi lisse qu'Ornella Muti.

— Bernd... Bernd... »

Elle se remit à pleurer. A travers la mince cloison leur parvint une voix d'homme ; il parlait tellement fort que Bernd et Katja comprenaient tout ce qu'il disait. En anglais.

« C'est un Américain. »

« Mon affaire est de premier ordre, M. Mason », dit-il.

Une autre voix lui répondit, également en anglais.

« Votre affaire ne vaut rien, M. Burkett.

— Ah ! Je comprends ! reprit le premier. Si j'étais juif, ou homosexuel, ou gauchiste, ou nègre, tout serait déjà réglé, hein ? Il y a longtemps que je serais célèbre !

— Hier, j'avais ici un écrivain noir. Il m'a dit : Si j'avais la peau blanche, je serais déjà millionnaire...

— Bon. Et les homos ?

— Il y en a qui écrivent très bien, dit M. Mason.

— Genet, par exemple, hein ? dit Burkett.

— Genet, par exemple », approuva Mason.

« Oh, mon Dieu ! murmura Katja. Qu'est-ce qui leur arrive, à ces deux-là ?

— Tais-toi, dit Ekland. Ils lisent une histoire de Bukowski. Chacun son rôle.

— Une histoire de qui ?

— De Charles Bukowski. Tu ne le connais pas, Katja ?

— Non.

— Dommage. C'est un écrivain fantastique. »

« Alors, il faudrait que je me cantonne dans les histoires de léchage de cul ? »

« Mon Dieu, fit Katja horrifiée. Pourquoi disent-ils des choses pareilles ?

— Je ne sais pas. Ils sont fous. Ou ivres. Ou les deux à la fois. »

« Ecoutez-moi, M. Burkett », reprit Mason.

« Ecoute-moi, Bernd, dit Katja à son tour. Je te promets de

rester en dehors de tout. Je ferai ce que tu veux. Mais toi aussi, tu dois faire ce que je veux.

— A savoir ? demanda Ekland en tendant l'oreille vers la chambre voisine.

— Reprenons la cortisone. Trois piqûres de cortisone par semaine... »

« Nous éditons Bukowski, entendirent-ils derrière la cloison. Et Bukowski se vend bien.

— Bukowski, c'est de la merde, dit l'autre.

— Si nous faisons un chiffre d'affaires avec de la merde, vendons de la merde. »

Il y eut un double éclat de rire.

« ... Ou quatre, poursuivit Katja. Comme avant. Je te les ferai, moi. J'en ai encore une grande provision. Le médecin qui a dit d'arrêter la cortisone était un imbécile. Tu allais beaucoup mieux avant. Aujourd'hui, j'ai été obligée de couper ta viande. Tu serais bien incapable de tourner demain. Heureusement nous avons quelques jours de liberté jusqu'à ce qu'ils soient tombés d'accord sur l'énergie solaire. Nous recommencerons les piqûres ce soir-même ! Je t'en prie, Bernd...

— Je ne veux plus de cortisone !

— Même pas quand tout sera fichu ?

— Non !... Ah, et puis... OK, essayons encore une fois. Ça finira peut-être par s'arranger.

— Ah, Bernd ! Que je suis heureuse ! Tu vas voir, tu seras soulagé tout de suite ! »

Elle lui fit une piqûre dans l'épaule ; une légère grimace, c'était déjà fini.

« Ecoute ça, mon vieux, dit Burkett. C'est sensass !

— Bon, lis ! »

Et Mason se mit à lire : « Une pierre tombale pour tout ce gâchis, et au-dessus, une inscription : HUMANITÉ ! TU N'EN AS JAMAIS EU L'ÉTOFFE ! »

6

« C'est bien simple, je ne peux pas me passer de lui, dit Adolf Hitler le 22 avril 1942 pendant le déjeuner. Il est arrogant et impatient. Il ose m'écrire en commençant sa lettre par : *Sehr geehrter Herr Hitler* (littéralement, Très honoré M. Hitler, ce qui est la formule la plus banale, utilisée pour n'importe qui), et il a le toupet de ne pas la terminer par *Heil Hitler!*, ni même par *Mit deutschem Gruss* (avec les salutations allemandes, formule utilisée sous Hitler). Ce gars-là se permet toujours de m'écrire tout simplement : *Mit bestem Gruss, Ihr ergebener, Schacht* (Avec mes meilleures salutations, votre dévoué Schacht). Je vous le jure, c'est la pure vérité ! Oui, mais il a tout de suite compris, par exemple, que, pour lancer un programme allemand d'armement, il fallait plusieurs milliards. Il n'a même pas sourcillé lorsque je lui ai déclaré que j'avais besoin de huit milliards pour la première phase du programme et de douze milliards au moins pour la suite. C'est un homme d'une intelligence exceptionnelle et, pour cette raison, il est tout bonnement irremplaçable. »

Isabelle posa sur la table la bobine intitulée *Conversations de table* de Hitler dont elle avait traduit cet extrait. Le livre provenait de la bibliothèque de Gérard.

Ils étaient encore assis dans la vaste cuisine des Vitran, rue du Cardinal-Dubois. La nuit était tombée. A travers la fenêtre ouverte, on voyait scintiller les millions de lumières de Paris. Isabelle alla rejoindre Monique près de la gazinière.

« Horace Greely Hjalmar Schacht, reprit en allemand Wolf Loder, le physicien expert en énergie solaire, les yeux braqués sur Gilles, est né en 1877 et mort en 1970. Quelle existence ! En 1916, il est directeur de la Banque nationale, dont il réalise la fusion avec la Banque de Darmstadt en 1922. En 1923, par une combine géniale, il arrive à stopper l'inflation galopante en Allemagne. »

« Il écoute Loder, mais il ne le regarde pas, dit Monique à Isabelle tout en préparant le café. Il n'a d'yeux que pour toi.

— Hum.

— Je t'assure !

— Hum.

— Il me plaît, à moi. Les tasses sont dans le buffet, en bas à droite. Il me plaît beaucoup. Il est intelligent, il a un visage qui respire la bonté.

— Hum.

— Il est très sympathique. Quel âge a-t-il ?

— Et le lait ?

— Dans le réfrigérateur. Il t'adore, ça se voit tout de suite.

— Hum.

— Ah ! Ne joue donc pas la comédie ! Toi aussi, tu l'aimes !

— Où est le sucre ? »

« Il est resté président de la Banque du Reich de 1924 à 1939, poursuivit Loder, et de 1934 à 1937, il a occupé en même temps le poste de ministre de l'Economie. Il a eu d'autres combines géniales pour apporter des devises au gouvernement nazi. Il a financé Hitler, qu'il méprisait, et la Deuxième Guerre mondiale. Il est toujours resté fidèle à ses amis, les gros industriels. Il les a placés en ligne derrière Hitler. Schacht aurait dit, paraît-il, qu'au fond, en ce qui concerne l'industrie, peu importe qui croit avoir le véritable pouvoir — les casques ou les hauts-de-forme. Mais on devrait avoir le tact d'exprimer sa sympathie aux uns ou aux autres. »

Gilles se mit à rire.

« Il paraît encore assez jeune quand il rit, murmura Monique à l'oreille d'Isabelle. Vous riez beaucoup ensemble, hein ?

— Hum. »

« Lorsque, plus tard, Schacht essaya de freiner l'inflation menaçante par un volume croissant de crédits de guerre, il n'arriva pas à convaincre Hitler, dit encore Loder. A partir de là, il s'opposa au Führer, et en 1944, Hitler l'expédia dans un camp de concentration. Au procès de Nuremberg, le banquier fut acquitté " pour son attitude oppositionnelle ". Acquitté ! A partir de 1953, il fut copropriétaire d'une banque privée de Düsseldorf. Bref... Il n'empêche que le 13 décembre 1935, Hitler signa la loi sur l'économie de l'énergie, mitonnée avec une habileté extraordinaire par Schacht. Son créateur l'a tellement bien réussie qu'elle survécut à la guerre, à la capitulation, à la reconstruction, au miracle économique et à la mort des forêts.

— Isabelle, chérie ! appela Vitran.

— Oui ?

— Laisse Monique préparer le café toute seule et viens traduire pour moi. Je ne comprends qu'un mot sur dix. »

Elle revint s'asseoir à côté de Philip Gilles et lui sourit.

« Allez, vous pouvez continuer maintenant, dit Vitran. Au début, les nazis, M. Gilles, ont été furieux de cette loi qui transmettait pratiquement le pouvoir tout entier aux trusts de l'énergie, et ils voulaient l'annuler ; mais contre un homme comme Schacht, ils n'avaient aucune chance. Hitler, quant à lui, n'a jamais compris qu'il avait été roulé, que Schacht avait rédigé cette loi *pour* ses amis, les gros industriels — l'industrie de l'énergie électrique cette fois. Il a été assez malin pour inclure dans les paragraphes trois et quatre une clause qui ressemblait à un contrôle de l'Etat sur l'économie de l'énergie. »

Vitran ouvrit un autre livre de sa bibliothèque et le tendit à Isabelle. Il avait pour titre *Der Stromstadt* (L'Etat-Courant) et pour auteur Günther Karweina[24].

290

« D'après Karweina... Je suis obligée de résumer, car ses explications sont très longues et très compliquées, déclara Isabelle après avoir lu tout bas la première page et poussé un long soupir. D'après lui donc, cette loi a été édictée afin de faire de l'économie énergétique le principe essentiel de la vie sociale et économique, de favoriser les formes d'énergie qui respectent l'intérêt général de la population, de garantir le bien public dans les problèmes de distribution d'énergie, d'empêcher les incidences économiques nocives de la concurrence, de favoriser l'équilibre nécessaire par une économie de groupement d'intérêts et, grâce à tous ces éléments, d'organiser la distribution de l'énergie d'une façon sûre et aussi peu chère que possible. Pouah ! Ce n'est pas simple ! La nouveauté dans cette loi, poursuivit-elle après avoir repris son souffle — Gilles lui jeta un regard de compassion —, c'est que toute l'économie énergétique de l'Allemagne d'alors était soumise au contrôle du ministre de l'Economie du Reich. Or, auparavant, toutes les tentatives de règlement unique et homogène de la question avaient échoué devant l'opposition des Länder. Mais l'élément déterminant était évidemment de voir *comment* ce contrôle de l'Etat allait s'effectuer. Ainsi le paragraphe trois stipule que les compagnies de distribution d'électricité étaient tenues de donner au ministre de l'Economie tous les renseignements concernant leur situation technique et économique, chaque fois qu'il le réclamait. Avant de rénover une centrale, de l'agrandir, d'en arrêter le fonctionnement, ou avant d'en construire une neuve, elles devaient soumettre leurs projets au ministère qui pouvait les accepter, les contester ou les refuser si des raisons de salut public l'exigeaient.

— Oui, mais cela signifie donc..., commença Gilles.

— Attends ! coupa Isabelle. Ces obligations d'information, liées à la surveillance des investissements, selon le paragraphe quatre, écrit Karweina, auraient donné à l'Etat la possibilité d'intervenir dans le processus de répartition de l'énergie, en y imprimant sa marque propre. Or c'était justement ce que voulait empêcher Schacht. Dans la note officielle donnant " les motivations de cette loi ", on peut donc lire ceci : " La loi part du principe que les entreprises de production et les compagnies de distribution d'énergie ont en premier lieu vocation à résoudre leurs problèmes par leurs propres moyens... "

— Ah ! Vous voyez ! s'écria Vitran. Ce Schacht était vraiment génial !

— Le ministre de l'Economie du Reich, poursuivit Isabelle,

veut se limiter par principe à n'intervenir que là où l'entreprise elle-même n'est pas capable de maîtriser sa tâche. C'est pourquoi la construction de toutes les installations productrices d'énergie ne sont pas soumises à une autorisation préalable, mais seulement sous réserve du droit de veto. La préparation des mesures nécessaires doit être assurée autant que possible par l'entreprise elle-même. D'après l'esprit et la lettre de cette déclaration, écrit Karweina, Schacht transmet les attributions émanant des paragraphes trois et quatre au groupe national Economie énergétique...

— Constitué uniquement de membres du Verbund, précisa Vitran. En d'autres termes : tout le contrôle se trouvait entre les mains des représentants de l'industrie énergétique.

— C'est exactement ce qu'écrit ici Karweina, confirma Isabelle. Cette loi a été signée par le Führer et le chancelier du Reich, par les ministres de l'Economie et de l'Intérieur, et également par le ministre et généralissime des Armées. Il s'agit en fin de compte de l'application de la distribution d'énergie en Allemagne. »

« Voilà le café ! s'exclama Monique. Chacun en prend la quantité qu'il veut, il y en a beaucoup, et du fort, messieursdames ! »

Elle posa un grand plateau sur la table. Isabelle se leva pour l'aider à faire le service et Vitran alla chercher une bouteille de cognac et des verres ballon.

Une fois que chacun eut repris sa place, Philip Gilles murmura à l'oreille de sa voisine :

« Le héros de mon roman, tu sais, l'homme que nous avons inventé, toi et moi, serait très fier de la femme que nous avons aussi inventée et qu'il aime. Elle est intelligente et se révèle une interprète hors pair, sans rien perdre de son charme et de sa grâce juvénile. Malheureusement, il n'y a que dans son travail qu'elle est entièrement libre et décontractée.

— Voyons, Philip ! Il s'agit du monopole de l'énergie électrique !

— Je suis sans cesse distrait par le courant qui émane de la femme de mon roman.

— Tais-toi !

— Alors, pas de séance de travail pré-répétition avant ce soir ?

— La situation est beaucoup trop grave », murmura Isabelle pour clore le chapitre de l'intimité.

« Le Verbund, poursuivit Loder et Isabelle reprit instantanément sa fonction de traductrice, avait donc gagné sur toute la ligne contre Hitler, comme auparavant contre la République de Weimar, et encore avant contre l'empereur. C'était le paradis sur terre. Jusqu'en 1939, le Verbund atteignit un surcroît de production électrique de plus de cent soixante-trois pour cent. Vous imaginez, je pense, ce que cela représentait comme bénéfice à l'époque !

— Quelle est au juste la genèse de ce fameux Verbund ?

— Dans cette affaire, il y avait deux autres génies, répondit Wolf Loder. L'un s'appelait Hugo Stinnes. Alors qu'il était jeune chef d'entreprise et propriétaire d'une exploitation de houillères, il apprit incidemment en 1898 qu'une centrale électrique allait être construite à Essen. Après avoir pris des informations, il déclara à ses collaborateurs : " On peut vendre aussi du charbon par fils. "

— Ce jeune homme de vingt-huit ans à l'époque, ajouta Vitran, avait déjà parfaitement saisi l'orientation de la technologie et compris que les générateurs de production d'électricité étaient propulsés par des machines à vapeur, lesquelles utilisaient d'énormes quantités de charbon. Pour les propriétaires d'exploitation de houillères, les centrales électriques devenaient donc les meilleurs débouchés permanents, n'est-ce pas ? Ce jeune homme trouva aussi le moyen de faire sa grande affaire sans violer le contrat d'après lequel le charbon ne pouvait être vendu que par l'intermédiaire du syndicat. Il ne vendit pas de charbon à la centrale électrique construite en bordure de son puits « Victoria Mathias », mais de la vapeur à bon marché en provenance de la chaufferie de la mine. C'est ainsi que cette compagnie, la Centrale électrique Rhin-Westphalie, put produire du courant notablement meilleur marché que toutes les autres, dès le début de sa mise en fonction.

— Chapeau ! conclut Isabelle.

— Les gens de la Centrale étaient tellement ravis de ce Stinnes, poursuivit Vitran, qu'ils l'élurent en 1898 dans leur conseil d'administration, bien qu'il ne possédât pas la moindre action sur cette compagnie. Stinnes commença dès le début à prendre une grande influence dans la compagnie, et lorsque, au printemps 1902, éclata une crise dans l'industrie électrique, il exploita sa chance. En collaboration avec son associé, August Thyssen, le roi de l'acier, âgé de vingt-huit ans, il acheta quatre-vingt-six pour cent des actions de la Centrale, prit la présidence du conseil d'administration et ne la lâcha plus jusqu'à sa mort.

— On ne peut pas imaginer deux personnalités plus antinomiques que ces deux hommes originaires de Mühleim-sur-la-Ruhr, dit Loder. Hugo Stinnes : protestant prude et rigoureux, père de famille attentionné pour sa femme et ses sept enfants. August Thyssen : catholique divorcé, petit de taille : un mètre cinquante-quatre seulement, brouillé avec ses fils, amateur de femmes vigoureuses et de plaisanteries gauloises. Mais aussi grotesque que pouvait paraître le couple lorsque les deux hommes se présentaient ensemble, dans l'esprit de Schacht, ils étaient des frères jumeaux, totalement identiques en tant que banquiers, industriels, techniciens de pointe, bâtisseurs de konzerns, tout aussi acrobates de la finance et travailleurs acharnés l'un que l'autre. Ainsi par exemple, voici le genre de note que Thyssen envoyait à ses directeurs : " Je prie ces messieurs d'apporter quelques sandwiches à la réunion, afin que nous ne perdions pas de temps à déjeuner. "

— Thyssen et Stinnes, poursuivit Vitran, avaient fait de leur Verbund une affaire gigantesque lorsque éclata la Première Guerre mondiale. Dans l'entourage du Kaiser, on essaya par tous les moyens de leur arracher leur puissance — mais en vain. Après la guerre aussi, durant la République de Weimar, on essaya de tout faire pour limiter leur influence, mais en vain. Lorsqu'ils arrivèrent au pouvoir, les nazis essayèrent à leur tour de disloquer ce Verbund tout-puissant — toujours sans succès, et en grande partie grâce à Schacht. En 1945, le Verbund était plus riche et plus puissant que jamais auparavant. Les amiraux et les généraux de Hitler, battus, capitulèrent, lui-même avait vécu jusqu'à la dernière minute bien à l'abri dans son bunker, après avoir envoyé des enfants de quatorze ans sur les champs de bataille, et s'était soustrait aux responsabilités en se donnant la mort. Le reste des Allemands fut bien obligé de payer — la grande majorité qui avait cru en lui jusqu'au bout, et les quelques adversaires qui lui avaient survécu.

— Et avec eux, ajouta Loder lorsque Isabelle se tut, ont survécu jusqu'à aujourd'hui le Verbund et la loi nazie de 1935, grâce à laquelle ce Verbund précisément a pratiquement tous les droits et tous les pouvoirs dans l'Allemagne contemporaine.

— Grâce à cette loi, conclut Vitran, les huit grands proposent la manière dont le courant électrique est produit et vendu dans la République fédérale, et en fixent la quantité et le prix. Ils empoisonnent l'environnement. Personne ne les contrôle sérieusement. Ils considèrent comme tout à fait normal que les pertes soient supportées par leurs clients ou par les contribuables ; quant aux bénéfices, ils les empochent jusqu'au dernier pfennig. Et personne n'a jamais osé briser la puissance et le pouvoir du Verbund.

7

« Elle est morte », déclara le docteur Heinrich Brelo.

Il leva le bras de la femme étendue sur le lit et le laissa retomber.

« Vous le voyez, n'est-ce pas ? Elle est morte.

— Nous le voyons, oui, docteur, répondit le commissaire principal, Robert Dornhelm.

— Et pas la moindre indication sur la cause de sa mort, ajouta Brelo. C'est la raison pour laquelle je vous ai appelé.

— Vous avez fort bien agi, docteur, merci beaucoup.

— Il est possible que Katharina Engelbrecht ait été assassinée, reprit le médecin. Son mari l'a été, lui, au cyanure.

— C'est exact, confirma Dornhelm, impassible.

— Katharina Engelbrecht n'a pas été empoisonnée au cyanure. Ça se sentirait, n'est-ce pas, M. Dornhelm ?

— Oui. — Et, d'un air rêveur, il ajouta : Il y a tant de manières de tuer un être humain...

— Vous avez bientôt fini avec tous ces bavardages ? intervint Elmar Ritt, le procureur de la République, furieux. Katharina Engelbrecht a eu une grave crise de nerfs après l'assassinat de son mari et a été admise le 28 août dans un hôpital psychiatrique. On lui a fait subir une cure de sommeil profond, dont elle s'éveilla mardi dernier, le 6 septembre, si j'en crois sa fiche de maladie. Puis on lui a fait un check-up, d'après lequel elle était en parfait état de santé ; elle s'est en effet vite remise du choc qu'elle avait subi. Aujourd'hui même, le 13 septembre, docteur Brelo, vous faites votre visite habituelle, vers dix-neuf heures, et la trouvez morte dans son lit. C'est bien cela ? A vous maintenant de décider : s'agit-il d'une " mort naturelle " ou d'une " mort non naturelle " ? Dans le deuxième cas, vous appelez la police judiciaire. C'est ce que vous avez fait, rien à dire. Comment est-il possible, nom de Dieu, qu'un homme soit assassiné dans sa cellule de prison, et, quelques jours plus tard, son épouse aussi, dans sa chambre d'hôpital, dûment gardée qui plus est ? Car tu as bien donné l'ordre de la surveiller ? cria-t-il à l'adresse de Dornhelm.

— Allons bon, voilà que ça recommence ! gémit le commissaire principal.

« — Quoi ? Qu'est-ce qui recommence ?

— Toi ! Une fois de plus, tu t'énerves ! Je n'arrête pas de le dire. Et par une chaleur pareille ! Tu transpires comme une vache, mon petit. Tu ne feras pas de vieux os si tu continues ainsi. Prends donc modèle sur moi, je ne transpire même pas, moi, je garde mon calme.

— Bon, ça va, j'ai compris. »

Il fit un effort pour se maîtriser ; la sueur lui dégoulinait sur le front et les joues en petites rigoles serrées.

« Le gardien en faction devant la porte, reprit-il en se tournant vers le médecin, m'a dit que Mme Engelbrecht avait reçu cet après-midi la visite de son frère. Un certain M. Charles Wander, qui vit à New York et a fait exprès le voyage pour voir sa sœur. Il a produit un passeport américain en règle et une lettre du parquet portant ma signature, disant que je l'autorisais à rendre visite à sa sœur.

— C'est exact, confirma le docteur Brelo.

— Comment le savez-vous ? demanda Ritt.

— Parce que j'ai rencontré ce monsieur et qu'il m'a montré son autorisation, monsieur le procureur. Nous avons bavardé quelques instants ; il voulait savoir combien de temps sa sœur resterait encore ici. Pour l'emmener avec lui aux Etats-Unis à sa sortie d'hôpital. Un homme très sympathique d'ailleurs. Je suppose que vous le connaissez puisqu'il avait une lettre signée de vous.

— Eh bien, déclara Ritt, figurez-vous que je n'ai jamais vu cet homme. Il n'est pas venu me voir et je n'ai pas signé d'autorisation au nom de M. Charles Wander.

— Quoi ? s'exclama Brelo en écarquillant les yeux.

— Non, je ne l'ai jamais vu, répéta le procureur.

— Mais le fonctionnaire affirme que c'était un formulaire officiel portant ta signature, intervint Dornhelm. Il la connaît bien.

— C'était un faux.

— Et le formulaire ?

— Volé sans doute.

— C'est un peu beaucoup pour un seul homme, commenta Dornhelm.

— Ça, on peut le dire ! répliqua Ritt. Toute cette histoire baigne dans l' " un peu beaucoup " ! Comment était-il, cet homme qui s'est fait passer pour le frère de Mme Engelbrecht, docteur ? »

Brelo hésita.

« Comment il était...

296

— Oui. Vous lui avez parlé, il était vieux ou jeune ? Gros ou maigre ? Chauve ? Avec une barbe ? »

Le docteur Brelo fit la grimace ; il était vexé.

« Vous n'avez aucune raison de déverser votre colère sur moi, monsieur le procureur. J'ai fait ce que j'avais à faire et je ne pense pas que...

— Oui, oui, vous avez très bien réagi. Comment était cet homme ? Quelle allure avait-il ? Son aspect physique ?

— Ma foi, il avait... trente-cinq ou quarante ans... Sa taille ? Environ un mètre soixante-quinze, il était plutôt maigre. Des cheveux noirs coupés très court. Il avait un air assez timide, parlait à voix basse. Ah oui, ses doigts...

— Qu'est-ce qu'ils avaient, ses doigts ?

— Ils étaient jaunes, ils paraissaient brûlés par des acides ou des alcalins... Il a remarqué que je regardais ses mains... et m'a dit qu'il était chimiste. »

Dans le bureau de Vitran, Markus Marvin téléphonait au procureur de la République, Elmar Ritt, à qui il avait donné le numéro de Gérard en guise de référence. A l'étage du dessus, dans la grande cuisine, Gilles dit au professeur Wolf Loder :

« Comment se peut-il qu'une loi nazie de 1935 soit encore en vigueur en Allemagne fédérale actuellement ?

— Tout d'abord, répondit Loder, les bombardements aériens des Alliés, pendant la guerre, n'ont pas eu beaucoup d'effet sur l'industrie, même sur l'industrie de l'armement ; vous le saviez sans doute. Dix pour cent seulement des machines et des usines ont été entièrement détruites, tout le reste a pu être rapidement réparé. L'industrie de l'électricité est même sortie plus forte de la guerre qu'elle n'y était entrée à l'époque nazie. En 1947, elle avait déjà retrouvé son niveau de 1942. Les restrictions étaient dues aux circonstances de l'époque. D'abord, il a fallu livrer à la France et au Benelux d'énormes quantités de courant. Le charbon tenait la première place dans la liste des réparations de guerre à fournir aux Alliés. Mais cela ne parvint pas à ternir la bonne humeur du Verbund allemand. Dès octobre 1945, les membres du conseil d'administration de la Centrale électrique Rhin-Westphalie se réunirent au restaurant Ruhrstein, loin de la zone en ruine, pour élire un nouveau président. L'un des anciens membres possédait la voix suprême : Konrad Adenauer. Il fit élire un de ses bons amis, Wilhelm Wehrhahn, le patriarche du clan Wehrhahn.

— Je pensais que c'était le banquier Abs, dit Vitran.

— Abs n'est arrivé qu'en 1957 à ce poste, expliqua Loder. Mais il faisait déjà partie de la clique en 1945. Ainsi que Ernst Henke, un ancien nazi. Et un troisième homme, Heinrich Schöller. Henke et Schöller s'arrangèrent pour que la structure de la loi de 1935 garde son caractère impératif.

— Mais comment cela ? s'exclama Gilles. Comment ?

— Ah ! C'est une question d'histoire, voyez-vous. A cette époque-là, en 1945, alors que, de l'avis unanime, le Reich n'existait plus, ces messieurs eurent l'audace de dire ceci : Le Reich existe encore, bien qu'il n'ait plus d'exécutif, de sorte que la législation du Reich reste encore en vigueur, et en particulier les lois qui régissent la production et la distribution de l'énergie... Personne ne protesta ! Pas un seul des hauts commissaires alliés ne trouva à redire à cette déclaration ! Vous vous rendez compte ! — Loder releva les yeux. — Evidemment, à l'époque, il n'y avait pas de gouvernement fédéral. Il n'y eut que des gouvernements militaires, et ceux-ci avaient expressément déclaré qu'ils voulaient laisser à un gouvernement central ouest-allemand le soin de régler toutes les questions de législation et les éventuels problèmes de socialisation. Donc le Verbund était tranquille au début, il pouvait dormir sur ses deux oreilles. Et plus tard aussi, après 1948, tous les experts et les juristes libéraux furent conquis par l'argumentation extrêmement ingénieuse et rusée de Henke et de Schöller, sur la socialisation et la nationalisation. Günther Karweina en donne d'ailleurs une description très précise dans son ouvrage *Der Stromstadt* [25]. Ils réussirent à démontrer que le socialisme était assimilé à la fois à la gestion capitaliste de la production et à la protection du consommateur, avec un tel brio que ces messieurs furent convaincus, et séduits. Que la socialisation veuille surtout et en premier lieu prendre au capital le pouvoir sur les moyens de production, cela, Henke et Schöller se gardèrent bien d'en parler. A quoi bon d'ailleurs ? Eux et leurs amis le savaient fort bien. — Loder se mit à rire d'un air furieux. — Les membres du Verbund ont mijoté aussi quelque chose de particulièrement subtil. Le Troisième Reich n'existait plus, n'est-ce pas ? Donc le Verbund n'avait plus à faire qu'aux Länder et aux communes. Les articles trois et quatre de la loi de 1935, ces articles souples et maniables comme du caoutchouc, conservèrent leur validité. Sous les nazis, il n'y avait jamais eu de difficultés à ce sujet. Et après, pas davantage. Dans sa magnanimité infinie, le Verbund laissa même aux communes la majorité des voix pour que, en contrepartie, elles lui abandonnent l'autonomie de leurs

298

centrales électriques. En outre, le Verbund verse tous les ans aux Länder des sommes fabuleuses, tirées de leurs bénéfices monstres, avec lesquelles ceux-ci peuvent couvrir leurs pertes dans d'autres domaines — par exemple dans le domaine des transports en commun locaux. Le Verbund proposa également la nomination de représentants des communes dans les fameux comités consultatifs, qui, naturellement, étaient grassement rétribués. Ainsi gagnait-il sur toute la ligne. Il finit par former une sorte de cartel d'où toute concurrence était exclue, et garda le monopole sur la production, le transport et la distribution de l'énergie électrique. Voilà comment la loi nazie de 1935 demeura en vigueur. C'est tout simple au fond !

— Mais les communes disposent de la majorité des voix..., dit Isabelle, interrompant pour un instant sa fonction d'interprète.

— Oui, confirma Loder.

— Alors, elles et l'Etat ont donc des possibilités de contrôle, en cas de discussions acharnées.

— Oui, en effet, répondit Loder. Par exemple, sur la surveillance des tarifs. Ainsi, les augmentations de tarifs dans le Land Rhin-Westphalie, donc dans la région qui abritait la Centrale électrique Rhin-Westphalie, doivent être étudiées et autorisées par le ministre de l'Economie de Düsseldorf. C'est lui qui doit décider de leur justification.

— Ah ! Nous y voilà ! s'écria Gilles.

— Oui, nous y voilà, répéta Loder avec un sourire grimaçant. Alors, imaginez un peu que, en Westphalie par exemple, à cause de contrôles rigoureux des tarifs, la somme encaissée par le Verbund diminue...

— Oui, et alors ? insista Gilles.

— Alors ? Que va-t-il se passer ?

— Ma foi...

— Alors, dit Loder, les paiements de licence aux communes diminuent également. Pensez-vous que les communes seraient d'accord ? Est-ce que cela les arrangerait ? Bien au contraire ! Voilà pourquoi il n'y a encore jamais eu une diminution de tarifs du courant électrique. »

A l'étage au-dessous, dans le bureau de Gérard Vitran, Markus Marvin était toujours en communication téléphonique avec le procureur de la République, Elmar Ritt.

Le 15 septembre en fin d'après-midi, le surlendemain de la mort de Katharina Engelbrecht, le procureur Elmar Ritt et un Américain du nom de Walter Coldwell attendaient dans le bureau du commissaire principal, Robert Dornhelm. Ils attendaient le retour du chef de la police judiciaire, et le résultat de l'autopsie. Ritt avait ordonné l'examen du corps par les pathologistes de l'Institut médico-légal et lancé une opération de recherches sur la personne de Peter Bolling, soupçonné d'assassinat. Une photo récente du chimiste et une description détaillée avaient été envoyées par télécopie depuis vingt heures déjà à tous les aéroports et les ports maritimes, les commissariats de police et les postes de douane, non seulement dans la République fédérale, mais dans le monde entier, par l'intermédiaire d'Interpol Paris. Les fonctionnaires de la PJ avaient obtenu la photo par l'intermédiaire de Valérie Roth, à Lübeck, qu'ils avaient également interrogée, mais sans résultat. D'après les déclarations de Dornhelm et de Ritt, le docteur Roth était restée complètement abasourdie quand on lui avait appris la raison pour laquelle Bolling était recherché ; elle n'avait fait que répéter qu'il s'agissait sûrement d'une erreur monstrueuse et d'une mise en scène. A vrai dire, précisa Valérie Roth, Bolling avait disparu le 4 septembre à Altamira, dans la forêt brésilienne, le jour de l'assassinat de Suzanne Marvin. L'équipe avait craint à ce moment-là qu'il ait été victime d'un accident.

Il faisait lourd dans le bureau de Dornhelm, prémices d'un gros orage. Le ciel était sans cesse zébré d'éclairs, le tonnerre grondait sourdement au loin. Il ne pleuvait pas encore. Ce genre d'orages était fréquent ces jours-là, ils n'apportaient pas le moindre rafraîchissement.

L'Américain du nom de Walter Coldwell avait une cinquantaine d'années ; il était de taille moyenne, gros et gras et d'une laideur repoussante. Vêtu avec une élégance raffinée, il n'en paraissait que plus grotesque et donnait une impression permanente de tristesse incurable.

Ses parents étaient originaires d'Allemagne. Le fils, qui, évidemment, parlait allemand couramment et sans accent, avait changé son nom de Kaltbrunn en Coldwell lorsque, vingt-cinq ans auparavant, il était entré au service de la National Security Agency, pour le compte de laquelle il travaillait exclusivement en République fédérale d'Allemagne.

La NSA était le service secret le plus moderne et le plus efficace d'Amérique. Elle jouissait de pouvoirs spéciaux de la part des Alliés et bénéficiait d'une protection constante aux Etats-Unis et dans la majeure partie du monde occidental, grâce à des lois spéciales. Ses locaux étaient entourés de fils de fer barbelés

300

ponctués de caméras et de boucliers électroniques, et gardés en permanence par des forces de sécurité prêtes à tirer. Avec le temps, la NSA était devenue une organisation gigantesque qui opérait à son gré dans un vide politique absolu — scandale qui avait ses ramifications sur toute la planète, connu aussi bien des hommes politiques que des économistes.

Jamais auparavant dans l'histoire de l'humanité, aucune puissance au monde n'avait réalisé une structure tentaculaire comparable à celle-là : un réseau d'espionnage réparti sur tous les points du globe. Les dix mille oreilles de la NSA enregistraient tout sur bande magnétique [26], les questions que débattaient les présidents ou les ministres dans des séances restreintes et ce qui se disait dans les maisons royales ou aux étages des présidents ; et si des généraux venaient à s'enivrer ou des ambassadeurs à se faufiler dans un bordel, la NSA était souvent la première à le savoir. Les Etats-Unis dépensaient plusieurs milliards de dollars par an pour « entretenir le système d'espionnage le plus subtil et le plus efficace que le monde ait jamais connu », selon les termes qu'utilisa un jour l'ancien ministre de la Défense, Harold Brown, pour définir les dimensions de cet appareil.

Ritt et Coldwell, accablés par le temps lourd, avaient ôté veston et cravate ; ils se taisaient et suivaient d'un œil morne la progression de l'orage.

Finalement, le procureur demanda :

« Vous êtes certain de ce que vous avancez là ?

— Absolument certain, répondit Coldwell. Je vous le dis, vous tenez votre homme.

— Je ne peux pas y croire.

— Attendez d'entendre les bandes magnétiques. Vous tenez votre homme, je vous le répète, il n'y a plus qu'à le pincer !

— Tout de même, Marvin, justement lui... »

Coldwell haussa les épaules d'un air las. L'orage se rapprochait à vive allure, mais il ne pleuvait toujours pas.

« Et pourquoi pas lui, justement ? Un physicien hors pair ! Qui a passé tant d'années à la commission de surveillance atomique du ministère de l'Environnement de la Hesse !

— D'où il a été chassé !

— Non, c'est faux. C'est Marvin qui a tout fait pour en être chassé, si je puis me permettre de vous le rappeler. Vous croyez que nous l'avons dans notre colimateur seulement depuis qu'il est allé au Brésil ? Voilà des années que son téléphone est sur table d'écoute ! Vous avez peur de l'orage ?

— Non. Et vous ? »

On commençait à entendre tonner au-dessus de la ville.

« Moi ? Terriblement peur. Depuis ma plus tendre enfance. C'est idiot, je le sais, mais qu'y faire ? Je vous jure que vous tenez le bon numéro !

— Ce serait un scandale monumental, dit Ritt.

— Mon Dieu..., fit Coldwell d'un air rêveur.

— Quoi, mon Dieu ?

— Il y a tant de scandales monumentaux chez vous ! Et pas seulement chez vous d'ailleurs. Partout. Marvin trempe dans l'un d'eux, voilà tout.

— Vous disiez que, dans cette affaire, la NSA travaille main dans la main avec la CIA ?

— Oui.

— Outre Engelbrecht, le trafiquant d'armes, Mohnhaupt l'innocent a été tué... car lui, il est bien innocent, n'est-ce pas ?

— Oui.

— Il est bien mort à la place de Marvin, par le plus grand des hasards ?

— Oui.

— Et vous acceptez de tels risques ? Vous vous en accommodez ?

— Oui, répondit Coldwell sur un ton laconique, pour la quatrième fois.

— Vous ne me paraissez pas avoir une sensibilité à fleur de peau, hein ?

— Bonn a-t-elle fait preuve de sensibilité lorsqu'elle a violé les contrats et les lois... ce qui vous permet de pincer votre homme aujourd'hui ?

— Et si Marvin n'avait rien à voir avec toutes les saloperies de ce trafiquant d'armes ? »

Coldwell ferma les yeux et tourna son fauteuil de manière à n'être pas obligé de voir la fenêtre sans cesse illuminée par des éclairs aveuglants.

« Vous savez, il suffit d'écouter ce qu'ils se disaient, tous les deux.

— Et qu'en avez-vous conclu ?

— Rien. C'est à peine s'ils se sont parlé.

— Bravo !

— Faites un effort à la fin ! Ils étaient bien trop malins. Ils avaient déjà entendu parler de nous !

— Alors pourquoi vous attendiez-vous à ce qu'ils parlent

ensemble de sujets pouvant vous intéresser ? C'était idiot de votre part !

— On ne peut pas dire ça, M. Ritt. Les hommes sont... imprévisibles ; on ne peut pas toujours prévoir leurs réactions. Vous parliez de sensibilité à fleur de peau... Vous trouvez qu'il est bon de prendre des pincettes avec des salauds de l'espèce de cet Engelbrecht ? Lui, il était plongé jusqu'au cou dans cette affaire, nous le savions. C'est pourquoi nous avons plus de preuves qu'il ne nous en faut !

— Pour Marvin, en revanche, vous n'en avez aucune.

— Pas assez, disons, riposta Coldwell. Pas encore assez, corrigea-t-il aussitôt. Il y a tout de même les conversations téléphoniques, hein ? Et les discussions. Et enfin, Marvin est lié d'amitié avec Bolling.

— Ce qui ne prouve rien, protesta Ritt. Absolument rien.

— On verra bien.

— Pour en revenir à votre " sensibilité à fleur de peau ", reprit Ritt, c'est donc la CIA et la NSA qui ont donné l'ordre aux autorités allemandes de me dessaisir du dossier Hansen / Marvin pendant quelques jours ?

— Bien sûr ! » répondit Coldwell.

Au même moment, un éclair fulgurant illumina le bureau et presque aussitôt un coup de tonnerre strident déchira l'air. Des trombes d'eau se mirent enfin à tomber du ciel couleur d'encre.

La porte vola, et Robert Dornhelm entra dans la pièce. Il était vêtu comme toujours, avec une correction parfaite, ne paraissait pas souffrir de cette chaleur étouffante quasi insupportable, et portait un mince dossier sous le bras.

« Je regrette de vous avoir fait attendre, dit-il. Je viens directement de la morgue. Le professeur Willbrandt a travaillé aussi vite qu'il le pouvait. Embolie pulmonaire.

— Quoi ? » fit Coldwell en relevant les yeux.

Le patron de la PJ se laissa tomber dans le fauteuil, devant sa table de travail.

« Katharina Engelbrecht a succombé à une embolie pulmonaire. — Il sortit de son dossier deux feuilles de papier tapées à la machine et une série de photographies agrandies. — Willbrandt a repéré la trace d'une piqûre à injection dans la veine du bras droit de la victime. — Il montra une photo. — Ce devait être une grosse aiguille, dit-il. La femme a reçu un bon volume d'air. — Tout en parlant, il feuilleta des papiers, remua des photos et leva la voix pour dominer le fracas de la pluie contre les vitres et le bruit assourdissant du tonnerre. — La bulle d'air est parvenue jusque dans les poumons par le système circulatoire. Tenez, ici ! Puis l'air s'est répandu dans les innombrables petits vaisseaux. On distingue très nettement le trajet, grâce à la différence de coloration. Willbrandt a préparé des coupes. Vous remarquez la coloration ? C'est ahurissant, hein ? On voit tout de suite que le volume d'air était important.

— Oui, dit Ritt. A-t-on trouvé des traces de lutte ? S'est-elle défendue ?

— Non. Elle ne pouvait pas se défendre, elle a été endormie auparavant à l'éther. Willbrandt a trouvé des traces d'éther dans le pharynx. Peu d'ailleurs ; elle n'a pas été endormie profondément. Mais après l'injection, tout est allé très vite. Dix secondes au maximum, a précisé Willbrandt. Et elle a rendu l'âme.

— Pourquoi l'a-t-on tuée ? demanda Ritt.

— Pour lui clouer le bec, bien sûr, répondit Coldwell.

— A quel sujet ? demanda Dornhelm à son tour.

— Au sujet de votre homme.

— Et si elle n'avait rien à en dire ? reprit Ritt.

— C'est stupide, voyons ! protesta Coldwell. Nous serons bientôt fixés. Vous avez un accord avec ce Marvin, n'est-ce pas ? Il doit se tenir à votre disposition dès que vous avez besoin de lui ?

— Oui.

— Bon, eh bien, appelez-le immédiatement, conclut Coldwell. Dites-lui de venir ici le plus rapidement possible. »

Les éclairs se succédaient presque sans interruption, tout comme les coups de tonnerre ; à présent, il pleuvait à verse. Tout en cherchant dans son carnet d'adresses le numéro de téléphone de Gérard Vitran, Ritt se disait que deux hommes au moins transpiraient dans ce bureau malsain en accomplissant leur tâche professionnelle parce qu'ils voulaient que règne la justice et non l'injustice. Ou du moins plus de justice et moins d'injustice. Ritt se rappela ce que Miriam Goldstein lui avait dit, quelques jours auparavant : elle avait lu dans un livre ancien que le monde reposait sur trois vertus principales, et que la première citée était la justice. Mais, se dit Elmar Ritt accablé soudain par une crise de découragement, le Talmud est-il vraiment un livre *très* ancien ?

Pendant que Markus Marvin prolongeait sa conversation téléphonique avec le procureur Ritt, la discussion se poursuivait dans la cuisine des Vitran.

« Nous en arrivons maintenant à ce dont je veux absolument vous entretenir : le gaspillage monstrueux d'énergie, dit Wolf Loder. L'électricité n'est pas stockable, il faut donc trouver sans cesse de nouvelles possibilités d'utilisation. C'est justement ce qu'a fait le Verbund pendant longtemps, et avec succès. Songez à l'essor du chauffage électrique par exemple ! Au courant électrique à prix réduit pour l'industrie ! Aux modèles d'ordinateurs des Mégawatts, selon lesquels une croissance économique linéaire, autrement dit constante, est liée à une utilisation croissante de courant. Et songez enfin aux arguments pseudo-psychologiques : les gros industriels s'y entendent à convaincre les hommes politiques qu'un Verbund florissant est assimilé à une économie florissante, et que celle-ci entraîne une amélioration croissante du niveau de vie de la population. Aussi les Mégawatts produisirent-ils des surcapacités fabuleuses d'électricité — et tout le monde était content.

— Les quelques-uns qui protestèrent, enchaîna Vitran, furent soumis au chantage du Verbund par l'intermédiaire des pronostics des ordinateurs : si, en pleine croissance économique, il arrivait que l'on manquât d'énergie, ce serait la catastrophe. Qui voulait en prendre la responsabilité ? C'est ainsi que les hommes politiques engloutirent toujours plus de milliards dans la construction de centrales nucléaires et d'installations appartenant aux membres du Verbund. Chez nous, en France, les choses suivent exactement le même chemin.

— Entre-temps, il s'est avéré que nous avons été blousés, reprit Loder. On sait depuis longtemps que les fameux modèles d'ordinateurs des Mégawatts étaient faux. Les quantités de courant nécessaires restent très en dessous de la croissance économique. L'évolution ne se fait pas du tout d'une façon linéaire. Ainsi, cette année, le volume de courant fourni par le Verbund ne s'élèvera que très légèrement, même si le PNB double. Après que, pendant des décennies, le Verbund a empoché des milliards et des milliards en facturant des prix de courant élevés au citoyen normal qui, en sa qualité de contribuable, doit aussi répondre des milliards d'investissements mal orientés, les voix à présent se font de plus en plus nombreuses pour crier au scandale — scandale également sur le plan de la destruction de notre environnement.

— Devant ce tollé de plus en plus bruyant, les Mégawatts, les membres du Verbund, se contentent de hausser les épaules d'un air excédé, ajouta Monique, et de dire : A votre guise ; si vous ne voulez pas, nous nous inclinons. Il est humain de se tromper. OK, nous nous sommes trompés avec nos modèles d'ordinateurs. Vous ne voulez plus autant de courant ? Bien, réduisons la production. Vous dites qu'une usine de retraitement comme Wackersdorf coûte beaucoup trop cher ? Bien, arrêtons la construction de Wackersdorf. Mais alors, nous ne pouvons pas retraiter les crayons combustibles usagés, comme le prescrit la loi sur l'atome. Bon, abandonnons les centrales nucléaires. Vous ne voulez pas ? Alors, dites-nous donc *où* nous pouvons éliminer les déchets radioactifs !

— A La Hague, répondit Vitran.

— Très juste, approuva Loder. Il y a là, sur la côte de la Manche, en Normandie, cette gigantesque usine française de retraitement des déchets nucléaires. On va donc envoyer à La Hague les crayons combustibles allemands, où ils seront retraités et renvoyés ensuite en Allemagne. Mais les Länder à gouvernement socialiste protestent contre ce procédé. A leurs yeux, l'élimination des déchets radioactifs est un échec complet.

— Un instant, dit Philip Gilles. Si vous voulez que j'écrive quelque chose sur ce sujet, il faut me donner un supplément d'explications, car je suis un profane en la matière. Ici sont réunis des experts... à l'exception d'Isabelle, experte en traduction, elle ! »

Eclat de rire général.

« La loi allemande sur l'atome, répondit Wolf Loder, prescrit que les crayons combustibles en provenance des centrales nucléaires doivent être soit retraités soit enfouis dans des dépôts permettant le stockage ultime des déchets atomiques, mais de toute façon, éliminés. " Enfouis dans des dépôts permettant leur stockage ultime ", cela signifie enterrés, après un traitement préparatoire adapté, dans des blocs de béton tellement épais et à une telle profondeur que la radiation soit définitivement étouffée. Or, nous n'avons pas d'entrepôts de ce genre, et il n'y en a pas un seul dans le monde entier ! Nous n'avons, nous, en Allemagne, qu'un entrepôt de transit, à Gorleben. La seule et unique solution qu'il nous reste est donc l'usine de retraitement de La Hague. Mais comment transporter jusque-là les crayons combustibles ? Le transport à lui seul est extrêmement dangereux... Peu importe, mais que cette épée de Damoclès s'éloigne d'ici ! Qu'on s'en débarrasse ! L'idée du retraitement est un cercle vicieux : les éléments brûlés permettent de récupérer quatre-vingt-quinze pour cent d'uranium, deux pour cent de plutonium et trois pour cent de matières diverses. L'uranium sert à fabriquer de nouveaux éléments, on les fait travailler jusqu'à ce qu'ils soient brûlés, puis on les retraite, et ainsi de suite. Un système en circuit fermé, en quelque sorte. Mais ce système ne peut jamais fonctionner, parce que le danger est beaucoup trop grand et le coût beaucoup trop élevé. C'est pourquoi, dès sa conception, Wackersdorf a été un projet dément auquel, je pense, seul le constructeur de l'usine, en l'occurrence Siemens-Lurgi, a pu trouver un intérêt — le devis fut évalué approximativement à douze milliards de marks — ainsi que, évidemment, les gens qui voulaient récupérer le plutonium pour les besoins de l'armement atomique.

— Et alors, que sont devenus jusqu'à présent les crayons brûlés ? demanda Gilles.

— Les centrales nucléaires ont transformé, par procédé chimique, l'uranium en nitrate d'uranium non radioactif, et l'ont mis de côté. Il existe aussi une petite usine de retraitement à Karlsruhe. Wackersdorf serait devenu un véritable gouffre financier, car il aurait fallu sans cesse construire de nouvelles installations de protection contre les radiations. C'est alors qu'on a eu l'idée de se servir également de l'usine de La Hague.

— Tout en sachant pertinemment, enchaîna Vitran, que même La Hague n'apporte pas d'élimination des déchets radioactifs dans le sens prescrit par la loi sur l'atome, qu'elle ne représente qu'un moyen détourné de résoudre un problème insoluble, une solution bancale, absurde et démentielle sur les plans économique et écologique, qui crée des problèmes supplémentaires de santé et de sécurité entraînés par les déchets chargés de plutonium.

— Mais le gouvernement, poursuivit le professeur Loder, se cramponne à cette solution absurde et démentielle pour une raison bien simple : il n'existe aucune possibilité d'éliminer réellement et définitivement les déchets radioactifs. L'ultime ressource de l'économie nucléaire allemande reste donc de les faire voyager. Tous les ans, environ trois cents mètres cubes de déchets nucléaires passent la frontière en direction de La Hague. Vous savez que vingt et une piles atomiques sont en fonctionnement entre Borckdorf et Munich ; dans plusieurs d'entre elles, les bacs de dépôts destinés au refroidissement des éléments brûlés sont quasiment pleins. S'ils ne sont pas transportés ailleurs le plus rapidement possible, huit centrales nucléaires au moins sont menacées de paralysie. Alors... Eh bien, qu'on les envoie à La Hague, ces foutus déchets !

— Mais, dit Vitran, ce qui est censé être un « retraitement », une revalorisation sans danger, est en réalité quelque chose de très différent, à savoir, la production de déchets nucléaires beaucoup plus nocifs encore.

— Comment cela ? demandèrent ensemble Gilles et Isabelle.

— D'après le concept du retraitement, l'uranium contenu dans les éléments brûlés des réacteurs doit être réextrait dans sa quasi-totalité et réutilisé pour la fabrication de nouveaux crayons — la fameuse exploitation en circuit fermé, n'est-ce pas ? dit Vitran. Mais à La Hague, l'uranium extrait de ces éléments brûlés est produit sous une forme tellement chargée de radioactivité qu'il devient pratiquement un déchet plus radioactif qu'avant.

— Comment est-ce possible ? demanda encore Gilles.

— Au cours du processus de broyage et de traitement chimique des éléments brûlés, il y a à La Hague une telle quantité de matériel contaminé que les déchets radioactifs se multiplient à l'infini ; autrement dit, au lieu de représenter une solution au problème de l'élimination de la radioactivité dans les déchets, La Hague représente une augmentation de cette radioactivité.

— Et que devient ensuite le matériel contaminé ?

— D'après les plannings actuels du gouvernement fédéral, il doit revenir dans le puits Konrad et dans les galeries souterraines des salines de Gorleben. Mais personne ne sait si ces déchets extrêmement dangereux peuvent y être entreposés en toute sécurité pour des centaines de milliers d'années. Conclusion : il n'existe pas de dépôt ultime et d'une sécurité absolue pour nos déchets nucléaires, et il ne peut être question pour le moment d'un retraitement sans danger des éléments brûlés, comme l'exige la loi sur l'atome. »

Loder se renversa sur le dossier de sa chaise.

« Permettez-moi maintenant d'évoquer encore un épisode particulièrement absurde en provenance de cette maison de fous, dit Vitran. Comme si les déchets nucléaires radioactifs étaient une denrée rare, votre ministre allemand de la Recherche, Heinz Riesenhuber, a envoyé ses experts en Amérique avec mission de rapporter des déchets extrêmement toxiques. Ces messieurs ont trouvé ce qu'ils cherchaient dans l'Etat de Washington, et ils ont signé un contrat, au nom de leur patron, portant sur l'achat de plusieurs tonnes de ces déchets pour la République fédérale, laquelle, je vous le rappelle, ne sait déjà pas où elle pourrait enfouir l'héritage de l'industrie nucléaire[27].

— Mais dans quel but, nom de Dieu ? s'écria Gilles.

— Parce que Riesenhuber a eu une idée de génie. Il veut se servir des déchets américains pour tester si les galeries souterraines allemandes, comme celles des salines de Gorleben, sont bien propres à servir de dépôts ultimes pour les déchets. Le devis pour l'achat, le transfert et l'exécution de ces tests est évalué à plus de cent quatre-vingt-sept millions de marks. Ce poison violent et radioactif doit être entreposé dans la saline Asse II, de Wolfenbüttel.

— Evidemment, renchérit Loder sur un ton furieux, on atteint là aussi le comble de l'absurdité. Car dans l'Asse II, les galeries ont sans doute une tout autre structure qu'à Gorleben. Les résultats des tests ne sont pas transmissibles d'un lieu à un autre.

— En outre, ajouta Vitran, le géomorphologue Eckhard Grimpel, de l'université de Hambourg, a déclaré qu'il était prouvé depuis longtemps que le sel ne pouvait pas être pris sérieusement en considération pour servir d'entrepôt, à cause de son instabilité physique et chimique. Plus encore : un stockage dans le sel peut amener une catastrophe monstrueuse.

— Où sont-ils, ces déchets américains ? voulut savoir Philip Gilles.

— Ils sont encore en Amérique, répondit Loder toujours aussi furieux. En effet, quelques gouverneurs de là-bas ont entendu parler de l'affaire et déclaré que le transfert à travers les Etats jusqu'aux cargos était beaucoup trop dangereux et qu'il fallait abandonner cette idée saugrenue. Mais ils débarqueront chez nous, car, en fin de compte, nous les avons déjà achetés !

— Cela frôle la démence pure ! grogna Vitran. La démence pure ! Même s'il ne se passe pas d'incident à Asse II, cela ne prouve pas que ce poison soit enterré en toute sécurité pour des millénaires à Gorleben ! Et s'il devait se passer quelque chose... — ma foi, aux yeux de M. Riesenhuber, cette expérience vaut bien que l'on en prenne le risque et que l'on en fasse les frais sans doute !

— Plus de cent quatre-vingt-sept millions rien que pour ce test ? répéta Loder sur un ton plein d'amertume. Alors qu'aux yeux de ce même ministre, l'aide à la recherche sur les sources d'énergie de remplacement, comme l'énergie solaire, ne vaut pas plus de deux cent cinquante millions de marks par an !

— Oh ! intervint Vitran. Ne sois pas injuste, Wolf ! Une partie aussi des revenus fiscaux est envoyée tous les ans à La Hague en échange d'un simulacre d'élimination des déchets nucléaires, qui en réalité n'en est pas une !

— C'est exact, approuva Loder. Les managers de l'électricité versent plus d'un milliard de marks par an à La Hague, l'argent de plusieurs millions de contribuables qui utilisent le courant électrique... et le paient.

— Mais pourquoi l'homme de la rue qui a besoin de courant électrique pour vivre doit-il encore payer ces sommes fabuleuses ? demanda Vitran.

— Comme vous le savez, nous devons toujours avoir beaucoup de compréhension pour les très riches et les très puissants, répondit Loder. Voyez-vous, M. Gilles, la majorité des trusts du Verbund sont des sociétés à responsabilité limitée. Si une de ces sociétés vient à faire faillite, il est très difficile de se retourner contre la société mère qui se trouve derrière elle, autrement dit le Verbund. Les frais de cessation d'exploitation et de rupture de contrats seront donc supportés par l'Etat, et par conséquent par chaque citoyen.

— C'est vraiment dégueulasse, grogna Gilles.

— Mon Dieu ! s'exclama Loder. Si vous saviez ! Il y a bien pire encore. Un exemple : le réacteur à haute température THTR-300 de Hamm-Uentrop est mis hors circuit. Il ne sera jamais plus connecté. Bien, dit le Verbund, alors, qu'on le démolisse ! Mais c'est plus facile à dire qu'à faire, pour un réacteur qui a déjà fonctionné pendant plusieurs mois. Bon, eh bien, laissez-le pourrir sur place, une construction en ruine de plus ou de moins, quelle importance ? répondent les gens du Verbund. Puisque, de toute façon, *vous* ne voulez plus de ces centrales nucléaires !

— Or, d'après la loi sur l'atome, la direction des centrales nucléaires doit mettre des fonds de côté, qui se montent par milliards, pour assurer, le moment venu, l'élimination éventuelle des réacteurs ! s'écria Gilles.

— Eh oui ! répondit Loder. C'est ce qu'ont fait les sociétés en question. Ici, tout comme aux Etats-Unis, par exemple. Mais là-bas, l'exploitation ne peut faire valoir ses droits à un dégrèvement fiscal, à propos de ces milliards, que lorsqu'elle les a effectivement engagés ; tandis que chez nous, elle peut les soustraire de ses impôts dès qu'elle les a mis de côté. Donc, premièrement, cela représente des diminutions d'impôts gigantesques ; deuxièmement, l'argent versé par des millions de petites gens en paiement de leurs factures d'électricité, pour la protection de l'environnement et l'élimination des déchets, retourne au Verbund ; et troisièmement, à présent, les centrales nucléaires ont besoin de moins d'argent pour le retraitement et l'élimination des déchets, puisque c'est La Hague qui se charge de tout !

— Et que font les gros ? demanda Gilles.

— Voici ce qu'ils disent : Chacun des huit trusts électriques est désormais un trust qui produit " entre autres " du courant électrique. Entre autres ! Les membres du conseil d'administration se sont mis d'accord pour que tous les domaines d'activités soient placés à niveau égal sous le toit d'un holding.

— Que signifie " domaine d'activités " ? demanda Isabelle. Et " holding " ?

— Tout d'abord le holding, répondit Loder. Le holding est une institution merveilleuse... Une société financière qui s'est assuré une majorité dans les assemblées générales de plusieurs entreprises juridiquement autonomes et qui crée entre elles une communauté d'intérêts ; elle les " coiffe " en quelque sorte, et a voix prépondérante. Mais cette restructuration des konzern du Verbund dépasse de beaucoup le domaine de la technique et de l'organisation. A mes yeux, elle prouve que le capital commence à se détourner de l'électricité. La pelouse est tondue et la récolte assurée. On pourrait donc penser à juste titre que les nombreux milliards qui débordent des caisses devraient être redistribués aux consommateurs de courant, et plus précisément à ceux qui le paient et qui sont donc à l'origine de ces fonds. On pourrait aussi baisser notablement le prix de l'électricité, n'est-ce pas ? Pour les millions d'individus qui branchent tout simplement leur prise de courant et doivent casquer bien plus que de raison. C'est en tout cas une idée tout à fait logique, hein ? Mais, exception faite de rabais purement symboliques, il n'en est évidemment pas question. Comment pourrait-on être assez dingue pour faire une chose pareille ?

— Autrement dit, les grands konzern de l'énergie se tournent vers d'autres branches d'activités ?

— Voilà ! dit Loder avec une grimace. La VEBA, par exemple, en sa qualité de holding, et mère entre autres de Pressen Elektra, a acheté environ six cents entreprises. Rien n'y manque, depuis la navigation fluviale jusqu'au pétrole brut, depuis l'essence jusqu'au silicium pour la production des puces électroniques. Dans la VEBA, le courant électrique ne participe même plus pour un quart du chiffre d'affaires global, lequel se monte à plus de quarante-quatre milliards de marks par an. Son voisin, la RWE, réunit environ cent cinquante entreprises et est devenue dans l'intervalle propriétaire des stations-service DEA, deuxième chaîne allemande après Aral. Le " tube " actuel est l'élimination des ordures ménagères. Les huit grands du Verbund les proposent à toutes les communes. Ces entreprises représentent des milliards et des milliards de bénéfices, car toutes les communes ont un besoin urgent de ces stations d'élimination des ordures. » .

Tout en parlant, Loder s'était levé pour s'approcher de la grande baie vitrée. Par-dessus les toits, il aperçut le cimetière de Montmartre et ne put s'empêcher de penser à tous les personnages célèbres qui dormaient là de leur dernier sommeil : Berlioz, Stendhal, Zola, les frères Goncourt, Alexandre Dumas et Marie Duplessis, l'inspiratrice de *La Dame au Camélia,* Jacques Offenbach, Heinrich Heine... Puis son regard glissa jusqu'au boulevard de Clichy sur lequel donnait le Moulin Rouge, devenu célèbre à la fin du siècle précédent grâce aux dessins et aux tableaux de Toulouse-Lautrec, et enfin, il contempla les milliers de lumières qui éclairaient le Paris nocturne.

« Quelle ville merveilleuse ! dit-il. Et quel monde dégueulasse... »

Markus Marvin remonta l'escalier ; il était blême.

« Qu'y a-t-il, Markus ? demanda Monique.

— Je viens de recevoir un coup de fil de Ritt, le procureur de la République de Francfort, répondit Marvin d'une voix sans timbre. Il m'a raconté une foule de choses. Il veut me parler de toute urgence. Il faut absolument que je sois après-demain là-bas !

— A cause de Bolling ? demanda Gilles.

— Oui, mais pas seulement à cause de lui. Il a aussi prié le docteur Gonzalos de venir immédiatement à Francfort. " Prié " est d'ailleurs un euphémisme. Si nous ne nous présentons pas devant lui après-demain, il nous fait arrêter tous les deux.

— Mais, que s'est-il passé ? s'écria Gérard Vitran. Est-ce que... est-ce que c'est en rapport avec Karlsruhe ?

— Oui », grogna Marvin d'une voix rauque.

Il avait encore pâli, et ses mains tremblaient.

« Qu'est-ce que ça veut dire... en rapport avec Karlsruhe ? » voulut savoir Philip Gilles.

Il n'obtint pas de réponse. Marvin et Vitran hochèrent la tête sans ajouter un mot.

« Et le premier ange proclama : Il y eut de la grêle et du feu, mélangé au sang, qui tomba sur la terre ; et le tiers des arbres s'enflamma et toute l'herbe verte brûla. Et le deuxième ange proclama : Il y eut comme une grande montagne de feu qui tomba dans la mer, et le tiers de la mer était du sang et le tiers des créatures qui étaient dans la mer et qui avaient vie mourut, et le tiers des navires périt... »

Assis dans son lit, Gérard Vitran lisait l'Apocalypse. Monique sortit de la salle de bain, ôta son peignoir et se glissa près de lui.

« Que lis-tu, chéri ?

— Ah ! Rien, répondit son mari.

— Qu'est-ce que c'est que ce livre ? »

Il essaya de le faire glisser par terre, mais elle réussit à l'attraper au passage.

« Tu lis la Bible maintenant ?

— Oui.

— Mon Dieu, Gérard, vraiment ? Et l'Apocalypse... Pourquoi ?

— Oh, comme ça », répondit-il.

Monique mit ses lunettes et lut tout haut : « " J'ai vu un ange voler à travers le ciel et clamer d'une grosse voix : Malheur, malheur à ceux qui habitent sur la terre... " — Elle s'interrompit. — Que se passe-t-il, Gérard ? Qu'est-ce que tu as tout d'un coup ? C'est cette discussion de ce soir qui te bouleverse à ce point ?

— C'est encore bien pire, grogna-t-il d'une voix rauque.

— Bien pire ? Comment cela ? Dis-le-moi, Gérard. »

Il le lui dit.

8

Dans la matinée du vendredi 16 septembre 1988, deux hommes se présentèrent à la porte du tribunal de Francfort ; ils donnèrent leur nom et dirent au portier qu'ils étaient attendus par le procureur de la République, M. Elmar Ritt.

Le portier téléphona au procureur.

« Le docteur Markus Marvin et le docteur Bruno Gonzalos sont ici... Très bien, monsieur le procureur. Je vous les envoie immédiatement. »

« En 1870, disait au même moment le professeur Wolf Loder, parut un livre intitulé *L'Île mystérieuse*, un roman d'anticipation écrit par Jules Verne. Après un vol en montgolfière, cinq hommes originaires des Etats-Unis atterrissent sur une île isolée du Pacifique, sur laquelle, par un jour de froid intense, ils se mettent à parler du problème de l'énergie, un problème qui concerne l'humanité tout entière. »

Loder était debout, devant un tableau vert, une craie blanche à la main, dans la salle de conférence de son entreprise. Ses yeux bleus brillaient d'un éclat particulier. Son auditoire se composait de Philip Gilles, Isabelle Delamare, le cameraman Bernd Ekland et son technicien, Katja Raal, et le docteur Valérie Roth. En effet, il avait été décidé, peu de temps auparavant, d'admettre Valérie Roth dans l'équipe, pour remplacer Peter Bolling qui n'avait pas encore été retrouvé.

« Dans ce roman, les chercheurs estiment que les réserves de charbon couvriront encore les besoins humains pendant deux cent cinquante à trois cents ans, raconta Loder. Que faire ensuite ? L'ingénieur Cyrus Smith dit : " On utilisera alors l'eau qui a été décomposée par le courant électrique. A cette époque, l'énergie électrique aura ouvert des perspectives insoupçonnées... Les éléments primaires de l'eau, l'hydrogène et l'oxygène, assureront pour des temps quasiment illimités les besoins énergétiques de la terre. Un jour viendra où les locomotives et les navires ne transporteront plus de tanders ou de soutes pleines de charbon, mais des citernes remplies de gaz comprimé qui s'écoulera par des tuyaux jusqu'aux chaudières ! L'eau est le charbon de l'avenir ! " Voilà ce qu'écrivait Jules Verne en 1870, il y a plus d'un siècle ! »

L'entreprise pour laquelle travaillait le professeur Wolf Loder était située à la périphérie de Binzen, près de la frontière suisse ; elle se composait de nombreux bâtiments pavillonnaires, d'ateliers, et d'une grande quantité d'appareils solaires installés sur une vaste pelouse.

« Cette vision de Jules Verne devient aujourd'hui réalité, poursuivit Loder. Avec l'aide de l'énergie solaire directe — et indirecte aussi d'ailleurs : la force hydraulique, la force éolienne et les marées —, nous produirons du courant et l'utiliserons pour produire de l'hydrogène par électrolyse.

— Oh, mon Dieu, de l'hydrogène ! s'exclama Isabelle.

— Pourquoi cet effroi ?

— Pour des oreilles profanes, ce mot est suspect, répondit-elle. On pense aussitôt à la bombe à hydrogène.

— Vous pouvez être tout à fait rassurée, ma chère, dit Valérie Roth, la production solaire d'hydrogène n'a absolument rien à voir avec la fabrication des bombes à hydrogène. »

Elle était toujours aussi élégante, mais paraissait nerveuse, ce qui n'avait rien d'étonnant, depuis tant de temps qu'elle travaillait avec Peter Bolling.

« L'hydrogène produit avec l'aide du courant solaire, continua Loder, est de l'énergie solaire accumulée — pour couvrir tous les besoins en énergie. Donc pas seulement pour la fabrication du courant électrique, mais aussi pour assurer le carburant, la chaleur domestique et industrielle. Les grands avantages de l'hydrogène solaire, c'est à la fois une disponibilité constante et la possibilité d'utiliser l'énergie solaire partout et dans tous les domaines. Ce potentiel suffit pour tous les besoins énergétiques, même si la population du monde ne fait que croître. Il nous permet de renoncer à la force nucléaire et à la consommation de pétrole et de charbon. Vous vous rendez compte? Par-dessus le marché, le soleil est gratuit. Il nous fournit une énergie incomparablement supérieure à nos possibilités de consommation. L'eau aussi est gratuite. Il y a longtemps que le procédé de dégagement d'hydrogène par électrolyse de l'eau est au point, et d'une application très simple. La technique est propre, la matière première à portée de la main, disponible en quantités inépuisables; son utilisation industrielle ne produit pas d'éléments nocifs ou toxiques, les principes scientifiques sont déjà explorés.

— L'électrolyse, intervint Valérie, est, si je peux me permettre de donner ici une explication très simple pour le profane que se vante toujours d'être M. Gilles, la séparation des éléments qui composent l'eau. La formule chimique de l'eau est H_2O, H pour hydrogène, O pour oxygène. Dans un champ de tension entre deux pôles, l'un négatif et l'autre positif, l'H_2O se décompose en hydrogène et oxygène. C'est ce qu'on appelle l'électrolyse. On liquéfie l'hydrogène par le froid et la pression, et l'oxygène libéré s'échappe dans l'air.

— Comment l'énergie solaire devient-elle énergie par hydrogène? demanda Gilles.

— Les moyens sont nombreux, et des plus variés, répondit Loder. Il faut absolument que je vous dise ceci, au début de notre explication : nous ne sommes ici que quelques individus parmi les très nombreuses personnes qui s'intéressent à l'énergie solaire. Et l'énergie solaire n'est que l'une des très nombreuses conditions pour que notre monde ait une chance de survie. Oui, il fallait que je vous le dise en guise de préambule. Et maintenant, revenons à votre question, M. Gilles. Prenons par exemple la centrale éolienne.

— Comment fonctionne-t-elle? demanda Ekland.

— Voilà. Imaginez, dans une région très favorisée par le soleil, une vaste superficie au sol — plusieurs stades de football réunis par exemple — recouverte jusqu'à hauteur d'homme de bâches en matière plastique. L'air, sous les bâches, chauffe et s'écoule vers une cheminée de deux cent mètres de hauteur environ. L'air chaud ascendant s'échappe par le trou de la cheminée et actionne une turbine; la turbine produit du courant. On utilise ce courant pour l'électrolyse qui fournit alors l'hydrogène. Il y a une installation de ce genre sur le haut plateau de la Mancha, en Espagne.

— Nous irons y faire un tour », dit Ekland.

Katja le regarda, les yeux brillants. Bernd lui avait dit qu'après la première piqûre de cortisone, les douleurs s'étaient déjà atténuées.

« Ou bien, reprit Loder, imaginez autre chose. Quelques centaines de miroirs attirent les rayons du soleil et les concentrent sur un récepteur — que nous appelons " receiver " — au sommet d'une tour de quatre-vingts mètres de hauteur environ. La température au receiver atteint mille degrés. Cette haute température est transmise à un médium bon conducteur de la chaleur, le sodium par exemple, et utilisée ensuite pour produire de la vapeur d'eau qui actionne un générateur de courant. Le courant produit par le générateur est utilisé pour l'électrolyse, laquelle fournit l'hydrogène. Il y a une installation de ce genre qui fonctionne en Californie.

— Il faudra aussi que nous y allions ! dit Ekland, et le cœur de Katja se mit à bondir dans sa poitrine.

— Continuons, dit Loder. Un miroir en forme de coupe — on appelle cela un miroir parabolique —, qui suit automatiquement l'itinéraire du soleil, concentre l'énergie solaire sur un foyer auquel est fixé un moteur à air chaud qui actionne un générateur producteur de courant. On en trouve un modèle en Arabie Saoudite... Fondamentalement, on pourrait, dans des pays à fort ensoleillement, tels l'Espagne ou l'Afrique du Nord, stocker de l'hydrogène liquide dans des cuves spéciales, en guise de support énergétique comparable à l'essence, et en fournir à toute l'Europe par un système de pipe-lines. Des installations solaires de cette nature éparpillées sur une superficie de trente mille kilomètres carrés dans le Sahara suffiraient à couvrir les besoins en énergie de toute la République fédérale — et ceci n'est pas de la science-fiction ! Les meilleurs de ces systèmes transforment déjà aujourd'hui, bien qu'il n'y ait pas encore de production sur une grande échelle, plus de trente pour cent de l'énergie primaire en courant électrique. A titre de comparaison, les centrales nucléaires ne dépassent pas le chiffre de vingt-huit pour cent. Mais, ajouta Loder dans un sourire, on n'a pas besoin pour cela d'aller en Arabie Saoudite. Nous en avons ici aussi, à Binzen. Nous avons

316

même mieux encore, bien mieux ! Nous avons bricolé ici quelque chose qui vous plaira, j'en suis certain ! »

Au même moment, dans son bureau, à Francfort, le procureur de la République présentait ses deux visiteurs à celui qui les avait précédés.

« Le docteur Markus Marvin et le docteur Bruno Gonzalos... Voici le commissaire principal, Robert Dornhelm, de la police judiciaire... Je vous remercie d'avoir répondu aussi rapidement à mon appel.

— Enchanté, dit Dornhelm.

— Comment va Hansen ? demanda Marvin.

— Bien », répondit Ritt.

Ils parlaient anglais, à cause de Gonzalos.

« Il est encore à l'hôpital ?

— Oh, oui ! Et pour un bon moment ! Vous l'avez bien arrangé ! Pourquoi cette question ?

— Par compassion, répondit Dornhelm à la place de Marvin. M. Marvin regrette certainement sa brutalité, alors qu'ils se connaissaient depuis si longtemps, tous les deux. Et qu'ils avaient partagé pendant tant d'années l'amitié de la même dame !

— Vous êtes d'une insolence à peine supportable ! s'écria Marvin furieux.

— Dommage, dommage, dit Dornhelm.

— Qu'est-ce qui est dommage ?

— L'état de délabrement de votre système nerveux.

— Mon système nerveux se porte très bien, monsieur... euh...

— Dornhelm. Ah ! Dans ce cas, me voilà rassuré, M. Marvin.

— Ça suffit maintenant, intervint Ritt d'une voix rude. Robert, tu manques de tact. M. Marvin vient de perdre sa fille... Mes sincères condoléances, monsieur.

— Les miennes aussi », ajouta Dornhelm.

Marvin ne réagit pas.

« Messieurs, comme vous le savez, nous vous avons convoqués ici parce que nous avons besoin de votre aide et de votre concours, déclara Ritt. Nous voudrions commencer par vous passer deux enregistrements sur bande magnétique.

— On n'entend rien ici, avec le bruit des travaux, dit Dornhelm. Allons plutôt dans la petite pièce réservée à ce genre de cérémonie. C'est tout près. Si vous voulez me suivre... »

En passant, Ritt appuya sur un bouton placé sous sa table de travail.

Dans la cabine contiguë à la petite salle de projection, Walter Coldwell en manches de chemise attendait devant un attirail extrêmement compliqué. Il était prêt. L'appareil principal était connecté aux haut-parleurs fixés de chaque côté de l'écran, dans la salle de projection dépourvue de fenêtres. Il faisait frais dans les deux pièces, éclairées toutes deux à la lumière électrique.

Au-dessous de l'écran se trouvait un vestiaire avec des cintres, un porte-parapluie et une grande glace. De la salle de projection, la glace avait l'aspect d'un véritable miroir ; mais de la cabine, c'était une vitre. De ses yeux fatigués, Walter Coldwell regardait l'intérieur de la salle à travers la vitre.

La NSA avait été créée en 1952. Depuis cette date, elle recueillait vingt-quatre mille tonnes de matériel ultra-secret par an, dont la plus grande partie était détruite, et le reste conservé avec soin. La NSA avait des oreilles partout dans le monde entier, sur terre, sur mer et dans les airs. Pour cette organisation, les affaires insolubles n'existaient pas. Avec l'aide de la technologie la plus avancée, ils pouvaient écouter n'importe quelle conversation, qu'elle se passât derrière d'épaisses cloisons d'acier, ou qu'elle fût chiffrée d'après les méthodes les plus modernes.

Coldwell vit entrer les quatre hommes, et il pouvait suivre leur conversation par l'intermédiaire des microphones placés à côté de l'écran et connectés à un autre appareil, dans sa cabine. Marvin se plaignit de l'air renfermé et ôta son veston qu'il accrocha à un cintre. Ce faisant, il s'arrêta une fraction de seconde devant le miroir et se passa la main sur le visage d'un geste nerveux. Sans le savoir, il regardait Coldwell droit dans les yeux. L'agent aussi était nerveux. Il se répéta une fois de plus qu'il travaillait pour la bonne cause, faire obstacle aux crimes, ou au moins poursuivre et châtier les criminels. Il faut bien que quelqu'un fasse ce boulot, se dit-il dans un soupir, même si, çà et là, un innocent payait pour un crime qu'il n'avait pas commis. Ici, se dit-il encore, l'enjeu est infiniment plus grave, et ce Marvin est coupable, j'en suis absolument sûr cette fois, je n'ai aucune raison d'avoir peur, ça ne peut pas rater.

Dans la salle de projection, Ritt avait pris la parole.

« Asseyez-vous, messieurs, je vous en prie. Vous allez entendre l'enregistrement d'une conversation qui a eu lieu entre deux hommes. Après cela, je vous prierai de me dire si vous avez reconnu la voix des deux interlocuteurs, ou de l'un d'entre eux.

— Volontiers, dit aussitôt Gonzalos.

— Un moment ! dit Marvin. Qui a enregistré cette conversation ?

— Pour l'instant, cela n'a aucune importance, répondit Dornhelm.

— Ah ! je ne suis pas de votre avis ! Si je ne sais pas qui a enregistré cette conversation, je ne suis pas disposé à l'écouter.

— Il s'agit d'éclaircir des événements d'une extrême gravité, comme je vous l'ai dit au téléphone, répondit cette fois Ritt en s'efforçant de garder son calme. Nous avons besoin de votre collaboration.

— Mais vous ne nous traitez pas comme des collaborateurs ! s'écria Marvin. En tant que collaborateurs, nous avons le droit de savoir qui a fait ces enregistrements.

— Pas du tout », dit Dornhelm sans aménité.

Marvin se leva et se dirigea vers le vestiaire.

« Que faites-vous ?

— Je vais chercher mon veston, puis j'irai trouver maître Goldstein, mon avocate. Je ne dirai plus un mot hors de sa présence. Votre comportement est pour le moins étrange, monsieur le procureur de la République !

— Et le vôtre donc ! s'écria Ritt. Pourquoi voulez-vous savoir qui a fait cet enregistrement ? Vous ne savez même pas quels en sont les acteurs !

— Chaque chose en son temps ! Je veux d'abord savoir *qui* a fait cet enregistrement ! s'entêta Marvin, les yeux fixés sur ceux de Coldwell à travers le faux miroir. Et je vais vous dire pourquoi. Depuis un certain temps, des Américains se promènent un peu partout en posant des questions sur moi à différentes personnes. Je ne sais pas pourquoi... »

Vraiment ? se dit Coldwell dans son réduit. Tu ne sais pas pourquoi ?

— « ... Mais je crains que quelqu'un ne cherche à m'impliquer dans une affaire malpropre. Maintenant, par exemple, avec cette histoire de bande magnétique. »

Quel aplomb ! se dit Coldwell. Mais, d'un autre côté, si cet homme, contre toute attente, n'a vraiment rien à se reprocher... Non ! C'est impossible ! Marvin est coupable... coupable... coupable...

« C'est pourquoi, si vous ne voulez pas parler, monsieur le procureur de la République, je vais vous le dire, moi : ce sont des Américains, une organisation américaine, des services secrets américains, voilà qui a fait cet enregistrement... Il me suffit que vous fassiez un signe de tête. Si c'est oui, je comprendrai que tout cela fait partie de la même affaire, et j'écouterai votre bande magnétique. »

Allez ! se dit Coldwell, réponds par l'affirmative ! Ce Marvin est-il vraiment si naïf, ou joue-t-il la comédie ? Les Américains qui prenaient des renseignements sur lui n'étaient pas américains. C'étaient des Allemands, bien sûr. Nous ne sommes pas fous ! Et lui, est-il vraiment si naïf ?

Ritt approuva d'un signe de tête.

« Bon, dit Marvin. Pourquoi perdre tant de temps ? C'est un service secret américain qui vous a refilé cette bande magnétique, voilà tout !

— Dans cette affaire, nous travaillons la main dans la main », dit Ritt bien qu'il sût parfaitement que la NSA et la CIA l'avaient dessaisi de l'affaire Marvin/Hansen pour pouvoir fouiller l'appartement d'Engelbrecht, le trafiquant d'armes, sans être dérangés. De cette perquisition, lui et Dornhelm ne connaissaient même pas les résultats !

« Alors, vous voilà satisfait maintenant ? demanda-t-il à Marvin.

— Bien sûr que non, répondit Marvin. Je considère tout simplement cette méthode comme de l'impudence, pour ne pas dire plus, monsieur le procureur de la République ! Ne serait-ce que toutes ces cachotteries ! Pourquoi ne pouvons-nous pas voir cet Américain qui se cache certainement dans la cabine de projection pour nous faire écouter cette bande ?

— Ne soyez donc pas infantile ! dit Dornhelm. Vous ne pensez tout de même pas que les agents vont se présenter !

— Ah ! La barbe ! fit Marvin en s'asseyant. Faites-la tourner, votre bande ! »

Une voix d'homme, claire et nette, se fit entendre. Elle parlait anglais couramment, avec un accent prononcé, dans un débit où l'on percevait de l'énervement.

— « ... le contrat germano-brésilien de 1975 ! Ah ! Taisez-vous ! Oui, oui, oui, nous voulions vos centrales nucléaires, mais vous nous avez beaucoup trop embobinés !

— C'est le général Calero », dit spontanément Gonzalos.

Ritt débrancha l'appareil.

« Vous dites ?

— Que c'est la voix du général Eduardo Calero, répéta Gonzalos. Il a été ministre dans le gouvernement militaire de Joao Figueiredo, de 1979 à 1984.

320

« — Vous en êtes sûr ?

— Absolument sûr. Je le connais personnellement. J'ai tout de suite reconnu sa voix. Quand cet enregistrement a-t-il été fait ? A moins que vous n'ayez pas le droit de répondre à cette question...

— J'ai le droit, dit Ritt. Cet enregistrement a été pris dans la maison de monsieur Calero à Brasilia, docteur Gonzalos. Le 9 septembre dernier, c'est-à-dire il y a environ une semaine.

— Comment a-t-il été pris ? Cela, vous n'avez certainement pas le droit de nous le dire, n'est-ce pas ? intervint Marvin.

— Bien sûr que non ! »

Tu aimerais bien le savoir pourtant, hein ? se dit Coldwell. Toute la maison de Calero était truffée de punaises ! Comme tous les ministères du reste ! Et pas seulement les ministères ! Les punaises de la bibliothèque de Calero et des autres pièces de sa maison avaient été connectées aux lignes téléphoniques par nos jungs. Tous les numéros intéressants, même les appareils secondaires, tout est enregistré dans nos ordinateurs de la centrale des tables d'écoute. Celui-ci ? Il se trouve dans un navire de reconnaissance qui croisait la semaine dernière autour des récifs. Les ordinateurs sont en contact permanent, par l'intermédiaire d'antennes paraboliques, avec les téléphones de tous les ministères et des demeures privées de Brasilia. On peut les récupérer instantanément en appuyant sur quelques boutons. Voilà. C'est simple. Elle ne nous coûte guère que quelques milliards par an, notre grande oreille !

Ritt rebrancha l'appareil.

Première voix : Il nous est facile de comprendre le zèle de votre gouvernement. Surtout si l'on songe qu'il y a eu chez vous, à l'époque, une première crise de l'économie nucléaire et que les managers ont déjà menacé de procéder à des délestages en masse, si ça ne continue pas à marcher bon train comme jusqu'à présent. Nous sommes arrivés juste au bon moment. Vous avez baptisé vous-mêmes ce coup-là « l'Affaire du Siècle » à l'époque[28]...

Deuxième voix (dure) : Halte-là ! Vous croyez que j'ai fait le voyage de Bonn à Brasilia pour entendre des reproches ? Apparemment, vous n'avez toujours pas compris ce dont il s'agissait. Je vous le dis pour la dernière fois. Depuis le printemps dernier, une commission d'enquête travaille chez nous, avec pour mission de passer au crible les pratiques illégales de l'industrie nucléaire allemande. Cela également sur la demande expresse des Américains qui, non seulement supposent, mais affirment que, dans ce

321

domaine, il se passe des choses étranges et plus qu'aventureuses dans la République fédérale. Je suis ici pour mettre au point un langage commun avec vous. Donc : tout d'abord, les réacteurs ne vous ont pas été fournis par le gouvernement de la République fédérale, mais par la Siemens-Kraftwerk-Union.

PREMIÈRE VOIX : OK. Pas par le gouvernement fédéral, mais par Siemens.

DEUXIÈME VOIX : Vous allez informer dans ce sens tous ceux qui sont impliqués dans cette affaire. Autre chose : Ce sont des représentants de mon gouvernement et du vôtre qui ont signé le contrat sur la livraison des réacteurs de type Biblis-B.

PREMIÈRE VOIX : Vous savez aussi bien que moi que les réacteurs fournis produisent aussi du matériel qui peut être utilisé très facilement par nous pour l'enrichissement et le traitement de l'uranium.

DEUXIÈME VOIX : Malheureusement, c'est une chose que l'on ne peut pas empêcher, en effet. Le contrat se trouve entre les mains de la commission d'enquête. Il faut en tirer le meilleur parti possible. Dans le programme germano-brésilien en tout cas, il a été également négocié par contrat que les techniques et les installations fournies par la République fédérale doivent être soumises au contrôle international, autrement dit à l'Agence internationale de l'Energie atomique de Vienne.

PREMIÈRE VOIX : Par un décret en date du 31 août 1988 — il y a donc dix jours — le nouveau gouvernement a fondu ensemble le programme civil et le programme militaire.

DEUXIÈME VOIX : Ce décret est également entre les mains de la commission.

PREMIÈRE VOIX : Alors, cette commission doit savoir aussi que le nouveau gouvernement, civil celui-là, a liquidé à la date du 1er septembre toutes les entreprises de coopération germano-brésiliennes et renvoyé les techniciens allemands de toutes les fonctions dirigeantes.

DEUXIÈME VOIX : Parfait. Ça ira. Poursuivons. C'est *vous* qui désirez — entre nous soit dit — recevoir d'urgence un procédé qui a fait ses preuves militairement pour l'enrichissement de l'uranium. C'est *vous* qui vouliez un procédé centrifuge, bien que vous sachiez que le contrat URENCO ait interdit formellement la transmission de cette invention.

PREMIÈRE VOIX : Lequel nous a été fourni malgré tout — tout à fait entre nous.

DEUXIÈME VOIX : Mais pas par nous justement ! Le procédé

centrifuge ne vous a pas été livré par nous, mais par Herbert Engelbrecht, le trafiquant d'armes. C'est *lui* qui vous apportait ce que vouliez, et il y trouvait son compte, bien entendu...

PREMIÈRE VOIX (dans un éclat de rire) : Que Dieu ait son âme ! Bien sûr, Engelbrecht. Engelbrecht. Que la terre lui soit légère, là où il est !

DEUXIÈME VOIX : Il faut en rester coûte que coûte à cette version : le procédé centrifuge vous a été fourni par Engelbrecht.

PREMIÈRE VOIX (toujours dans un éclat de rire) : Bien sûr ! Par qui, sinon, je vous le demande ?

DEUXIÈME VOIX : Si l'on avançait une autre version, cela pourrait avoir des conséquences politiques pour la République fédérale. Je vous ai déjà dit que les Américains nous accusent de vendre des modes d'emploi pour une utilisation militaire du matériel livré lorsque nous vendons des installations atomiques, ce qui est strictement interdit. Pouvez-vous jurer qu'il n'y a pas de fuites chez vous ? Lesquelles seraient capables de parler de façon inconsidérée ?

PREMIÈRE VOIX : Oui, je peux vous le jurer.

DEUXIÈME VOIX : Où en êtes-vous avec vos adversaires de l'énergie nucléaire ? Les gens de votre mouvement pour la Paix ? Ceux de votre parti écologique ? Vous connaissez le docteur Bruno Gonzalos.

PREMIÈRE VOIX : Que se passe-t-il avec Gonzalos ?

DEUXIÈME VOIX : C'est *moi* qui vous pose la question... Il a travaillé pour le gouvernement brésilien.

PREMIÈRE VOIX : Oui, au ministère de l'Environnement. Très peu de temps.

DEUXIÈME VOIX : Gonzalos nous parait plutôt opaque. Est-il au courant des détails du contrat ?

PREMIÈRE VOIX : Non.

DEUXIÈME VOIX : Vous en êtes tout à fait certain ?

PREMIÈRE VOIX : Je... euh... je considère qu'il ne peut pas être au courant. Nos gens ont tenu cette livraison à l'époque sous le top-secret le plus rigoureux. Gonzalos se doute peut-être de quelque chose. Qu'il fasse des suppositions autant qu'il en a envie ! Mais des preuves ? Il n'en a pas. C'est impossible !

DEUXIÈME VOIX : Et s'il en avait malgré tout ?

PREMIÈRE VOIX : Nos gens le surveillent depuis le début sans le quitter des yeux. Il est resté tout à fait en dehors du coup.

DEUXIÈME VOIX : Et s'il avait réussi tout de même à s'en approcher ?

PREMIÈRE VOIX : S'il y avait le moindre soupçon qu'il s'en soit approché malgré nos précautions... l'ombre même d'un tel soupçon... il serait immédiatement liquidé. Sur-le-champ. Mais il ne sait rien. Nous pouvons être tout à fait rassurés sur ce point.

Ritt arrêta la bande. Derrière la fausse vitre, le magnétophone qui enregistrait les conversations de la salle de projection continua à tourner.

« Alors ? demanda-t-il en regardant tour à tour Marvin et Gonzalos. Et la deuxième voix ? Vous l'avez reconnue ?

— Bolling, répondit Gonzalos. C'est celle de Peter Bolling.

— M. Marvin ?

— Elle ressemble à celle de Peter Bolling.

— Que voulez-vous dire ? questionna Dornhelm d'une voix douce. C'est Bolling, ou ce n'est pas Bolling ?

— C'est Bolling », répondit Gonzalos.

Il était blême et, à partir de cet instant, manifesta une certaine inquiétude et une certaine nervosité.

— M. Marvin ? insista Dornhelm. Le docteur Gonzalos est sûr de ce qu'il avance. Pas vous, apparemment.

— Non, répondit Marvin. Je ne peux être aussi affirmatif. Elle ressemble à celle de Bolling. Et pourtant... »

Espèce de salaud ! grogna Coldwell tout bas derrière son faux miroir.

« ... et pourtant... je ne pourrais pas le jurer. C'est sa voix, oui. Mais il y a quelque chose... quelque chose d'autre. Je ne peux pas vous dire quoi.

— Vous voulez réentendre la bande ?

— Elle se termine là ?

— Non. La conversation continue.

— Je... je ne peux pas expliquer pour quelle raison je ne suis pas sûr de moi. Si je l'étais, je le dirais tout de suite.

— Vraiment ? Vous le diriez ? demanda Dornhelm dans un sourire.

— Etant donné la situation... pourquoi mentirais-je ? Que les lois aient été violées au cours de cette livraison... il y a longtemps que je le sais !

— Vraiment ? fit de nouveau Dornhelm. Il y a longtemps que vous le savez ?

— Ah ! je vous en prie ! C'est moi qui l'ai dit à Peter Bolling. Cette nouvelle l'a profondément bouleversé... Moi aussi... Nous voulions, ensemble... »

Marvin s'interrompit brusquement.

324

« Que vouliez-vous faire ensemble ? insista Ritt.

— Nous voulions apporter la preuve définitive de ce scandale. C'est ce que nous faisons en ce moment d'ailleurs, pour d'autres scandales... afin que le plus grand nombre de citoyens soit au courant, dans le monde entier. Ce sujet-là aussi était prévu pour la série de films documentaires... Maintenant, Bolling a disparu. Pourquoi ? Je l'ignore. Aucun de nous ne le sait.

— Peut-être voulait-il continuer à travailler pour son propre compte, dit Dornhelm en riant.

— Il n'y a vraiment pas de quoi rire, grogna Marvin furieux. Si l'on songe qu'on l'a peut-être supprimé parce qu'il en savait trop !

— Je vous en prie, pas de mélo ! » dit Dornhelm.

Marvin lui jeta un regard incendiaire.

« Il ne s'agit pas d'un mélodrame, monsieur le commissaire principal. Il y a déjà eu des personnes supprimées parce qu'elles en savaient trop, n'est-ce pas ? Moi, j'y ai échappé de peu. Mais un petit fonctionnaire innocent... et ma... — Il s'interrompit et regarda le faux miroir comme s'il s'adressait à l'agent invisible. — ... et ma fille ! cria-t-il. Ma propre fille ! Je lui en avais parlé, bien sûr. J'aurais dû y passer comme elle, moi aussi, à Altamira. J'en suis sûr et certain maintenant ! Ils ont raté leur coup. Pour la deuxième fois. Je suis un mort en sursis. La prochaine fois, ce sera la bonne. Ils ne peuvent pas encore avoir la poisse une troisième fois. Trois fois de suite, c'est impossible !

— M. Marvin, dit Ritt. Nous ne sommes qu'au début de cette histoire. Je respecte votre colère et votre tristesse. Nous les respectons tous. Mais encore une fois, avant de continuer : était-ce la voix de Bolling ?

— Elle lui ressemble, répondit Marvin. Est-ce vraiment la sienne ? Je ne suis pas sûr, voilà tout.

— Et vous, docteur Gonzalos, vous en êtes sûr ?

— Oui, M. Ritt, j'en suis sûr.

— Une autre question : saviez-vous que le Brésil possédait une bombe atomique ? »

Gonzalos ne répondit pas. Malgré son teint légèrement basané, son visage était d'une pâleur mortelle.

« Le saviez-vous, docteur Gonzalos ? » demanda encore Dornhelm.

Silence.

« Docteur Gonzalos ?

— Non, répondit Gonzalos.

— Docteur Gonzalos, insista Dornhelm d'une voix très calme.

Je vous pose encore une fois la question : saviez-vous que le gouvernement brésilien a fabriqué une bombe atomique ?

— Oui, répondit cette fois Gonzalos.

— Vous le saviez ? demanda à son tour Ritt.

— Oui.

— Vous venez de répondre non.

— Je... J'ai menti.

— Pourquoi ?

— Parce que j'ai peur.

— Vous avez peur ?

— Oui, j'ai peur. Vous avez entendu ce que Calero a dit : s'il y a le moindre soupçon de soupçon que je sache quelque chose, je serai liquidé. Et que deviendront ma femme et mon bébé ?

— Personne n'apprendra quoi que ce soit de ce qui se passe ici, affirma Ritt. Rassurez-vous, et calmez-vous, docteur. »

Derrière la vitre, Coldwell se mordit les lèvres. J'ai tout enregistré sur la bande, se dit-il. Il faut que je la donne aux autres qui s'en serviront bien entendu comme preuve contre Bonn. Est-ce qu'on protégera Gonzalos ? On pourrait le faire. Mais le fera-t-on ? Il est innocent. Est-il innocent ? Qui connaît la vérité sur Gonzalos et sa femme ?... Je sens que je vais de nouveau être impliqué dans une de ces affaires dont j'ai une peur bleue !

Gonzalos baissait la tête sans faire un mouvement ; seules ses lèvres bougeaient. Marvin regarda Ritt, qui évita son regard. Dornhelm considéra ses ongles d'un œil très intéressé.

Et derrière son faux miroir, Walter Coldwell se mit à prier : Mon Dieu, je ne veux qu'aider à combattre le mal et à empêcher le malheur ! Aide-moi à ne pas nuire à l'innocent ! A ne plus nuire à un innocent. Plus jamais ! Non, je t'en prie !

Marvin rompit le silence.

« Est-ce que je peux écouter la bande jusqu'au bout ? Je ne peux pas expliquer le comportement de Bolling, s'il s'agit bien de lui. Je suis complètement ahuri et bouleversé. »

Vraiment ? se dit Coldwell. Et Gonzalos ? Il dit qu'il s'est tu parce qu'il avait peur. Moi aussi, j'ai peur. Tout le monde a peur.

La bande magnétique reprit sa course.

Deuxième voix : Qu'allez-vous déclarer officiellement alors ?

Première voix : Nous avons utilisé les ultracentrifugeuses pour la première fois dans notre programme de sous-marins à propulsion nucléaire. Rien à redire. Le degré d'enrichissement de l'uranium suffisait. Mais un sous-marin n'est pas une arme atomique. Aussi avons-nous construit notre propre ultracentrifu-

326

geuse ; son point d'attache et son degré d'enrichissement sont connus, je ne peux pas en dire davantage. L'important, c'est que cette centrifugeuse soit cent pour cent brésilienne.

DEUXIÈME VOIX : Parfait.

PREMIÈRE VOIX : Nous étions, et nous sommes toujours d'avis que notre machine est totalement différente des centrifugeuses allemandes. Je peux encore ajouter que nos gens sont allés à l'étranger, que toute une équipe même est allée à l'étranger pour l'étudier, etc.

DEUXIÈME VOIX : Bien.

PREMIÈRE VOIX : Nous n'avons pas l'intention de construire un gigantesque arsenal de bombes atomiques. Mais il *faut* que le Brésil possède la bombe. Nous ne participons pas à un concours mondial, nous ne cherchons qu'à avoir un moyen de dissuasion par la peur, qu'à pouvoir dire : Si vous nous provoquez, nous lançons notre bombe... Supposons qu'il survienne une nouvelle guerre. Vingt-neuf pour cent du commerce extérieur brésilien se font par voie maritime. Que se passera-t-il ? Ou bien le Brésil entrera en guerre et les Etats-Unis apparaîtront comme la puissance protectrice. Mais ils protégeront en premier lieu leurs propres intérêts. Aussi serons-nous bien obligés de dire : Messieurs, nous ne voulons pas entrer dans cette guerre, mais nous allons protéger notre marine marchande, nous allons escorter nos navires. Laissez notre flotte en paix, s'il vous plaît, sinon, nous riposterons !... Je pense que c'est logique, n'est-ce pas ?

DEUXIÈME VOIX : Parfaitement logique.

PREMIÈRE VOIX : J'ai encore une question à poser.

DEUXIÈME VOIX : Je vous en prie.

PREMIÈRE VOIX : Où en est Karlsruhe ?

DEUXIÈME VOIX : Je ne comprends pas...

Marvin se leva et fixa les haut-parleurs de chaque côté de l'écran.

PREMIÈRE VOIX : Bien sûr que vous comprenez !

DEUXIÈME VOIX : Non, je ne vous comprends vraiment pas, je vous assure...

« Au début du XIXe siècle, disait presque au même moment Wolf Loder, l'Angleterre pratiquait encore le travail des enfants, dans les mines par exemple. A l'époque, les galeries, très basses de plafond, n'étaient accessibles qu'aux enfants. Il y avait sans cesse des coups d'eau ; on asséchait les galeries inondées à l'aide de machines fonctionnant avec des chaudières à vapeur. Les risques étaient grands, les machines explosaient souvent et nombreux furent les enfants qui périrent dans les galeries de mines. Cette situation brisait le cœur d'un pieux pasteur, le pasteur Stirling. Il ne disait pas, lui, comme Karl Marx : " Il faut changer le système ", mais : " Il faut changer la machine, pour que tous ces enfants ne retournent pas à Dieu notre Seigneur avant l'heure prévue. "

— Vous êtes un cynique, dit Valérie Roth. Qui l'aurait pensé ?

— Je ne suis pas un cynique, Mme Roth.

— Alors, vous êtes un idéaliste peut-être, M. Loder ?

— Peut-être...

— Très souvent, les idéalistes et les cyniques sont des gens extrêmement dangereux. Vous pas. Vous êtes un idéaliste rassurant. Il était plus que temps que nous fassions votre connaissance. Allons, parlez-nous encore de ce bon pasteur Stirling, M. Loder !

— Le bon pasteur Stirling, reprit le physicien aux yeux bleus lumineux, aimait les enfants de tout son cœur... — ou peut-être aimait-il les propriétaires des puits de mines. Toujours est-il qu'il se creusa la tête pour essayer de trouver une remplaçante aux machines qui fonctionnaient à l'aide d'une chaudière à vapeur, et il la trouva. En 1816, elle était prête. Son appareil était tout simple. Il consistait en un tuyau rempli de gaz et de deux pistons. L'une des extrémités du tuyau était chauffée à haute température, l'autre fortement refroidie, ce qui provoquait un phénomène de surpression et de dépression, lequel entraînait un mouvement de va-et-vient des pistons. Ces mouvements étaient transmis à un arbre coudé en vilebrequin. A l'époque du pasteur Stirling, on reliait l'arbre coudé à une pompe qui aspirait l'eau des galeries inondées jusqu'à ce qu'elles soient asséchées. Aujourd'hui, on peut relier l'arbre coudé à un générateur, par exemple, et celui-ci...

— ... produit du courant », compléta Philip Gilles.

Loder le regarda en riant.

« Et voilà ! Si l'on dirige les rayons du soleil réunis en faisceau par un grand miroir solaire sur l'extrémité d'un tuyau de moteur Stirling, on le porte à très haute température. Et si l'on refroidit l'autre extrémité, on obtient de l'énergie électrique, en provenance directe de l'énergie solaire. Même sans hydrogène. Ce serait la solution idéale. Elle ne l'est malheureusement pas.

— Parce que le fonctionnement dépend d'une condition *sine qua non* : que le soleil brille toujours, compléta Valérie Roth.

— Très juste. Malgré tout, nous sommes ravis que ce bon

328

pasteur Stirling ait inventé son moteur. Je vais vous expliquer tout de suite pourquoi. »

Des éclats de rire leur parvinrent de l'extérieur. Sur la vaste pelouse, un vieillard aux cheveux blancs était entouré d'hommes nettement plus jeunes que lui.

« C'est mon père, expliqua Wolf Loder. Il est en train de faire une démonstration de notre invention. Nous avons aujourd'hui des visiteurs russes et japonais. Nous recevons presque tous les jours la visite d'hommes politiques et de scientifiques du monde entier, tous convaincus que, étant donné le niveau actuel de la science, seule la technologie de l'hydrogène solaire peut nous garantir une source d'énergie illimitée dans le temps, et non polluante.

— Vous savez, M. Loder, dit Valérie Roth, je m'y connais un peu en énergie solaire. Après tout, j'ai travaillé pendant des années avec mon oncle, le professeur Glanz, dans la Société de Physique de Lübeck. Et maintenant que je dois remplacer Bolling, je m'intéresse encore davantage à l'énergie solaire. Or, une chose m'est apparue avec de plus en plus d'évidence : quelle que soit la méthode que vous utilisiez pour libérer l'hydrogène de l'énergie solaire et pour la transformer en courant électrique... vous aurez besoin d'une quantité toujours croissante d'hydrogène. »

Wolf Loder la regarda en souriant.

« Je sais que je suis un peu ridicule, dit-elle sur un ton légèrement agressif.

— Vous dites ? demanda Loder, ahuri.

— Vous me regardez avec un sourire ironique... Je sais, j'ai un œil bleu et un œil marron, répondit-elle. Vous l'avez tous remarqué, mais personne n'en a parlé. Question de tact. C'est ce qui arrive à une femme distraite comme je le suis. Lorsque j'ai appris que vous m'attendiez dès aujourd'hui, j'ai fait ma valise en toute hâte et je suis partie. Wagon-lit jusqu'à Bâle. Ce matin, en me regardant dans la glace, j'ai constaté avec horreur que, dans ma précipitation, je m'étais trompée de lentilles de contact. — Elle se mit à rire. — Bah ! me suis-je dit, à Bâle, j'en ferai préparer deux de même couleur. Des bleues. Je les aurai ce soir. Je vous donne ces détails uniquement pour que vous ne me preniez pas pour une folle. »

Et elle éclata de rire.

Isabelle murmura à l'oreille de Gilles :

« Qui est donc cette femme qui peut changer à volonté la couleur de ses yeux ?

— C'est une question que je me suis déjà posée », murmura à son tour Philip Gilles.

La mère de cette femme était très belle, et très malheureuse à l'époque du Troisième Reich, car elle détestait les nazis, tout comme ses parents. Sa famille vivait à Munich. Margot — ainsi s'appelait la mère de Valérie Roth — travaillait comme physicienne à l'Institut Kaiser Wilhelm de Berlin. Un soir, une de ses amies l'emmena à une réception donnée en l'honneur des officiers et des personnalités du parti nazi, qui apportaient toujours du champagne et du cognac français, même en 1944.

Evidemment, cette soirée fut une catastrophe pour Margot. Elle ne vit que des types d'hommes qu'elle haïssait du plus profond de l'âme. Jusqu'au moment où elle rencontra un pauvre tirailleur de la Wehrmacht, vêtu d'un uniforme constellé de taches, maigre et désespéré, la tête et la main droite entourées d'énormes pansements. Lui aussi, il avait amené un ami. Tous les deux, ils bavardaient sans bruit et avec une extrême prudence dans un coin de la salle de réception. L'ami s'appelait Franz Roth. Sa mère avait été pendue deux ans auparavant à Plötensee parce qu'elle était communiste. Quant à lui, il sortait de la Prinz-Albrecht Strasse, où se trouvait la centrale de la Gestapo ; il y avait passé trois semaines d'interrogatoires incessants et de tortures diverses.

« Si nous allions chez vous ? dit soudain Franz Roth à Margot au cours de la soirée.

— Oui », répondit la jeune femme.

Ils passèrent donc la nuit chez elle, entendirent pour la première fois ensemble la radio de Londres : « Ici, Londres ! Ici Londres ! Ici Londres ! », et ne se quittèrent plus.

Franz Roth réussit, grâce à ses relations, à ne plus sortir de Berlin. Margot s'arrangea pour lui faire reprendre des forces. Ils couchèrent ensemble pour la première fois trois mois après leur rencontre à cette réception nazie. L'amour ne fit que croître, cet amour né au son de la radio de Londres.

Franz raconta à Margot qu'il était metteur en scène et avait travaillé à Paris avant 1939. Il lui dit qu'après la guerre, il y retournerait pour reprendre son travail, et Margot s'en réjouissait. Le 9 mai 1945, assis l'un à côté de l'autre dans l'appartement de Margot, ils entendirent le speaker de la radio annoncer :

« Hier, le Reich allemand a capitulé sans condition. La guerre est finie. »

330

Puis la BBC diffusa la Neuvième Symphonie de Beethoven et ensemble, ils pleurèrent de joie.

Margot et Franz se marièrent au cours de l'été 1945 dans la capitale dévastée du feu Reich. Franz recommença peu après à travailler comme metteur en scène. Mais s'il était fait pour ce métier, s'il était très cultivé, intelligent et charmant, et s'il parlait six langues étrangères, il n'était pas doué pour la vie de tous les jours, la vie matérielle, ni pour les affaires. Il ne savait pas se faire valoir, et il ne savait pas non plus travailler. Tout ce qu'il entreprenait échouait.

Valérie vint au monde en 1949. Margot était folle de joie, une nouvelle vie commençait pour elle. Elle avait un mari qu'elle adorait et une petite fille qu'elle adorait aussi.

Lorsque la fillette eut un an, Franz quitta un jour la maison et s'en alla à Rome pour n'en plus revenir. Il fit la connaissance d'une jeune comédienne et, au bout de quelque temps, Margot n'entendit plus parler d'eux. Elle reporta sur la petite Valérie tout son potentiel d'amour, mais continua toujours à défendre son mari lorsque quelqu'un s'avisait de critiquer sa conduite devant elle.

Elle reprit son métier de physicienne et se débrouilla pour offrir à Valérie une jeunesse heureuse, une excellente éducation et la possibilité de faire de bonnes études. Valérie le lui rendit bien : partout où elle passa, elle fut la meilleure élève, puis la meilleure étudiante de sa promotion à l'université où, tout comme sa mère, elle étudia la physique.

A vingt-deux ans, Valérie s'installa dans un petit appartement, mais n'abandonna pas sa mère pour autant ; elle lui rendit visite régulièrement. Elle tomba amoureuse d'un mathématicien qui lui fit un enfant et s'évanouit dans la nature. Bien entendu, elle se fit avorter.

Elle fut très malheureuse pendant une longue période, puis rencontra de nouveau l'amour. Cette fois, il s'agissait d'un avocat. Un avocat marié, qui lui promit de divorcer, mais ne le fit jamais. Il avait deux enfants qu'il ne pouvait abandonner. Ce que Valérie comprit fort bien. Deux ans plus tard seulement, elle fit la connaissance d'un médecin avec qui elle vécut pendant trois ans. Puis elle découvrit qu'il travaillait pour les services secrets tchèques et qu'il s'était servi d'elle comme alibi. Avec une chance incroyable, il ne lui était rien arrivé de fâcheux à elle. Un jour, les autorités allemandes vinrent le chercher, mais ne le trouvèrent plus.

Trois hommes avaient donc traversé la vie de Valérie Roth. Trois hommes qu'elle aima d'un amour profond et sincère. Tous les trois l'avaient trompée, puis abandonnée. Le quatrième qu'elle rencontra, après une longue période de solitude, était un officier. C'est lui qui l'initia aux lentilles de contact, car elle était très myope depuis son enfance et en avait toujours beaucoup souffert. Mais les premières lentilles lui avaient provoqué une grave inflammation des yeux, elle fut obligée de faire un long séjour en clinique et de subir une opération, et quand, au bout de deux mois, elle put enfin revenir à la lumière, son officier avait quitté Berlin pour Francfort et épousé la femme avec qui il avait eu une liaison tout en vivant avec Valérie.

L'épisode de l'officier correspondit à l'époque où elle commença à travailler avec son oncle, le professeur Gerhard Ganz, pour l'Institut de Physique de Lübeck. Elle savait par expérience que l'amour était la chose la plus cruelle et la plus décevante au monde, et elle prit la décision de ne plus jamais se laisser prendre à ce piège, de ne plus jamais croire à l'amour d'un homme. Mais elle n'en continua pas moins à porter des lentilles de contact.

Le professeur Wolf Loder lui répondit :
« Vous avez raison, madame, pour produire de l'énergie électrique à partir de l'énergie solaire, on avait besoin jusqu'à présent de renouveler sans cesse l'hydrogène. Mon père et moi, nous avons mis au point un modèle pour lequel une quantité minime d'hydrogène suffit, que l'on peut réutiliser à l'infini... »

Il était toujours debout devant le tableau vert. Dehors, sur la vaste pelouse constellée d'équipements solaires, les Russes et les Japonais riaient à gorge déployée autour de son père.

« Que l'on peut réutiliser à l'infini ? répéta Valérie Roth incrédule. C'est impossible ! »

Wolf Loder se mit à rire lui aussi.

« Mais si, mais si, madame ! — Puis, s'adressant à Bernd Ekland : Bien entendu, vous allez filmer l'installation d'origine qui se trouve sur la pelouse, mais un peu plus tard. Pour le moment, il y a trop de monde autour d'elle. Je vais commencer par en dessiner le schéma sur le tableau, OK ?

— OK, approuva Valérie.

— Avant de faire le dessin, reprit Loder, je tiens à démythifier toute l'affaire. Au fond, elle est d'une simplicité enfantine. Prenons un réfrigérateur. Il contient un produit volatil — autrefois, c'était de l'ammoniaque. Nous utilisons l'énergie électrique pour transformer ce produit en gaz ; mais il ne faut pas qu'il s'échappe, car nous en avons encore besoin. C'est pourquoi le système est un

332

circuit rigoureusement fermé. Que se passe-t-il lorsque ce produit se gazéifie ?

— Il refroidit, répondit Gilles.

— Très bien, fit Loder. Il refroidit en effet. Mais pour que le réfrigérateur puisse continuer à travailler incessamment, il faut reliquéfier le produit gazéifié — avec l'ancien système à ammoniaque, cela se faisait par l'intermédiaire des tuyaux qui passaient derrière l'appareil —, et le circuit est bouclé. Mon père et moi, nous avons pensé dès le début à un circuit de ce genre pour l'hydrogène, et à certaines combinaisons chimiques que l'on nomme les hydrures. Ainsi par exemple, si vous voulez, l'eau est un hydrure, H_2O. Deux molécules d'hydrogène combinées à une molécule d'oxygène. Parmi les hydrures métalliques, nous connaissons depuis longtemps l'hydrure de magnésium, un hydrure à haute température, possédant la plus haute densité de flux énergétique. »

Il écrivit sur le tableau : MgH.

« Or, le professeur Bogdanovic, de l'Institut Max-Planck pour la Recherche sur le Charbon, de Mülheim-sur-la-Ruhr, a mis au point une espèce particulière d'hydrure de magnésium : l'hydrure de magnésium catalytique.

— Qu'est-ce que ça signifie ? demanda Philip Gilles.

— Sous l'effet de la chaleur, l'hydrure de magnésium normal ne dégage que très lentement l'hydrogène, tandis que l'hydrure de magnésium catalytique le dégage très rapidement. Ce qui est essentiel pour notre propos. Nous avons donc essayé de mettre au point un circuit, comme celui du réfrigérateur ou du moteur Stirling. Un circuit qui utilise toujours le même hydrogène. »

Il commença à dessiner sur le tableau.

« Ceci, expliqua-t-il en montrant le dessin de gauche, est notre miroir spécial qui nous sert à capter les rayons du soleil que nous dirigeons en faisceau dans ce récipient clos. — Il dessina un quadrilatère. — Là-dedans, la température grimpe très haut, n'est-ce pas ? Notre appareil possède un second récipient clos — Dessin. — connecté au premier, que nous remplissons de poudre d'hydrure de magnésium... Ceci n'est qu'un schéma simplifié, pour que vous compreniez bien le processus. Lorsque les rayons du soleil ont chauffé le premier récipient à très haute température, les parois du second sont également très chaudes, et la température à l'intérieur du second récipient est très élevée, tellement élevée que nous pouvons utiliser cette chaleur pour cuire des aliments ou, ce qui est beaucoup plus important, pour faire fonctionner..

— Un moteur Stirling, compléta Isabelle magré elle

— Bravo. — En quelques traits, Wolf Loder dessina la machine qu'il connecta au deuxième récipient. — Le moteur Stirling produit du courant électrique. Mais dans le récipient rempli d'hydrure de magnésium, il se passe encore un autre phénomène.

— L'hydrogène se dégage de la poudre, dit Valérie.

— Oui, l'hydrogène se libère. Et très vite. A quelque cinq cents degrés... Qu'allons-nous faire de cet hydrogène volatil? — Il se mit à rire comme un enfant. — Nous avons fixé un tuyau sur le récipient d'hydrure de magnésium... — Dessin. — ... un tuyau muni d'une soupape. — Il ajouta une soupape. — Quand elle est ouverte, l'hydrogène volatil peut s'échapper dans le tuyau... et il est recueilli dans un autre récipient clos, lequel est rempli de limaille d'un autre métal, du titane ferrifère. Nous gardons la soupape ouverte jusqu'à ce que tout l'hydrogène se soit dégagé de l'hydrure de magnésium et soit passé dans le récipient voisin. Puis nous la refermons. Et maintenant?

— Maintenant, répondit Valérie, il est probable que l'hydrogène gazéifié va se combiner avec la limaille de titane pour former une substance chimique.

— Exactement. Cette combinaison donne de l'hydrure de titane ferrifère, et de nouveau, de la chaleur, pour chauffer de l'eau par exemple. Et voilà l'hydrogène stocké sous pression. La soupape est hermétique. Avec cette chaleur, nous pouvons de nouveau produire du courant, chauffer de l'eau, faire tourner des machines, écouter la radio, bref, tout! Suivant le volume de l'appareil et le nombre d'unités que nous utilisons, nous pouvons aussi nous servir de ce système dans les usines, pour faire fonctionner de grosses machines, et de lourdes machines... Bon. Et maintenant, c'est la nuit... Nous ouvrons la soupape, l'hydrogène se déverse de nouveau sur le magnésium, se combine avec lui pour former l'hydrure de magnésium; il s'ensuit une augmentation très forte de la température, le moteur Stirling ronfle, on peut faire bouillir de l'eau... En même temps, le titane se refroidit... pour chasser l'hydrogène, il a absorbé la chaleur de l'air ambiant. Que faire de ce froid? Eh bien, effectivement, nous pouvons faire fonctionner un réfrigérateur. — Il essuya le tableau vert, dessina un croissant de lune dans un coin et les contours d'un réfrigérateur au milieu. — Bref, nous pouvons faire tout ce que nous voulons.

— En effet, approuva Valérie.

— Et maintenant, le jour suivant se lève, poursuivit Loder. Durant toute la nuit, l'hydrogène a quitté le titane pour rejoindre le magnésium, ce qui a provoqué du froid, du courant et de la chaleur. Et le jeu recommence à son point de départ. L'hydrogène... toujours le même hydrogène, Mme Roth... va du magnésium au titane, et revient la nuit suivante. Nous avons donc bien ce que nous voulions : un circuit fermé qui utilise toujours le même hydrogène.

— Toutes mes félicitations ! dit Valérie.

— Et le procédé fonctionne pratiquement sans la moindre perte d'énergie, dit Loder. Il est tout à fait envisageable de transporter par chemin de fer un grand nombre de nos appareils du sud au nord, où il y a peu ou pas de soleil, et de les rapporter ensuite vers le sud où il y a beaucoup de soleil, pour recharger le système.

— Tout cela est bien beau, dit Valérie Roth en baissant la tête, mais n'a pas encore dépassé le stade de la recherche, M. Loder. Tous ces systèmes solaires sont encore du domaine de la théorie et de l'expérimentation...

— Pas du tout ! s'écria le professeur d'une voix vibrante. Il y en a beaucoup qui fonctionnent déjà ! Surtout en Amérique.

— Mais ils sont encore beaucoup trop chers... Ils n'ont pas encore réussi à s'imposer en nombre sur le marché. Vous dites vous-même que vous vous heurtez à de nombreux obstacles dans votre travail. Ne croyez pas que je sois pessimiste, mais seulement réaliste. Est-ce que vous n'arrivez pas trop tard avec votre machine enchantée ? En 2040 ...

— En 2040, l'interrompit Wolf Loder sur un ton passionné qui fit dresser l'oreille de ses auditeurs. En 2040, ce monde dans lequel nous vivons sera plus beau qu'il ne l'a jamais été !

— Vous croyez vraiment... commença Valérie, mais elle se tut, car Loder continuait à parler.

— Plus beau, oui ! Nous ne sommes pas à la fin ! Nous sommes seulement au commencement. Vous semblez l'ignorer, Mme Roth. Mais sachez-le : dans le monde entier, sur tous les continents, des scientifiques et toute une génération d'hommes politiques intègres ont créé depuis longtemps un réseau de sauvetage global. Ces personnes-là sont prêtes à tout moment à prendre la place de ceux qui, dans leur désarroi ou dans leur dépravation, ne savent plus ce qu'ils feront demain, et devront avouer leur banqueroute. Ces êtres d'élite répartis sur toute la planète travaillent d'arrache-pied. Ils n'ont pas encore tout réussi, mais ils sont sur la bonne voie et ils arriveront au but qu'ils se sont fixé. »

Les yeux de Wolf Loder brillaient, ses joues étaient écarlates.

« Je viens de vous dire que vous étiez un idéaliste, dit Valérie Roth.

— Mais pas un fanatique, riposta-t-il. Tenez, voici un exemple parmi tant d'autres : La grande conférence sur l'Energie qui réunit les spécialistes de l'électricité et les autorités en matière énergétique vient d'avoir lieu en Amérique. Mais quatre jours auparavant, il y a eu une " contre-conférence " intitulée " l'Energie Verte " ! Cela n'a rien à voir avec nos groupuscules écologiques qui, malheureusement, sont tellement à couteaux tirés qu'ils en perdent toute efficacité et toute crédibilité. Des professionnels de très haut niveau en provenance du monde entier se sont réunis et ont continué à renforcer et à étendre le réseau. Savez-vous ce que ces professionnels ont décidé, entre autres ? De se présenter sur la scène politique des Etats-Unis comme un parti à part entière, à côté des démocrates et des républicains. Un parti régulier.

— Et ils auraient les plus grandes chances de réussir, dit Valérie, avec cette morosité politique qui règne là-bas. Je me trouvais aux Etats-Unis avant l'élection de Reagan. J'ai vu des centaines, des milliers d'autocollants et d'affichettes qui clamaient : *Don't vote ! You only encourage them !* — Ne votez pas ! Vous ne feriez que les encourager ! — Inutile de réfléchir longtemps pour savoir qui étaient ces *them* ! Et il n'y a eu que quarante et un pour cent de votants. »

Le professeur Wolf Loder regarda Philip Gilles.

« Pour vous aussi, tout ceci doit être excitant : montrer dans votre livre combien le monde actuel est proche du gouffre — et en même temps, montrer que partout, brusquement, il y a un sursaut, des gens nouveaux, des personnes raisonnables qui se lèvent et font tout pour que ce monde devienne plus beau, meilleur et plus juste qu'il n'a jamais été !

— Oui, dit Gilles. En effet, c'est très excitant. »

On entendit encore des éclats de rire venant de l'extérieur. Sur la pelouse, Russes, Japonais et Allemands levaient leurs coupes pleines de champagne, d'un champagne refroidi dans les machines solaires à hydrure de magnésium des professeurs Loder, père et fils.

Francfort
Une nouvelle bande magnétique...

Voix de Marvin : Erich? Ici, Markus. Alors?

Deuxième voix : Ecoute ...

Voix de Marvin : Je t'avais bien dit que j'appellerais aujourd'hui. Tu es dans un bureau de poste, moi aussi. Personne ne peut nous entendre. Alors!

Deuxième voix : Ils en ont largué deux cent quarante[29]. Pas assez bons. Mais avec deux cent quarante autres, ils sont allés loin. Incroyablement loin.

Voix de Marvin : Comment cela, incroyablement loin?

Deuxième voix : Tellement loin qu'ils peuvent l'utiliser.

Voix de Marvin : Mince alors! Tout de même!

Deuxième voix : Tout de même.

Voix de Marvin : Cette fois, on les a! A bientôt!

Suivit le bruit d'un combiné que l'on raccroche. Ritt arrêta la bande. Coldwell jeta un coup d'œil sur sa vitre. Maintenant, on va voir ce que ce type a à dire!

Gonzalos regarda Marvin, blême, la bouche entrouverte. Silence complet dans la salle de projection.

« Alors? dit enfin le commissaire principal Dornhelm. C'était bien votre voix, M. Marvin?

— Oui, c'était bien ma voix, répondit Marvin d'un air très décontracté, presque indifférent. »

Il en a, des nerfs, celui-là! se dit Coldwell dans sa cabine avec une certaine admiration.

« Et l'autre voix? demanda Ritt qui tenait à la main une feuille de papier tapée à la machine.

— Vous le savez très bien! dit Marvin. Les Américains le savent aussi. Qu'attendez-vous encore de moi?

— Nous voulons que vous nous donniez le nom de votre interlocuteur. »

Marvin haussa les épaules.

« Le docteur Erich Hornung. Physicien au centre de recherche atomique de Karlsruhe. Un vieil ami de l'époque où je travaillais encore à la commission de surveillance du ministère de l'Environnement, à l'époque où j'étais idéaliste. Idéaliste sur le plan de l'énergie nucléaire, je veux dire. Ça vous suffit, M. Ritt?

— M. Marvin, vous avez eu cette communication téléphonique le 27 août à seize heures, heure locale. Du bureau de poste 135 de Rio de Janeiro, précisa Ritt. Est-ce exact?

— Je n'ai pas regardé ma montre. »

Ritt ne releva pas l'insolence et jeta un coup d'œil sur sa feuille. Dans son coin, Coldwell bouillait.

« Le docteur Erich Hornung parlait du bureau de poste 43 de Karlsruhe. C'est toujours là que vous l'appeliez ?

— Toujours ? dit Marvin. Je ne l'ai pas appelé bien souvent ; puisque vous êtes au courant, vous devez le savoir. Mais quand j'appelais, c'était toujours là, oui. Parce que j'ai eu la sottise de ne pas penser que vous pouviez aussi nous écouter si Erich se servait plusieurs fois du même bureau de poste.

— Justement, fit Dornhelm. Comme les Américains savaient que Hornung téléphonait toujours de la poste 43 de Karlsruhe, toutes les communications, même avec l'outre-mer, étaient sur table d'écoute. Bien entendu, l'ordinateur ne les a pas toutes enregistrées sur bande magnétique, mais seulement celles qui contenaient le mot " atome ", vos deux noms et le centre de recherche atomique.

— Oui, dit Marvin d'une voix amère, les Américains ne manquent pas de stations d'espionnage en Allemagne fédérale. — Il laissa éclater un rire sinistre. — Lorsque j'étais au ministère de l'Environnement, je ne jurais que par l'énergie nucléaire. Je ne savais rien encore, j'étais vraiment un profane. Quand quelqu'un me racontait ce qu'il se passait à Karlsruhe ou ailleurs... pour un peu, je l'aurais giflé ! C'est seulement quand je suis allé aux Etats-Unis, à Hanford, que mes yeux se sont ouverts. Et par la suite... Bien plus encore ! — Il fronça les sourcils. — Je suppose que tout ce que je vous raconte là est enregistré, hein ?

— Ça, vous pouvez en être sûr ! dit Dornhelm. Pourquoi cette question ?

— Parce qu'il faut que je tire tout de suite quelque chose au clair : Bolling, Hornung et moi, nous sommes pesuadés depuis longtemps que l'Allemagne peut fabriquer une bombe atomique. Nous en avons la conviction, mais pas de preuves définitives. Pas encore ».

Est-ce un salaud ? se demanda Coldwell derrière le miroir, de nouveau désemparé. Dans quel guêpier me suis-je fourré ! Je passe tout le matériel, certes, mais je n'en sais toujours pas davantage sur ce Marvin. Mon Dieu, je ne veux plus faire de mal à un innocent...

« Je crois que je vais être obligé d'opérer un petit retour historique, poursuivit Marvin. Ce sera la meilleure façon d'arriver à Karlsruhe, Hornung et le transuranien deux cent quarante et un. »

Marvin se leva, se dirigea vers le miroir à qui il sembla s'adresser.

« Bon, un peu d'histoire. Sous Kissinger déjà, le gouvernement allemand a fait tout ce qu'il pouvait pour apporter des restrictions au traité de non-prolifération des armes atomiques. Lorsque ce traité fut enfin signé, en 1969, les hommes politiques l'avaient plus qu'assoupli. Franz Josef Strauss le voua à tous les diables parce qu'il frustrait l'industrie allemande. Vous savez peut-être ce que lui disait son ami Henry Kissinger? Non? *You are nuclear obsessed* — Vous êtes un obsédé du nucléaire. C'est Strauss qui l'a raconté lui-même. Quels étaient donc les termes de ce traité qui venait d'être signé? s'écria soudain Marvin dans le miroir.

— Calmez-vous, dit Ritt. Calmez-vous!

— Me calmer? Bien au contraire, tant que personne ne me contredit. »

Trois hommes devant le miroir et un derrière l'observèrent sans mot dire.

Marvin s'attaqua à Dornhelm.

« Qu'y a-t-il? Pourquoi me regardez-vous ainsi?

— Je réfléchis.

— A quoi?

— Tant pis si vous vous remettez à crier, M. Marvin, j'en prends le risque... répondit Dornhelm lentement. Est-ce que vous cherchez vraiment la preuve formelle qu'il existe une bombe atomique allemande?

— Vous...

— Un instant! Je n'ai pas encore terminé. Vous dites que vous étiez depuis longtemps convaincu de la possibilité de construire cette bombe, mais que vous n'aviez pas de preuve définitive...

— Pas encore, M. Dornhelm, pas encore!

— Pas encore. Est-ce bien la vérité, ou en répétant que vous n'avez pas — pas encore — de preuve formelle, vous ne poursuivez pas un but tout différent?

— A savoir?

— A savoir que vous n'avez pas de preuves tout simplement, parce qu'il ne peut exister de bombe atomique allemande. En d'autres termes : auriez-vous par hasard, au cas où cette bombe existe vraiment, reçu de Bonn la mission d'aider à masquer la chose?

— Cela, répondit Marvin, est à la fois tellement infâme et tellement stupide que je m'abstiendrai de répondre.

— Ce en quoi vous avez tout à fait raison, commenta Dornhelm.

— Quoi?

— Vous avez tout à fait raison de ne pas répondre à ma question.

— Alors, pourquoi la posez-vous ? demanda Marvin en colère.

— Pour vous prouver qu'il suffit d'un petit détail pour vous faire passer pour une canaille, M. Marvin. Pour vous prouver en un tournemain combien votre position est fragile, et combien suspects sont vos motifs. Je ne vous attribue pas ce que je viens de laisser entendre, mais je pourrais très bien le faire. Le terrain sur lequel vous évoluez est un marécage, un terrain spongieux et instable. Voilà ce que je voulais vous faire toucher du doigt.

— Je vous remercie de vous donner tout ce mal, dit Marvin. Sérieusement. Bien que je sois parfaitement conscient de ma situation. Mais vous vous êtes donné la peine de me confirmer dans mon impression. C'est très aimable de votre part, monsieur le commissaire principal. Si vous le permettez, je vais maintenant continuer à vous présenter l'arrière-plan historique de l'affaire. »

Trois hommes devant le miroir et un derrière se posaient la même question : Marvin joue-t-il la comédie ? Est-ce qu'un homme est capable de jouer une telle comédie avec une telle maestria ?

« Ce traité qui venait donc d'être signé, reprit Marvin après avoir souri à Dornhelm, portait sur ce qui était interdit, et non sur ce qui était autorisé. Autrement dit, tout ce que le traité de non-prolifération des armes nucléaires n'interdisait pas était autorisé. Interdiction était faite aux puissances non atomiques de fabriquer ou de se procurer des ogives et des armes nucléaires, et d'accepter de qui que ce soit le transfert ou le contrôle de telles armes. Par contre, il n'était pas interdit — donc il était autorisé — de procéder aux travaux préparatoires à la fabrication d'armes atomiques. De même, le traité n'interdisait pas la recherche sur ces armes, donc il l'autorisait ! »

Quel rusé renard, se dit Coldwell derrière sa vitre. Il renverse tout. Ce n'est pas l'assassin qui est coupable, mais la victime. Voilà... A moins que... Ah ! Maudit soit ce perpétuel « à moins que... » qui finira par me faire crever !

« Pendant des années, les hommes politiques allemands ont lutté pour qu'il n'y ait pas de contrôles effectués en République fédérale par les inspecteurs de l'Agence internationale pour l'Energie atomique de Vienne. Et finalement, ils ont réussi à faire effectuer ce contrôle par les inspecteurs de l'Euratom. Vous savez ce que c'était que l'Euratom ? Il a fallu neuf ans à ces messieurs pour diagnostiquer le vol de deux cents tonnes d'uranium... deux cents tonnes !... neuf ans ! Bien entendu, il y avait longtemps que ces deux cents tonnes avaient été traitées en Israël. Jusqu'en 1975, les fabricants allemands ont enregistré vingt commandes étrangères pour des centrales nucléaires... L'ère pacifique de l'utilisation pacifique de l'énergie nucléaire, parlez-moi de ça ! Pacifique ! s'écria de nouveau Marvin à l'adresse du faux miroir. Pacifique, allons donc ! Un mois après la ratification du traité de non-prolifération par Bonn, l'Inde faisait exploser sa première bombe atomique ! Le plutonium est obtenu maintenant dans les centrales nucléaires. On peut aussi " faire fonctionner à rebours " l'utilisation pacifique de l'énergie nucléaire. Le procédé Purex de retraitement des déchets nucléaires prévu pour Wackersdorf peut aussi être utilisé pour la fabrication de bombes atomiques !

— Ne criez pas, M. Marvin, dit Dornhelm en se levant. Je commence à en avoir par-dessus la tête de vos cris !

— Si votre propre fille venait d'être assassinée, vous aussi, vous crieriez !

— M. Marvin, intervint soudain Gonzalos d'une voix étrange et dans un débit extrêmement lent ; on aurait pu le prendre pour une poupée mécanique. Il est préférable que vous gardiez votre calme et restiez maître de vous. Moi aussi, je m'y efforce, dans ma situation qui doit paraître tout aussi suspecte à ces messieurs que la vôtre. Les grandes émotions ne donneront pas plus de crédibilité à nos actes.

— Vous allez votre chemin, Gonzalos, moi je vais le mien, riposta Marvin. Je déclare que les Allemands ont la possibilité de fabriquer la bombe atomique. C'est ce que déclarent aussi les Américains depuis fort longtemps. Que s'est-il passé ? Les personnalités les plus haut placées parmi eux, les gens du Pentagone, ont été chassées de Bonn chaque fois qu'elles sont venues pour protester contre cet état de fait. Bien entendu, les Allemands peuvent fabriquer la bombe. Mais les Américains ne peuvent pas le prouver.

— Pas plus que vous, ajouta Ritt.

— Nous voulions le prouver, nous, monsieur le procureur de la République, Hornung, Bolling et moi. Nous voulions veiller à ce que plus rien ne puisse être glissé sous le tapis. Mais c'est fini maintenant. Les Américains nous ont espionnés et se sont conduits comme des nigauds, Bolling a disparu, je n'ai pas la moindre idée de la cause de sa disparition ni de l'endroit où il peut se trouver maintenant. Peut-être est-il liquidé depuis longtemps, lui aussi...

— Après avoir auparavant liquidé Katharina Engelbrecht, souligna Dornhelm.

— Qui vous dit que c'est lui ? demanda Marvin. Vous avez des preuves ?

— Comme c'est beau ! s'exclama Dornhelm. Vous voulez peut-être nous expliquer comment Bolling est arrivé à Brasilia et a pu avoir cette conversation avec le général Calero ?

— Je vous ai déjà dit que je n'étais pas sûr que la voix de la bande magnétique fût celle de Bolling !

— Et vous voulez que nous le croyions ? demanda Ritt hors de lui.

— Du calme, mon vieux, dit Dornhelm, n'interrompons pas M. Marvin. Donc, M. Marvin, vous veniez de dire que Bolling, Hornung et vous-même, vous vouliez veiller à ce que plus rien ne puisse être glissé sous le tapis, mais que c'était fini à présent, car les Américains se sont comportés comme des nigauds...

— C'est pourquoi, hurla Marvin, je crie à l'adresse de ce gars qui se cache derrière ce miroir ! C'est leur propre sottise qui a fait perdre aux Américains toutes leurs chances. — Il aspira une grande bouffée d'air. — Les Américains tiennent les ogives nucléaires sous clef, aujourd'hui encore. Si une guerre éclate, une guerre conventionnelle pour commencer, qui se développera par la suite, les Américains décideront eux-mêmes de l'heure à laquelle ils nous les donneront, ces ogives. Mais pas un seul d'entre nous ne croit sérieusement que nous, justement nous, nous recevrons à un moment quelconque des ogives nucléaires de la part des Américains pour les utiliser contre quelqu'un ! Jamais ils ne nous donneront l'occasion de nous défendre avec des armes atomiques ! Il n'est personne qui le veuille dans le vaste monde ! Et parce qu'il en est ainsi, des hommes politiques haut placés — c'est du moins mon avis — se sont arrangés pour que nous puissions avoir notre propre bombe, une bombe atomique allemande. »

Marvin s'éloigna du miroir et se rassit, soudain à bout de forces. Les autres le fixèrent de leurs yeux écarquillés.

Nom de Dieu, se dit Coldwell derrière sa vitre. Ce gars-là qui crie, crie la vérité. S'il continue, qu'est-ce que je vais avoir comme matériel ! Avec ça, nous pourrons vraiment faire pression sur Bonn !

Au bout d'un instant, Marvin retrouva son calme et il reprit :

« Maintenant, vous savez pourquoi je travaille avec Hornung la main dans la main. Pourquoi je l'ai appelé de Rio. J'avais aussi informé Bolling. Il suivait cette affaire avec une ardeur passionnée. Pourquoi ne le retrouve-t-on pas, bon Dieu ? Qui sait dans quel tonneau plein de béton il se trouve et dans quel fort on l'a enfoui ?

— M. Marvin, dit Ritt, qu'est-ce que votre ami, le docteur Hornung, a découvert à Karlsruhe ?

— Vous n'avez aucune idée de ce qui se passe dans ce centre de recherche nucléaire ? demanda Marvin. Le complexe est surveillé avec plus de soin et il est mieux protégé que n'importe quel pavillon de haute sécurité. Si là-bas un physicien fait un mouvement trop brusque, il a déjà le canon d'un revolver dans les côtes. Les syndicats se sont plaints plus d'une fois de tous ces contrôles et de tous ces barrages.

— Je vous en prie, M. Marvin, répondez-moi : Qu'a découvert Hornung à Karlsruhe ? répéta Ritt.

— De l'avis de Hornung, déclara Marvin, on a trouvé à Karlsruhe la solution idéale. Le plutonium causerait trop de difficultés pour la fabrication de la bombe atomique allemande. Quelqu'un viendrait vite y mettre son nez, envoyé par les Américains. Ils ne sont tout de même pas complètement idiots. Au cours du procédé de retraitement des crayons brûlés, il se dégage quatre-vingt-quinze pour cent d'uranium, deux pour cent de plutonium, qui doit être rendu, et trois pour cent de substances diverses. Bon. A Karlsruhe, ils ont découvert que, dans ces trois pour cent de substances diverses se trouve du transuranien à forte radiation, dont les sections efficaces de choc sont beaucoup plus grandes que celles du plutonium. Autrement dit : la masse critique qui doit être obtenue pour qu'une bombe de cette espèce fonctionne peut être beaucoup plus petite si l'on utilise du transuranien que si l'on utilise du plutonium. Et en particulier, les transuraniens entre deux cent trente-six et deux cent quarante-deux paraissaient d'une utilisation intéressante. Ils ont commencé par le deux cent quarante. Le véritable bon isotope est le deux cent quarante et un, et plus personne n'a de souci à se faire pour le plutonium ! Personne ne s'intéresse à ces trois pour cent de substances diverses. Or le transuranien deux cent quarante et un provient de ces trois pour cent. Vous venez de l'entendre vous-même lorsque vous avez écouté la conversation téléphonique enregistrée sur la bande magnétique. Ils sont arrivés extrêmement loin à Karlsruhe, m'a dit Hornung. »

Ritt ne put s'empêcher d'être impressionné par cette argumentation.

« Si tout cela est vrai... commença-t-il.

— *C'est* vrai !

— Cela me rappelle une émission de radio, répliqua le procureur, qui prétendait la même chose. Le titre de cette émission ne me revient plus en mémoire...

— Je puis vous le rappeler, le coupa Marvin. Elle était intitulée : " La piste du plutonium. Réarmement, Wackersdorf et la bombe allemande. " L'auteur était Günther Karweina, et l'émission est passée sur " Radio Freies Berlin " (Berlin Libre) [30].

— C'est exact, dit Ritt.

— Après cette émission, la station de radio n'a pas reçu un seul mot de protestation de Bonn, ajouta Marvin. Il n'y a rien eu, aucune réaction, pas de demande de contre-exposé, pas de scandale, absolument rien. Les autorités politiques ignorèrent purement et simplement l'émission. Pour moi, c'est une preuve que chaque phrase prononcée correspondait à la réalité. Dans le cas contraire, ils auraient assigné en justice tout le personnel de la station, sans oublier les femmes de ménage ! »

Quelqu'un frappa à la porte. Un huissier entra, tendit deux feuilles de papier au procureur et repartit sans avoir prononcé un mot.

Ritt lut la première, sous les regards attentifs des autres. Puis il releva les yeux sur Marvin.

« Un message par télex. La filiale new-yorkaise d'Interpol vient de retrouver le prétendu frère de Katharina Engelbrecht, le dénommé Charles Wander. C'est un agent d'assurances retraité, paraplégique depuis quatorze ans ! Il n'a jamais mis les pieds à Karlsruhe.

— Tiens ! » fit Dornhelm en prenant la feuille des mains de son collègue et ami.

Puis Ritt releva une deuxième fois les yeux vers Marvin après avoir lu le deuxième message.

« Erich Hornung est mort », dit-il.

Marvin blêmit.

« Il vient d'être accroché à Karlsruhe par une grosse voiture, une Audi, il y a vingt minutes, en traversant la Kaiserstrasse sur le passage pour piétons. L'Audi roulait à plus de cent à l'heure, affirment les témoins ; elle a traîné Hornung sur dix mètres au moins ; une seconde voiture, une Lincoln verte, qui roulait également très vite, est passée également sur le corps de Hornung. Il est mort sur le coup. Les deux voitures avaient des

344

plaques minéralogiques couvertes de boue. Jusqu'à présent, on n'a retrouvé trace ni de l'une ni de l'autre. »

Marvin était effondré sur son siège, pétrifié et paralysé sur place.

Pauvre vieux, se dit Ritt.

Pauvre vieux, se dit Dornhelm.

Non, se dit Coldwell. Si j'étais un cheval, je ne parierais pas sur Marvin. A moins que?

La bande continuait à se dérouler...

« Revenons-en aux preuves, reprit Dornhelm. Vous n'en avez encore aucune.

— Ce sont les Allemands, dit Marvin d'une voix rauque. Ce sont eux qui ont supprimé Hornung, j'en suis sûr! Parce qu'il en savait trop.

— Pas forcément, dit Dornhelm.

— Que voulez-vous dire?

— Ce ne sont pas forcément les Allemands. Certes, ce serait logique, mais ce pourrait être quelqu'un d'autre.

— Qui? demanda Marvin. Dites-le-moi, M. Dornhelm, qui? Qui a *encore* intérêt à ce que le fait que la République fédérale peut fabriquer la bombe atomique reste secret? La bombe intelligente. La bombe avec une masse critique minimum. La bombe sans plutonium. La bombe avec le transuranien deux cent quarante et un? Qui d'autre a intérêt à ce que cela ne s'ébruite pas?

— Oui, oui, oui. Mais vous n'avez pas la moindre preuve, déclara Dornhelm avec l'obstination qui le caractérisait. Vous nous racontez une histoire. Si elle est vraie, c'est mauvais. Si elle est fausse, c'est mauvais. Qui nous dit que vous ne mentez pas comme un arracheur de dents? On n'arrête pas d'assassiner des gens dans cette affaire. Vous pas, M. Marvin. Pourquoi pas vous?

— Ce ne sont pas les tentatives qui ont manqué, non?

— Elles ont toutes échoué. Vous êtes encore en vie, M. Marvin. Pourquoi êtes-vous encore en vie, vous, précisément?

— Sans doute parce que j'ai encore des tâches à accomplir en ce bas monde, M. Dornhelm.

— Ridicule.

— Comme vous voulez, dit Marvin. Moi, j'y crois. Rappelez-vous... dès le début, j'ai refusé la protection de la police.

— Ah, voilà pourquoi! s'exclama Dornhelm sans cacher l'ironie. — Il s'inclina. — Et qui arrivera à nous persuader que tout ce que vous nous racontez n'est pas pur mensonge, M. Marvin? »

Oui, qui arrivera à nous en convaincre ? se dit Walter Coldwell, le solitaire, derrière sa vitre. Il était vraiment seul, Coldwell. Il n'avait pas d'amis, il n'en avait jamais eu. A cause de son métier, bien sûr. Mais pas seulement. Quant à ses histoires de femmes, elles ne duraient jamais longtemps. En général, c'était des histoires de putains. De tristes histoires de putains. Un jour, dans un hôtel, Coldwell s'était senti tellement seul qu'il avait branché l'horloge parlante et avait écouté pendant près d'une demi-heure la voix de la jeune fille égrener les minutes et les secondes.

Ce soir aussi, j'irai chercher une putain et je l'emmènerai dans mon hôtel, se dit Coldwell. A la gare, près de la nouvelle baraque. J'en dénicherai peut-être une qui me fera rire. Mon Dieu, comme je me sens mal !

« Je n'ai pas menti, monsieur le commissaire principal, dit Marvin.

— Voulez-vous la protection de la police ?

— Je vous dis que je n'ai pas menti !

— J'ai bien entendu. Mais voulez-vous tout de même la protection de la police maintenant ?

— Non, je n'en veux pas, pas même maintenant. Parce qu'elle ne vaut rien. L'Américain, là-bas, derrière le miroir, va s'empresser d'aller livrer la bande magnétique à ses services, qui s'empresseront de la présenter à leurs collègues de Bonn en exigeant de pouvoir pénétrer dans l'antre de Karlsruhe. S'ils obtiennent satisfaction, ils ne trouveront rien. Rien ! Vous comprenez maintenant pourquoi je disais tout à l'heure que les Américains avaient tout gâché par leur sottise ! »

Le téléphone sonna, Ritt prit l'écouteur.

« Ici, Coldwell. Je viens de parler avec le quartier général. Laissez courir Marvin ! On ne le lâchera pas d'une semelle, bien sûr. Qu'il mente ou pas, nous ne le saurons qu'en le laissant courir... peut-être.

— Oui, dit Ritt en reposant l'appareil, puis il appuya sur un bouton.

— Alors ? demanda Marvin. Que dit-il, l'Américain ? Que disent ses boss ? Que vous devez nous laisser courir, Gonzalos et moi, hein ? »

Ritt acquiesça.

« La partie continue, dit Marvin. Il faut bien qu'elle continue. Et le docteur Gonzalos ? Est-ce qu'il bénéficiera de la protection de la police, lui ? »

Le Brésilien hocha la tête.

« Ne vous faites pas de soucis pour moi. Personne ne peut plus me protéger maintenant. Il faut que je me charge moi-même de ma propre sécurité.

— Mais... comment ? demanda Marvin.

— Ça, c'est mon problème, répondit Gonzalos.

— Notre arrangement tient toujours, M. Marvin, dit Ritt d'un air accablé. Vous pouvez aller et venir, où bon vous semble. A condition de nous tenir au courant de vos déplacements. Et si je vous appelle, il faut que vous veniez immédiatement... comme avant.

— Bien sûr. »

Dans la cabine, Coldwell avait déjà remballé tout son matériel. L'huissier revint dans la salle de projection.

« Vous m'avez appelé, monsieur le procureur de la République ?

— Voulez-vous accompagner ces messieurs — il désigna Gonzalos et Marvin — et les faire sortir par la porte de derrière, je vous prie ?

— Très bien, monsieur le procureur de la République. Si vous voulez me suivre, messieurs...

— Nous nous reverrons », dit Dornhelm.

Il ne reçut pas de réponse. Les deux hommes suivirent l'huissier. La porte se referma derrière eux.

Ritt et Dornhelm accompagnèrent Coldwell et l'aidèrent à porter ses appareils.

« Pouvons-nous vous déposer quelque part ? demanda Ritt.

— Merci, j'ai ma voiture, répondit l'agent.

— Vous allez à la gare ? demanda Dornhelm.

— Oui.

— Le quartier général. A la gare principale six, cinquième étage, précisa Dornhelm en hochant la tête. J'ai entendu dire que vous vouliez vous réinstaller dans la nouvelle maison Woolworth. Que vous l'aviez quittée uniquement parce qu'on devait démolir l'ancienne bâtisse[31] ?

— C'est exact, nous nous réinstallons dans la nouvelle, dit Coldwell.

— C'est bien là, au bureau de poste de la gare, que se rejoignent la plupart des lignes de radiodiffusion par faisceau dirigé et des réseaux de secteur électrique de la poste, n'est-ce pas ? demanda Dornhelm.

— Oui », répondit Coldwell.

« Au quatrième top il sera exactement vingt-trois heures vingt et une minutes vingt et une secondes... »

Ils arrivaient dans le hall d'entrée. Une grosse Cadillac noire vint se ranger devant le portail. Coldwell prit congé rapidement des deux Allemands et emporta ses appareils.

Dornhelm dit à son compagnon :

« Il ne faut pas m'en vouloir si je me conduis souvent comme un mentor à ton égard, mon petit, et que je ne cesse de te répéter que tu ne devrais pas te mettre dans des états pareils pour n'importe quelle sale histoire !

— Je ne t'en veux pas le moins du monde, mon vieux.

— Tu sais que mon père a disparu quand j'avais deux ans. A cinq ans, j'ai décidé d'entrer dans la police. Pour le retrouver. — Ils avaient atteint l'escalier. — Et toi... — Dornhelm hésita avant de poursuivre sa phrase. Puis il reprit presque tout bas : Et toi, tu es une sorte de fils pour moi. Tu le sais bien, hein ?

— Oui, je le sais, dit Ritt. Est-ce que tu n'as pas quelque chose de drôle qui te passe par la tête, Robert ?

— Quelque chose de drôle ?

— Je t'en prie, dis quelque chose de drôle... »

Ils montèrent l'escalier.

Coldwell traversa le trottoir, posa ses valises par terre et ouvrit la portière du fond. Horrifié, il recula d'un pas. Sur la banquette arrière gisait son chauffeur, la bouche ouverte. Les pensées de Coldwell se précipitèrent. Mort ? Ou seulement étourdi ? Alors, l'homme au volant... il n'est pas de chez nous. Je ne l'ai jamais vu. Un faux...

Il n'eut pas le temps de penser davantage, car à ce moment précis, un homme de haute taille vêtu d'un costume gris qui s'était approché de lui à pas rapides lui assena, de la crosse de son revolver, un coup violent sur le crâne. Coldwell s'effondra sur le sol. L'homme saisit les valises contenant le matériel et s'éloigna en courant. Il disparut derrière des échafaudages.

Le chauffeur de la Cadillac noire tourna les yeux vers la banquette arrière, referma brutalement la portière et démarra en trombe. Coldwell resta étendu sur le pavé. Une flaque de sang se forma autour de sa tête. Quelques promeneurs attardés passèrent sur le trottoir. Une femme poussa un grand cri.

« Au quatrième top il sera exactement... »

348

9

Vendredi 16 septembre : L'hôtel des Rois Mages, à Bâle, est un des plus beaux hôtels de Suisse. C'est Philip — qui donc, sinon lui ? — qui l'a proposé. Pourquoi pas ? Puisque c'est Joschka Zinner et la télévision de Francfort qui paient. Nous rentrons à l'hôtel au début de la soirée, quelque peu bouleversés par ce Wolf Loder et son père. A Binzen, on les appelle « les songe-creux solaires ».

Ce fut une longue journée. Encore très chaude. Philip et moi, nous avons un salon commun, sur lequel ouvrent nos deux chambres, à droite et à gauche. L'hôtel est situé directement en bordure du Rhin, sur lequel donnent nos fenêtres ; on y pénètre par le côté rue. Mobilier ancien, installation ancienne. Balcon avec chaises-longues et petite table. Le fleuve est encore embrasé par la lumière du soleil couchant. Un peu plus loin, en aval, le Rhin est traversé par le grand pont qui mène à Kleinbasel (faubourg de Bâle). Je vois des autos, des tramways, beaucoup de gens, mais, chose curieuse, je n'entends pas le moindre bruit. Notre balcon est plongé dans un calme enchanteur. Les remorqueurs glissent en silence sous nos fenêtres, les uns descendent le courant, les autres le remontent, des remorqueurs de toutes les couleurs avec leurs longues péniches lourdement chargées qui s'enfoncent profondément dans l'eau. Lorsqu'un convoi s'approche suffisamment, des vagues claquent contre les murs épais, au-dessous de nous.

Nous restons silencieux un bon moment. Je tâtonne, à la recherche de sa main. Il tient la mienne fermement dans la sienne. Nous nous taisons. Le moment est venu, me dis-je. Je le veux. Je le souhaite. Mais lentement. Sans hâte. Doucement...

Les bateaux portent des pavillons de nombreux pays différents. Souvent nous voyons des enfants jouer sur le pont, des femmes qui suspendent du linge humide sur des fils tendus, des cuisines de bord, des postes de pilotage dont la porte est grande ouverte, des hommes debout devant d'énormes gouvernails. D'autres sont assis au soleil, ou étendus, ils dorment ou ils lisent. L'un d'eux joue de l'harmonica. Parfois des bribes de musique parviennent jusqu'à nous. Tant de remorqueurs. Tant de péniches. Une telle paix et un tel calme. Et si nous partions avec eux, dis-je, si nous avions le temps de partir avec eux. Descendre le fleuve jusqu'en Hollande sur les remorqueurs... C'est beau, dis-je. Tout cela est si beau, Philip. — Il se tait. — Je suis très heureuse, dis-je encore, de ce que Loder nous a montré... cette machine à hydrure de magnésium. Et de ce qu'il nous a raconté sur le réseau humain qui se met en place tout autour du globe... Cette conférence de « l'Energie Verte »... Je l'avais bien dit,

Philip, qu'il n'y aurait pas de catastrophe. Que nous avons encore une chance. Nous ne sommes pas à la fin du monde. Tu te souviens que je te l'ai dit ?

Oui, je me souviens et, bien entendu, je me souviens aussi de cette soirée sur le balcon en face du fleuve, maintenant que je me retrouve dans mon chalet de Château-d'Oex, Le Forgeron, et que je lis le journal d'Isabelle. Elle a écrit cette phrase en septembre 1988. Et maintenant...

... Ce n'est pas la fin du monde, dis-je. Ou bien, seulement dans un sens très précis : c'est le commencement d'un nouveau monde, d'un monde meilleur. — Oui, Isabelle, dit-il. — Tout est clair entre nous. Tout est exactement comme je le désire depuis le jour où j'ai fait sa connaissance. Oh oui, je peux toujours être sûre de ma première réaction, elle est toujours juste. Je suis une Balance typique... Cette réflexion l'amuse. — Les Balance, pauvre Philip ignorant, sont dominées par Vénus qui dispense à ceux qui sont nés sous ce signe charme, attraits et grâce. Je ne fais que citer les Livres Sages. Ne t'imagine pas que je cherche à me vanter. — Ma Balance, murmure-t-il. Pleine de délicieuse modestie. — Par contre, dis-je encore, les Balance aux sentiments élevés, même si elles aspirent de tout leur être à l'amour et à la reconnaissance de leur valeur, ne renonceront jamais à leurs principes uniquement pour les obtenir... — Oh ! Je trouve cela formidable de la part des Balance aux sentiments élevés ! — Elles savent en effet par expérience qu'un comportement orienté dans ce sens, en fin de compte, ne peut apporter que des humiliations. — Ah ! Ma Balance ! Je t'aime... Je t'aimerais même si tu n'étais pas une Balance. — Bon, bon, tu ne crois pas à l'astrologie. — Je ne comprends pas qu'une interprète simultanée aux sentiments aussi élevés puisse croire à une chose pareille ! — Il y a douze signes du zodiaque, il faut bien que les individus soient divisés en douze types différents. — Cela me paraît d'une logique irréfutable. — Ah, Philip, tais-toi. Quand es-tu né, toi ? — Le onze janvier. Je ne te révélerai pas l'année, même si tu menaces de me jeter dans le Rhin ! — Capricorne typique, dis-je. — C'est un bon signe ? — Ça dépend. — De quoi ? — De l'ascendant. — Faut-il absolument en avoir un ? — Tous les gens en ont un. — Je ne connais pas le mien. — Dans ce cas, je ne peux pas te dire si tu es un bon ou un mauvais Capricorne...

Et les bateaux glissent sans bruit sous nos fenêtres. Il en passe sans arrêt de nouveaux. L'eau fouette la rive. Le soleil est déjà très bas sur l'horizon. Les premières lumières de Kleinbasel s'allument. Il fait chaud. La paix ! La paix !

Ah ! dit-il, peu importe. En tout cas, Balance, c'est certainement ce qu'on peut être de mieux. Balance ! Balance ! Mon Dieu, dire qu'en plus, c'est une Balance ! Comment ne pas t'aimer ? Je .. Je t'aime, Balance... — Pourquoi m'aimes-tu, Capricorne? — Parce que tu es vieille et laide, dit-il. — C'est bien ce que je pensais, dis-je. Tu sais, notre expérience probatoire se transforme lentement en ce que les Américains appellent une sophisticated comedy *! Le grand modèle : Histoire de Philadelphie ! J'en ai réalisé la synchronisation à l'époque où mes livres ne se vendaient pas encore. Veux-tu que je t'offre une répétition, Balance? — D'accord pour la répétition, Capricorne !*

Il commence donc et joue tour à tour le rôle de l'homme et de la femme : Tu ne dis pas, n'est-ce pas, que je suis beaucoup trop réservée et beaucoup trop distante? Tu ne dis pas ce que tout le monde dit, que je suis une femme « de marbre » ? — De marbre? Non, non ! Tu es une femme de chair et de sang. Une femme qui vit et respire. La femme la plus délicieuse de la terre. J'aimerais te prendre dans mes bras et te dire sans cesse... Oh ! Que se passe-t-il? Tu as les larmes aux yeux. — Arrête, arrête, arrête... Non, non, continue à parler, continue... — La musique s'y met, dit-il, des violons, une armée de violons. Et ainsi de suite. Que se passe-t-il? Tu trembles de tout ton corps... — Ça alors ! Ecoute, ça ne peut tout de même pas être l'amour ! Rassure-toi, ce n'est pas l'amour. — Dieu merci ! Ce serait tout à fait déplacé... — Tu le crois vraiment? — Bien sûr ! Bien sûr que non ! Nous sommes fous l'un de l'autre, voyons... !

A partir de ce moment-là, je me charge de la partie « Elle » du dialogue, et je dis : Fous l'un de l'autre, Philip, fous ! Fous ! Fous ! Tiens-moi ! Serre-moi fort... — Et il me serre fort, et nous nous embrassons longtemps, longtemps, au-dessus de l'eau sombre. Comme c'est merveilleux, me dis-je, et bien entendu, je dis tout haut : Et maintenant, la musique, très fort. Les violons sanglotent. Lentement, ils se retrouvent tous les deux devant l'image. Romy Schneider et Alain Delon. — Oh non, dit-il. Katherine Hepburn et Spencer Tracy. Mais en vérité, j'avais espéré : Romy Schneider et Philip Gilles. Me voilà jalouse d'Alain Delon. — Nouveau tournage, dis-je, nouveau film. Philip Gilles et Isabelle Delamare !

10

Quelques nouvelles d'actualité...

On trouve le polychlorure de vinyle (PVC), qui est une matière synthétique, absolument partout : dans les autos, les avions, les chambranles des fenêtres, le matériel d'emballage, les disques, les revêtements de sol, les nappes, les chaises de cuisine et le matériel d'isolation des câbles. Le polychlorure de vinyle est un matériau extrêmement toxique. Si on le brûle, il se dégage de la dioxine et de l'acide chlorhydrique. Il est impossible d'évaluer les dégâts qu'il peut causer à la santé. Lorsqu'un porte-parole du ministère de l'Environnement de la République fédérale annonça l'obligation de marquage des produits en matière plastique, ce ministère reçut aussitôt une note de protestation du groupe d'études « PVC et Environnement »[32]. En voici la teneur :

« Monsieur le Ministre,

« Les soussignés, tous membres de l'industrie du traitement des matières plastiques, protestent contre le marquage des matières synthétiques envisagé par le gouvernement fédéral.

« Les possibilités d'exploitation des déchets mixtes de matières synthétiques rendent superflu un marquage des produits. Un marquage global par espèces ne peut pas apporter de meilleure solution que le traitement mixte, car on ne peut pas imaginer de systèmes collectifs pour plus de vingt matières synthétiques, pas plus que ne serait possible une exploitation spécifique. Pour obtenir une espèce de matière synthétique, on utilise en effet des préparations et des mixtures individuelles. En réalité, ce sont les organisations écologiques qui exploitent le marquage à des fins politiques, en lançant des appels au boycottage et en prônant une discrimination des produits. Les Verts et les associations écologiques ont inscrit ces méthodes dans leurs programmes, en tant qu'arme tactique et stratégique.

« Nous qui travaillons tous dans l'idustrie des matières synthétiques, nous nous sentons discriminés par un marquage de nos produits imposé par l'Etat, et le ressentons comme une étoile jaune de David. Il faut que le marché des produits recyclés se développe librement ; il débute par la récupération des matières synthétiques mixtes. C'est cette voie que nous soutenons.

« Liste des membres du groupe :
     Nom, prénom   Adresse   Signature »

Dietrich Wetzel, président de la Commission du Bundestag pour la Formation et la Science, et Charlotte Garbe, porte-parole écologique de la fraction des Verts du Bundestag, exprimèrent leur indignation dans un communiqué de presse intitulé « L'industrie des matières plastiques compare les victimes de l'Holocauste à des produits synthétiques ».

Mais ils furent les seuls à s'indigner de ce tract inouï.

Il y a vingt ans, le Club de Rome publia une étude, qui fit grand bruit à l'époque, intitulée : *Les Limites de la croissance*. L'un des auteurs était le savant universellement connu, Dennis Meadows. L'hebdomadaire *Der Spiegel* interrogea Dennis Meadows à propos de l'histoire intitulée : *Qui sauve la terre ?*, laquelle sert de point de départ à cette étude. Il lui posa la question suivante : « A votre avis, combien de temps reste-t-il encore pour donner un bon coup de barre et redresser le cap ? » Meadows répondit : « Il est déjà trop tard. »

« Depuis l'été dernier, peut-on lire au début de cette étude, le climat donne l'impression d'être atteint de folie, comme il ne l'a jamais été de mémoire d'homme. A New York, on a enregistré pour la première fois pendant quarante jours consécutifs des températures dépassant trente et un degrés ; à la fin de l'automne, Los Angeles était encore écrasée sous des températures record, avant qu'une vague de froid tout à fait inhabituelle vînt frapper la Californie en février 1988. La sécheresse qui sévit depuis sept ans au centre-ouest des Etats-Unis réduisit la récolte de blé de près d'un tiers l'année dernière. Des incendies de forêts... dévastèrent de vastes superficies du célèbre Parc National de Yellowstone... En septembre, le cyclone le plus violent que l'on ait jamais enregistré souffla sur les îles Caraïbes et fit cinq cent mille sans-abri dans la seule Jamaïque. Un mois plus tard, un nouvel ouragan dévasta la ville de Bluefields, dans le Nicaragua... Peu de temps auparavant, dans l'Antarctique, un iceberg se détacha du continent glacé, le plus grand bloc de glace qui se fût jamais détaché jusqu'à présent. Depuis lors, ce monstre de cent soixante kilomètres de longueur passe pour être le messager précurseur du réchauffement global qui pourrait faire fondre les glaces du cercle polaire [33]... »

Mikhaïl Budijko, climatologue soviétique, écrivit les lignes suivantes dans le journal *New Scientist* : « L'effet de serre est une bonne chose pour la terre. Au milieu du siècle prochain, il tombera jusqu'à cinquante pour cent de pluie en plus. Les déserts disparaîtront, les récoltes grimperont. Le bétail pourra paître dans le Sahara, des champs de céréales pourront se balancer au vent en Asie centrale. Avant que ne commencent les époques glaciaires, il y a dix millions d'années, toute l'Afrique était couverte d'épaisses forêts. A présent, le paradis peut revenir [34]... »

Pris dans une tempête très violente, le cargo *Oostzee* jette l'ancre dans le delta de l'Elbe, à Cuxhaven. Il est chargé de quatre mille fûts d'épichlorhydrine, soit au total un million de litres. L'épichlorhydrine empoisonne les reins et les nerfs, il est corrosif, cancérigène et explosif. Les fûts ont été empilés d'une manière tellement désordonnée que, sous l'effet de la tempête, ils sont tombés les uns sur les autres et qu'il y a eu des fuites. Les experts déclarent que le sauvetage du chargement est lié au danger d'une catastrophe dont on ne peut pas mesurer l'ampleur. Depuis son mouillage forcé, on est obligé de traîner l'*Oostzee* d'un endroit à l'autre ; son chargement ne peut être mis en sécurité nulle part. Finalement, les médias ne parlent même plus de ce cargo.

La mer Adriatique agonise. De Venise à Rimini s'étend un tapis d'algues brunes et visqueuses qui ne cesse de s'étendre sur la côte. Il est interdit de se baigner. La cause de cette invasion : les eaux usées de toutes sortes qui sont déversées directement dans l'Adriatique depuis des décennies. Soucieux de sauver cette région touristique, le ministère de la Santé à Rome publie sans scrupule la note suivante : « Il n'y a aucun danger pour la santé. Il n'est pas nécessaire d'interdire les bains à cause de ces algues. » D'un autre côté, on a nommé un directeur pour la lutte contre « la peste des algues », et au bout de deux semaines, il a été arrêté sous l'inculpation d'appartenir à la Mafia.

L'Organisation pour l'Alimentation et l'Agriculture (OAA) dépose un rapport à l'occasion de la « Journée de l'Alimentation », dans lequel il est dit textuellement : « Quatre-vingt-dix pour cent de la croissance démographique prévisible se trouvent dans le tiers monde, dans lequel vivent déjà plus des trois quarts de l'humanité. La menace pour l'environnement, dans ces pays, repose en premier lieu sur la pauvreté de la population. La lutte quotidienne pour la survie représente un fardeau énorme qui grève les conditions de vie. » En d'autres termes : La pauvreté est la cause de la menace pour l'environnement. Ce sont les pauvres qui salissent le plus.

La France se lance dans une nouvelle série de tests atomiques. Face aux protestations massives, le Premier ministre, Michel Rocard, déclare au cours d'une conférence de presse : « Le pire des dangers pour l'environnement est la guerre. Grâce aux armes nucléaires, l'humanité a déjà pu jouir de quarante-cinq années de paix. C'est pourquoi la puissance atomique qu'est la France n'est pas disposée à arrêter ces tests. » L'Agence Reuter publie cette déclaration de Michel Rocard sous le titre : « Pour la France, les tests atomiques font partie de la protection de l'environnement. »

11

« Le véritable fondateur de la société humaine fut le premier homme qui, après avoir clôturé un terrain, s'est permis de déclarer : " Ce terrain m'appartient ", et qui a trouvé des gens assez naïfs pour le croire. »

Miriam Goldstein lut cette phrase à voix haute, puis elle releva la tête vers sa mère, installée à son endroit favori dans le jardin sauvage, derrière leur maison de Lübeck.

« C'est bien ce passage-là que tu voulais, Maman ? »

L'aveugle approuva d'un signe de tête.

« Oui, Miriam. Jean-Jacques Rousseau. Je savais bien qu'il avait écrit cela quelque part. Dire que ces lignes datent de plus de deux cents ans, tu te rends compte, Miriam ? — Elle tourna son visage parcheminé vers le soleil et répéta : Près de deux cents ans... Tu as dû chercher longtemps pour le trouver ?

— Non, j'ai trouvé le passage très rapidement.

— Continue à lire, Miriam, s'il te plaît ! »

« Combien de crimes, de guerres, de misère et d'effroi eût-il épargné à l'humanité, l'homme qui aurait arraché les pieux ou remblayé les fossés et crié à ses semblables : " Gardez-vous bien d'écouter ce menteur ! Sinon, vous êtes perdus, car vous oubliez que la terre n'appartient à personne et que les fruits de la terre appartiennent à tout le monde... " »

Miriam Goldstein posa le livre sur le côté et se renversa sur le dossier de sa chaise. C'était la fin de l'été, une fin d'été célébrée par une profusion de fleurs épanouies, un concert d'oiseaux dans les arbres vénérables, une fin d'été faite de maturité et de gloire.

« Quelle heure est-il, Miriam ?

— Quatre heures.

— Tes invités ne vont pas tarder à arriver.

— En effet. »

La vieille dame tâtonna à la recherche de la main de Miriam. Soudain ses yeux vides s'emplirent de larmes, et ses doigts se cramponnèrent à ceux de sa fille.

« Maman ! s'écria Miriam. Maman, qu'est-ce que tu as ?

— J'ai peur.

— Je t'en prie, dit Miriam doucement en caressant la bras maigre de sa mère. Je t'en prie, ne répète pas toujours ce mot. Toi qui as survécu au comble de l'horreur ! Aujourd'hui, tu es en sécurité.

— Non, répondit l'aveugle. Personne n'est en sécurité. Aujourd'hui moins que jamais. Je le sais. Je le sens. J'ai terriblement peur pour toi.

— Pour moi ?

— Oui, mon enfant. Pour toi.

— Mais pourquoi ?

— Parce qu'il se passe quelque chose de terrible dans ton entourage direct. Si proche de toi que je le sens, ce danger, je peux presque le toucher, c'est tout juste si je ne le vois pas ! Tu cours un grand danger, Miriam.

— Maman ! s'écria Miriam. Qu'est-ce que tu sens ? Quel est ce danger que tu devines ?

— Il se passe des choses terribles, Miriam. Tout près de toi, autour de toi. Une des personnes avec lesquelles tu travailles le sait. Cette personne est parfaitement au courant. Elle ment et joue la comédie, au service de choses épouvantables.

— Tu veux dire, une des personnes que j'ai invitées ?

— Oui, Miriam.

— Une personne qui, elle, est parfaitement au courant de ce danger ?

— Oui.

— Qui ment et joue la comédie ?

— Oui », affirma Sarah Goldstein.

Bruno Gonzalos, Isabelle Delamare, Markus Marvin, Miriam Goldstein, Bernd Ekland, Katja Raal, Valérie Roth, Philip Gilles, Joschka Zinner — ils se retrouvèrent tous dans le bureau de Miriam, à Lübeck.

Une vaste pièce dont les murs étaient couverts d'étagères bourrées de livres. Sur l'une d'elles se dressait un chandelier juif en vieil argent de toute beauté. Il appartenait à la famille Goldstein depuis de nombreuses générations, et Miriam se souvenait de l'avoir admiré dès sa plus tendre enfance. Sa mère avait réussi à le confier à des amis aryens avant d'être obligée de se cacher de la Gestapo, de sorte qu'elle put le récupérer à la fin de la guerre. A l'époque, elle y voyait encore un peu. En 1968, lorsqu'elle eut définitivement perdu la vue, elle prit l'habitude de

356

le caresser de ses doigts maigres et, à la fin de l'année, elle dit à Miriam :

« Tu te souviens encore comment ton père allumait le chandelier pour Chanukka ?

— Oui, Maman, répondit Miriam. Et je ne l'oublierai jamais. »

Contrairement aux autres chandeliers juifs, les Menora à sept branches, le chandelier de Chanukka en possédait huit, ainsi qu'une place réservée à la neuvième bougie, le Chamash, la « lumière utile ».

Chanukka est un mot hébreu que l'on traduit par « l'inauguration » ; c'est également le mot qui sert à désigner la fête juive de la Lumière, qui dure huit jours et rappelle la nouvelle consécration du temple de Jérusalem détruit et reconstruit. En reconnaissance du « miracle », les pères de familles pieuses allument une bougie le premier jour de fête, une autre le deuxième, jusqu'à ce que toutes les bougies brûlent le huitième jour.

A partir de 1945, la mère de Miriam alluma tous les ans le chandelier à la place du père, et elle continua même après avoir perdu la vue : Miriam lui tenait la main, et si Sarah Goldstein ne pouvait plus voir la lumière des bougies allumées, elle sentait leur chaleur et l'odeur de la cire fondue.

Dans l'après-midi du lundi 19 septembre 1988, neuf personnes occupaient les fauteuils et le canapé disposés en cercle dans le bureau de l'avocate. Les rayons du soleil tombaient en biais dans la pièce et faisaient briller les reliures des livres. La fenêtre donnant sur le jardin était grande ouverte. Ils pouvaient tous voir Sarah Goldstein assise, telle une statue, devant un buisson de roses, admirer le jardin avec sa profusion de fleurs et les vieux arbres fruitiers chargés de fruits, et entendre chanter les oiseaux.

Miriam Goldstein soudain se décida à parler.

« Je vous ai convoqués ici aujourd'hui parce que l'interrogatoire de M. Marvin et de M. Gonzalos à Francfort nous a révélé que, derrière les événements visibles, il se passe en ce moment quelque chose d'autre, qu'il faut absolument que nous cherchions à découvrir. Car — et je pense que ceci est devenu une évidence aussi pour vous tous —, les événements dont nous avons été témoins ont un sens qui nous échappe et cachent donc un secret. Nous ne le connaissons pas — sauf l'un d'entre nous. Il y a quelqu'un parmi nous qui connaît le sens de tout cela et pour qui le secret n'en est pas un. Et je suis également convaincue que cette personne sait parfaitement qu'il se prépare quelque chose de terrifiant. »

Joschka Zinner est né à Teplitz-Schönau, petite ville du territoire des Sudètes, cette partie de la Tchécoslovaquie qui fut avant la guerre la patrie de nombreux Allemands. Son père, Anton Zinner, gérait un cinéma, le Lux, dont il était propriétaire, un propriétaire à la fois très fier de son œuvre et très compétent. Les progrès en matière de technique cinématographique le fascinaient ; il passa rapidement du muet au sonore, emprunta de l'argent aux banques pour adapter son local — un ancien bistrot qu'il avait transformé lui-même — et acheter les nouveaux appareils. Sa femme, Gisèle, tenait la caisse et vendait les billets d'entrée.

A l'âge de cinq ans, le petit Joschka fut autorisé à voir son premier film, *Les Temps modernes,* de Charlie Chaplin. De ce jour-là, Joschka Zinner acquit la passion du film, et même le virus du cinéma, pourrait-on dire. Plus tard, il travailla avec son père. Il assistait à toutes les projections et ne tarda pas à connaître tous les films ; il retenait tout, les noms des acteurs et leurs qualités, les images, chaque mot prononcé, tous les accompagnements musicaux et les chansons. Les films devinrent sa vie. Et ils le demeurèrent.

En 1946, la famille Zinner fut obligée de quitter le pays ; elle débarqua à Munich où elle recommença à zéro, avec de l'argent emprunté. Mais le nouveau Lux se révéla très vite une affaire lucrative, il tournait presque toujours à guichet fermé.

En 1955, Joschka Zinner put réaliser son rêve : créer sa propre compagnie, car il voulait produire lui-même ses propres films. Il la baptisa Iris, du nom de la jeune femme qu'il avait épousée l'année précédente.

Joschka était un professionnel authentique. Il connaissait tout de la cinématographie, les moindres détails techniques et administratifs, et bien plus encore. Tant que ses finances l'exigèrent, il produisit des films musicaux et toute une série de films à bon marché sur le thème de la patrie, qui enthousiasmèrent les Allemands de l'époque. Jusqu'à ce que ses moyens lui permettent de tourner son « premier vrai film » ! L'histoire d'un médecin polonais qui dirigeait un orphelinat juif à Varsovie, sous l'occupation allemande, puis fut envoyé en camp de concentration avec ses protégés, et avec eux mourut dans une chambre à gaz.

Ce film reçut tous les prix et les honneurs en Allemagne, mais personne n'alla le voir. Joschka s'y attendait. En revanche, à l'étranger, on se l'arracha à prix d'or. Ce fut un des grands succès de l'après-guerre, les pays étrangers le couronnèrent également de distinctions et de prix.

Joschka Zinner était lancé. Il travailla en co-production avec les meilleures compagnies étrangères, les meilleurs acteurs, les meilleurs metteurs en scène, scénaristes et techniciens, et ne produisit plus que des bons films. Il était très heureux.

Puis vint l'ère de la télévision. Conscient de la concurrence, il fut l'un des premiers à produire des films pour la télévision, ce qui fut une véritable performance de pionnier à l'époque. Il eut de plus en plus de succès, devint de plus en plus ambitieux, de plus en plus nerveux, de plus en plus hectique et, chose curieuse, de plus en plus avare. Philip Gilles se souvenait encore de l'époque où la nécessité l'obligea à écrire des scénarios pour Zinner ; il était là pour l'attester.

Les affaires se compliquèrent avec le temps. Les indices d'écoute, dont dépendaient les tarifs des spots publicitaires, entraînèrent une véritable lutte acharnée entre les producteurs et entre les chaînes de télévision. Les émissions culturelles d'un niveau assez élevé se révélèrent une mauvaise affaire, et la valeur des productions ne fit que baisser. Joschka Zinner n'avait plus aucune chance de réussir avec ses projets ambitieux ; il ne trouva plus aucune chaîne disposée à les financer.

Force lui fut, pour vivre et payer son personnel, de faire comme tout le monde : des jeux, des séries débiles, qui lui donnaient la nausée. Cela ne l'empêcha pas de proposer des émissions ou des séries d'un bon niveau culturel et moral, mais tout lui fut refusé. C'est à cette époque-là qu'il commença à vomir tous les matins sans savoir pourquoi, jusqu'à ce qu'enfin, un psychiatre lui expliquât que c'était la perspective de ce qui l'attendait dans son bureau qui le rendait malade de dégoût.

Désespéré et furieux, il accepta de collaborer à une série de six émissions, en coproduction avec une compagnie française ; il s'agissait de l'adaptation d'un roman de Josef Roth ; ce projet réunissait toutes les conditions pour devenir un grand succès : un sujet en or, un excellent metteur en scène et d'excellents acteurs. Chaque émission devait durer deux heures. Il joua tout ce qui lui restait de sa fortune sur cette carte, dans l'espoir de remporter un grand marché international. De ce jour, il cessa de vomir le matin. Mais lorsque la moitié environ de la série fut réalisée, la compagnie française fit faillite. Joschka Zinner ne récupéra pas un centime des sommes qu'il avait investies dans ce grand projet.

Après une vie de travail intensif, d'acharnement et de succès, il se retrouva complètement ruiné. C'est à ce moment-là que la chaîne de télévision de Francfort vint le relancer.

Un des directeurs le convoqua pour lui expliquer que la chaîne acceptait l'exposé qu'il lui avait fait parvenir quatorze mois auparavant sur l'état catastrophique de la planète et était prête à financer la production. Zinner eut du mal à se contenir. Enfin ! Et quel sujet ! Le directeur paraissait presque aussi désespéré que lui de l'état de la terre et raconta qu'il avait pratiquement menacé ses supérieurs de démissionner s'ils n'acceptaient pas le projet. « Pour des raisons de respect de soi-même... Pour que demain matin, je puisse encore me regarder dans la glace en me rasant. »

Lorsque le contrat fut signé, Joschka Zinner embrassa fougeusement Iris, sa fidèle épouse, en lui disant :

« Prie pour moi, ma jolie. C'est notre dernière chance. Si ça ne marche pas, avec toutes nos dettes, nous pourrons nous pendre ! Notre toute dernière chance. Il n'en viendra jamais plus une pareille ! »

« L'un d'entre nous sait qu'il se prépare quelque chose de terrifiant ? répéta Joschka Zinner. Autrement dit, il y a un traître parmi nous ! Ça alors... Bon, madame l'avocate pense qu'il y a un traître parmi nous. Voilà qui est agréable à entendre... Et comment en êtes-vous arrivée à cette conclusion, madame ? C'est assez vexant pour nous tous, dites-moi ! Mais moi, je ne me laisse pas insulter de la sorte, je m'en vais. Ce que font les autres, je m'en fous. Au revoir, madame ! »

Il se leva et alla à la porte.

« M. Zinner ! dit Miriam à mi-voix.

— Oui ?

— Je n'ai pas parlé de trahison.

— Si !

— Non ! J'ai simplement exprimé ma conviction que tous les événements auxquels nous avons été mêlés ont un sens caché, et que l'un d'entre nous connaît ce sens, ce secret, si vous préférez, et qu'il sait que quelque chose de terrible et d'effrayant se prépare.

— Autrement dit, un traître.

— Non !

— Si !

— Non, M. Zinner, dit Miriam tout bas cette fois. Cessez cette comédie et reprenez votre place.

— Il n'en est pas question ! Je n'admets pas que l'on me traite de la sorte, donc, je pars. Au revoir, madame.

— M. Zinner ! intervint Marvin, à haute voix.

— Qu'est-ce que vous me voulez, vous ?

— Je veux que vous vous asseyiez. »

Marvin s'approcha de lui, et le petit homme, soudain effrayé, vint se rasseoir docilement.

« Joschka Zinner ne se laissera pas traiter de la sorte ! répéta-t-il dans un cri. J'ai travaillé avec tous les grands du cinéma, moi ! Ça alors, c'est le comble ! L'un d'entre nous, a dit maître Goldstein. Qui ? J'aimerais bien le savoir !

— Vous, par exemple, répondit Marvin.

— Moi ? Alors, c'est moi qui suis bon pour le tribunal ?

— Je n'ai pas dit que c'était vous. J'ai dit que ce pourrait être vous. »

Le cinéaste s'essuya les yeux et demanda soudain d'une petite voix, tel un enfant malheureux.

« Pourquoi dites-vous que ce pourrait être moi ?

— Qui est-ce qui est arrivé au Frankfurter Hof sans crier gare, en clamant son idée géniale et cette chance unique, et qui voulait nous expédier le soir même dans la forêt brésilienne, hein ? Qui ? demanda Marvin.

— Joschka Zinner, répondit le cinéaste. Est-ce que j'ai eu du mal à vous convaincre, tous autant que vous étiez ? Vous avez sauté d'enthousiasme devant cette chance unique que je vous apportais.

— C'est vrai, dit Valérie Roth.

— Mais... ? Continuez donc, madame, il y a un mais... Dites ce que vous avez à dire jusqu'au bout !

— Mais vous vous êtes arrangé pour que nous soyons tous très loin, loin de l'Europe, et en particulier loin de l'Allemagne, et pour que nous soyons entièrement occupés pendant plusieurs semaines encore avec les documentaires, de sorte que nous ne pouvions plus mettre notre nez nulle part ailleurs.

— Ce qui veut dire... ? Allez-y, parlez, nom de nom !

— Ce qui veut dire que... la raison première de notre engagement n'était peut-être pas de tourner les films, mais de nous tenir éloignés et occupés à un grand projet pour que nous ne puissions pas remarquer ce qui se passait ici en réalité. »

Le visage de Joschka Zinner vira lentement au violet.

« Vous êtes tombée sur la tête, Mme Roth ? Pourquoi croyez-vous que Joschka Zinner est connu et estimé dans le monde cinématographique ? Parce qu'il n'a jamais commis la moindre saloperie de sa vie ! Demandez à Philip Gilles ! Philip, dites quelque chose pour défendre votre vieil ami qui vous a tant aidé à une époque où vous n'aviez rien à bouffer ! Dites-leur que Joschka Zinner n'a jamais commis la moindre saloperie de toute sa vie !

— Vous le dites vous-même ! Pour la seconde fois, répondit Gilles.

— Alors, vous aussi, vous êtes contre moi ! Ah ! C'est beau, l'amitié !

— M. Zinner, reprit Miriam à mi-voix.

— Quoi ?

— Arrêtez donc ! Je ne crois pas que vous vouliez cacher un crime en envoyant l'équipe à l'étranger. Mais il se peut que quelqu'un vous ait chargé de cette mission. Quelqu'un qui, lui, voulait cacher quelque chose. Ou devait cacher quelque chose. Avant d'engager toutes ces personnes, il s'agissait de faire accepter le projet par la télévision de Francfort.

— Donc c'est la télévision de Francfort qui a quelque chose à cacher ? »

Miriam passa sa main sur ses cheveux blancs.

« Personne n'a dit cela. La télévision de Francfort est un organisme juridique public. Mais la télévision a parfois des ramifications dans la politique. Un homme politique a peut-être quelque chose à cacher — et votre chaîne n'en sait rien. La chaîne de Francfort a brusquement reçu la mission de dégager des fonds pour tourner cette série ambitieuse. Pardonnez ma question, M. Zinner... A quand remonte votre dernière série, je veux dire, la dernière série sérieuse et ambitieuse que vous avez tournée ?

— Taisez-vous, s'écria Zinner. Ecoutez-moi, madame, vous ne savez pas comment ça se passe à la télévision ! A cause de ces maudits indices d'écoute.

— Si, je suis au courant, M. Zinner, répondit Miriam. C'est pourquoi je sais aussi ce que nos films signifient pour vous !

— Tout, madame. Tout !

— Et c'est pourquoi aussi vous avez foncé sur nous au Frankfurter Hof et vous vous êtes comporté comme un fou.

— Je me comporte toujours comme un fou, dit-il avec un sourire de désespoir.

— La chaîne ne vous a pas accordé de conditions particulière-

362

ment intéressants, n'est-ce pas ? Peu vous importe, vous étiez prêt à accepter toutes les conditions, même les plus mauvaises. Non ?

— Si.

— Voilà, M. Zinner. Et maintenant, laissez-nous supposer — une supposition toute théorique — que vous ayez eu le sentiment que l'on se servait de vous pour cacher un secret. Simplement l'impression, M. Zinner. Vous êtes superintelligent... et un vieux renard dans ce milieu... Vous auriez pris des informations... ce que j'aurais fait, moi aussi... Et vous auriez peut-être découvert la raison pour laquelle tout d'un coup on vous demandait de réaliser enfin une bonne production, au bout de tant de temps... Vous auriez gardé le silence, M. Zinner. Vous vous seriez dit que tout cela ne vous regardait pas. Que la seule chose qui comptait, pour vous, c'était de pouvoir tourner enfin une bonne production. Et recommencer à vivre comme un être humain à part entière... Attention ! Je ne dis pas que les choses se sont passées ainsi ! Mais si elles s'étaient passées ainsi... Si vous aviez découvert quelque chose, si vous saviez quelque chose... Je vous le demande, M. Zinner : auriez-vous pu vous arranger pour empêcher toutes ces personnes ici présentes de découvrir un crime, en les écrasant de travail ? Auriez-vous pu faire cela, M. Zinner ? »

Tous les yeux convergeaient vers le pauvre homme. Son visage vira de nouveau au violet.

« Maintenant, ça suffit ! — Il se leva. — Vous n'auriez pas dû dire cela. Vous n'auriez pas dû traiter Joschka Zinner de salopard. Au revoir, madame ! »

Et il repartit vers la porte en grommelant entre ses dents.

« M. Zinner ! » appela Miriam, à haute voix cette fois.

Il ouvrit la porte, puis la fit claquer de toutes ses forces. Un silence de mort s'abattit dans le bureau.

« Docteur Gonzalos, dit finalement Valérie Roth en anglais.

— Oui ?

— J'ai une question à vous poser.

— Laquelle ?

— Celle-ci : Markus Marvin a raconté que sur cette bande magnétique sur laquelle ce général...

— Calero, dit Gonzalos.

— ... Ce Calero s'entretient avec Peter Bolling...

— Un moment ! l'interrompit Marvin. J'ai dit que la voix ressemblait à celle de Bolling. Mais, dès le début, j'ai eu le sentiment que ce n'était pas lui.

— OK, Markus, tu n'es pas sûr de toi, dit Valérie. Tandis que le docteur Gonzalos, lui, est sûr de ce qu'il avance. Dans cette conversation, Calero dit que Gonzalos peut ne rien savoir de cette affaire germano-brésilienne parce que, premièrement, elle se déroule dans le top-secret le plus absolu, et parce que, deuxièmement, Gonzalos n'a travaillé que très peu de temps au ministère de l'Environnement.

— Oui, et alors ? demanda Bruno Gonzalos.

— Ce n'est pas exact ! riposta Valérie Roth. J'ai fait aussi mon enquête, moi. Vous avez travaillé plus de trois ans au ministère de l'Environnement, de 1975 à 1978. Juste à la période où se négociait « l'Affaire du Siècle ». Alors, le général se trompait-il ? Ou mentait-il ? En tout état de cause, vous, vous n'avez pas protesté le moins du monde contre cette fausse allégation. Pourquoi, docteur Gonzalos ? »

Gonzalos s'était levé.

« Je ne vois pas où vous voulez en venir, Mme Roth.

— Je voudrais tout simplement mettre en évidence que vous avez tu la vérité. Sur ce point-là. Sur un autre point, vous avez dit la vérité. A savoir que vous connaissiez l'affaire germano-brésilienne. Ou plus exactement, au début, vous avez dit que vous ne la connaissiez pas. Pourquoi, M. Gonzalos ?

— Ça ne vous regarde pas ! s'écria Gonzalos. — Il pointa l'index vers Marvin. — Ainsi vous avez communiqué l'interrogatoire de Ritt et de Dornhelm à mon insu ! C'est une infamie de votre part, M. Marvin. Et cela, uniquement pour expliquer que vous êtes, *vous*, l'homme qui se fait passer pour ce qu'il n'est pas.

— Docteur Gonzalos ! s'écria Marvin. Vous ne savez plus ce que vous dites !

— Oh, si ! Je le sais très bien. Et j'exige...

— Taisez-vous, je n'ai pas encore terminé, coupa Valérie Roth. Pendant plus de trois ans, vous avez travaillé dans l'ombre de Calero ! Plus de trois ans ! Que savez-vous donc, docteur Gonzalos, dont vous n'avez pas parlé ? Que savez-vous sur la manière dont Bolling a réussi à se faire recevoir par Calero et à parler avec lui de cette affaire de nucléaire ? Vous êtes absolument certain qu'il s'agit bien de Bolling. Allons donc ! Avec des faux papiers, Bolling n'y serait jamais parvenu ! Jamais. Calero aurait à coup sûr téléphoné immédiatement à Bonn. Même si Bolling lui avait été officiellement annoncé par l'intermédiaire de l'ambassade comme étant l'homme avec qui il devait établir la ligne commune à suivre. Résultat : Bolling n'avait qu'une seule chance de parvenir jusqu'à Calero, au cas où il venait vraiment au nom du gouvernement allemand. Par conséquent, Bolling serait l'homme qui ment et qui nous trompe tous. Je dis cela avec un profond chagrin, car j'ai travaillé de nombreuses années avec lui, et je le considérais comme un ami. »

— Nom de Dieu ! s'écria Marvin. Et moi je dis que cette voix me paraît étrangère. Plus j'y pense, et plus je crois que ce n'était pas Bolling.

— M. Gonzalos continue à croire que si... n'est-ce pas ?

— Oui, dit-il. Autrement dit, en me cramponnant à ma conviction, je suis assez stupide pour m'accuser moi-même d'en savoir beaucoup plus que je ne l'avoue sur Calero, sur Bolling et sur l'affaire du nucléaire. C'est complètement fou ! M. Marvin et moi, nous sommes des scientifiques et nous nous connaissons depuis longtemps. C'est lui qui nous a désignés, ma femme et moi, comme les premières personnes à contacter au Brésil. Est-ce que c'est juste, M. Marvin ?

— Oui, c'est juste.

— Plus fort ! cria Gonzalos.

— Oui, c'est juste ! cria Marvin à son tour.

— Alors, cria Gonzalos hors de lui, vous devez soupçonner tout autant M. Marvin que moi !

— Peut-être avez-vous trompé sa confiance, dit Valérie Roth d'une voix glaciale. C'est ce qu'a fait son cher ami Bolling, après tout.

— Vous n'avez pas honte de proférer de pareilles insanités ? dit Gonzalos d'une voix tremblante. Je ne me laisserai pas plus longtemps marcher sur les pieds et je ne resterai pas une minute de plus dans la même pièce que cette personne. »

Il alla à la porte, tourna une dernière fois la tête vers l'assemblée et disparut.

« Symphonie des adieux, dans le plus pur style mélo, grogna Marvin.

— Bon. A vous, maintenant, Mme Raal, dit Valérie.

— A moi ?

— Oui. A Altamira, vous avez vu Bolling téléphoner à M. Zinner, vous l'avez entendu demander un garde du corps pour protéger Markus Marvin... »

La porte se rouvrit brusquement et Zinner revint dans le bureau.

« Non pas que je veuille vous déranger, dit-il. J'ai réfléchi. Je voudrais encore écouter un peu ce qui se dit ici. Mais c'est la dernière fois !

— Mme Raal ! » s'écria Valérie en ignorant ostensiblement le nouveau venu.

Katja rougit. Elle regarda Bernd Ekland d'un air tragique.

« N'est-ce pas, Mme Raal, c'est bien ainsi que ça s'est passé ? Vous l'avez raconté à Ekland et à Marvin.

— Alors..., commença Katja, mais Bernd l'interrompit aussitôt d'un geste.

— Je voudrais vous dire quelque chose à tous, moi, dit le cameraman. Il est exact que Katja a vu M. Bolling courir au téléphone et l'a entendu parler. Elle a également entendu le nom de Zinner. Depuis ce jour, elle a réfléchi calmement et posément à tout cela et est d'avis aujourd'hui qu'elle n'aurait jamais dû sérieusement affirmer que Bolling téléphonait à M. Zinner, uniquement parce qu'il avait prononcé ce nom.

— C'est pourtant ce qu'il a fait, dit Zinner.

— Attendez ! Je n'ai pas encore terminé. — Ekland se leva. — Pour Katja et pour moi, je vais maintenant vous donner une explication. Il y a longtemps que j'aurais dû le faire, et je suis heureux d'en avoir l'occasion. Katja et moi, nous avons été engagés par M. Zinner...

— Parce que vous êtes le meilleur cameraman que je connaisse ! Et Katja, le meilleur technicien, l'interrompit encore Zinner.

— ... et nous avons été ravis que son choix se porte une fois encore sur nous, poursuivit Ekland. Elle et moi, nous ne nous occupons que de notre travail. Et nous l'avons fait aussi bien que nous le pouvions. Jamais nous ne nous sommes laissé embarquer dans une intrigue, quelle qu'elle soit... Quelle qu'elle soit, j'insiste. Et nous ne le ferons pas encore cette fois-ci. Katja a observé Bolling au téléphone. C'est tout. Il n'y a rien d'autre à raconter. Et il n'y aura jamais rien d'autre à raconter. Nous n'avons rien à voir avec ce secret terrifiant dont on ne cesse de nous rebattre les oreilles ici. Nous ne savons même pas s'il existe réellement, et nous ne voulons pas le savoir. Nous ferons notre travail, un point, c'est tout. Si quelqu'un d'entre vous n'accepte pas cette prise de position fondamentale, nous partirons aussitôt.

— Un instant, dit Joschka Zinner. C'est peut-être une comédie, Ekland. Vous partirez si les autres n'acceptent pas que vous soyez tout à fait en dehors du coup, c'est bien ça ?

— Parfaitement, dit Ekland.

— Alors, nous nous sommes peut-être trompés, c'est peut-être vous deux que nous cherchons, et maintenant que ça commence à chauffer, vous fichez le camp et... »

Ekland repoussa le cinéaste sur le côté.

« Viens, Katja ! » dit-il.

Quelques secondes plus tard, ils étaient partis sans ajouter un mot. Isabelle, qui avait longuement chuchoté à l'oreille de Philip Gilles, leva la main.

« Un instant, s'il vous plaît. »

Tous les yeux se tournèrent vers elle.

« J'ai quelque chose à vous dire... Cela m'est très désagréable, et c'est la raison pour laquelle j'ai beaucoup hésité à en parler, dit-elle. Mais maintenant, je vois bien qu'il *faut* que je parle. Durant la nuit qui a précédé sa disparition, Peter Bolling est venu me surprendre dans ma chambre d'hôtel, à Altamira et... il m'a poursuivie de ses avances. J'ai appelé Philip Gilles au secours. Bolling a eu une violente crise d'asthme. Lorsqu'elle a été passée, il a voulu s'excuser, et...

— Et le lendemain matin, il avait disparu, compléta Gilles.

— Tiens donc ! dit Joschka Zinner. Il a pris prétexte de cette tentative de viol parce qu'il fallait qu'il se sauve au plus vite.

— Où donc ?

— Est-ce que je sais, moi ? Mais vous, vous le savez peut-être ?

— Vous voulez dire qu'Isabelle Delamare a inventé cette histoire ?

— Oui. Ce n'est pas impossible. Pourquoi faut-il toujours que je sois le seul responsable de tout ? Elle avait peut-être ses raisons d'aider Bolling, parce qu'il fallait qu'il disparaisse. »

Gilles dit à mi-voix et très lentement :

« Pensez-vous qu'il soit exclu qu'il ait disparu parce qu'il avait honte de son comportement ?

— Non ! répondit Joschka. Vraiment, M. Gilles, non ! Un viol... et qui n'a même pas réussi.. Qu'est-ce que c'est, après tout ?

— Dans votre milieu, rien de particulier, manifestement, riposta Gilles.

— Si vous voulez me vexer, vous devrez vous lever plus tôt, mon bon ! Non, ce n'est rien de particulier, et pas seulement dans mon milieu, croyez-moi.

— Je comprends, dit Isabelle.

— Vous voyez ? Il vous manque encore quelque expérience de la vie, ma petite dame. »

Gilles se leva.

« Faites attention ! reprit Zinner. Et si vous aviez vraiment inventé cette histoire de tentative de viol ? Apparemment, vous accusez Bolling. Et, en réalité, vous le protégez. J'aimerais savoir jusqu'où vous trempez dans cette histoire, vous deux ? »

Gilles marcha sur lui d'un air menaçant.

Joschka Zinner courut à la porte.

« Cette fois, j'en ai vraiment assez de cette maison de fous ! Pourquoi ne tremperaient-ils pas dans cette saleté, M. Gilles et la jeune dame ? Et madame l'avocate, pourquoi pas elle aussi ? »

Sur ces paroles, il disparut.

« Oui, dit Miriam Goldstein, à dire vrai, pourquoi pas moi ? Je représente les intérêts de M. Marvin et de Mme Roth. Ainsi que de l'Institut de Physique de Lübeck. Nous n'avons cessé de dire que des personnalités de poids voulaient vous voir tous le plus loin possible afin que vous n'ayez pas l'occasion de mettre votre nez là où il se passe vraiment quelque chose. C'est pour cette raison qu'ils se sont servis de Joschka Zinner.

— C'est vous-même qui avez émis cette hypothèse.

— Je vais la reprendre. Qui vous dit que je n'ai pas fait cela dans un objectif funeste ? Mon client, M. Marvin, est obsédé par l'idée que les Allemands possèdent la bombe atomique — ou qu'ils pourraient la fabriquer à tout moment. Il n'a jamais abandonné son idée, pas même au Brésil ! Et encore moins lorsque le procureur de la République l'a convoqué à Francfort.

— Il le prétend d'arrache-pied, mais il n'en a pas la moindre preuve réelle, dit méchamment Valérie. Erich Hornung, le physicien avec lequel Markus a eu cette conversation téléphonique, a été écrasé sur la chaussée, juste au moment où Markus subissait un interrogatoire. Il ne peut plus rien dire. On a volé à cet agent de la NSA toutes les bandes enregistrées après l'avoir violemment frappé. Il est hospitalisé avec une commotion cérébrale. Ritt et Dornhelm ont immédiatement transmis à Bonn tout ce que Markus a raconté. Bonn *et* les Américains ont fait perquisitionner le Centre de Recherches nucléaires de Karlsruhe. Pas le moindre indice de travaux sur les transuraniens, et en particulier sur le transuranien deux cent quarante et un. Et pourtant, ils ont fouillé le Centre de fond en comble. Absolument rien !

— Parce qu'ils ont eu le temps de faire disparaître tout ce qui était compromettant bien sûr ! dit Marvin furieux.

— Il n'en reste pas moins que tu n'as aucune preuve et que tu n'en as jamais eu !

— Malgré cela, on a rappelé mon client de Paris, intervint de nouveau Miriam Goldstein. Pourquoi alors, ne serions-nous pas, lui et moi, ceux qui distraient les autres d'une affaire beaucoup plus importante, en faisant tout ce tumulte autour de la bombe, à l'existence de laquelle Marvin et moi, en réalité, nous ne croyons pas du tout, mais faisons seulement semblant de croire ?

— Vous... Vous... — Valérie s'interrompit. — C'est vraiment à devenir fou !

— Tout cela est peut-être fait exprès, dit Miriam.

— Mais c'est vous qui nous avez tous convoqués ici pour nous apprendre que l'un d'entre nous doit en savoir plus !

— Et si je suis celui-là, *moi*, celui qui en sait davantage ? » demanda Miriam.

Marvin s'attaqua à Valérie.

« Tu dis qu'on n'a rien trouvé à Karlsruhe ? Comment le sais-tu ? Par tes relations à Bonn, n'est-ce pas ? Tes fameuses relations ! Tes formidables relations ! Or, personne ne sait ce qu'elles sont, ces relations.

— Ce doit être vraiment des relations exceptionnelles, ajouta Miriam. Avec tout ce que vous savez, Mme Roth !

— Tu n'arrêtes pas de nous aider, hein ? reprit Marvin qui sentait de nouveau la moutarde lui monter au nez. Depuis le début. Ritt et Dornhelm ne voulaient pas me laisser partir au Brésil à cause de l'affaire Hansen. C'est *toi* qui as réussi à me faire avoir malgré tout l'autorisation de quitter le territoire allemand. Sans ton aide, toute l'équipe serait restée ici ! Ce qui aurait sonné le glas de la série télévisée, car la télé de Francfort avait posé comme condition que ce soit *moi* qui prenne la direction des opérations. Avec tes relations, tu as aplani toutes les difficultés...

— Espèce de salaud ! explosa soudain Valérie Roth. Tu oses m'accuser, moi ? Moi qui, tu le sais très bien, ai toujours réussi à résoudre toutes les difficultés du professeur Ganz et de l'Institut de Physique de Lübeck...

— C'est vrai, tu as réussi tout cela. On se demande toujours par quels moyens ; tu as même contribué à faire revenir Philip Gilles sur sa décision de s'enterrer et de ne plus écrire. Car il était nécessaire qu'il écrive, n'est-ce pas ? Il faut le plus de publicité possible pour sauver le monde en péril. Il faut que ce soit l'unique sujet de préoccupation et de conversation des populations. Tu fais tout pour ça ! Mme Goldstein, soyez franche, achèteriez-vous une voiture d'occasion à Mme Roth ?

— Ça suffit maintenant, dit Valérie. Tu deviens fou, ma parole, Markus. Malheureusement, maître, je ne peux plus rester davantage ici, vous le comprendrez, je pense. Excusez-moi. »

Et la porte se referma derrière Valérie Roth.

« Elle est intéressante, cette dame, dit Miriam en guise de commentaire.

— Vous aussi, maître, vous êtes très intéressante, ajouta Markus Marvin, toujours en colère.

— Ah oui?

— Vous dites que je suis votre client...

— Ce qui est la vérité.

— ... que vous partagez mon avis en ce qui concerne la bombe...

— Et alors?

— ... et puis, brusquement, vous tournez casaque et déclarez à Valérie que cette comédie pourrait bien avoir été mise en scène par nous deux, vous et moi, parce qu'il est possible que nous poursuivions d'autres objectifs. Je vous remercie, maître! De tout mon cœur. Vous avez fait beaucoup pour ma crédibilité. Quelle diplomatie! Et d'ailleurs, toute cette histoire de convocation et d'invitation ici, à quoi rime-t-elle? Pour qui travaillez-vous, maître Goldstein? En tout état de cause, plus pour moi. Je ne suis plus votre client. A partir de maintenant, je vous retire mon mandat. Au revoir à tous!

— Vous avez fait ce que vous pouviez, Mme Goldstein, dit Gilles après le départ de Marvin. Vous ne pouviez guère les provoquer davantage.

— Non, dit Miriam. Mais qu'ai-je obtenu en échange? Maintenant, chacun est l'ennemi de chacun, et pourtant, est-ce que ce qui se trame n'est pas beaucoup trop grave pour que je garde le silence?

— Il fallait que vous agissiez comme vous l'avez fait », dit Gilles.

Isabelle tendit un petit paquet à Miriam.

« Voici quelque chose que nous vous avons apporté. Philip l'a trouvé dans sa maison en Suisse, lorsque nous sommes rentrés du Brésil.

— Qu'est-ce que c'est?

— N'ouvrez le paquet que quand vous serez seule avec votre mère, s'il vous plaît, dit Gilles. Nous aussi, nous devons partir. Allez, bonne chance! Il y a une station de taxis au coin de la rue, je sais, merci! »

Cinq minutes plus tard, Miriam sortit dans le jardin envahi par le crépuscule. Il faisait encore très chaud. L'aveugle était éclairée par le soleil couchant. Miriam s'assit auprès d'elle.

370

« Alors ? demanda Sarah Goldstein.

— Coup fourré, répondit Miriam. Je n'ai pas fait le moindre pas en avant. »

Elle tendit le petit paquet à sa mère.

« Qu'est-ce que c'est ?

— C'est Isabelle Delamare et Philip Gilles qui me l'ont donné.

— Ouvre-le ! »

Miriam l'ouvrit et resta pétrifée en voyant apparaître le contenu du colis.

« Alors ? » demanda sa mère.

Elle lui posa sur les genoux une paire de souliers d'enfant tout petits et très vieux.

Sarah Goldstein fit glisser ses doigts sur les souliers. Ses yeux morts se remplirent de larmes.

12

« Nous voulons avoir de la chaleur à volonté ! » s'écria le jeune homme élégant à l'entrée de la Foire d'Essen, devant un groupe d'une trentaine de personnes.

22 septembre, jour de l'ouverture de la DEUBAU, une foire très importante pour tout ce qui se rapportait de près ou de loin à la construction des maisons. Ce jeune homme était un vendeur publicitaire extrêmement bien formé à son métier. A côté de lui se trouvait un panneau portant le nom de l'entreprise qui voulait se faire de l'argent avec l'appareil présenté : Compagnie d'Electricité Rhin-Westphalie.

L'appareil mesurait un mètre et demi de longueur, soixante-dix centimètres de hauteur et dix centimètres de profondeur.

« Cet appareil est ce que nous avons de mieux à vous offrir, mesdames et messieurs ! poursuivit le vendeur en dialecte rhénan [35]. Un radiateur à accumulation de chaleur pour chaque pièce de votre appartement ! Vous n'aurez pas de mal à lui trouver une place, il est si petit et si plat ! Et économique, avec ça ! Vous l'achetez une fois, et vous en avez pour tout le reste de votre existence ! Si vous vous chauffiez au mazout, vous n'auriez pas envie d'aller en acheter tous les jours, hein ? Le problème est de savoir quand il faut remplir la cuve. Tandis que cet appareil, lui, il pense à votre place, il est muni d'une jauge extérieure qui assure les contrôles de nuit...

— Non, non, merci ! s'écria une voix dans la foule.

« — Ne dites pas non, je vais vous expliquer le fonctionnement de l'appareil. Il possède donc une jauge extérieure qui contrôle la nuit la température extérieure et le reste de chaleur contenu dans l'appareil, afin d'éviter toute surcharge. Et s'il suffit de quarante pour cent pour assurer le chauffage du lendemain, c'est lui qui se charge de se régler lui-même. Vous le voyez, il est supérieur à votre chauffage central. »

Katja avait monté la BETA d'Ekland sur son pied. La caméra tournait et enregistrait les gestes du jeune homme et son discours. Gilles, Isabelle, Marvin, Loder, Valérie, ainsi que Monique et Gérard Vitran entouraient la caméra. Isabelle traduisait à voix basse pour ses amis français.

Ils tournaient cette scène pour servir de support à une émission sur l'économie d'énergie, principal domaine d'activités des Vitran. Si l'on ne mettait pas fin le plus rapidement possible à ce gaspillage d'énergie affolant, si la consommation d'énergie ne diminuait pas enfin dans de très grandes proportions, les énergies de remplacement, telle l'énergie solaire, n'avaient aucune chance de s'imposer, et le monde perdait toutes ses chances de survie. L'ESI (Energy System International) des Vitran avait déjà réussi à obtenir en France des mesures radicales d'économie d'énergie. Il était prévu de charger l'équipe de faire un rapport audiovisuel sur ce sujet. A l'occasion de la Foire du DEUBAU d'Essen, Vitran avait cependant proposé de commencer par une documentation sur la situation en Allemagne.

L'ambiance, dans le groupe, s'était beaucoup refroidie depuis la dispute générale chez Miriam Goldstein à Lübeck ; on ne sentait tout de même pas d'hostilité réciproque, mais une tension générale et une irritation latente. On s'observait mutuellement d'un air méfiant et il naissait sans cesse des petites frictions. Vexé et blessé, Bruno Gonzalos était parti pour Hambourg, à l'antenne locale de Greenpeace, afin de négocier le projet d'un film sur le déversement d'acide dilué dans la mer. Ritt ne s'était plus manifesté et on n'avait toujours pas reçu de nouvelles de Peter Bolling.

Le jeune vendeur élégant à l'entrée de la foire ne faisait pas de publicité pour la maîtrise de l'énergie, bien au contraire : il vantait les mérites d'une installation qui entraînerait une plus grande consommation d'énergie, pour le bien et le salut des compagnies allemandes d'électricité. Voilà pourquoi Gérard Vitran tenait à ce que sa démonstration soit filmée.

« Avec cet appareil, criait le jeune homme, vous n'avez pas

besoin d'acheter votre mazout pour toute l'année et de le stocker ; vous ne payez que ce que vous consommez. »

Quelques cris fusèrent dans l'auditoire, puis une certaine agitation parmi la foule de curieux de plus en plus nombreuse.

« Allons ! Ne cherchez pas à me flatter ! s'écria-t-il avec humour en réponse à l'agitation croissante. Vous pouvez me contredire tranquillement, si vous pensez le contraire de ce que je vous dis ! Mais il faut que je précise ceci : A Essen, un appartement sur trois est déjà chauffé à l'électricité. Plus de deux cent mille citoyens d'Essen ! On ne peut pas imaginer que tant de monde à la fois se trompe en même temps, n'est-ce pas ? — Et comme personne ne réagissait, il continua à tonitruer d'un air triomphant : Ah ! Ça vous surprend, hein ? Je suis sûr que vous n'avez pas bien entendu ! »

« Et toi, murmura Katja à l'oreille de Bernd, tu n'as plus mal ? »

Il secoua la tête.

« Plus du tout ?

— Plus du tout, chérie, chuchota-t-il à son tour. »

C'est la cortisone, se dit-elle en déposant un baiser léger sur sa joue. Les piqûres. Elles font de l'effet.

Quelqu'un dans la foule cria :

« Et la consommation de courant est encore plus forte, hein, nom de Dieu ! Au prix de l'électricité que vous nous faites payer ! Vous ne manquez pas de culot ! Vous êtes déjà beaucoup trop cher pour ce que c'est !

— Bravo !

— Il a raison !

— Du calme, du calme, s'écria le jeune homme en riant. Vous dites : beaucoup trop cher, monsieur ?

— Parfaitement.

— Alors, je vous redis, moi : jetez un coup d'œil sur les habitants d'Essen ! Il y en a déjà deux cent mille qui se chauffent au courant par accumulation. Vous croyez qu'elles ne savent pas ce qu'elles font, ces deux cent mille personnes-là ? La moitié d'entre elles, disons cinquante pour cent, ont un prix de chauffage de dix marks par mètre carré et par an. »

« Bon, dit Valérie Roth. Merci, Bernd, ça suffit. Il ne fait que se répéter. Allons à l'intérieur maintenant, et enregistrons la situation opposée, chez Olsen.

— OK, dit Bernd Ekland en arrêtant sa BETA.

— Mince alors, ils savent vendre, ces types-là, ils savent embobiner les gens ! dit Marvin à Loder.

— Attendons ce qu'on dira chez Olsen », répondit celui-ci.

Les halls de la Foire d'Essen étaient bondés de visiteurs, l'air pesant, le bruit assourdissant. Plusieurs équipes de télévision tournaient devant des machines sensationnelles ou des stands d'exposition. Devant le stand Olsen, Katja avait préparé tous les appareils en un temps record, et « connecté » Karl Olsen, spécialiste du chauffage, et Valérie Roth. Des membres du service d'ordre tenaient éloignés les curieux qui se pressaient contre des cordes rouges tendues. Katja était inondée de transpiration tellement elle avait travaillé vite. Bernd l'embrassa tendrement sur la joue.

« Voilà, nous sommes prêts », dit-elle à Valérie à qui elle avait remis un micro portatif à cause du bruit ambiant.

Valérie se mit un peu de rouge à lèvres et révisa la tenue de sa coiffure, pendant que Katja tenait une feuille de papier devant l'objectif, sur laquelle elle avait écrit en grosses lettres : FOIRE D'ESSEN/3 — INTERVIEW OLSEN

« Allez-y, dit Ekland. Vous êtes d'abord seule sur l'image. »

Valérie commença à réciter le texte qu'elle avait préparé avec Loder et Vitran :

« Mesdames et messieurs, vous venez de voir et d'entendre la publicité faite par la Compagnie d'Electricité Rhin-Westphalie : vendre toujours plus de courant — en vantant ici les mérites du chauffage par accumulation. Nous voici maintenant dans le grand hall de la DEUBAU, au stand de M. Karl Olsen. »

La BETA se tourna vers le stand et son propriétaire, mais de manière à ce que Valérie paraisse aussi sur l'image.

« M. Olsen est propriétaire d'une moyenne entreprise dans une ville située sur le Main. En tant que pionnier dans la technique du chauffage, il s'est donné pour objectif d'aider ses clients à économiser l'énergie ; cela rend service aux clients, favorise son chiffre d'affaires et protège l'environnement. Rares sont ceux qui savent combien ils peuvent contribuer à épargner l'environnement, simplement en réglant convenablement le chauffage de leur logement, c'est-à-dire en faisant construire ou transformer leur maison de manière à ce qu'elle utilise le moins de chauffage possible. Vous allez voir différents types de maisons chauffées à l'énergie solaire, avec des héliostats sur le toit ou sur les murs. Toutes, elles ont besoin d'énergie solaire toujours renouvelée, quelle que soit la manière dont celle-ci est fournie. L'invention géniale de M. Olsen est une maison qui n'a quasiment pas besoin d'énergie de chauffage, que l'on pourrait appeler une " maison à énergie zéro ". M. Olsen, pouvez-vous nous expliquer le fonctionnement de votre système ? »

La BETA se fixa sur Olsen qui commença à parler tout en présentant des éléments de construction et des schémas [36].

OLSEN : Pour commencer, je précise que mon entreprise construit des maisons neuves. Il est également possible d'adapter des maisons anciennes, mais restons-en pour l'instant aux maisons neuves. Si nous n'apprenons pas le plus rapidement possible à penser par ensembles, si chacun ne considère que son domaine d'intérêt, nous finirons très rapidement dans une impasse. Je n'ai rien contre le courant, au contraire ! Dans l'avenir, nous continuerons à en avoir besoin. Mais premièrement, nous utiliserons une autre forme de courant, celui qui est fourni par l'énergie solaire, et deuxièmement, nous devrons nous en tenir à des quotients d'utilisation très différents : nous pourrons, et nous devrons même, nous en tirer avec un dixième de nos besoins actuels. Voyez-vous, aujourd'hui encore, le Verbund facture aux consommateurs dix marks environ par mètre carré d'habitation et par an. C'est un prix extrêmement élevé. Cela représente une consommation de deux cent soixante-dix kilowatts/heure par an et par mètre carré de surface d'habitation, la consommation souhaitée par le Verbund, qui a évidemment tout intérêt à gonfler les quotas.

VALÉRIE ROTH : Et vous, vous construisez des maisons dans lesquelles on peut vivre avec un dixième de cette quantité, M. Olsen ?

OLSEN : Oui. Je peux d'ailleurs vous le prouver, sur environ deux douzaines de maisons individuelles construites par nos soins. Venez faire une petite visite dans une de ces maisons et je vous montrerai.

VALÉRIE ROTH : Merci de votre invitation. Nous irons certainement.

OLSEN : Mes maisons individuelles ont besoin au maximum — au maximum, vous m'entendez ? — de vingt kilowatts/heure par mètre carré et par an, donc à peine un dixième de ce qui est offert aujourd'hui et gaspillé en énergie. Mais nous allons plus loin encore : si vous calculez en mazout de chauffage, mes maisons individuelles ont besoin de deux litres de mazout par an et par mètre carré, et un immeuble de plusieurs appartements se contente d'un litre seulement par mètre carré et par an.

VALÉRIE ROTH : Comment arrivez-vous à ce résultat ?

OLSEN : Mon Dieu, je ne suis pas un génie. J'ai eu des

modèles avant de commencer, en Scandinavie et surtout aux Etats-Unis. J'y suis allé et j'ai étudié les systèmes dans tous leurs détails.

VALÉRIE ROTH : Vous avez même monté des filiales là-bas, je crois ?

OLSEN : C'est exact. De nombreux immeubles aux Etats-Unis et en Scandinavie sont déjà très proches du but que je me suis fixé, l'énergie zéro. Chez nous, en Allemagne, nous n'en sommes pas encore si loin. Vous m'avez demandé comment nous arrivons à ce résultat ?

VALÉRIE ROTH : Oui.

OLSEN : Par une combinaison de mesures concernant les techniques de construction et les techniques climatiques. Pour commencer, il faut insérer dans les murs extérieurs des fenêtres qui suppriment pratiquement toute déperdition de chaleur. Pas de déperdition dans la construction, et pas de déperdition non plus par les fenêtres elles-mêmes.

VALÉRIE ROTH : Comment vous y prenez-vous ?

OLSEN (qui présente des dessins et des modèles pour étayer sa démonstration) : Mes fenêtres sont munies d'un système de protection de chaleur qui s'adapte exactement aux périodes de la journée et aux saisons. Ce système est commandé par des sensors extérieurs. Ici, en bas, il y a un système d'aération. Les fenêtres en elles-mêmes sont naturellement des collecteurs de rayons solaires, je vais vous expliquer tout de suite comment elles fonctionnent. Durant les trois dernières périodes de chauffage, j'ai prouvé — prouvé ! — que j'avais effectivement baissé de neuf dixièmes le besoin énergétique de mes nouveaux bâtiments par rapport à la consommation admise jusqu'à présent. Maintenant, réfléchissez un peu au soulagement que cela représente pour l'environnement, s'il y a des centaines de milliers ou des millions de maisons construites sur ce modèle ! Une réduction de quatre-vingt-dix pour cent de consommation de combustible entraîne un pourcentage égal de réduction de la pollution, autrement dit environ deux millions sept cent mille tonnes de produits polluants en moins par an, dont les foyers et les petits consommateurs chargeaient l'environnement. La technique d'énergie domestique telle que nous la voulons et la concevons est au moins aussi déterminante pour la protection de l'environnement que le catalyseur des automobiles.

VALÉRIE ROTH : Alors, comment se présente votre invention ?

OLSEN : Oh ! c'est très simple. Dans les autres maisons, même celles qui sont chauffées à l'énergie solaire, les surfaces vitrées sont des éléments de déperdition, sur le plan énergétique. Mes fenêtres à moi, au contraire, absorbent l'énergie. Avec les anciennes fenêtres en outre, l'ensoleillement joue un rôle primordial et l'énergie solaire doit être sans cesse renouvelée par l'apport extérieur, n'est-ce pas ? Dans les maisons que je construis, il n'y a pas un pouce d'énergie qui se perde, et c'est la technique solaire elle-même qui renouvelle sans cesse l'énergie. Mes fenêtres absorbent toute espèce de rayonnement, et pas seulement le rayonnement du soleil. Elles absorbent même les rayons infrarouge durant la nuit. Evidemment, c'est plus simple lorsque les fenêtres donnent sur le sud. Mais même dans les maisons dont les fenêtres sont orientées vers le nord, le bilan énergétique est positif ; ceci m'a été confirmé par un grand nombre d'expertises de l'Institut Max-Planck de Mülheim-sur-la-Ruhr. Tenez, regardez donc une fenêtre comme celle-ci. Vous la voyez en gros plan sur la caméra ? Bon... Que je vous dise tout d'abord, ceci est une fenêtre à double vitrage. L'intervalle entre les deux vitres est occupé par trois rouleaux transparents à la lumière et qui se baissent automatiquement. Ils sont faits de feuilles spéciales qui régularisent le passage de l'énergie extérieure suivant l'heure et la saison. On peut comparer ce système au changement de vêtements des hommes selon les conditions climatiques... Et il s'y ajoute un quatrième rouleau dont la couche tournée vers l'extérieur est métallique et masque pendant la nuit le rayonnement du froid. J'appelle ceci une « maison intelligente ». Ma « maison intelligente » a besoin de neuf dixièmes de moins d'énergie que les « maisons sottes » auxquelles les compagnies d'électricité peuvent vendre des quantités d'énergie, qui sont de surcroît follement gonflées.

VALÉRIE ROTH : C'est formidable !

OLSEN : Oui, c'est formidable, vous avez raison. En revanche, le comportement de notre gouvernement n'a rien de formidable, lui !

VALÉRIE ROTH : Vous pouvez vous expliquer ?

OLSEN : Malgré toutes les expertises, il refuse à mon entreprise la reconnaissance de ces fenêtres comme équipement énergétique. — Olsen parle de plus en plus fort, avec une certaine colère dans la voix. — Et parce qu'elles ne sont pas reconnues comme tel, le ministre des Finances déclare que ni les frais d'achat du matériel ni les frais d'installation de ces fenêtres ne peuvent être défalqués de la déclaration de revenus — selon le paragraphe 82 A du code de l'impôt sur le revenu, prévu à cet effet.

VALÉRIE ROTH : Le ministre des Finances refuse ?

OLSEN : Parfaitement, il refuse. Et maintenant, écoutez-moi bien ! Les radiateurs électriques dix fois surdimensionnés, tels ceux que recommande si chaleureusement la Compagnie d'Electricité Rhin-Westphalie — vous en avez vu un dehors, le jeune vendeur vante ses louanges du matin au soir —, ceux-là, selon le même paragraphe cité en référence, sont déductibles des impôts.

VALÉRIE ROTH : Or, pour la plupart des citoyens qui construisent eux-mêmes leur maison ou qui la font construire, la déductibilité fiscale est déterminante dans le choix du matériel. Si l'on refuse d'homologuer vos fenêtres énergétiques comme équipement solaire...

OLSEN :... cela revient à un désavantage de cinquante pour cent face à la concurrence favorisée par le fisc, vous avez compris. Sans déduction fiscale, les maisons individuelles nouvellement construites avec notre technique reviennent à cinq ou dix pour cent plus cher que les maisons conventionnelles. Il n'y a que pour les immeubles à plusieurs appartements que nous pouvons supporter la concurrence, car nos maisons ne nécessitent pas de très hauts frais d'investissement. Autrement dit, cette année, nous ne construirons que des immeubles.

VALÉRIE ROTH : Pourtant la décision du ministre des Finances est injuste.

OLSEN : Bien sûr qu'elle est injuste. Et je vais continuer à lutter contre elle. Voilà ce qui les attend avec des gens comme nous, demandez à M. Loder s'il leur rend la vie dure, aux autorités, avec son matériel d'énergie solaire ! Et le comble, c'est qu'avec ce paragraphe 82 A, les législateurs font croire à la population qu'ils veulent encourager les économies d'énergie !

VALÉRIE ROTH : Vous avez des arguments pour expliquer le comportement injuste des autorités fiscales ?

OLSEN : Et comment ! Et je le dis bien haut, car c'est la vérité, voilà ce qui se passe en réalité : l'environnement souffre, les consommateurs d'énergie sont saignés à blanc, mais l'Etat et les compagnies d'électricité gagnent de l'argent à la pelle ! Alors que l'on pourrait éviter depuis si longtemps une consommation d'énergie aussi élevée.

VALÉRIE ROTH : Vous avez donc à lutter contre un front qui empêche l'économie d'énergie pour de simples raisons d'intérêt ?

OLSEN : Exactement. Il y a quelques semaines, M. Töpfer, le ministre de l'Environnement, avait déclaré au cours d'une assemblée des chefs de moyenne entreprise, à Xanten, qu'une aussi bonne technique n'avait pas besoin du soutien de l'Etat. Voilà ce qu'a dit textuellement Töpfer! On n'arrête pas de subventionner des technologies polluantes; mais on empêche les techniques qui respectent l'environnement de se répandre sur le marché... Voyez mon cas. Il commence à être temps que nous fassions un peu de nettoyage dans tout ça[37]!

Un homme vêtu d'un costume brun foncé s'approcha d'eux.

« M. Markus Marvin?

— Oui. Qu'y a-t-il? demanda celui-ci d'une voix méfiante.

— Ernst Petersen, dit l'homme en sortant une carte. Police judiciaire. Nous venons d'apprendre que le docteur Bruno Gonzalos avait quitté Hambourg pour Rio de Janeiro, via Londres, il y a six heures. »

Une conversation téléphonique.

« Clarisse?

— Qui est à l'appareil?

— Isabelle Delamare, Clarisse.

— Isabelle! Où es-tu?

— A Essen.

— Où?

— A Essen. C'est une ville de l'Allemagne de l'Ouest. Nous filmons un documentaire à la Foire d'Essen. Un homme de la police judiciaire vient de nous avertir que ton mari avait pris l'avion pour Rio. Qu'est-ce que ça veut dire?

— Je ne sais pas, Isabelle.

— Comment, tu ne sais pas?

— D'où parles-tu?

— D'une cabine téléphonique.

— Tu es seule?

— Oui.

— Tu as de la chance de m'avoir eue au bout du fil...

— Pourquoi?

— Bruno et moi, nous filons dès qu'il aura atterri.

— Mais pourquoi, Clarisse, pourquoi?

— Je ne sais pas. Il m'a téléphoné et m'a dit de préparer une valise. Nous partons en voyage pendant un certain temps.

— Où?

— Je ne sais pas.

— Pourquoi?

— Je ne sais pas non plus.

« — Mais...

— Je te donnerai bientôt de mes nouvelles, Isabelle. Je te le promets.

— Clarisse... Clarisse... Que devient l'alouette?

— Elle pousse bien. Et j'ai l'impression qu'elle commence déjà à remuer. »

Trois voitures roulaient sur l'autoroute Düsseldorf-Francfort. Bernd Ekland conduisait la première, une grosse Mercedes, avec Katja Raal à sa droite. Sur les deux portières avant de la voiture, on pouvait lire : Télévision de Francfort. La banquette arrière était occupée par Philip Gilles et Isabelle.

La deuxième, une BMW qui portait un numéro de Lübeck, était pilotée par Markus Marvin, avec, à sa droite, Valérie Roth. Ils se disputaient. Sur la banquette arrière, le professeur Loder. La radio laissait entendre une musique de jazz très discrète; elle était branchée sur les renseignements concernant la circulation.

La troisième voiture, une Citroën immatriculée à Paris, était occupée par Gérard et Monique Vitran. Monique avait les yeux fixés sur la Mercedes dans laquelle Isabelle et Philip étaient assis côte à côte.

« Notre petite... Comme elle est heureuse! Et comme Philip a l'air épanoui depuis qu'ils s'aiment! Voilà au moins deux êtres heureux dans notre équipe.

— Deux seulement? Et nous, Monique, nous ne comptons pour rien?

— Ah Gérard!... Bien sûr, il est beaucoup plus âgé qu'elle... Elle sera désespérée lorsqu'il viendra à mourir.

— Personne ne connaît à l'avance l'heure de sa mort, répondit Gérard. D'ailleurs Isabelle pourrait aussi être malheureuse quand il sera devenu très vieux et qu'il aura changé. Regarde, ils s'aiment, tous les deux. Pour notre petite, cet amour durera éternellement. Isabelle ne pense ni à la vieillesse, ni à la maladie, ni à la mort. Lui, si. C'est sûr. Je crois que je le connais assez bien maintenant pour pouvoir l'affirmer. Gilles sait bien que cet amour n'est pas éternel... Isabelle l'a délivré du boulet de ses souvenirs... Oui, elle a fait tout cela, et pourtant, il sait que c'est un bonheur éphémère... Il sait qu'à son âge, il ne peut exiger une éternité d'amour, surtout d'une toute jeune femme comme elle.

— Parfois, je me dis que l'amour est la pire chose qui soit, dit Monique.

— La pire et la plus merveilleuse, riposta Gérard Vitran. Les deux à la fois. Il le sait. Et, à coup sûr, ce qui le rend le plus heureux — comme moi, comme nous qui les observons —, c'est que ce soit un amour si léger, si joyeux, si clair, chérie... Comme ils savent rire quand ils sont ensemble... Laissons-leur leur bonheur, tant qu'il dure ! »

Dans la Mercedes, Katja disait, les yeux tournés vers Philip et Isabelle :

« Vous comprenez que Bernd et moi, nous faisons uniquement notre travail, et que nous ne voulons être mêlés à rien dans cette histoire ?

— Nous sommes bien forcés d'en prendre acte, répondit Isabelle.

— Il y en a qui ne comprennent pas, je crois... Ils nous considèrent comme des personnes sans conscience... poltronnes... insensibles...

— Tant pis pour eux ! dit Ekland. Nous, on s'en fout ! Nous ne nous laisserons pas entraîner dans cette affaire qui pue à cent lieues... Car elle pue, n'est-ce pas, M. Gilles ?

— C'est bien mon impression aussi. »

Trois voitures roulaient sur l'autoroute.

Quelle ambiance ! se disait Loder dans le fond de la BMW. Depuis cette réunion à Lübeck, chez maître Goldstein. Et maintenant donc ! Depuis que Gonzalos a pris la fuite ! Il faut dire que c'est une situation impossible. Le règne de la méfiance réciproque et générale. Mais ce voyage est une folie. Marvin se dispute avec Valérie Roth ; il bourre le volant de coups de poing ; il la regarde au lieu de regarder la route... A cent soixante kilomètres à l'heure !

« ... J'ai parfaitement le droit de me poser des questions ! Qui est-ce qui finance l'Institut de Physique, sinon Bonn ! Le ministère de la Recherche. A moins que tu veuilles aussi le nier ?

— Je ne veux rien nier, répondit Valérie. Tu es en colère. Laisse exploser ta colère. Et puisque c'est moi qui suis là, déverse-la donc sur moi !

— Moi aussi, je suis là », intervint Loder.

Ils ne l'entendirent même pas. Marvin frappa de nouveau le volant.

« Financé par Bonn ! Ah, comme c'est beau, comme c'est magnifique ! Et Bonn continue à nier que nous avons la bombe atomique ! Qu'est-ce que tu sais au juste, toi, sur cette histoire-là ? Toi qui sais toujours tout ! Avec tes fameuses relations à Bonn ! Tu n'as pas encore dit le moindre mot sur la bombe et sur Bonn...

— Ecoute, Markus, s'écria Valérie. Tu es devenu fou, ma parole ! Tu as le toupet de laisser entendre... tu oses...

— Oui, j'ai le toupet ! Oui, j'ose ! Ce serait tout à fait possible, n'est-ce pas, que tu en saches long sur cette bombe, avec tes bonnes relations... Que ce soit Bonn qui te souffle ce que tu dois nous dire... et qui, en échange, te protège contre tout... Ce serait tout à fait possible, après tout ! »

Il se prépara à doubler une voiture.

« Non ! cria Valérie. Il y en a une qui arrive par-derrière !

— Et alors ? » demanda Marvin.

Il doubla. L'autre fit des appels de phare désespérés, klaxonna et passa tout près d'eux, à les frôler.

Marvin éclata de rire.

Le professeur Wolf Loder déclara d'une voix dure :

« Maintenant, ça suffit. J'en ai assez. J'ai encore envie de vivre quelques années, moi ! M. Marvin, voilà un parking. Arrêtez-vous et c'est moi qui prendrai le volant. »

A sa grande surprise, Marvin n'opposa aucune résistance.

Ils changèrent de place sans dire un mot. Loder prit le volant tandis que Marvin alla s'installer sur la banquette arrière ; il bouillait de colère. Valérie Roth, muette, contemplait la route qui se déroulait devant eux. Voilà où nous en sommes, se dit le professeur Loder. Chacun ancré dans sa fureur. Dire que nous devons travailler ensemble ! Allons, c'est à moi d'essayer au moins de renouer la conversation.

« Il y a un jeune scientifique, dit-il soudain tout haut, Olav Hohmeyer, qui a prouvé que le courant électrique provenant du charbon et de l'atome, prétendument bon marché, était en réalité une affaire qui se soldait par des pertes considérables... »

Aucune réaction dans le fond de la voiture.

Tant pis, se dit Loder. Je continue.

« Dans son livre [38], Hohmeyer part du fait que même les pires catastrophes écologiques laissent la population — et en particulier les hommes politiques — complètement froide jusqu'à ce qu'elle puisse calculer les pertes en sommes d'argent... »

Silence. Uniquement rompu par une musique douce diffusée par la radio.

« Vous m'écoutez au moins ? demanda-t-il.

— Tout à fait », répondit Marvin.

Valérie Roth se cantonna dans son mutisme.

« Continuez, M. Loder, continuez ! insista Marvin.

— Bon, dit celui-ci. Le livre d'Olav Hohmeyer est intitulé : *Les*

Frais sociaux de la consommation d'énergie. Cet homme travaille à Karlsruhe — encore Karlsruhe ! — à l'Institut Fraunhofer pour le Système technique et l'Analyse des Innovations. Cet ouvrage a provoqué une émotion énorme dans les milieux spécialisés. En effet, l'auteur en vient à la conclusion suivante : L'économie électrique a multiplié les erreurs d'investissement depuis des années parce qu'elle suivait des hypothèses erronées qui ne reflétaient qu'insuffisamment les véritables coûts des supports énergétiques conventionnels, charbon et atome, pour la production du courant.

— Il faut que nous fassions aussi un rapport sur ce problème, dit Marvin.

— A tout prix ! renchérit Loder. Mais il se trouve que, actuellement, ce n'est pas précisément à Karlsruhe que vous tournez ! Je vais téléphoner à Hohmeyer et lui demander de venir à Binzen.

— Excellente idée.

— Les coûts entraînés par les risques divers et les dommages causés à la santé et à l'environnement, qui ne sont pas contenus dans le prix de l'électricité, écrit Hohmeyer, sont répercutés par les producteurs de courant, avec la tolérance de l'Etat, sur le troisième larron qui ne s'en doute pas le moins du monde, à savoir le citoyen. Voilà ce que sont ces " frais sociaux ".

— Vous ne pouvez pas doubler maintenant, dit Valérie Roth. Il y a un fou qui arrive derrière nous à une vitesse démente.

— Il l'a vu depuis longtemps ! grogna Marvin. Tais-toi donc ! »

Mon Dieu ! se dit Loder. Quand je pense qu'ils sont attelés à la même charrue pour des semaines encore ! Ça va être gai !

Une grosse voiture les doubla en klaxonnant et en faisant des appels de phare véhéments.

« Il est complètement fou, ou ivre, ce gars-là, ou les deux à la fois, dit Valérie. — Et à Loder : Allez-y maintenant, foncez ! Vous n'avez tout de même pas l'intention de le suivre indéfiniment ! Excusez-moi, M. Loder, mais je ne sais vraiment pas ce qu'a Markus. Ce qu'il fabrique...

— La ferme ! » grogna Marvin.

Loder se prépara à doubler. Ekland, dans la Mercedes qui les précédait, avait doublé depuis longtemps déjà.

« Continuez votre histoire, M. Loder ! dit Marvin.

— Je ne sais pas. Je ne fais qu'augmenter votre nervosité, à tous les deux.

— Si, si, insista Marvin. Je vous en prie.

383

— Bon... Le livre de Hohmeyer contient des suppléments de frais, calculés avec une précision extrême, qui dérivent du fait que, un jour ou l'autre, le charbon comme l'uranium seront complètement épuisés. Dans cette perspective, il crée des fonds de réserves pour le développement de nouveaux systèmes énergétiques. Il établit les dépenses qui incomberont à l'Etat pour la recherche fondamentale et le développement dans le secteur du charbon et de l'atome, ainsi que les frais de protection policière et de protection contre les catastrophes... Pensez un peu à la mobilisation policière et frontalière, pour ne parler que d'elles, à Gorleben et à Wackersdorf, et aux infrastructures que cela nécessite, telles que casernes, véhicules divers, hélicoptères, matériel technique, mise à la disposition de trains possédant des équipements complets pour les accidents graves. Il en résulte des " frais sociaux " allant de quatre à douze pfennigs par kilowatt/heure de courant thermique ou nucléaire...

— Vous roulez à deux cents à l'heure, dit Valérie.

— Ekland roule au moins à deux cent vingt, dit Loder.

— S'il tient à se suicider, c'est son affaire. Ralentissez, je vous en prie !

— A vos ordres, madame ! — Si ça continue ainsi, ils vont tous se retrouver dans une maison de fous, se dit Loder, puis il reprit tout haut, d'un air impassible : Tandis que le courant éolien, et surtout le courant solaire !... Dans ce domaine, on peut calculer un " avantage social " dû à une amélioration de la qualité de la vie et à la création d'emplois. Mais cet " avantage " ne se reflète pas dans les prix. Hohmeyer l'évalue entre six et dix-sept pfennigs par kilowatt/heure. Il en résulte ceci : si, dans l'établissement du budget comparatif entre le courant thermique et le courant nucléaire, on répercutait les " coûts sociaux ", ce qui serait logique, le courant thermique et nucléaire reviendrait à huit pfennigs plus cher, tandis que le courant solaire diminuerait de dix. Autrement dit, si l'on exprimait ce calcul avantages/coûts dans les prix de l'énergie, il apparaîtrait que le glas de l'ère du charbon et de l'ère de l'atome a sonné depuis longtemps.

— Ah, dites-moi ! C'est une histoire prodigieuse que vous nous racontez là ! s'écria Valérie, brusquement captivée par le sujet. Il faut absolument que ce Hohmeyer vienne parler devant la caméra. A tout prix !

— Il viendra, il viendra. — Loder poursuivit : La publication de son livre tombe à pic ! Depuis, le ministère de la Recherche accepte les demandes de subventions pour la production de courant par l'énergie éolienne — limitée pour l'instant à une capacité de cent mégawatts au total. Cela suffit tout juste pour les premiers mille générateurs éoliens de cent kilowatts/heure chacun... Mais enfin : cet encouragement approche déjà beaucoup d'une reconnaissance *de facto* des calculs de Hohmeyer...

— L'énergie éolienne, bougonna Marvin. Et qu'en est-il de l'énergie solaire ?

— Rien n'est fait pour l'énergie solaire, répondit Loder. Au contraire. Vous avez entendu à Essen ce qui se passe dans la réalité ? Les radiateurs électriques qui, prétendument, économisent l'énergie sont susceptibles de retenues fiscales, les maisons solaires d'Olsen ne le sont pas. Hohmeyer a calculé le montant des " coûts sociaux " qui incombent à l'énergie thermique et à l'énergie nucléaire, qu'ils prétendent bon marché... Selon le mode de calcul, ils se montent à une somme variant entre quinze et quarante milliards de marks par an. Donc si on ne peut pas mettre fin à cette saloperie...

— Un instant ! coupa Marvin.

— Qu'y a-t-il ?

— Plus fort, la radio, s'il vous plaît ! »

On entendit distinctement la voix du speaker :

« ... La police réclame votre concours. On recherche deux voitures dans le secteur de Francfort : premièrement, une ambulance Mercedes de type 207 D, blanche, avec une large rayure rouge dans le sens de la longueur et le numéro minéralogique suivant : F-LB-1235. Deuxièmement : une camionnette Volkswagen de type 251 B, couleur vert bouteille, numéro HH-SV-8765. Il est possible que ces deux véhicules aient été garés dans un parking. Le commissariat central de Francfort et n'importe quel autre commissariat sont prêts à recevoir tous renseignements à ce sujet. Ces voitures recherchées sont impliquées dans l'enlèvement de l'industriel Hilmar Hansen et de son épouse Elisa. Je répète : la police réclame votre concours. On recherche deux voitures dans le secteur de Francfort... »

Livre IV

Si l'avenir te fait peur, le meilleur conseil que je puis te donner est le suivant : Abstiens-toi de fonder une famille.

Réponse faite par Roger Berry, directeur du département Santé et Sécurité du Centre de Retraitement des déchets nucléaires de Sellafield en février 1990 aux ouvriers qui lui exprimaient leurs craintes de transmettre à leurs enfants la leucémie provoquée par la radioactivité.

1

« La hiérarchie au sein des groupes féminins autonomes est extrêmement rigide », déclara Robert Dornhelm.

Il se cala sur le dossier de son fauteuil, dans son bureau de la préfecture de police, et joignit les mains en se balançant. Assis en face de lui, Elmar Ritt l'écoutait non sans surprise.

Dornhelm venait de faire un long discours sur les mœurs des lesbiennes, sur leur agressivité vis-à-vis de la gent masculine et la manière dont, parfois, elles attaquaient les hommes et les rouaient de coups la nuit, au détour d'une rue.

Elmar Ritt écoutait, soupirait, esquissait de temps en temps un sourire, lorsque son patron se laissait aller à une expression un peu osée ou à une description par trop évocatrice, mais au fond, il ne voyait pas très bien où ce discours allait les mener.

« Robert..., essaya-t-il de l'interrompre.

— Ne te moque pas, mon petit, nous ne sommes pas pressés. Il y a longtemps que les Hansen ont échappé à toutes les recherches. C'est trop bête.

— Tu m'avais dit que nous avions un témoin...

— Ah oui, notre témoin ! Stefan Milde, c'est son nom, est un homme foutu depuis qu'il est tombé un soir entre les pattes de ces mégères justement. Son médecin lui a prescrit deux heures de promenade à pied dans le Parc de la Forêt, tu sais bien, le grand parc près du terrain de golf. C'est ainsi que, par le plus grand des hasards, il a assisté à une scène extraordinaire... Attends un peu la suite. Donc, le 23 septembre, aujourd'hui, Milde revient de sa promenade, hors d'haleine et bouleversé...

— Pourquoi, hors d'haleine ? demanda Ritt.

— Parce qu'il avait couru depuis la forêt jusque chez lui comme un possédé.

— Et pourquoi, bouleversé ?

— Parce qu'il venait d'assister à une scène affreuse.

— Et il a tout raconté ?

— Oui, au téléphone, à son copain Anders, qui est un de nos

indics, et que nous avons constamment sur table d'écoute. Donc, aujourd'hui, à treize heures vingt et une minutes précises, Milde téléphone à Anders pour lui raconter ce qu'il vient de voir dans le Parc de la Forêt. Et, bien sûr, nous avons tout enregistré. Il marchait doucement, comme le toubib le lui avait ordonné, sur un sentier de gravillons, lorsque, brusquement, il entend une sirène. Réflexe de Pavlov? Il se jette dans un buisson et se fait tout petit. Il voit arriver, non pas une voiture de police comme il se l'était imaginé, mais une ambulance qui passe devant lui, freine et stoppe dans un nuage de poussière... Aussitôt, une camionnette Volkswagen vert bouteille sort des broussailles et vient se ranger juste devant l'ambulance. Le chauffeur, un géant en blouse blanche, saute à terre, court vers l'arrière et ouvre les deux battants de la portière. A l'intérieur, deux hommes, également en blouse blanche, des types tout en muscles. L'un d'eux rejoint le chauffeur, l'autre leur tend une civière, tire un citoyen inanimé par les pieds et le pousse sur la civière. A toute allure, les deux autres se sauvent vers la camionnette, dont la portière à deux battants a été ouverte entre-temps par un homme vêtu d'une salopette bleue. Et hop! A l'intérieur, la civière et son charge-ment! L'homme en salopette plonge à l'intérieur de la camion-nette et fait rouler le type inanimé sur le plancher. Les deux gars en blouse blanche retournent en courant jusqu'à l'ambulance avec la civière vide sur laquelle l'autre pousse un deuxième citoyen inanimé qui est transporté à toute allure jusqu'à la camionnette Volkswagen et jeté à l'intérieur, comme le premier. Retour à l'ambulance! Un petit homme frêle, aux cheveux blancs coupés avec soin, vêtu d'un complet de flanelle, et aussi inanimé que les précédents, glisse sur la civière, et est lui aussi jeté dans la camionnette. Tout cela, avec une précision, une rapidité, une coordination dans les mouvements, je ne te dis que ça, chapeau! Et voilà qu'une dame, grande et digne, descend de l'ambulance par ses propres moyens. Elle porte un tailleur bleu qui vient certainement du meilleur faiseur de la ville, peut-être même de Paris, des chaussures, des collants et des gants assortis, quelques bijoux discrets. Cette lady est superbe, les épaules larges, les hanches minces, de longues jambes, les cheveux courts, coupés à la Jeanne d'Arc, bien que sa coiffure soit légèrement dérangée, il faut l'avouer. Tout en oscillant du popotin, la dame s'engouffre dans la camionnette, suivie des deux types en blouse blanche. Le chauffeur de l'ambulance referme les deux battants de la portière arrière, court jusqu'à sa voiture et démarre en trombe. Le gars en salopette bleue grimpe dans sa camionnette, prend le volant et démarre à son tour...

... Et voilà, conclut Dornhelm. Voilà ce qu'a raconté Stefan Milde, complètement bouleversé, à son copain Anders dès qu'il est arrivé chez lui, hors d'haleine. Notre homme, à la préfecture de police, a tout enregistré en *live*... Ah, mon petit, je te le dis, ce Coldwell avec sa NSA n'a pas besoin de se gonfler comme une outre ! Nous aussi, nous avons nos antennes partout, en plus petit sans doute, mais quand même... Alors, qu'est-ce que tu en dis ? »

Ritt s'abstint de tout commentaire.

« Je ne te fais pas de dessin, alerte générale, opération de recherches, les patrouilles au boulot. On ne trouve rien, ni ambulance ni camionnette Volkswagen vert bouteille. Au téléphone, Anders a même donné les numéros des deux véhicules ! Tu penses bien qu'entre-temps, ils ont dû changer au moins deux fois les plaques d'immatriculation ! Ils ont peut-être même troqué la camionnette contre une autre voiture, et celle-ci contre une troisième ! Il y a longtemps d'ailleurs qu'ils ne traînent plus sur les routes, mais roupillent bien au calme dans un appartement discret, loué quelques semaines auparavant pour les besoins de la cause. Ce n'est pas le moment pour eux de se faire remarquer, tu penses bien ! Et nous ? Nous ne pouvons rien faire d'autre que d'attendre le premier coup de fil, où ils nous diront peut-être le nombre de millions qu'ils exigent pour nous rendre un Hansen vivant, une Elisa vivante et nos deux collègues. Mais mon petit doigt, ou plutôt mon expérience, me dit qu'ils nous feront languir, mon vieux, ils nous communiqueront leurs exigences à petit feu, bref, nous pouvons attendre longtemps. — Il jeta un coup d'œil plein de tendresse sur son interlocuteur, son " fils adoptif ". — D'après ce que j'ai entendu dire, c'est toi qui as donné aujourd'hui à Hansen l'autorisation de quitter l'hôpital, petit ?

— Oui, après avoir discuté avec le docteur Heidenreich. L'état de santé de Hansen est satisfaisant ; il peut passer sa convalescence chez lui, où il recevra certainement tous les soins que nécessite son état.

— A quelle heure a-t-il quitté l'hôpital en compagnie de sa femme ?

— A treize heures, répondit Ritt. Et toujours avec ses gardes du corps, bien entendu.

— Bien entendu.

— Deux agents de la PJ sont montés dans l'ambulance, avec mission de l'accompagner jusqu'au château Arabella.

— Les braves petits! grogna Dornhelm.

— Tais-toi! Ils avaient trois ravisseurs contre eux, les deux en blouse blanche et le chauffeur de l'ambulance.

— C'est bien ce que je dis! Ils ont dû se défendre courageusement pour qu'on ait été obligé de les piquer et de les emporter dans la voiture! Ils n'avaient pas une chance de s'en tirer! D'ailleurs ils étaient tous les deux inanimés lorsque a eu lieu le transbordement. Est-ce que c'était une ambulance de l'hôpital?

— Non. Privée, commandée par Mme Hansen. Une des meilleures entreprises de la ville, avec un personnel drôlement à la hauteur!

— Eh bien, chapeau! répéta Dornhelm. Comme c'est simple. Les grandes affaires sont toujours très simples, mon vieux, ne l'oublie pas. Nous, on n'a pas encore pigé ça. Voilà pourquoi nous bondissons d'un succès à l'autre!

— Et l'autre, qu'est-ce qu'il dit?

— Quel autre?

— Ben, le témoin! Milde!

— Rien, bien sûr. Voyons, petit, tu deviens gaga? On a envoyé deux types chez lui et ils ont essayé d'engager la conversation. Rien, il n'a rien dit, et il a même déjà déposé plainte parce que nous avions son téléphone sur table d'écoute. Chacun sait que ça nous arrive, mais il n'y croyait pas, sans doute. »

Pendant ce temps, à Bonn et au siège de la police judiciaire de Wiesbaden, les commissions de crise s'étaient déjà réunies. Au château Arabella, une femme agent s'occupait de Thomas Hansen, le petit garçon fier et raisonnable que deux fonctionnaires de la PJ étaient allés chercher aussitôt à l'école. On avait installé un service téléphonique permanent avec magnétophone à branchement automatique. Les membres de l'unité anti-terroriste GSG 9, ainsi que tous les agents, douaniers et soldats disponibles recherchaient à présent Hilmar et Elisa Hansen dans l'Allemagne tout entière.

Le 26 septembre, soit deux jours plus tard, les deux agents de la PJ chargés d'escorter Hilmar Hansen à sa sortie d'hôpital furent relâchés; mais on n'avait pas encore trouvé le moindre indice concernant l'identité des ravisseurs, leurs motifs, leurs exigences, ni l'endroit où ils avaient caché leurs victimes, et on ignorait encore si elles étaient vivantes ou non.

2

Le 26 septembre vers quatorze heures quarante-cinq, un cri horrible se fit entendre au moment où la voiture d'Elmar Ritt et de Robert Dornhelm passait le grand portail du château Arabella. Deux caméras surveillaient l'entrée.

« Toujours aussi assidus à leurs jeux martiaux, ces foutus gamins », grogna Dornhelm au volant.

Il salua au passage les agents de la police judiciaire et les policiers armés jusqu'aux dents qui montaient la garde dans l'allée, immobiles sous un soleil de plomb.

« Quels gamins ? demanda Ritt.

— Ah oui ! C'est la première fois que tu viens ici. Des moinillons, des jeunes qui s'entraînent à la lutte dans les environs.

— Dornhelm admira les arbres vénérables du parc. — Tu vois ces arbres ? Ils viennent presque tous d'Extrême-Orient, m'a affirmé Mme Toeren.

— Qui est Mme Toeren ?

— La gouvernante des Hansen. Therese Toeren, avec un o et un e. Elle est très aimable, ouverte et honnête. C'est vrai, tu sais ! On a presque du mal à le croire, dans un environnement pareil. »

Un nouveau cri s'éleva, celui d'un lion blessé à mort.

« Ce sont des moines ? grommela Ritt en retenant un frisson.

— Oui. Très jeunes encore. Là-bas, au fond du parc, ils occupent un établissement qu'ils appellent séminaire, m'a dit Mme Toeren. Les jeunes font l'exercice entre une heure et trois heures, tous les jours de la semaine, sauf le samedi, le dimanche et les jours de fête, où ils en sont dispensés.

— Mais quels exercices, nom de Dieu ?

— Du karaté, petit.

— Quoi ?

— Oui, tu as bien entendu, du karaté. Tu sais ce que c'est ? Tu ne sais pas que les combattants poussent des cris affreux ? »

Sur les marches du perron, devant la façade du château, ils aperçurent d'autres agents en uniforme ; il y en avait aussi dans les salons et sur les trois grandes terrasses d'où l'on pouvait embrasser tout le parc du regard.

Dornhelm et Ritt traversèrent une pièce aux murs tapissés de tableaux de maîtres.

« Matisse, Degas, Liebermann... Il y a ici tout ce que tu peux imaginer. Tu en reçois si tu es bien sage et que tu fabriques gentiment ces chloro-fluoro-carbones, mon petit, expliqua Robert Dornhelm. Nous n'avons pas choisi le bon métier, toi et moi. Ah, c'est vrai ! Hansen m'a affirmé qu'il ne fabriquait plus d'hydrocarbures. Quoi qu'il fabrique, de toute façon, ça doit lui rapporter gros. Ceci soit dit sans une ombre de jalousie, bien entendu. Faire partie de la police judiciaire, ce n'est pas mal non plus. »

Ils arrivèrent dans la vaste salle de séjour moderne, avec le grand canapé de cuir blanc en forme de L et la table basse en verre épais. Les parasols bleus étaient déployés sur la terrasse en marbre blanc. Au moment où Dornhelm et Ritt s'approchaient d'un jeune homme en pantalon bleu marine et chemisette claire assis devant une grande table de verre dans la pièce donnant sur la terrasse, un des séminaristes poussa de nouveau un hurlement. Ils sursautèrent. Quelques appareils étaient éparpillés sur la table, notamment un magnétophone et un téléphone connectés. Dornhelm et Ritt connaissaient ce type d'installation portative : la sonnerie du téléphone déclenchait automatiquement le magnétophone.

« Salut, Brauner, dit Dornhelm.

— Bonjour, monsieur le commissaire principal.

— Vous ne vous emmerdez pas trop ici ?

— Je ne me serais pas permis ce genre de remarque. Mais puisque vous le dites... »

Le jeune agent Brauner faisait partie de l'équipe technique de la PJ ; il était marié, avait deux enfants et collectionnait les dessous de bocks de bière de toutes les marques et de tous les pays.

« En fin de compte, le plus rigolo ici, ce sont les hurlements des moinillons.

— Vous avez reçu beaucoup d'appels ? demanda Ritt.

— Au début, une foule. Ça n'arrêtait pas. La presse, bien entendu, la radio, la télévision, d'Allemagne et de l'étranger, puis les racoleurs, cent millions, deux milliards, et vous récupérez les Hansen. C'est le plus pénible, car évidemment, il faut faire une enquête sur chaque appel, aussi absurde soit-il. Puis les coups de téléphone au cours desquels les Hansen étaient traités de tous les noms, orduriers et obscènes, et accusés de crimes contre la nature et l'environnement ; parfois ils allaient loin d'ailleurs, les interlocuteurs. Tout est enregistré, si ça vous intéresse. Obscène et sadique. Tout ce qu'on pourrait leur faire subir, aux Hansen ! Ah, ils ont de l'imagination, les gens ! Même nous, on a appris des trucs nouveaux, vous vous rendez compte ? A vous donner la nausée.

— Des appels de sympathie ?

— Très peu. Sur les rares que nous avons eus, la plupart étaient du genre martial : on nous expliquait ce que nous aurons à faire des ravisseurs une fois que nous les tiendrons entre le pouce et l'index. Ceux-là d'ailleurs leur réservaient sensiblement le même sort que les autres aux Hansen. Nous devons avoir beaucoup plus de psychopathes que nous le pensons, dans ce pays !

— Je sais combien nous en avons, répondit Dornhelm. Ils sont jeunes et idéalistes, Brauner. Attendez donc quelques années ! Quel est votre rythme de travail ?

— Deux hommes toutes les six heures, vingt-quatre heures sur vingt-quatre. Donc quatre équipes. Il y a un agent en bas, dans la bibliothèque, avec le même équipement technique. Pour le cas où nous recevrions deux appels en même temps. Mais maintenant... Nous n'avons rien depuis des heures. Silence complet. »

De nouveau un cri perçant, au milieu des chants d'oiseaux.

« Seulement les moinillons d'en bas, vous voyez... Deux heures par jour. Et les oiseaux. Sinon... »

Brauner haussa les épaules.

« Où est le gamin ?

— Toujours dans les environs. Sa chambre est contiguë au salon de peinture. »

Thomas Hansen jouait aux échecs avec Therese Toeren, la gouvernante, au moment où Dornhelm et Ritt entrèrent chez lui. Aussitôt, il se leva et s'inclina. Le petit garçon qui, de visage et de silhouette, ressemblait tant à sa mère, portait des culottes courtes et une chemise Lacoste. Therese Toeren s'était levée elle aussi pour saluer les visiteurs. Grande et mince, elle avait des yeux aussi noirs que ses cheveux et un visage légèrement bronzé, maquillé avec discrétion. Elle portait un tailleur d'été vert pâle, des chaussures assorties, point de bijoux. Elle sourit aux deux hommes, la main posée sur l'épaule de l'enfant. Comme si elle voulait le protéger, se dit Ritt. Quant à l'enfant lui-même... un vrai petit prince.

« Bonjour, M. Dornhelm, dit Thomas Hansen poliment. Je suis content que vous veniez me rendre visite. Et vous, monsieur... Vous êtes certainement M. Ritt, le procureur de la République, n'est-ce pas ?

— En effet. »

Thomas tendit une main fine et fraîche à Ritt, et s'inclina de nouveau.

« Je vous présente Mme Therese Toeren, ajouta-t-il. Pour moi, elle s'appelle Thesi. »

La gouvernante lui caressa les cheveux tout en inclinant légèrement la tête.

« Enchanté, dit Ritt.

— Veuillez vous asseoir, messieurs, je vous en prie », dit Thomas Hansen.

Ses yeux bruns étaient ombrés de longs cils soyeux.

Tout le monde s'assit.

« Voilà la deuxième partie que perd Thesi.

— Tu joues trop bien pour moi », dit Mme Toeren.

Dès qu'elle souriait, elle exhibait deux rangées de dents superbes.

« Ce n'est pas vrai ; je joue très mal, mais Thesi me laisse toujours gagner.

— Ce n'est pas vrai ! protesta la gouvernante à son tour.

— Si, c'est la vérité ! affirma l'enfant. Tu fais cela parce que tu es très gentille, je le sais, mais la prochaine fois, il faut que tu joues normalement, n'est-ce pas ? Promets-le-moi ! »

La chambre de Thomas était aussi claire que les autres pièces du château, les fenêtres grandes ouvertes ; il y régnait un ordre parfait. Sur les murs, de grands posters de Tina Turner et de Michael Jackson. Ritt vit une chaîne stéréo avec platine laser de grande marque, des disques compacts, des disques traditionnels et des cassettes, un téléviseur dans le coin et une photographie grand format d'Elisa Hansen sur la table de chevet, près du lit de l'enfant.

Un nouveau cri leur parvint du parc. Mme Toeren regarda sa montre.

« Il va être trois heures. Ce sera bientôt la fin. — Elle jeta un bref coup d'œil sur les deux hommes. — En ce moment, au fond, ce n'est pas mal d'avoir ces séminaristes à proximité. »

Dornhelm acquiesça ; manifestement, cette femme lui plaisait.

« Tu ne peux pas te plaindre de manquer de protection, Thomas ! dit-il. Et le matériel que nos agents ont apporté avec eux n'est pas trop gênant non plus, n'est-ce pas ?

— Je ne me plains pas, monsieur le commissaire principal, répondit gravement le petit garçon. Je me suis déjà presque lié d'amitié avec la plupart d'entre eux. »

Il parlait un allemand parfait, dans un style d'adulte, malgré sa peau veloutée d'enfant et ses cheveux bruns qui brillaient.

« Nous sommes désolés de n'avoir pas encore avancé beaucoup

396

dans nos recherches, reprit Dornhelm. Nous faisons tout ce que nous pouvons.

— Oh! J'en suis absolument persuadé, monsieur.

— Les ravisseurs ne vont certainement plus tarder à se manifester.

— C'est ce qui disent tous les agents ici », répondit Thomas.

L'attitude de cet enfant trop sérieux mettait Elmar Ritt très mal à l'aise. Qu'est-ce qu'il a, ce gosse? se demanda-t-il. Il ne manifeste pas la moindre émotion, à moins qu'il fasse semblant de n'éprouver aucun sentiment particulier dans une situation dramatique pour lui, après tout. Est-ce une poupée mécanique ou un être vivant?

« C'est terrible pour toi, ce qu'il vient de se passer, Thomas, dit-il.

— Oui, répondit l'enfant.

— Je veux dire... ton papa et ta maman... c'est vraiment affreux?

— Oui, c'est affreux, monsieur.

— Ne vous méprenez pas sur l'attitude de Thomas, M. Ritt, intervint Thesi. Il n'est pas encore remis du choc... Il est incapable d'exprimer ses sentiments, je veux dire, ses sentiments profonds. C'est également l'avis du docteur Demel.

— Le docteur Demel est le médecin qui vient le voir deux fois par jour, expliqua Dornhelm.

— Je suis encore sous le choc », expliqua Thomas de sa voix impassible.

Ritt le fixa d'un regard pénétrant. Je n'ai jamais vu ça de ma vie, se dit-il.

« Quand je serai remis du choc, a dit le docteur Demel à Thesi, il me donnera des médicaments. Des sédatifs. »

Ritt avala sa salive.

« Qu'est-ce qu'il te donnera?

— Des sédatifs.

— Tu sais ce que c'est, des sédatifs? »

Thomas haussa les épaules.

« Et vous, monsieur, vous savez ce que c'est, des sédatifs?

— Moi, oui, je le sais.

— Alors, pourquoi me posez-vous la question?

— Ecoute, mon petit..., commença Ritt, mais il s'arrêta aussitôt. Bon, d'accord. Le choc. Des sédatifs. Voilà pourquoi tu es comme ça?

— Comment, comme ça?

« — Si calme et si paisible, répondit Mme Toeren en passant la main sur les cheveux de l'enfant. Il est formidable, ce petit Thomas, messieurs. Vraiment formidable. Je l'admire beaucoup.

— Vraiment, vous l'admirez ? demanda Ritt.

— Thomas et moi, nous nous connaissons depuis cinq ans, depuis qu'il est tout petit. Je suis très attachée à lui.

— Et moi, je suis très attaché à Thesi, renchérit Thomas. Je l'aime beaucoup. »

Mme Toeren souriait d'un air heureux.

« Thesi est toujours là pour moi, poursuivit Thomas. Toujours ! Papa, je ne le vois que rarement. Ou bien il est en voyage d'affaires, ou bien il rentre trop tard à la maison et je dors déjà, et quand je me réveille, le matin, il est déjà parti... Maman... elle, je la vois davantage. Au petit déjeuner. Ou quand je reviens de l'école. Et le soir. Parfois même, elle joue avec moi. Elle a tant à faire ! Thesi aussi a beaucoup à faire... mais elle a toujours du temps pour moi.

— Allons, allons, intervint encore Thesi. Ce n'est pas toujours le cas non plus.

— Mais si ! affirma l'enfant, son joli visage ouvert tourné vers la gouvernante. Mais si. Thesi joue avec moi, à la maison et dehors. Nous jouons ensemble au tennis et au golf. En ce moment, c'est impossible, car je n'ai pas le droit de sortir de la maison. Thesi m'aide aussi pour mes devoirs et mes leçons. Pas maintenant non plus d'ailleurs, puisque je n'ai pas le droit d'aller à l'école. Mais en temps normal, oui. — Un cri perça l'atmosphère paisible de la chambre ; Thomas regarda sa montre. — C'est le dernier pour aujourd'hui. — Puis il ajouta d'un air buté : J'aime beaucoup Thesi.

— Mais tu espères que tes parents reviendront très vite, n'est-ce pas ? demanda Ritt, avec l'impression déplaisante d'être un imbécile.

— Oh oui, bien sûr ! dit Thomas. Ça va coûter cher !

— Quoi ? ne put s'empêcher de dire Ritt.

— Il va falloir payer pour qu'ils soient relâchés. Une rançon.

— Tu es sûr que les ravisseurs exigeront une rançon ?

— Pas vous ? »

Mme Toeren toussota.

« Heureusement, nous avons assez d'argent, ajouta l'enfant. Hier, M. Keller est venu me rendre visite, vous savez, le docteur Keller, notre fondé de pouvoir, celui qui a la procuration sur tout ! Il m'a dit que je n'avais pas d'inquiétude à avoir, qu'on donnera aux ravisseurs ce qu'ils exigeront pour relâcher mes parents. Donc, je n'ai pas peur. De même, il m'a dit qu'il était normal que les ravisseurs prennent leur temps. Ce sont des professionnels. Ils espèrent qu'à la longue, nous perdrons le contrôle de nos nerfs s'ils nous laissent si longtemps sans nouvelles.

— Mais toi, tu ne perds pas le contrôle de tes nerfs, hein ? demanda Ritt.

— Non, monsieur. Et si je le perds, quand je serai remis du choc... alors...

— Alors ?

— Thesi sera toujours près de moi. Voilà pourquoi je n'ai absolument pas peur. Thesi restera près de moi. Toujours.

— C'est vraiment très chic de votre part de vous occuper si bien du petit, dit Ritt à Mme Toeren.

— Je vous en prie, répliqua-t-elle. Il n'y a rien de plus normal.

— Et toi, tu es ravi de n'être pas obligé d'aller à l'école, je suppose ?

— Oui et non...

— Qu'est-ce que ça veut dire, oui et non ?

— Vous voyez, expliqua-t-il, ce sont tous des salauds.

— Qui ?

— Tous, les instituteurs, les enfants de l'école et leurs parents.

— Thomas ! protesta Thesi. Il ne faut pas parler comme ça, je ne cesse de te le répéter. Ce n'est pas vrai.

— Si, c'est vrai, Thesi. D'ailleurs, je vais vous expliquer pourquoi.

— Vas-y, explique-nous, dit Dornhelm avec un sourire.

— Je parle comme eux, expliqua Thomas. Voilà comment ils parlent, ces imbéciles, depuis que mon père est à l'hôpital. Ton père est un salaud... Un gangster. Un criminel. Il détruit l'univers. Il devrait être en taule, c'est tout ce qu'il mérite, et y rester jusqu'à la fin de ses jours. A perpétuité, ils disent. Allons donc, en taule ! Il faut lui couper la tête, c'est la seule chose qu'il mérite, ce cochon. Cochon, c'est ainsi qu'ils appellent mon père.

— Thomas continua à parler, toujours sur le même ton, placide, réaliste, impassible... — Un cochon, un con, un trou-du-cul... C'est ce qu'ils disent.

— Thomas ! protesta de nouveau Mme Toeren. Vraiment, tu exagères...

— Un criminel..., poursuivit l'enfant imperturbable. Un type comme ça, on devrait le pendre. Bien entendu, ils sont montés par leurs parents, je le sais bien.

— Et personne ne prend ta défense ?

— Personne.

— Les instituteurs ?

— Certains ne veulent pas s'en mêler. D'autres pensent comme les enfants. Il y en a qui ont essayé de me protéger au début, mais ça n'a rien donné. Alors, ils ont abandonné la partie. Quand je rentre à la maison... Je suis toujours accompagné d'agents de police pour aller à l'école et pour en revenir, vous comprenez ? Je bénéficie depuis une éternité de la protection de la police... »

« Je bénéficie depuis une éternité de la protection de la police » ! se dit Ritt. Est-ce le langage d'un enfant de neuf ans ?

« Donc, quand je rentrais à la maison, je venais toujours me réfugier près de Thesi. Parce que naturellement j'avais souvent envie de pleurer. Thesi me consolait... Parfois je suis tombé d'abord sur Maman en rentrant. Bien sûr, elle devinait tout de suite ce qui s'était passé de nouveau à l'école. Et c'est elle qui se mettait à pleurer et moi qui devais la consoler... Oui, je suis vraiment content de ne pas aller à l'école pendant un moment. Mais d'un autre côté...

— D'un autre côté ? répéta Ritt.

— Lorsque vous m'avez demandé si j'étais content, je vous ai répondu : oui et non, n'est-ce pas ?

— Oui. Et alors ?

— Alors, d'un côté, je suis content, et de l'autre, j'y serais vraiment allé très volontiers...

— Très volontiers ? Pourquoi ?

— Justement demain.

— Demain ?

— Demain, parce que c'est le jour où les Peace Birds viennent à la Maison de l'Amérique.

— Les Peace Birds ?

— Oui. Vous n'en avez jamais entendu parler ?

— Non, répondit Ritt.

— Eh bien, voilà quelque chose qui m'étonne, dit Thomas. Je pensais que tout le monde connaissait les Peace Birds.

— Non, Thomas, tu vois, pas tout le monde, intervint Mme Toeren. Et je voudrais bien que tu surveilles un peu ton langage. Tous ces mots affreux... Fais-le pour moi, mon chéri, je t'en prie !

— Alors, qui sont les Peace Birds ? insista Ritt.

— Ce sont des enfants, répondit Thomas. Des quantités d'enfants, garçons et filles. Des Allemands et des Turcs, des

Italiens et des Yougoslaves, des Espagnols et des Portugais — tout ce que l'on trouve chez nous. Ils forment des groupes partout. Il y en a ici aussi, à Francfort. Certains sont encore tout petits, cinq ans, pas plus. — Thomas esquissa un sourire. — Même eux, ils s'occupent déjà de l'environnement! Ils ramassent les ordures dans les écoles maternelles. Quelques années plus tard, quand ils vont à la grande école, il refusent de boire du lait ou du cacao dans des emballages en matière plastique, ils réclament des bouteilles en verre. C'est ridicule, hein? Je vois ça tous les jours, je veux dire, je voyais ça tous les jours, quand j'avais le droit d'aller à l'école. Les enfants de dix et onze ans participent à des réunions écologiques et apprennent à reconnaître les plantes, à construire des nids pour les perce-oreilles et un tas de bêtises de ce genre. — Il se laissa aller à rire, d'un éclat de rire bref, vite contenu. — Si vous voyiez comme ils prennent tout ça au sérieux! Vous n'avez pas idée! Il y a eu à Lausanne cette conférence de la Protection des espèces, n'est-ce pas? Les Peace Birds y ont violemment protesté contre l'extermination des éléphants!

— Si je puis me permettre de faire une petite remarque, dit Mme Toeren d'une voix chaude où l'on sentait un véritable amour maternel, ceci est évidemment un des effets de notre société d'information. Les Peace Birds puisent leurs connaissances dans l'émission écologique pour enfants de la ZDF intitulée « Mittendrin » qui, d'après ce que j'ai entendu dire, bénéficie d'une telle audience que la chaîne ne cesse de produire de nouveaux épisodes. En outre, presque toutes les maisons d'édition publient des livres, pour enfants également, traitant de l'environnement. — Elle croisa les jambes, qu'elle avait également très bien galbées. — Pendant que les parents et les éducateurs se demandent encore si les enfants supporteront le poids d'une réalité pleine de menaces, les petits luttent pour améliorer l'environnement, et cela depuis longtemps déjà! On a du mal à le croire! — Elle haussa les épaules. — Malheureusement, l'expérience de Thomas se limite au côté négatif de cet engagement des enfants.

— Oui, approuva Dornhelm. Malheureusement.

— Les Peace Birds voient rouge évidemment dès qu'ils pensent à des personnes comme mon père, reprit Thomas Hansen. Vous n'avez pas idée de tout ce qu'ils peuvent dire sur lui et sur ceux qui travaillent comme lui. Bien entendu, vu leur âge, ils représentent une aubaine pour la télévision!

— Pourquoi, une aubaine pour la télévision? répéta Ritt, les yeux fixés sur le petit garçon.

« — Vous vous rendez compte ? poursuivit-il. Des enfants à la télé, qui accusent des personnes comme mon père ! Qui luttent contre des personnes comme mon père ! Les adultes ont les larmes aux yeux, bien sûr, tellement ils sont émus. Les Peace Birds clament que leur but est d'empêcher des gens comme mon père de détruire l'univers. Les adultes, eux, ils ne s'en soucient pas assez. Ils se contentent de détruire. Ils ont une audience fantastique, vous savez, les Peace Birds ! Un écho incroyable ! Un jour, mon père a essayé de parler avec eux, ils lui ont cloué le bec radicalement, j'y étais. Il faut dire qu'il ne s'y est pas pris de façon très habile, mon père. Ce n'est pas dans sa nature, il est incapable de discuter comme ça, ma mère le dit aussi, il ne devrait pas se laisser entraîner dans ce genre de débats, il est trop doux et trop bon. C'est aussi l'avis de ma mère. Moi, j'aurais pu discuter avec les Peace Birds. Je saurais, *moi*, leur clouer le bec et leur couper l'envie de rouspéter à tort et à travers. Je connais les arguments qui les convaincraient. Et puis, je suis aussi un enfant. Qu'on laisse donc les enfants parler aux enfants ! Voilà pourquoi je regrette de ne pas pouvoir aller à l'école demain.

— Tu as dit que les Peace Birds seront demain à la Maison de l'Amérique ?

— Oui, répondit Thomas. Le groupe de Berlin. Pour une discussion importante. Tiens, à propos de l'aubaine pour la télé, le *Spiegel* sera présent, c'est lui qui commencera par interviewer les enfants.

— Je comprends, dit Ritt. Et toi, tu aurais aimé participer à la discussion, n'est-ce pas ?

— Et comment ! dit Thomas. Mais je n'ai pas le droit de quitter la maison. »

Un agent de la PJ ouvrit la porte.

« M. Dornhelm ! On vous demande au téléphone. Ainsi que le petit Thomas. »

Dornhelm sortit de la chambre en courant, suivi de Ritt, de Mme Toeren et de Thomas. Ils rejoignirent l'agent Brauner installé devant ses appareils et le trouvèrent en train de se faire les ongles.

« Qu'y a-t-il ? demanda le commissaire principal. Quelqu'un a appelé ?

— Oui. Une femme.

— Et ?

— Elle a raccroché.

— Quoi ?

— Elle voulait vous parler. Je lui ai dit qu'il fallait que je vous prévienne. "Vous ne croyez tout de même pas que je vais attendre! m'a-t-elle dit. Je ne suis pas folle." Elle va rappeler dans cinq minutes. Comment sait-elle que vous êtes ici?

— Pas la moindre idée. »

La sonnerie du téléphone se fit entendre; aussitôt le magnétophone se mit en marche.

« Allez! » fit Dornhelm.

Brauner souleva le récepteur.

« Allô? »

Une voix juvénile lui répondit.

« Alors, il est là?

— Oui.

— Passez-le-moi! »

Brauner tendit le récepteur à Dornhelm et un écouteur à Ritt.

« Robert Dornhelm à l'appareil.

— Elmar Ritt est près de vous, et il écoute, je suppose, hein?

— Oui.

— Le magnétophone est branché?

— Qui vous a dit que nous étions ici?

— Personne. Nous avons attendu assez longtemps.

— Pourquoi?

— Un peu de patience, vous allez comprendre. — Soudain un bip sonore retentit dans le récepteur. — Vous entendrez ce bip de temps en temps; ça vient de notre installation à nous. Personne ne peut ni nous écouter ni nous localiser. Pas même... — Nouveau bip. —... pas même la NSA. Nous tenons Hansen et sa femme. Ils sont en bonne santé... Ils sont *encore* en bonne santé. — Bip. — Nous avons le temps. Nous ne sommes pas non plus fixés sur cette ligne. La prochaine fois... — Bip. —... nous appellerons peut-être M. Keller, le fondé de pouvoir. Ou la préfecture de police. Ou le tribunal. Ou chez vous... — Bip. —... Chez vous, dans votre appartement.

— Pourquoi ne voulez-vous pas nous indiquer la somme que vous réclamez en échange de la libération de vos deux prisonniers?

— Nous vous ferons connaître nos conditions plus tard.

— Je veux parler avec M. et Mme Hansen. — Bip.

— Pas bête, le mec. C'est bien pour ça que nous appelons. Est-ce que l'enfant est là?

— Oui.

— Passez-lui l'appareil! »

Dornhelm obéit.

« Ici, Thomas Hansen, dit le petit garçon. — Bip.

— Thomas ! cria une autre voix féminine. Mon petit ! Thomas ! Tu me reconnais ?

— Bien sûr, Maman !

— Mon pauvre chéri, rassure-toi ! Nous allons bien, ton père et moi... Rends le récepteur à M. Dornhelm maintenant, chéri ! — Bip. — M. Dornhelm, M. Ritt, il faut que vous fassiez ce qu'ils exigent ! A tout prix ! Sinon, vous aurez la mort de deux personnes sur la conscience ! — Bip.

— Nous ferons tout, Mme Hansen, ne vous inquiétez pas. Même si vous n'avez fait que vous mettre à l'abri, nous arriverons bien à vous retrouver. Au cours de cet étrange enlèvement, vous avez été vue sur vos deux jambes ! »

Elisa Hansen ignora l'allusion.

« Repassez-moi Thomas.

— Maman ? fit l'enfant.

— Mon chéri ! Ta maman t'aime tellement, tu le sais, hein ? De tout son cœur !

— Oui, Maman.

— Adieu, mon trésor chéri. A bientôt ... A bientôt ! Attends, je te passe encore Papa. — Bip.

— Thomas ? fit la voix distinguée d'Hilmar Hansen, presque tout bas.

— Bonjour, Papa !

— Tu reconnais ma voix ?

— Bien sûr, Papa... Où êtes-vous ? — Bip.

— Je ne peux pas te le dire. Je t'aime, mon petit... Maman t'aime... Tout va s'arranger... Nous nous reverrons bientôt... Mais les conditions... — Bip. — Il faut remplir les conditions. Tout le monde a bien compris autour de toi, oui ? — Bip. »

Thomas jeta un coup d'œil sur Ritt et sur Dornhelm.

« Oui, Papa. — Bip. »

Puis la voix féminine du début se fit entendre.

« Repasse-moi encore une fois Dornhelm !

— Elle veut vous parler, dit Thomas en tendant le récepteur au commissaire principal.

— Ici, Dornhelm... — Bip.

— Cet appel n'avait qu'un but, un but d'identification, pour que vous sachiez que nous tenons les Hansen et qu'ils sont vivants.

— Ceci ne représente pas du tout... — Bip. —... une preuve

formelle. Vous avez pu aussi procéder à une manipulation des voix ! riposta Dornhelm.

— A vous de croire ce que vous voulez ! »

Un craquement.

La ligne était coupée. Le magnétophone s'arrêta. Brauner prit le récepteur de la main de Dornhelm et raccrocha. Puis il décrocha celui d'un autre appareil.

« Allô ? Hans ? Ici Brauner. Alors ?... Absolument rien... Qu'est-ce que ça veut dire, pas assez longtemps ? Ce n'est pas nous qui déterminons la durée de la communication, voyons !... Quoi ?... Ah ! Ça au moins, c'est un renseignement. Salut ! — Il raccrocha et déclara : Impossible de les localiser. Une forme de chiffrage tout à fait nouvelle, disent les spécialistes. Mais de toute façon, cet appel ne venait pas d'Europe.

— D'où alors ?

— D'un autre continent : Asie, Afrique, Amérique ou Océanie.

— Ils en sont sûrs ?

— Oui, absolument sûrs.

— Parfait ! — Dornhelm se pencha vers Thomas. — Bon, écoute, mon petit, que je t'explique... »

Thomas lui jeta un coup d'œil glacial.

« Vous n'avez pas besoin de m'expliquer. Je ne suis pas idiot. J'ai déjà compris. Est-ce que je peux partir maintenant ?

— Oui.

— Bon, alors je retourne dans ma chambre, dit Thomas. — Il se dirigea vers la porte, puis tourna encore une fois la tête : Tu viens avec moi, Thesi ?

— Bien sûr, Thomas. »

Elle le rejoignit. L'enfant pencha la tête vers la gouvernante et passa son bras autour d'elle. La porte se referma derrière eux.

« Pas la moindre réaction, dit Ritt.

— Eh bien ! Nous voilà dans de beaux draps ! s'exclama Dornhelm. Une bagarre violente, une tentative de meurtre, une foule de cadavres, la bombe allemande, un enlèvement. Par quoi tout cela a-t-il commencé, Elmar ? Tu t'en souviens encore ?

— Par quoi ?

— Par des blocs déodorants pour W.-C. », répondit Robert Dornhelm.

Victoire ! Encore un jour de survie pour le monde !

Si la technique continue comme maintenant, l'homme sera capable un jour de se détruire lui-même.

405

A quelques kilomètres au-dessous de la croûte terrestre, le monde est encore en parfait état.

Vous traitez le monde comme si vous en aviez un autre de rechange dans votre cave.

Heiko, 11 ans, Allemagne

Cette lettre [39] était fixée par des punaises au mur d'une grande salle de la Maison de l'Amérique, située près de l'Opéra de Francfort, au numéro 1 de la Staufenstrasse. Tous les murs étaient couverts de lettres et de dessins multicolores.

« Il faut absolument que nous les filmions », dit Ekland à Katja Raal.

Marvin, Valérie, Isabelle et Gilles ainsi que les deux techniciens étaient arrivés là une heure avant le début du débat avec les petits Berlinois des Peace Birds. Valérie avait réussi à se procurer l'heure exacte de l'ouverture de la séance, et tous étaient d'accord sur la nécessité de filmer cette rencontre.

Un homme d'une cinquantaine d'années, grand et mince, yeux bleus, cheveux gris et barbiche en pointe, bavardait avec les cinéastes ; c'était l'un des fondateurs de l'association Peace Birds, il s'appelait Holger Güssefeld [40].

« En 1982, déclarait Güssefeld, nous avons dressé une grande table à tréteaux dans le centre commercial de Hambourg. Il s'agissait d'écrire la plus longue lettre de paix du monde. C'est moi qui ai eu l'idée de lancer cette opération, à laquelle participèrent surtout des enfants. Et finalement, cette lettre prit de telles proportions qu'en 1985, au moment de la rencontre des chefs des deux superpuissances à Genève, elle couvrait la distance qui séparait l'ambassade des Etats-Unis de celle de l'Union soviétique. Avant cela, il y avait eu une opération intitulée : " A letter to both ". Les Peace Birds — ce sont les enfants eux-mêmes qui baptisèrent ainsi leur mouvement — demandèrent aux enfants du monde entier d'écrire aux deux chefs d'Etat. Résultat ? Deux cent trente mille lettres d'enfants en provenance de vingt-huit pays différents... en majorité européens... »

Bernd Ekland s'était arrêté en face d'un autre message.

« Celle-là aussi », dit-il.

Katja approuva d'un signe de tête.

Sur la feuille, l'enfant avait dessiné un soleil de couleur orange, un grand pommier lourdement chargé de fruits, une prairie constellée de fleurs, et sur la prairie, différents personnages très colorés, qui riaient et étaient manifestement heureux. Au-dessous,

406

il avait écrit les noms de ces personnages : Papa, Maman, Moi, Sübeyin. En haut de la feuille courait une phrase écrite en bleu : NOUS FORMONS UNE FAMILLE HEUREUSE ET VOULONS LE RESTER TOUJOURS ! En bas de la page, le nom de l'artiste : Zelika, 9 ans.

« ... Puis les enfants décidèrent qu'une délégation des Peace Birds se rendrait à Genève pour remettre ces missives à Reagan et à Gorbatchev en personne, poursuivit Güssefeld.
— Les deux cent trente mille lettres ? l'interrompit Marvin.
— Ils voulaient les emporter toutes, avec l'intention de n'en remettre que mille, et non pas à Reagan et à Gorbatchev séparément, mais aux deux chefs d'Etat ensemble. »
Güssefeld se passa la main sur les cheveux.
« Malheureusement, ce fut un échec. L'opération aurait paru trop pacifique sans doute ! En 1987, quelques délégués des Peace Birds remirent mille lettres à l'un des chefs d'Etat, à Washington ; c'était mieux que rien après tout. Les mille lettres revinrent en Allemagne dans la soute d'un Boeing 747... »
« Et celle-là aussi », dit encore Ekland à son assistante.
Voici le texte de cette lettre :

Je trouve anormal que les enfants qui vivent maintenant sur la terre et ceux qui naîtront plus tard soient obligés de tout remettre en ordre. Si ça continue, de quoi vivront les hommes en l'an 2000 ? Bien sûr, d'ici là, il y aura de nouveaux progrès techniques, plus d'ordinateurs et d'appareils vidéo. Malgré cela, je crois qu'il y aura aussi plus de dangers.

Que représentent cent cinquante mille robots en comparaison de cent cinquante mille personnes qui meurent à cause d'une panne de centrale nucléaire, de l'eau contaminée et de maladies, ou dans une guerre ?

Si tout le monde faisait plus attention à protéger l'environnement, si tous les objets qu'on achète n'avaient pas besoin de deux ou trois emballages de plastique, si les usines ne déversaient pas toutes leurs saletés dans les fleuves et les rivières, s'il n'y avait plus du tout de bombes aérosols, les hommes pourraient à coup sûr mieux vivre en l'an 2000.
Annika Wilmers, 11 ans, Stadthagen

« ... Toutes les lettres nous sont donc revenues, poursuivit l'homme aux cheveux gris et aux yeux bleus. Et les enfants défrayèrent la chronique. Brusquement, il se forma partout des groupes de Peace Birds. »

« Et celle-là, Bernd ! Celle-là aussi, dit Katja. Je t'en prie ! Nous avons besoin de textes à glisser au cours de l'interview.

— Bien sûr, chérie, dit-il. Celle-là aussi. »

L'environnement ne sera plus jamais propre. Il y a de plus en plus d'animaux qui disparaissent. Même les lièvres disparaissent. Bientôt, il n'y aura plus d'animaux du tout. Nous nous asphyxions dans cet environnement pollué. Si j'étais une magicienne, d'un coup de baguette magique, je supprimerais toute la pollution. Quand j'aurai des enfants, je souhaite qu'ils aient un environnement sain.

Sabine Ratajczak, 10 ans, Hanovre

« En 1987, une grande partie de ces lettres fut rassemblée dans l'église commémorative de Berlin, et les enfants s'y réunirent pour discuter avec les grandes personnes. Un écrivain composa un roman autour de cette discussion qui eut pour cadre l'église commémorative de Berlin... ce roman est en cours d'adaptation cinématographique, poursuivit Güssefeld. Les cinéastes sont venus nous voir, et les enfants des Peace Birds ont recommencé leur discussion, devant les caméras cette fois. — Güssefeld hésita un instant. — Au siècle dernier, les romanciers français étaient coutumiers de cette technique...

— Quelle technique ? voulut savoir Valérie Roth.

— Ils aimaient faire revivre des personnages d'œuvres anciennes dans leurs romans. Si vous, M. Gilles, vous écrivez votre livre, les enfants des Peace Birds réapparaîtront, non plus comme simples personnages de roman, mais comme symboles. Symboles de ce qui est positif, de ce qui est salutaire.

— Tu te rappelles le réseau qui se tisse autour du monde, dont a parlé Wolf Loder ? murmura Isabelle à l'oreille de Philip Gilles.

— Vous dites ? demanda Güssefeld.

— Oh, ce n'est rien. Un souvenir qui me revient en mémoire, répondit Isabelle.

— Je ne sais pas ce que vous en pensez, reprit l'homme aux cheveux gris. Mais plus je vieillis, plus je me rends compte que la vie est parsemée de cercles qui se referment. Ainsi par exemple, cet écrivain... et maintenant vous, M. Gilles, et les enfants... un nouveau cercle...

— Oui, approuva Isabelle. Un nouveau cercle. Continuez, je vous en prie, M. Güssefeld !

— Volontiers... Tout comme ils ont combattu en faveur de la paix, les Peace Birds s'engagent également dans la lutte pour la protection de l'environnement. Ils luttent, avec tous les moyens dont ils disposent, contre la destruction du cadre de vie. Ils s'investissent énormément, ils sont au courant de tout, et entre-temps, ils ont appris à parler et à écrire. Avec une assurance étonnante, ils ne craignent pas de s'adresser aux maires des communes et aux membres du gouvernement. Au cours des douze derniers mois, Töpfer, le ministre de l'Environnement, a reçu cinquante mille lettres disant à peu près ceci : " Pourquoi tolérez-vous que les grandes usines chimiques continuent à déverser tous leurs produits toxiques dans la mer ? " Ou encore : " Si l'on continue ainsi à polluer l'air, les chiens aussi finiront par disparaître complètement. " Les enfants n'hésitent pas à harceler et à se montrer exigeants. Ainsi par exemple, la petite Anne Flosdorff, dix ans, qui découvrit sur les rayons d'un supermarché de Cologne des trompettes à gaz comprimé, vous savez, ces espèces de...

— ... Oui, ces trompettes dont se servent les supporters d'équipes de football pour faire un bruit infernal ! expliqua Marvin.

— Parfaitement, dit Güssefeld. Et ces jouets appelés " fan-fares " fonctionnent aux hydrocarbures. Furieuse, Anne écrivit au directeur commercial du supermarché pour lui demander s'il se rendait compte de la responsabilité qu'il prenait en vendant des objets qui ne servaient à rien et qui répandaient inutilement des hydrocarbures dans l'air. Elle précisa qu'elle n'avait que dix ans, mais qu'elle avait peur de l'avenir.

— A-t-elle reçu une réponse ?

— Oh, oui ! s'exclama Güssefeld. Le directeur lui répondit que, en comparaison de beaucoup d'autres enfants, la vie qu'elle menait en Allemagne était très confortable, et que, pour cette raison, elle n'avait pas à se creuser la tête sur des problèmes " dont elle ne savait pas comment ils se résoudraient plus tard ". Il ajouta que ce n'était vraiment pas la mission d'un supermarché de faire l'éducation de la population. Tant que les amateurs de football réclament ces trompettes, qu'Anne ait donc la gentillesse de les leur laisser... Un autre exemple : un membre des Peace Birds, Frank Stahmer, quatorze ans, revient d'un congrès sur la Paix et l'Ecologie, à Moscou. Il y fut question, entre autres, de la sauvegarde de la Volga... " qui est proche de la culbute ", précisa-t-il. Frank lit régulièrement le journal. Il est très au courant de la peste du pétrole sur les rives de l'Alaska, de la destruction des forêts vierges, et il sait parfaitement que la République fédé-rale d'Allemagne dépense environ cinquante-quatre milliards de marks par an pour l'armement. A ses yeux, tous les hommes politiques sont des " nouilles ", le seul qui soit crédible, c'est Gorbatchev... »

« Bernd ! murmura Katja. Et celle-ci... »

J'ai peur de grandir, peur de l'avenir. Je donnerais cher pour arrêter le temps. Peut-être aussi pour le faire revenir de quelques années en arrière ?

A l'époque où il n'y avait pas encore de pluies acides.

Je regarde les fleurs de notre jardin. Les feuilles deviennent toutes drôles, toutes blanches. Les bourgeons ne s'ouvrent pas vraiment, et ils se dessèchent lentement.

Je regarde les sapins et je suis triste chaque fois que je vois une branche morte. Ils étaient d'un si beau vert autrefois.

A la télévision, je vois les phoques qui meurent chaque jour dans la mer du Nord. Et les oiseaux aussi, avec leurs ailes collées.

Alors, je sors, pour me détendre. La fumée des usines et des autos empeste l'air.

Je retourne dans ma chambre, je m'assieds dans un coin et je me demande : Qu'est-ce que vous avez fait de notre monde ?

Martina Rao, 13 ans, Wuppertal

Une heure plus tard, la grande salle de la Maison de l'Amérique était bondée d'enfants et d'adultes. Ceux qui n'avaient pas trouvé de place assise dans la salle même encombraient les couloirs. Ekland portait la BETA sur son épaule. Il ne filmait pas seulement les Peace Birds, mais aussi, et surtout, le public des auditeurs.

La délégation de l'association était installée le long d'une table recouverte d'un tapis vert, sur l'estrade. Au-dessus de leurs têtes, étalée sur le mur, une banderole clamait : NOUS VOULONS DU BON LAIT ! ET PAS DE RADIATIONS !

La rédactrice du *Spiegel* qui voulait interviewer les enfants — ils avaient tous un micro devant eux — s'appelait Angela Gatterburg ; c'était une jolie femme menue, aux cheveux blonds et aux yeux bleus. Elle avait longuement bavardé avec eux avant l'ouverture de la séance officielle ; sa gentillesse et l'attention qu'elle leur avait accordée, et surtout avec laquelle elle les avait écoutés, lui avaient gagné spontanément le cœur de ces enfants.

Elle leva la main.

« Du calme, je vous prie ! Du calme maintenant ! »

Le silence se fit progressivement dans la salle. Katja était à son poste ; des projecteurs s'allumèrent. Isabelle, Gilles, Marvin et Valérie restèrent debout, adossés à un mur.

« Vous êtes prêts ? demanda Angela Gatterburg à Katja.

— OK.

— Bon. Je voudrais tout d'abord vous présenter les cinq partenaires de cette discussion, commença alors la journaliste. A ma gauche, voici Lisa, elle a douze ans. Puis Veronika, onze ans. A ma droite, Corinna, quatorze ans. Puis vient Dilan, une jeune Kurde de quinze ans. Et enfin, le dernier est Güven, un Turc de quatorze ans. Quant à moi, je m'appelle Angela Gattenburg, j'ai trente-deux ans et je suis depuis deux ans rédactrice au *Spiegel*. Voilà. Nous pouvons commencer maintenant[41] ! Première question : Qu'est-ce qu'un Peace Bird ? »

Dilan, la jeune Kurde qui avait un joli visage aux traits réguliers, de grands yeux graves et d'épais cheveux noirs, prit la parole.

« Un Peace Bird est un enfant qui combat pour la paix. Mais nous luttons aussi pour l'environnement, pour le tiers monde et contre la guerre des enfants. Comme celle qui oppose l'Iran et l'Irak. »

Elle portait un pull-over clair et moelleux.

« Vous avez un objectif commun ? » demanda Angela Gatterburg.

Ce fut Corinna qui répondit cette fois ; elle avait des lunettes et de grandes boucles d'oreilles en fil de laiton ; ses cheveux foncés lui tombaient sur les épaules.

« Oui. Notre principal travail est de recueillir des lettres écrites par les enfants à Reagan et à Gorbatchev, ou à Bush et à Gorbatchev. Jusqu'à présent, nous en avons réuni deux cent cinquante mille, et cela montre que l'on commence à prendre les enfants au sérieux. »

Angela Gatterburg se pencha légèrement.

« Comment avez-vous eu l'idée de vous engager dans cette lutte ?

— Grâce aux médias, on apprend et on comprend beaucoup de choses, répondit Dilan. Quand je regarde les informations, je n'entends parler que d'enfants qui sont morts de faim quelque part. On ne peut pas rester indifférent ! Il faut faire quelque chose si l'on n'est pas tout à fait idiot ! »

Güven, le Turc, portait des lunettes comme Corinna, et il avait des cheveux coupés très court ; il était tiré à quatre épingles et paraissait grand pour son âge.

« Moi, dit-il, cela me fait toujours un drôle d'effet quand j'entends parler de bombardements. Depuis que je fais partie des

411

Peace Birds, je me sens mieux. A part eux, je n'ai personne qui parle de la guerre avec moi. »

Isabelle était adossée au mur, à côté de Philip. Elle leva les yeux vers lui. Il lui prit la main et la serra dans la sienne.

« Moi aussi, je me suis engagée parce que j'étais kurde et que les Kurdes sont opprimés en Turquie. On les jette en prison pour des raisons politiques. Je sais aussi qu'on les torture et qu'on viole les femmes. Je le sais parce qu'un de mes oncles est en prison. »

Angela Gatterburg reprit la parole.

« Comment êtes-vous au courant des événements politiques ?

— Moi, répondit Corinna, je lis tous les jours le journal, le *Taz*.

— Et moi, je lis le *Spiegel*, reprit Dilan. Je trouve aussi qu'il est important de regarder les informations. J'ai réussi à convaincre mes parents. Parfois j'ai l'impression de devenir folle ! J'ai les nerfs en pelote quand je vois des hommes politiques peinardement assis dans leur fauteuil, qui ne racontent que du bla-bla-bla. »

Lisa portait un bandeau foncé dans ses cheveux blonds et une robe sans manches, à motifs noirs et blancs ; elle avait des yeux vifs et donnait l'impression de rire facilement, quand il y avait motif à rire.

« Moi aussi, je regarde les informations, dit-elle. Toutes les chaînes possibles. »

Un petit garçon, dans l'assistance, se leva d'un bond et cria : « J'aimerais bien savoir... »

La rédactrice du *Spiegel* l'interrompit aussitôt et lui dit gentiment :

« Plus tard ! A la fin de l'interview, vous pourrez poser toutes les questions que vous voulez. Encore un peu de patience, d'accord ?

— Oui », répondit le petit, les yeux brillants.

Angela Gatterburg s'adressa de nouveau aux cinq délégués.

« Et vous, qu'est-ce que vous faites pour l'environnement ? »

Dilan répondit aussitôt, d'une voix vibrante :

« J'essaie de changer les choses, mais à la maison, ce n'est pas facile. Ainsi par exemple, nous utilisons toujours ce stupide papier hygiénique rose ; j'aimerais mieux acheter le gris, sur lequel il est écrit " Merci ". Donc, je n'en fais pas assez pour l'environnement. Mais de toute façon, je suis contre les néo-nazis.

— A ton avis, cela fait partie de la lutte pour l'environnement ? voulut savoir Angela Gatterburg.

— Oui, répondit Dilan. Au sens large. Si pour toi, l'environnement, c'est uniquement les plantes, tu te trompes. Les êtres humains aussi en font partie. »

412

Beaucoup d'enfants applaudirent dans la salle.

« Bravo ! » cria une fillette.

Isabelle leva encore une fois les yeux vers Gilles, et il lui serra la main un peu plus fort. Lisa attendit que les applaudissements se soient tus, puis elle posa son bras nu sur le tapis vert et se pencha vers son micro.

« J'ai remarqué que quand on tire la chasse dans les W.-C., il se perd beaucoup d'eau. Alors, je l'ai entourée d'un fil de fer, tout simplement, et la quantité d'eau a diminué. Quand ma mère achète des détergents au phosphate, je lui fais la leçon. »

Quelques enfants battirent de nouveau des mains.

« A votre avis, que va-t-il se passer d'ici dix ans ? demanda la rédactrice du *Spiegel*.

— Dans dix ans, je serai déjà morte », répondit spontanément Dilan.

Ekland leva la main.

« Qu'y a-t-il ? demanda Angela Gatterburg.

— Changement de cassette, dit-il. Un petit instant seulement. »

Katja glissa une cassette vierge dans la BETA. Puis elle tint une feuille de papier devant la caméra, sur laquelle elle avait écrit en grosses lettres : FRANCFORT — MAISON DE L'AMÉRIQUE/2 — DÉBAT AVEC LES PEACE BIRDS

« OK », fit le cameraman.

Katja s'agenouilla près de l'appareil.

« OK pour le son, dit-elle.

— On y va, dit Ekland à Angela Gatterburg.

— Je répète ma dernière question. A votre avis, que va-t-il se passer d'ici dix ans ?

— Dans dix ans, je serai déjà morte, répéta Dilan.

— Oh ! s'écria un petit garçon effrayé.

— Cette histoire d'environnement est vraiment grave, expliqua la jeune Kurde, car la nature est dans un état catastrophique. Il faut qu'il se passe quelque chose, sinon je capitule et je me suicide. Ou bien quelqu'un me tue, ou bien je me tue moi-même. »

Un silence pesant plana sur la salle. Tous les enfants regardaient Dilan, dont les yeux graves faisaient le tour de l'auditoire.

Enfin, Lisa prit la parole ; ses doigts fins s'ouvraient et se refermaient d'un mouvement nerveux.

« J'ai une peur bleue de l'an 2000. Les conséquences du trou d'ozone vont certainement se manifester d'ici dix ans. Il y aura peut-être une centrale nucléaire ou une de ces grosses usines chimiques qui explosera ou alors les hommes politiques diront qu'ils vont expérimenter quelque chose qui n'est pas dangereux, et ils jetteront une bombe atomique. Ce sera la fin du monde. La destruction totale. »

Veronika avait un petit visage sérieux et des cheveux tirés en arrière maintenus avec un peigne ; elle portait un blue jean et un chemisier bleu à manches longues.

« Ça ne continuera sûrement pas longtemps comme ça, dit-elle. Il pourrait se passer tant de choses ! Un déluge peut-être ; peut-être feront-ils effectivement un nouvel essai de bombe atomique, et ce sera vraiment la fin du monde. »

Le grand Güven, le jeune Turc tiré à quatre épingles, prit à son tour la parole.

« Je crois, moi, dit-il lentement, les sourcils froncés, que les hommes ne peuvent pas changer. Peut-être toutes les nations devraient-elles s'associer. Mais d'ici là, il y a longtemps que tout se sera obscurci et que nous serons morts. »

Angela Gatterburg posa la question suivante avec précaution.

« Est-ce que les partis politiques pourraient faire quelque chose ?

— Je crois, répondit Corinna en hochant la tête, que tous les partis sont plutôt endormis. »

Applaudissements dans la salle.

Ekland filma quelques visages en gros plan.

« ... Les seuls qui peuvent peut-être faire quelque chose, ce sont les Verts, poursuivit Corinna. Ils sont assez mal organisés, mais chez nous, les Peace Birds, ce n'est pas très bien organisé non plus, ce qui ne nous empêche pas d'être très actifs.

— Qu'est-ce que tu veux dire par " endormis " ? demanda Angela Gatterburg à Corinna.

— Eh bien, par exemple, la CDU : Si on lit les programmes du parti, ça paraît formidable. Mais ça paraît seulement. Qu'il s'agisse de politique étrangère ou de politique scolaire, je ne vois vraiment rien, aucune réalisation, que je puisse approuver en battant des mains ! »

Nouveaux applaudissements parmi les enfants, quelques adultes aussi approuvèrent, d'autres protestèrent.

Un père de famille hurla :

« C'est un peu fort !

— On vous a drôlement bien endoctrinés là-dedans ! cria un autre.

— Pour ça, oui ! hurla un troisième.

414

— Allons donc, intervint un quatrième homme. Elle a tout à fait raison, la petite !

— Moi aussi, je suis de votre avis ! s'écria une mère. Bravo, Corinna !

— Je crois, reprit Lisa avec son bandeau sombre dans ses cheveux blonds, que les personnes qui votent pour la CDU n'ont aucune idée de la politique ; elles votent pour le mot " chrétien ", parce que c'est en rapport avec le bon Dieu, donc c'est bien, ça les rassure, et basta ! »

Applaudissements et protestations, parmi tous les auditeurs, grands et petits.

« Vous avez déjà participé à des manifestations ? demanda encore Angela Gatterburg, une fois le calme rétabli.

— Oui, répondirent les cinq enfants en chœur.

— Moi, je suis allée à la manifestation du FMI, mais je me suis sauvée parce que j'ai eu vraiment peur. D'habitude, les manifs d'enfants ne sont pas dangereuses.

— J'ai participé aussi à une manif d'enfants, dit Lisa, c'était plutôt exagéré et débile. Un tas de policiers au visage dur sont venus se placer devant l'hôtel de ville et y ont construit des barricades. Tout de même, un agent nous a donné un porte-voix, et ça, ça m'a bien étonnée ! »

Les enfants se mirent à rire.

« Regarde ! dit tout bas Isabelle à Philip Gilles. Tout au fond, à gauche, près de l'entrée ! »

Gilles tourna la tête, et aperçut Elmar Ritt, le procureur de la République ; leurs yeux se rencontrèrent, ils se saluèrent discrètement.

« Que peut-il bien faire ici ? » demanda Isabelle.

Elle sourit à Ritt, il lui rendit son regard, mais sans sourire.

« Curieux », dit-elle.

« Est-ce que vous avez l'impression qu'on vous prend au sérieux ? demanda Angela Gatterburg.

— Quand nous distribuons des tracts au cours d'un rassemblement organisé par les Peace Birds, les gens s'arrêtent et disent : " Ah ! Comme ils sont mignons, ces petits ! " Et puis, quand ils nous écoutent, ils nous jettent un regard critique et répondent : " Vous ne savez même pas ce qui se passe dans le monde ! Vous n'en avez pas la moindre idée ! " Il y a une chose certaine, les hommes politiques, et même tous les adultes, sont beaucoup trop ancrés dans leurs opinions. Ils refusent de se laisser convaincre. »

Beaucoup d'enfants applaudirent très fort, et beaucoup d'adultes froncèrent les sourcils d'un air furieux.

« Tout cela a une résonance très pessimiste, dit Angela Gatterburg.

— Je ne dirais pas que c'est pessimiste, répondit Dilan en agitant sa toison d'ébène. C'est plutôt réaliste. Et si nous combattons de toutes nos forces, on pourra peut-être remettre les choses en ordre tout de même ! »

L'auditoire au grand complet applaudit cette fois, enfants et grandes personnes.

« Je ne suis pas pessimiste, dit Lisa, parce que, quand on n'a plus du tout confiance, autant crever tout de suite. »

Applaudissements.

« La paix, on ne peut l'obtenir qu'à petits pas, déclara encore Corinna. Nous, nous ne pouvons pas vraiment parler de réussite spectaculaire, parce que nous ne voyons pas les personnes que nous avons réussi à convaincre. Ils n'attrapent pas aussitôt des cheveux bleus ou quelque chose de ce genre qui permette de les reconnaître. Bien sûr, il arrive aussi que nous soyons découragés. »

Angela Gatterburg jeta un coup d'œil sur son magnétophone.

« Je voulais encore dire rapidement quelques mots sur les hommes politiques, s'écria Lisa. La plupart ne pensent qu'à eux ; ce sont des égoïstes ; ils se fichent complètement de ce qui arrivera plus tard, après leur mort. Mais l'essentiel malgré tout, c'est de ne pas caler... de ne pas abandonner la partie. »

Applaudissements frénétiques dans la salle, tout le monde paraissait d'accord, les grandes personnes et les enfants. L'animatrice leva les mains en souriant. Le calme revint aussitôt.

« Voilà, dit-elle. L'interview se termine. Venons-en maintenant au débat ! Vous pouvez poser toutes les questions que vous voulez et dire tout ce que vous pensez, bavarder avec les Peace Birds aussi longtemps que vous voulez... »

Thomas Hansen, songea Ritt, a dit qu'il aurait tant aimé venir ici pour discuter avec ces enfants...

« Moi, moi, je pourrais discuter avec eux. Je saurais leur clouer le bec et leur couper l'envie de rouspéter à tort et à travers. Je connais les arguments qui les convaincraient. Et puis, je suis aussi un enfant. Qu'on laisse donc les enfants parler aux enfants ! »

Oui, voilà ce qu'a dit Thomas, et Ritt eut soudain le sentiment d'être tout proche de la vérité qu'il cherchait avec tant d'obstination.

416

« Toi, là-bas ! dit Angela Gatterburg au petit garçon qui s'était levé pour intervenir dès le début de l'interview. Cette fois, c'est ton tour ! Qu'est-ce que tu voulais savoir ? »

L'enfant se leva, le visage rouge d'émotion.

« Je voudrais savoir comment on peut devenir un Peace Bird ? »

Ekland le prit aussitôt en gros plan.

Isabelle s'appuya contre l'épaule de Philip Gilles. Il la regarda, et elle attira son attention sur la dernière ligne d'une lettre qui était accrochée au mur, juste à côté d'eux :

Je veux vivre ... et mon chat aussi.

3

Mercredi 28 septembre 1988, dans la soirée.

« Si l'écologie a un avenir, ce ne peut être que sur une base industrielle. Et l'industrie ne peut espérer avoir un avenir que si elle pense sous l'angle de l'écologie. »

L'homme qui prononçait ces paroles devant l'équipe réunie dans la grande cuisine des Vitran à Paris s'appelait Pierre Leroy. Il avait trente-sept ans. Grand et fort, avec ses cheveux noirs légèrement crépus, son visage aux pommettes larges, son front intelligent et ses prunelles sombres, vives et éveillées, il donnait une impression de puissance invincible. Une force de la nature. Sa morphologie aurait pu le faire passer pour un athlète doublé d'un intellectuel, mais en réalité, il était physicien de profession et travaillait depuis quelque temps avec Gérard Vitran ; de plus, en sa qualité d'Alsacien, il parlait un allemand parfait. C'est d'ailleurs dans cette langue qu'il s'adressait ce soir-là aux amis réunis une fois de plus autour de la table, devant une tasse de café et un petit verre de cognac : Markus Marvin, Valérie Roth, Philip Gilles et Wolf Loder. Isabelle aidait la maîtresse de maison à ranger la vaisselle. Il manquait Gérard Vitran, appelé d'urgence en Arabie Saoudite où l'on créait un réseau d'alimentation en courant électrique adapté aux besoins locaux et fourni par l'énergie solaire, ainsi que Bernd Ekland et Katja Raal, réfugiés dans leur petite pension. On les préviendrait certainement lorsqu'il serait temps de reprendre la caméra, avait déclaré Ekland. Ils étaient bien décidés à se contenter de leur travail spécifique et à ne plus assister aux discussions préliminaires. L'ambiance pesante qui régnait dans l'équipe depuis le rendez-vous chez maître Goldstein était devenue plus pénible encore.

En l'absence de son mari, c'est Monique Vitran qui avait présenté Pierre Leroy aux autres. Il était vraiment le seul à ne pas se laisser gagner par la morosité ambiante.

« Ceux qui travaillent sur les énergies de remplacement, le professeur Loder par exemple, se heurtent à un gros handicap psychologique, poursuivit Pierre Leroy. Je m'explique : Jusqu'à présent, tout ce qui est en rapport avec la production d'énergie se trouve entre les mains de quelques rares personnes. Où que vous soyez, si vous avez besoin de courant, il faut que vous passiez par des monopolistes tout-puissants pour l'obtenir. Vous êtes entièrement dépendants d'eux. Cependant, l'idée fondamentale de l'énergie solaire, c'est que la meilleure façon de l'imposer, et la plus rapide, est de s'adresser à des petites unités, immeubles d'habitation, maisons particulières, installations industrielles, usines et ateliers pris isolément. Ceci est surtout valable pour le tiers monde. Le professeur Loder le sait bien : l'aspect réellement révolutionnaire de la technique solaire, c'est qu'elle rend les consommateurs totalement indépendants des compagnies monopolistes d'électricité. Si vous vous faites construire une maison solaire, vous êtes perdu pour les grandes compagnies ; de même si un groupe se forme pour construire une minicentrale solaire d'où il tire toute l'énergie électrique dont il a besoin, ce qui évidemment est un cauchemar pour les monopolistes. Voilà pourquoi ils essaient par tous les moyens de rendre la vie impossible à des gens comme Loder et son équipe, et à nous. Imaginez un peu : ne plus dépendre d'eux ? Quelle horreur !

— Vous parlez un allemand parfait, lui dit Marvin.

— C'est ma seconde langue, mais une langue quasi maternelle, répondit Leroy. Nous la parlions à l'école et à la maison. »

« Quel homme remarquable ! murmura Monique à l'oreille d'Isabelle, penchées toutes deux dans leur coin sur le lave-vaisselle. Gérard est ravi de l'avoir récupéré maintenant à Paris.

— Fais attention aux verres à vin, répondit Isabelle. Il faut les placer autrement, sinon ils vont glisser quand la machine tournera.

— Il te plaît aussi ?

— Ma foi... Ça va.

— Qu'est-ce qui ne te plaît pas en lui ?

— Monique, il faut vraiment que tu places mieux tes verres, crois-moi ! »

« Je veux dire..., poursuivit Pierre Leroy. En fin de compte, c'est aussi la raison de l'échec de Gérard auprès du gouvernement.

Avant cela, alors qu'il était encore secrétaire du syndicat des travailleurs nucléaires, il s'est passé la même chose : Gérard n'a cessé de mettre l'accent sur les dangers représentés par la technique du plutonium, jusqu'à ce que les directeurs de centrales exigent son départ. Vous êtes au courant, je suppose ?

— Oui, répondit Valérie Roth. C'est à la suite de cela que le gouvernement lui a confié le département des économies d'énergie en France. »

Pierre Leroy acquiesça.

« Nous voilà donc revenus au handicap psychologique dont je viens de vous parler. Gérard s'est immédiatement rendu compte que les économies d'énergie passaient par la décentralisation, donc la création, sur toute la France, d'un réseau d'agences spécialisées dans les problèmes de l'énergie et chargées d'expliquer aux consommateurs les techniques économiques et écologiques de l'énergie. C'est exactement ce que font le professeur Loder et tous les chercheurs en énergie solaire. Ils créent une distribution de l'énergie conçue sur le plan individuel, ce qui fait d'eux, cela va de soi, les ennemis mortels des monopolistes. »

« Pierre saurait bien placer les verres sur la grille pour qu'ils soient en sécurité, hein ? dit Monique à voix basse en riant.

— Ah ! Tais-toi, à la fin ! » grogna Isabelle.

L'orateur s'était levé et faisait les cent pas dans la cuisine tout en parlant.

« Pendant que, dans son analyse à l'usage du gouvernement, Gérard étudiait à fond le problème de l'économie maximale d'énergie et des moyens d'y parvenir, de son côté, l'administration nucléaire étatisée pratiquait une stratégie diamétralement opposée : il fallait consommer toujours davantage. Résultat ? Depuis dix ans, presque tous les immeubles neufs sont chauffés à l'électricité, qui est le mode de chauffage le moins économique et le moins écologique — et Gérard a été renvoyé une seconde fois. Même les localités les plus isolées en pleine campagne sont rattachées au nucléaire. Pendant ce temps, Gérard et ses hommes s'efforçaient de construire des unités à bois décentralisées ; elles aussi, elles ont été balancées et ont perdu leurs chances, selon toute apparence. Ce qu'il faut, c'est *gaspiller* l'énergie, de plus en plus, polluer, multiplier les dangers et casquer, casquer, casquer...

— Leroy lança sa triade avec une sorte de rage irrépressible. Il arrêta ses allées et venues et reprit d'une voix forte : Oui, mais ceci n'est qu'une apparence. Avant leur départ, Gérard et ses collaborateurs avaient eu le temps de semer à tout vent : partout, dans tous les départements français, s'étaient créés des bureaux régionaux, avec des conseillers en énergie qui opéraient sur le plan local et propageaient leurs méthodes d'économie.

— Et vous, vous êtes l'un de ces conseillers, ajouta Wolf Loder.

— Oui, répondit Pierre Leroy. On verra bien qui gagnera la partie, en fin de compte ! »

« Lui, bien sûr, chuchota Monique dans un sourire, tout en branchant le lave-vaisselle.

— J'aimerais bien savoir si ton héros est capable aussi de sentiments », riposta Isabelle.

« Racontez-nous comment vous travaillez, s'il vous plaît, dit Marvin, pour que nous puissions jeter les bases de notre film.

— Oui, renchérit Valérie. Vous parliez de semence... Pourriez-vous nous expliquer en quoi elle consiste, cette semence ? »

Brusquement, Pierre Leroy se mit à sourire, ce qui lui donna un air juvénile.

« Je viens de parler un peu comme un oracle, hein ? dit-il soudain avec un certain embarras. Excusez-moi. C'est de la simple déformation professionnelle... Quand on passe son temps à essayer de convaincre les gens, quand on veut avancer, quand on veut aboutir à un résultat concret... on finit par attraper le ton docte de celui qui est sûr d'avoir raison... Il va de soi que nous comptons aussi des résultats négatifs, que nous avons aussi des projets qui échouent. Tout ne fonctionne pas toujours comme nous l'espérons. Nous sommes encore en période d'expérimentation. Nous adoptons une méthode, et si ça ne marche pas, nous le reconnaissons et recommençons avec une autre. Mais au moins, nous essayons toujours, nous ne calons jamais. L'essentiel, c'est de beaucoup réfléchir avant de se lancer, car on ne peut pas se permettre trop d'échecs... et c'est ce que nous faisons. — Il toussota, puis poursuivit : Une seule idée sert de fondement à notre travail : il faut arrêter au plus vite cette surproduction d'énergie insensée ! Il faut la réduire au maximum, et c'est tout à fait possible ! C'est la condition *sine qua non* pour que les énergies de remplacement aient une chance de s'implanter, et en particulier l'énergie solaire, bien entendu. C'est la condition *sine qua non* pour que l'on cesse de détruire notre monde, déjà détruit par ailleurs de façon quasi irréversible. Voilà pourquoi la première tâche de nos bureaux régionaux, ajouta le géant en se passant la main sur ses cheveux frisés, est d'élaborer un plan d'action avec les administrateurs communaux, concernant la politique énergétique.

420

— Et comme il y a sans cesse des problèmes financiers au niveau de l'Etat, qu'il n'y a jamais assez d'argent dans les caisses, intervint Monique, nos gens sont obligés de trouver des solutions énergétiques toujours nouvelles, c'est-à-dire meilleures et moins chères. C'est un des rares bons côtés de la pauvreté.

— A cela s'ajoute encore autre chose, reprit Pierre Leroy. Nous vivons — et dans ce cas, je dois dire heureusement! — dans un système capitaliste. Si nous pouvons montrer que, avec peu d'argent, nous avons de meilleurs résultats que si nous en avions beaucoup, il n'y a pas un œil capitaliste qui restera sec! Les vieux renards de l'économie ne pourront s'empêcher de penser : ce que nous avons gagné en courant électrique jusqu'à présent, en brûlant du pétrole, du charbon et du gaz, ce n'était qu'une fraction du contenu énergétique de ces matières premières. Et en plus, nous avons pollué l'air! On peut en dire autant pour le courant fourni par les centrales nucléaires. Là aussi, il n'y a que trente pour cent à peine de l'énergie primaire — laquelle revient à un prix exorbitant — qui soient transformés en énergie électrique. Alors le vieux renard ne peut pas s'empêcher de se dire : Voilà notre chance! Et quelle chance! Mesdames et messieurs, l'avenir vient seulement de commencer! On ne dit plus : " Prolétaires de tous les pays ... ", ça, c'est du passé. Bientôt on dira : " Capitalistes de tous les pays, regardez tout ce que l'on peut vendre à bon marché et sans polluer le monde, et tout ce qu'on peut y gagner!... Unissez-vous donc! " Voilà le futur slogan. Mais il faudra diablement veiller à ce que ne viennent pas s'en mêler de nouveaux monopolistes! »

Philip Gilles se mit à rire.

« Quel bonhomme, hein? murmura-t-il à l'oreille d'Isabelle.

— Tu trouves? riposta-t-elle. Moi pas. Il me paraît surtout prétentieux et d'une assurance crasse. Toujours prêt à lancer une invective à droite et à gauche! »

« Cette situation, reprit Pierre Leroy, oblige aussi les élus locaux à chercher les solutions à la fois les meilleures et les moins chères. Dans la majorité des cas, nos gens ont réussi à nouer des relations de travail avec les administrateurs régionaux, qui sont fondées sur le respect mutuel et la confiance. Ici, en France, l'histoire sert notre cause. La tradition monarchique, ou plus précisément jacobine, veut que toutes les relations entre Paris et les régions souffrent d'une méfiance épidermique à l'égard du pouvoir central!

— Quelle est exactement votre tâche, M. Leroy? demanda Marvin.

— Ma foi... Je dirais que mes collègues et moi, nous avons une mission de pionniers et d'animateurs. Sans nous et notre harcèlement continuel, nombre de ces élus locaux, souvent écrasés par le stress et une montagne de soucis — chômage, formation, problèmes de circulation et de transports —, sans nous, ils glisseraient le dossier de l'énergie tout au bas de la pile.

— Concrètement parlant, insista Valérie, comment pouvons-nous montrer tout cela en images ?

— Il y a des régions dans lesquelles nous obtenons des résultats très positifs, répondit Leroy. Je suis d'ailleurs tout prêt à vous y conduire et à vous piloter. Par exemple, le Poitou-Charente. Là, ce sont les déchets industriels qui sont utilisés pour la production d'énergie. On y trouve quelques réseaux isolés de chauffage d'immeubles à base de charbon de bois. Les ordures ménagères et même une source d'eau thermale sont incluses dans le réseau. — Cette fois, sa physionomie rayonnait et son sourire laissait voir de superbes dents blanches et saines. — Au lieu de jeter le bois de mauvaise qualité, on l'utilise aussi pour produire de l'énergie. Ensuite, l'énorme source d'énergie que représentent les régions viticoles : nous y avons déposé des cuves spéciales à l'usage des déchets combustibles. Là, comme en d'autres endroits d'ailleurs, les immeubles d'habitation, les fermes et leurs dépendances sont transformés dans le sens d'une meilleure utilisation de l'énergie. Sur la côte de l'océan Atlantique se construisent des immeubles sociaux avec utilisation de la technique solaire et de la biotechnique. En outre, nous avons remplacé les anciens véhicules à essence par des véhicules à moteur électrique. Parmi les immeubles chauffés au bois, moyen de chauffage qui économise l'énergie et ménage l'environnement, il y a aussi des banques, des caisses d'épargne et des compagnies d'assurances ! — Il se remit à faire les cent pas. — Ou bien encore la Franche-Comté ! Il faut absolument que vous y alliez ! Entre les innombrables scieries de cette région forestière et les zones d'habitation, on a créé des réseaux de chauffage local. Nous travaillons la main dans la main avec les Eaux et Forêts. Un surcroît d'études et d'efforts nous permettront de faire baisser également les importations de bois de charpente qui coûtent très cher à la France, et d'économiser ainsi des devises — et, d'un autre côté, nous recyclons les chauffages d'immeubles aux " briquettes de bois " qui se consument lentement et que nous produisons avec du bois de qualité inférieure. Et puis, il faudra aussi que vous veniez avec moi dans le Nord/Pas-de-Calais ! Là-bas, le complexe sidérurgique Usinor va fournir le réseau de chauffage urbain qui alimentera une grande partie de la ville de Dunkerque en combustible à base de déchets. Vous vous rendez compte ! A base de déchets ! »

A l'étage inférieur, la sonnerie du téléphone se fit entendre dans le bureau. Monique descendit l'escalier intérieur en courant, puis d'en bas, elle cria :

« M. Gilles ! C'est pour vous ! »

Philip jeta un regard interrogateur à Isabelle, haussa les épaules et se leva. Il revint presque aussitôt dans la cuisine.

« Il s'est passé quelque chose ? demanda Isabelle, inquiète.

— C'était M. Oltramare. Il y a déjà huit jours, ma maison a reçu la visite de cambrioleurs. Il lui a fallu tout ce temps pour me retrouver, et c'est finalement Ritt, le procureur, qui lui a donné le numéro des Vitran. Il paraît que Gordon a entendu des bruits suspects dans la nuit et qu'il est venu voir ; les voleurs ont tiré sur lui, il est à l'hôpital. La gendarmerie voudrait me voir, pour que je dise ce qui a été volé.

— Il faut que tu retournes à Château-d'Oex ? demanda Isabelle.

— Oui. Dès que possible.

— Gordon est à l'hôpital ?

— Oui.

— Où ?

— A Fribourg.

— Je t'accompagne, décida Isabelle. — Elle tourna la tête vers Pierre Leroy : Vous qui parlez tellement bien allemand, monsieur, je pense que vous n'avez pas besoin d'interprète, n'est-ce pas, du moins pour le moment ?

— Non, mademoiselle, répondit Leroy dans un sourire. Accompagnez donc M. Gilles la conscience en paix !

4

Lundi 3 octobre 1988

Voilà déjà cinq jours que nous sommes à Château-d'Oex. Nous sommes arrivés le 29 septembre à l'aéroport de Genève. M. Oltramare est venu nous chercher en voiture, aimable, timide, charmant, comme toujours.

Sur l'autoroute, Philip a constaté qu'une bonne partie des murs anti-bruit était couverte de cellules solaires, et il me l'a fait remarquer. — C'est un projet pilote, nous a expliqué M. Oltramare. Chacune de ces cellules solaires, dans cette région particulièrement bien ensoleillée, fournit cent quarante-cinq mille kilowatts/heure de « courant solaire » par an soit la consommation

approximative annuelle de trente familles. — Diable ! grogna Philip. — Tu
vois, ça marche, dis-je. Et M. Oltramare a continué à nous expliquer que des
murs anti-bruit équipés également de cellules solaires travaillent déjà sur
l'autoroute de la vallée du Rhin, en direction de Coire, et que l'on projette une
installation solaire le long de la ligne de chemin de fer Bellinzona-Locarno.
— Si l'on montait des cellules solaires partout, le long des autoroutes et des
lignes de chemin de fer, là où le rayonnement solaire est assez fort, expliqua
M. Oltramare, on pourrait, paraît-il, produire cinq cent cinquante mille
mégawatts/heure de courant électrique par an. Une grande centrale solaire va
être ouverte d'ici peu au mont Soleil, dans le Jura. A Arosa, la célèbre ville
d'eaux, de très nombreux chalets sont déjà équipés de chauffage et d'eau
chaude « solaires », et même les trayeuses électriques sont actionnées par
l'énergie solaire.

M. Oltramare avait amené à l'aéroport l'horrible chien de
Gordon Trevor, qu'il a recueilli chez lui pendant l'absence de son
maître. Mais le chien n'a pas eu le droit d'entrer dans l'hôpital,
malgré l'insistance du blessé.

Il faisait encore très chaud pour la saison, les prés étaient
parsemés de fleurs épanouies et multicolores. Philip Gilles avait
pris place auprès du chauffeur, et Isabelle occupait la banquette
arrière. Elle posa une main sur l'épaule de l'écrivain et se sentit en
communion avec lui. Happy, le chien, dormait aux pieds de
Philip.

« Depuis que j'y habite, il n'y a encore jamais eu de cambrio-
lage à Château-d'Oex, raconta M. Oltramare. Les habitants du
village sont indignés. Mais avec ces drogués, dont le nombre ne
fait qu'augmenter, on peut s'attendre à tout ! Quand il leur faut
absolument une certaine somme d'argent pour leur prochaine
dose, ils cambriolent n'importe où, à n'importe quelle heure du
jour et de la nuit, sans se soucier du risque qu'ils prennent. »

M. Oltramare paraissait très frappé que pareille chose pût
arriver aussi dans son petit paradis — et, qui plus est, chez Philip
Gilles qu'il aimait beaucoup — et que Gordon, qu'il aimait tout
autant, ait pu en être la victime.

« Gordon a eu de la chance », précisa M. Oltramare pendant
que la vieille voiture traversait en cahotant des petits villages et
des champs nus, en direction des montagnes illuminées par un ciel
immaculé, d'un bleu profond.

Philip posa sa main sur celle d'Isabelle, et elle songea qu'ils
avaient, eux, bien de la chance de s'être rencontrés.

« Il a reçu une balle dans la hanche gauche, dit encore

424

M. Oltramare, mais aucun organe vital n'a été touché, ni les reins ni la rate. La balle est restée dans son corps et il a fallu l'extraire. Il est à l'hôpital de Fribourg.

— On a volé beaucoup de choses ? »

M. Oltramare fit une grimace de tristesse.

« Ils ont eu la partie belle, les gars, dit-il. La porte d'entrée du Forgeron n'a qu'une serrure toute simple ; il suffit d'un morceau de fil de fer recourbé pour l'ouvrir. En outre, ils avaient tout leur temps, et...

— Et ? répéta Philip devant l'hésitation de son ami.

— ... et ils n'ont rien trouvé qu'ils puissent monnayer rapidement, pas d'argent liquide, bien sûr. Dans leur rage, ils ont arraché tous les livres des étagères et en ont abîmé beaucoup, ils ont pris des costumes et... et le " Penseur ", la statue de Barlach. »

M. Oltramare eut beaucoup de mal à prononcer cette dernière phrase, car il savait à quel point Philip tenait à son « Penseur ». Il y eut un long silence dans la voiture, un silence pesant, et Isabelle vit tout de suite que cette nouvelle touchait Philip Gilles au plus profond du cœur.

« Comment ont-ils pu voler cette statue ? demanda-t-il enfin. Elle est si lourde ! »

M. Oltramare répondit :

« Ils ont volé aussi un triporteur sur le pré, à côté de mon hôtel, c'est avec cet engin qu'ils ont transporté la statue et fait du bruit. Happy les a entendus, il s'est mis à aboyer et Gordon s'est réveillé. »

L'Anglais s'était sauvé en courant et en criant de toutes ses forces vers la maison voisine, ajouta M. Oltramare, c'est alors que les gars ont tiré sur lui... Le chien se mit à gémir entre les pieds de Philip comme s'il comprenait le langage des hommes.

« Malgré tout, c'est curieux, dit Philip. Que peuvent faire des toxicomanes avec une statue de Barlach ?

— Oh ! Il y a tellement de receleurs maintenant, M. Gilles, vous n'avez pas idée ! Plus il y a de drogués, plus il y a de receleurs. Ils sont ravis d'accepter tous les objets qu'on leur présente et escroquent les voleurs qui les leur apportent, que ce soit une statue, un bijou, un tableau, que sais-je encore ? Mais les autres s'en fichent, ils ne pensent qu'à leur prochaine ration, n'est-ce pas ? Je suis désolé pour vous, M. Gilles.

— Moi aussi », répondit Gilles.

En entrant dans la maison en compagnie des deux gendarmes, ils virent l'ampleur des dégâts. Le tapis fait main était déchiré à plusieurs endroits, de beaux livres gisaient par terre, déchirés, les meubles anciens étaient griffés et rayés, et les tiroirs traînaient sur le plancher, certains même complètement démolis. Sur la couverture du lit de Philip, il y avait une grosse tache sombre. Un gendarme expliqua, très gêné, que les voleurs avaient fait...

« Vous voyez, M. Gilles, ils ont laissé là un tas d'excréments. Il faut enlever ça tout de suite... Les mouches... C'est toujours ce que font les cambrioleurs, quand ils sont furieux de n'avoir rien trouvé, ou pas assez... »

Les gendarmes posèrent de nombreuses questions sur le « Penseur », et Philip fit à leur intention une description précise de la statue. Il leur montra des photographies dans le répertoire des œuvres d'art en trois volumes, de F. Schult, qu'il possédait dans sa bibliothèque.

Les gendarmes lui demandèrent l'autorisation de l'emporter pour photocopier les illustrations afin de faciliter les recherches. Philip expliqua encore que le nom de l'artiste et l'année, E. BARLACH 1934, étaient gravés dans le bronze, sur la face arrière du socle.

L'après-midi, Philip prit sa voiture pour aller à Fribourg avec Isabelle rendre visite à Gordon, mais une grosse infirmière surveillante qui n'était plus de la première jeunesse leur barra le chemin et leur expliqua que Gordon n'avait pas le droit de recevoir de visites.

« Comment cela ? demanda Philip, effrayé. Il ne va pas plus mal, j'espère ?

— Non, répondit l'infirmière revêche, mais il est encore trop tôt pour les visites.

— Pourtant M. Oltramare est déjà venu plusieurs fois le voir !

— Oui, mais maintenant, il n'a plus le droit de venir non plus.

— Pourquoi ? »

La grosse femme marmonna quelques mots entre ses dents, où il était question de responsabilité.

« Autrement dit, vous nous interdisez d'aller voir M. Trevor ? demanda Philip.

— Je ne vous interdis rien du tout. Je vous dis simplement que sur le plan médical, ce n'est pas autorisé.

— Quand pourrons-nous le voir ?

— Plus tard. Pour le moment, il n'en est pas question. »

Force leur fut donc de rebrousser chemin. Arrivés à l'hôtel Bon

Accueil, ils racontèrent leur déconvenue à M. Oltramare qui éclata de rire.

« Qu'y a-t-il donc de si drôle ? » demanda Philip Gilles.

M. Oltramare se mit à raconter la raison de son fou rire. Depuis une semaine, il avait rendu visite à Gordon tous les jours et joué aux échecs avec lui tout en sirotant quelques verres de whisky. Gordon cachait la bouteille dans un recoin, derrière une statuette en terre cuite de la Vierge, mais dernièrement, ils avaient été pris en flagrant délit par la surveillante impitoyable. Furieuse et indignée, celle-ci avait interdit l'alcool à son malade. « C'est un poison sournois et perfide, déclara-t-elle. Il paraît que vous en buvez depuis des années ? Eh bien, pas dans mon service, vous entendez ? En outre, l'alcool rend impuissant. Ça vous tente de devenir impuissant, M. Trevor ? »

« Et Gordon lui a répondu, raconta M. Oltramare, toujours riant : " Ah, chère madame, ça a toujours été mon vœu le plus cher ! Mais, voyez-vous, les aviateurs allemands l'ont exaucé il y a déjà quarante-cinq ans. " Ce qui a mis le comble à la fureur de l'infirmière. C'est depuis cette découverte que la " médecine " interdit les visites à Gordon. Rassurez-vous, dans quelques jours, elle sera en congé, et vous pourrez aller le voir. Les autres infirmières ne sont pas du tout opposées à quelques petites gorgées de whisky.

— Pourquoi la surveillante a-t-elle une aversion aussi farouche contre l'alcool ? »

M. Oltramare éclata encore une fois de rire, avant de répondre.

« Elle est d'ici, de Château-d'Oex, et son mari est un alcoolique invétéré, totalement impuissant de surcroît. Je ne trahis aucun secret, ceci est de notoriété publique ! Comme quoi l'être humain a bien des difficultés à rester objectif ! »

J'ai téléphoné à Monique Vitran, à Paris, pour lui demander si elle avait besoin de nous, mais nous pouvons encore rester quelques jours ici, m'a-t-elle dit, car Pierre Leroy est parti en tournée avec l'équipe dans trois départements ; ils viennent de tourner aux aciéries Usinor, près de Dunkerque, et ils appelleront dès qu'ils auront terminé. Pierre leur écrit lui-même les textes, il se débrouille bien, et a réussi à conquérir tout le monde.

Ce Pierre Leroy, je dois dire que je pense souvent à lui ces derniers temps... Tel un visage qui sort soudain de l'obscurité à la lumière brutale d'un flash.

Lorsque j'apprends à Philip que nous pouvons encore passer un certain temps ici, il est tellement ravi qu'il me prend par la taille, me soulève et entame une valse endiablée à travers la pièce encore noyée dans le chaos. Nous rions comme des fous tous les deux, et nous finissons par choir sur le grand canapé près de la cheminée...

Jeudi 6 octobre 1988 — Aujourd'hui, nous sommes partis avec la voiture de Philip vers la montagne, jusqu'à l'endroit où se termine la route, après avoir traversé le village. Nous avons garé l'auto près d'un petit bistrot et continué à pied. Le sentier était assez raide, couvert de pierraille, et le ciel d'un bleu profond, illuminé par un soleil ardent. Sur les versants, de nombreuses vaches blanches tachetées de brun paissaient l'herbe des alpages, derrière des haies en fil de fer barbelés ; les prés étaient encore parsemés de fleurs malgré la saison tardive. Philip connaissait les noms des fleurs et me les présenta. — Comment se fait-il que tu sois si savant ? — Voilà dix ans que je vis ici, chérie, je connais chaque arbre, chaque buisson, chaque pierre, chaque fleur, chaque saison, ce sont les paysans qui m'ont tout enseigné, et j'ai parcouru les sentiers avec Gordon un nombre de fois incalculable. Ici, je suis enfin chez moi...

Nous voilà déjà en altitude. Nous marchons plus lentement et nous nous asseyons sur un tronc d'arbre. Le village repose à nos pieds. Comme tout est calme, paisible et beau. Philip me raconte d'où lui vient son attachement profond à Barlach et à son « Penseur »...

Son père était architecte. Durant toute sa petite enfance, sa famille vécut dans l'aisance, puis la débâcle boursière de 1929 engloutit toute la fortune de ses parents. A partir de 1930, ils furent très pauvres.

Autrefois, ils avaient une maison à Berlin-Zehlendorf, et durant le week-end, elle se remplissait toujours de convives. La mère de Philip adorait les comédiens, écrivains, sculpteurs, musiciens, peintres... tous les artistes. On se réunissait dans le jardin, derrière la maison. Il venait aussi des hommes politiques, des médecins et des avocats. Les parents de Philip menaient grand train... jusqu'au jour où ils perdirent tout. Le petit garçon qui avait le droit de rester avec les grandes personnes et d'écouter tout ce qui se disait garda le souvenir vivant des hommes célèbres et surtout des parfums envoûtants qui accompagnaient des dames merveilleuses. A huit heures du soir, il devait aller dîner, puis se coucher.

C'était toujours sa mère qui lançait les invitations, tant elle était fascinée par l'art et les artistes. Toutes les formes d'art. Son père s'intéressait surtout à la politique, et il en faisait. Le grand-père de Philip avait travaillé avec Bebel, et son père était un ardent socialiste depuis toujours.

Il y avait en particulier un comédien qui venait souvent chez eux et imitait Hitler avec un art consommé. Tous les spectateurs riaient à en perdre le souffle quand il imitait ce clown qui voulait diriger l'Allemagne. Quelques années plus tard, beaucoup de ceux qui avaient ri ces jours-là furent expédiés dans des camps, ou se réfugièrent à l'étranger ; beaucoup aussi moururent, y compris le père de Philip. Assassiné par les nazis... — Quel âge avais-tu en 1930 ? demandai-je. — Pas tout à fait cinq ans, répondit-il. C'est à cet âge-là que j'ai entendu parler de Barlach pour la première fois. Il y avait à Berlin une comédienne célèbre, Tilla Durieux, qui était mariée avec Paul Cassirer, le marchand d'objets d'art. Ils sont venus aussi plusieurs fois à Zehlendorf. Cassirer avait pris Barlach sous son aile protectrice et le poussait. A l'époque, il venait de commencer sa « Frise des Perceptions ». Ce travail avait ses racines dans le domaine musical ; il était prévu à l'origine pour un monument élevé à la gloire de Beethoven. Plusieurs statues représentant des personnages à l'écoute d'une musique suave devaient se succéder en spirale autour d'une colonne portant à son faîte la tête de Beethoven. Il y avait entre autres le « Pèlerin », la « Danseuse », le « Croyant », l' « Emotif », le « Béni des Dieux », le « Promeneur », et justement le « Penseur »...

Le « Penseur I », précisa Philip. Imagine un peu ces personnages appuyés de dos sur la colonne ! Mais ce travail ne fut jamais terminé ; il était irréalisable, raconta Tilla Durieux. — Et toi, tu l'avais deviné ? — Oui. — C'est curieux. — Pas du tout. Attends un peu, dit-il. A l'opposé de ma mère toujours prête à prendre feu et flamme pour quelqu'un ou quelque chose, mon père était un homme très calme. Je le vois encore assis dans son fauteuil en train de fumer sa pipe et d'écouter. Il fumait toujours la pipe en écoutant les autres parler. C'est ainsi qu'il est resté dans mon souvenir...

J'écris tout cela dans les moindres détails parce que cette histoire m'a fait une grosse impression, et aussi, bien entendu, à cause de la manière dont elle s'est terminée.

« Oui, dit Philip sur la montagne, au milieu des fleurs, des cailloux et des buissons d'épineux, et Tilla Durieux racontait à qui voulait l'entendre qu'elle désirait obtenir les neuf personnages de la colonne de Beethoven sous forme de frise pour son salon de musique... Mais oui, ça existait encore à l'époque, chérie ! Les gens pouvaient encore se permettre ce genre de caprices. Barlach commença donc sa frise en 1929, mais cette fois, les personnages étaient dégagés de leur support ; ils avaient chacun leur dos bien à eux et se dressaient dans l'espace, indépendants les uns des autres. Pour une raison inconnue, Barlach avait remplacé la neuvième statue, le " Penseur ", par une autre, l' " Aveugle ", auquel il donna ses propres traits...

— Pourquoi ? Pourquoi a-t-il remplacé le " Penseur " ? demanda Isabelle.

— Pourquoi ? Nul ne le sait. Et parce que c'est resté une énigme justement, le petit garçon que j'étais à l'époque se sentit attiré par ce " Penseur ".

Barlach voulut créer un nouveau « Penseur » pour Tilla Durieux, qui devint le « Penseur II ». Philip avait cinq ans à l'époque où cette statue commença à le fasciner... Il parlait lentement, comme s'il était replongé dans le souvenir de ces années lointaines, enfouies dans l'océan du temps...

Cette frise ne fut jamais terminée non plus. Paul Cassirer vint à mourir, et Tilla Durieux se remaria. Son second mari patronna aussi Barlach, puis il perdit toute sa fortune à son tour. Un troisième mécène se présenta, Hermann Reemtsma, un armateur de Hambourg qui aida Barlach jusqu'à la mort de l'artiste en 1938. Puis on enleva ses œuvres des musées et des églises, nombre d'entre elles furent détruites. Les créations de Barlach faisaient partie de ce fameux « art dégénéré »... Philip m'expliqua qu'il possédait beaucoup de livres sur Barlach chez lui, au Forgeron. Et par la suite, il me lut ce que les nazis écrivaient sur lui...

Oui, j'ai lu tout cela à Isabelle. Et beaucoup plus tard, au moment de recopier dans la salle de séjour de mon chalet les citations extraites de son journal, je suis allé chercher sur l'étagère l'ouvrage écrit par Carl D. Carls sur Barlach. C'est à coup sûr le meilleur de tous. Voici une critique du *Völkischer Beobachter* : « Au milieu de ces personnages de Barlach, on a l'impression de se trouver dans une société de créatures névrosées, débiles, sans consistance. On se sent entouré des exhalaisons de corps déchus... sous-produits de races inférieures... à demi-idiots... Un anti-artiste contre nature... un profanateur de la culture... »

Tu peux me dire pourquoi les nazis haïssaient à ce point Barlach ? lui ai-je demandé. — Regarde ses personnages, répondit Philip. Il n'y en a pas un seul parmi eux qui soit prêt à se soumettre à des criminels, à leur obéir, à exécuter leurs ordres et encore moins à les imiter. C'est cela qui a dû les rendre fous, ces nazis ! De voir que l'artiste et ses créatures ne fléchiraient jamais ! Que chacun des personnages, comme leur créateur, représentait le symbole de la liberté de l'esprit et de l'individu.

Et puis, après que les nazis eurent assassiné le père de Philip et poursuivi Barlach comme un animal dangereux, les trois personnages, son père, Barlach et le « Penseur », se fondirent dans l'esprit du petit garçon qu'il était alors en un tout, le symbole de ce qui était bien et correct, de la résistance contre la violence et la terreur, de tout ce à quoi il croyait et en quoi il espérait...

Philip vit le « Penseur » pour la première fois bien des années après la fin de la guerre. Il le vit à Hambourg, dans le musée Barlach qu'avait fait construire Hermann Reemtsma pour y réunir toutes les œuvres de l'artiste qui avaient échappé aux nazis. A partir de ce moment-là, Philip chercha partout l'autre « *Penseur* », mais en vain. Il ne le trouva nulle part. Il demanda à un grand nombre de galeries de l'aider à le trouver. Jusqu'à ce qu'enfin, **en** 1977, un marchand d'objets d'art de Berlin lui téléphone pour lui dire qu'il avait déniché une statue en bronze du « *Penseur* » à Londres ! Et qu'elle était à vendre. Philip venait juste de placer un scénario en Amérique et de recevoir une coquette somme d'argent... Au bout de tant d'années, il put enfin contempler à loisir son « *Penseur* » !

Certes quelqu'un avait réussi à le sauver ! Mais à ses yeux, il représentait aussi la preuve ultime de la défaite inéluctable du Mal. Il faut parfois attendre longtemps la victoire du Bien, mais elle finit toujours par arriver. La preuve que l'on ne peut jamais détruire le Bien, dit Philip. On essaie souvent, et il en résulte souvent des pertes irréparables, mais on ne peut pas anéantir le Bien à tout jamais. C'est exactement ce qu'écrivait Hemingway : « On peut tuer un être humain, on ne peut jamais l'anéantir. »

Ils ont pu tuer mon père, mais non l'anéantir. Ils ont pu mener Barlach à la mort, mais pas l'anéantir. Ni ses créations. Pendant longtemps, cette pensée fut ma seule consolation, Isabelle. Jusqu'à ce que je te rencontre. Depuis que nous nous aimons, tout a changé. Voilà pourquoi le vol du « *Penseur* » n'est plus tellement tragique. Sans toi, Isabelle, oh, sans toi, ce serait... Philip n'alla pas jusqu'au bout de sa phrase, et je lui répondis : Ton « *Penseur* » reviendra, tu verras. Il ne peut pas ne pas revenir ! Le Mal n'est jamais vainqueur, il ne peut jamais détruire le Bien. Tu y crois encore, n'est-ce pas ? — Oui, j'y crois. — Alors ? dis-je. Alors, il faut croire aussi que la statue reviendra. Est-ce logique, oui ou non ? — C'est logique, dit-il dans un sourire.

Nous sommes restés longtemps assis sur le tronc d'arbre. Puis nous avons repris en sens contraire le chemin qui descend vers le bistrot et le parking, et sommes partis pour Fribourg. La grosse surveillante est en congé, nous allons enfin pouvoir rendre visite à Gordon.

Gordon fut ravi de revoir Philip et Isabelle. Il occupait une chambre individuelle dans le grand hôpital moderne de Fribourg. Après l'avoir embrassé, Philip et Isabelle s'assirent à son chevet. Ils apportaient des journaux, des revues et des livres, et Philip sortit une bouteille de whisky de la poche intérieure de son veston. Gordon sourit et leur expliqua où se trouvaient les verres à dents. Il y avait même un petit réfrigérateur dans la chambre. C'était vraiment un hôpital moderne.

Ensemble ils trinquèrent à la santé de Gordon qui leur raconta un rêve qu'il avait déjà fait trois fois. Trois fois le même rêve !

« Voilà, dit-il. Je vole ! Pas avec mon ballon, non, non, avec mon vieux Spitfire ! Mais nous ne sommes pas en guerre ; je vole comme ça, tout simplement, très haut, par un temps superbe, et j'entends ma musique préférée. C'est fantastique ! Jamais je n'ai fait ce rêve tout au long de ces quarante-cinq années ! Je suis tellement heureux dans mon rêve, et en parfaite santé, je n'ai jamais été blessé, tout va bien, tout fonctionne normalement, et je sais que ma femme m'attend à la maison. »

Il vit Isabelle baisser la tête et reprit :

« Je ne suis jamais triste quand je me réveille, Isabelle. J'ai eu mon temps, et j'ai été gâté, puisque j'ai abouti ici, à Château-d'Oex, où j'ai trouvé des amis, Philip et M. Oltramare.

— Et moi, ajouta Isabelle.

— Vous êtes formidable. Vous êtes vraiment formidable, Isabelle ! s'exclama Gordon, et je lève mon verre à votre amour. Buvons à votre amour ! »

Ils burent à leur amour.

La musique préférée de Gordon était le concerto pour clarinette de Mozart. Je le lui ai demandé.

Lorsque, plus tard, nous sommes revenus chez Philip, une auto nous attendait devant le chalet. Un officier de la gendarmerie bavardait avec M. Oltramare ; dès qu'il nous aperçut, ses yeux se mirent à briller d'un éclat extraordinaire. Il a les clefs du Forgeron, il nous ouvre la porte, et que voyons-nous ? Le « Penseur » a repris sa place. J'en étais sûre. Je le savais. Malgré tout, j'ai eu une seconde de vertige.

Voilà ce qu'il s'est passé. Deux hommes sont venus offrir la statue à un marchand de Zurich, expliqua l'officier. Ils ont remarqué que le marchand essayait d'appeler la police et se sont sauvés à toute allure, en abandonnant leur butin.

Puis, nous nous retrouvons seuls. Il fait nuit. Philip va chercher du petit bois et une grosse bûche ; il allume le feu dans la cheminée. Nous sommes assis côte à côte, face au « Penseur » et aux flammes dansantes. J'entoure de mon bras l'épaule de Philip. Jeu de lumière et d'ombre sur la statue. On croirait qu'elle a cent visages différents, on croirait qu'elle vit. Des gens passent devant le chalet en riant. Puis c'est de nouveau le silence. — Quelle chance nous avons ! dis-je. Quel bonheur ! — Oui, répondit Philip. Quel bonheur...

Je viens de relire ces quelques pages du journal d'Isabelle, et je constate, à mon grand étonnement, la profonde évolution de ma pensée, entre cette conversation dans la montagne et les quelques mois qui l'ont précédée. Et même au début de l'histoire présente, quand ce monde et tous les êtres humains me remplissaient de

432

nausée, et que je citais si volontiers *Le Monstre* de Horstmann. Alors que là, dans la montagne, je parlais du Mal qui n'est jamais vainqueur. Du Bien qui n'est jamais vaincu. Que m'est-il arrivé depuis que j'ai rencontré Isabelle ? Quel don du ciel, cet amour tardif! Elle a parlé de chance, de bonheur, là, devant la cheminée.

Et aussi, à plusieurs reprises, de Pierre Leroy, durant ces quelques jours...

5

14 octobre 1988, en début d'après-midi.

Katja Raal tenait un morceau de carton blanc devant la caméra, sur lequel elle avait écrit en grosses lettres, comme à son habitude : HAMBOURG / 1 — INTERVIEW DR BRAUNGART.

La BETA était montée sur son pied ; derrière elle, Bernd Ekland dit à voix basse :

« Mme Roth, je vous en prie... »

Valérie s'assit à une table de travail couverte de livres et de papiers, en face d'un homme grand et élancé, aux yeux gris-vert très clairs et très éveillés derrière ses lunettes, et qui paraissait étonnamment jeune.

La caméra commença sa course.

« Je vous présente le docteur Michael Braungart, directeur de l'Institut d'Ecologie EPEA de Hambourg[42], dit Valérie, les yeux fixés sur l'objectif. Son épouse est membre du comité directeur de l'association Greenpeace International... »

Trois jours plus tard, le 17 octobre, toute l'équipe avait rendez-vous avec le ministre fédéral de l'Environnement à Bonn, pour enregistrer sa prise de position sur le problème du transfert de la dioxine, lui-même déjà en grande partie filmé.

Dans le bureau du docteur Braungart, tous les murs étaient couverts d'étagères bourrées de dossiers, de livres, de papiers et de classeurs. Isabelle, Marvin et Gilles, relégués dans un coin de la pièce, écoutaient.

« Monsieur le docteur Braungart, dit Valérie en tournant les yeux vers son interlocuteur, voulez-vous nous dire ce que signifient ces initiales EPEA ? »

Braungart se passa la main sur sa toison blonde.

« Ce sont les initiales d'un sigle anglais : Encouragement Protection Enforcement Agency ; littéralement : Agence pour la

Protection de l'Environnement. Nous avons des bureaux à Londres, à New York, à São Paulo et à Moscou. »

Cet homme d'une intelligence exceptionnelle avait un débit rapide.

« Vous êtes physicien de formation, n'est-ce pas ?

— Oui.

— Docteur Braungart, enchaîna Valérie en se penchant légèrement en avant, à la suite des nombreuses protestations qui se sont élevées contre les dépôts publics de déchets nucléaires, il s'est construit cinquante-quatre usines d'incinération des déchets en Allemagne fédérale...

— Leur nom exact, corrigea Braungart, est Centrale de déchets. Vous allez bientôt comprendre la relation psychologique subtile avec la centrale nucléaire, qui entraîna la création de ce sigle. Cinquante-quatre centrales de déchets, oui. Commandées par les villes. Mais ces centrales de déchets sont à l'origine de nouvelles protestations de la part de la population.

— Pourquoi ?

— Parce qu'elles sont nocives. L'incinération des déchets libère de la dioxine et de nouvelles combinaisons toxiques. Les résultats des premières analyses ont été épouvantables. Et les compagnies d'électricité du Verbund s'en sont mêlées aussi. Elles ont actuellement des difficultés à écouler leurs surcapacités, surcapacités que la loi de 1935 les a autorisées à produire, comme vous le savez, j'imagine. Mais elles ont dépassé les bornes. Les hommes politiques de Bonn et les élus locaux sont furieux. Très bien, disent les membres du Verbund, nous allons vous faire une proposition : vous êtes inondés de déchets nucléaires. Nous vous offrons de supercentrales de déchets... Remarquez bien maintenant cette relation psychologique subtile : centrale nucléaire — centrale de déchets ! Mais la prise de position, là derrière, reste la même : c'est à *nous* que l'on doit acheter ! C'est *nous* qui devons garder le monopole ! — Le ton de la voix de Braungart avait monté depuis le début de son exposé ; on y sentait une fureur contenue ; et il parlait de plus en plus vite. — Les centrales de déchets, c'est l'affaire du siècle ! L'opération la plus lucrative après les centrales nucléaires ! On s'attend à un volume d'investissement d'au moins trente à quarante milliards de marks ! C'est pourquoi de nombreux trusts importants participent à leur construction, cela va de soi. Les centrales nucléaires des années quatre-vingt-dix seront les centrales de déchets des Mégawatts !

— Combien va-t-on en construire ?

— Pour l'instant, le chiffre envisagé est de cent vingt. Certaines sont déjà en construction. On en prévoit quatre cents pour toute l'Europe. Devant des sommes d'argent aussi considérables, chacun se laisse tenter, vous pensez bien ! Tout comme jadis, lorsque les compagnies d'électricité ont fait un tel battage pour leurs prises de courant. Même système, même méthode. Il faut sauvegarder à tout prix le monopole ! Quant à savoir si ces centrales sont efficaces et sûres, il faut pour cela attendre qu'elles fonctionnent. D'ores et déjà, une chose est certaine : par ce moyen, les déchets pollueront en premier lieu l'eau et l'air. Et en tout état de cause, les résidus sont pour la plupart plus toxiques encore que les déchets eux-mêmes, parce que, en brûlant, ceux-ci forment de nouvelles substances dangereuses.

— Y compris de la dioxine ?

— Y compris de la dioxine, bien entendu ! Les analyses seront exploitées unilatéralement par les centrales elles-mêmes. D'après l'une d'entre elles, quatre-vingts pour cent des émissions organiques sont inconnues. Or, il s'agit là de plusieurs tonnes par an de substances inconnues ! A Seveso, il a suffi de moins de deux kilogrammes d'un produit chimique jusque-là inconnu pour déclencher la catastrophe. Les gaz émis par les fumées de la combustion des déchets contiennent au moins vingt espèces de dioxines auxquelles on doit attribuer un potentiel de toxicité analogue à celui des dioxines connues. »

Braungart eut un éclat de rire sinistre.

« Qu'est-ce qui vous fait rire ainsi ? demanda Valérie.

— Un souvenir qui vient de me remonter à la mémoire. Une histoire authentique ! Il existe une loi qui règle la protection de l'air, selon laquelle les centrales de déchets ne doivent pas être construites sur de vastes surfaces de terrains dégagées, là où l'air est encore pur, ou plutôt relativement pur. Car — c'est le principe de base du législateur — elle le polluerait dans des proportions inacceptables. — Il se remit à rire. — Voilà la raison pour laquelle l'Etat n'accorde pas de permis de construire aux centrales de déchets qui voudraient s'installer là où l'air est encore relativement pur. Les permis de construire ne sont accordés que dans les grandes villes ou autour des grandes villes. Car là, l'air...

— ... est déjà tellement pollué qu'un peu plus un peu moins, cela n'a aucune importance, conclut Valérie Roth.

— Voilà ! — Braungart approuva d'un signe de tête. — Le lait des vaches est soumis à des contrôles car il doit garantir un minimum de pureté. Si l'on construisait des centrales de déchets là où vivent les vaches, c'est-à-dire sur les alpages ou les prés, les éléments toxiques pénétreraient dans la viande et dans le lait du bétail par le système respiratoire, et le lait n'aurait plus le degré de pureté exigé par les normes. Dans les villes, les citadins respirent l'air pollué, entre autres les mères qui allaitent leur bébé. Le législateur n'a pas encore soumis le lait maternel à des contrôles, ni à des normes de pureté. Qu'importe donc s'il est plus ou moins pollué. Selon toute apparence, le législateur ne voit aucun inconvénient à ce que les mères transmettent ces poisons directement à leur bébé.

— Comme il est humain, ce législateur! jeta Valérie.

— Oh oui, ça, on peut le dire! approuva Braungart. Mais, voyez-vous, les déchets, les ordures, c'est précisément la bonne affaire du moment, l'opération lucrative par excellence. Vous avez déjà entendu parler de dépôts d'ordures temporaires?

— Non.

— C'est le même système que pour le stockage des déchets radioactifs. On ferme les yeux. Car, n'est-ce pas, nous finissons par récupérer les substances ultratoxiques qui doivent être stockées à titre définitif, mais pour lesquelles il n'existe pas de dépôts adéquats. Ce parallélisme à lui seul n'est-il pas génial? Faites bien attention: Tout comme les centrales nucléaires qui s'asphyxient sous leurs propres déchets, l'industrie s'étouffe elle-même sous ses déchets chimiques. Il faut s'en débarrasser, c'est tout simple! Une foule d'entreprises se sont donc spécialisées dans le transport de ces déchets, elles disent à l'industrie : Nous vous débarrassons de vos ordures, et vous payez! C'est devenu un marché international, au même titre que le marché de la drogue et celui de l'armement. L'entreprise emporte donc les ordures chimiques, ce qui est aussi réglementé par la loi. Mais la loi est faite pour le roi de Prusse!

— Comment cela?

— Voici en résumé ce que dit la loi, expliqua Braungart. Le producteur livre ses déchets au transporteur et celui-ci lui remet en échange un récépissé attestant qu'il a embarqué la marchandise; puis il la transporte chez le stockeur qui lui donne également une attestation. Et le stockeur est tenu de prévenir le producteur qu'il a bien reçu ses déchets. Ce qui fait donc au total trois attestations. Ah! On peut dire que dans ce pays, tout est mis au point, réglé et réglementé dans ses moindres détails, hein? s'exclama Braungart dans un nouvel éclat de rire sinistre. En réalité, on peut dire que ce circuit est plutôt réglementé par le

436

diable ! Celui qui a eu l'idée du stockage intermédiaire est un génie ! Stratégie identique à celle du stockage des déchets nucléaires.

— Qu'est-ce que c'est que ce stockage intermédiaire ? demanda Valérie. En quoi consiste-t-il ?

— Eh ! Voilà la combine ! Le clou de l'affaire ! Ce que Hitchcock appelait le " McGuffin " dans ses films. Ecoutez bien. Donc le transporteur se charge des déchets d'une usine, la plupart du temps, des déchets ultratoxiques, ultradangereux. Plus les déchets sont dangereux, plus le transport coûte cher, c'est normal. Mais le transporteur se charge-t-il lui-même de l'ultime stockage de ces substances ultratoxiques et ultradangereuses ? Non, bien sûr. Alors, qu'en fait-il ?

— Il les apporte dans un dépôt intermédiaire, répondit Valérie.

— Et voilà ! Vous avez compris. Il existe une entreprise qui est en train de devenir la centrale d'élimination des déchets nucléaires, en Allemagne du Nord. Elle s'occupera de tout, des petites ordures inoffensives, et des déchets ultradangereux. Elle a construit un dépôt intermédiaire à Isernhagen. Pour eux, c'est une affaire en or !

— Comment cela ?

— La Conférence des ministres de l'Environnement a voté une décision commune : on n'a le droit d'exporter à l'étranger que les déchets impossibles à éliminer en Allemagne fédérale. Si l'on mélange dans ces dépôts intermédiaires des ordures toxiques éliminables avec des déchets non éliminables, il en résulte, entre autres, des déchets d'exportation non éliminables qui peuvent être expédiés à bon compte en Afrique par exemple, après avoir transité dans plusieurs autres dépôts intermédiaires. Ou bien, on mélange ces déchets à une substance inoffensive, de la sciure de bois par exemple, et l'on peut même exporter ce mélange en Belgique et en Turquie, à titre de combustible. Arrivé à destination, ce mélange toxique est jeté dans des fours en ciment où il est concassé, puis répandu dans tout le pays. Les producteurs proprement dits ne sont plus responsables, bien entendu. Grâce à cette combine, les entreprises ont réussi à contourner tout le système des attestations. Dès que le mélange arrive au dépôt intermédiaire, à Isernhagen par exemple, pour le législateur, il est considéré comme " éliminé ". J'ai ici les instructions et les dispositions légales... »

Les passages importants étaient marqués de jaune ; Ekland devait les filmer en fin d'interview.

« Pour les autorités, les déchets ont disparu alors qu'ils sont toujours là, dilués pour ainsi dire dans le dépôt intermédiaire. Et comme une marchandise " éliminée " n'est plus à contrôler, comme le système des attestations a été contourné, l'entreprise d'élimination des déchets devient brusquement celle qui cumule la production, le transport et l'élimination à la fois. De cette manière, le seul secteur de Hambourg par exemple produit tous les ans environ trente mille tonnes de déchets spéciaux " nouveaux " et " supplémentaires ".

— C'est incroyable ! » s'écria Valérie Roth en hochant la tête.

Braungart esquissa un geste du bras.

« Attendez ! Ce n'est pas tout. On a réussi à supprimer aussi le principe de la cause. Comme on a mélangé des déchets de compositions différentes, on ne peut plus déterminer celui qui est à l'origine des fractions toxiques. Donc on a tout intérêt à falsifier les déclarations. N'oubliez pas qu'il n'y a que trois mille méthodes d'analyse pour cinq cent mille produits chimiques industriels.

— C'est ainsi que se créent des mélanges de substances qui peuvent amener des catastrophes à tout moment, conclut Valérie.

— Bien sûr, madame. »

A ce moment-là, quelqu'un vint frapper de toutes ses forces à la porte du bureau.

Ekland arrêta la BETA.

« Qui est là ? cria Marvin.

— Joschka Zinner, répondit le petit cinéaste hors d'haleine.

— Entrez ! »

Marvin se leva.

Zinner se précipita en courant dans la pièce, blazer bleu à boutons dorés, chemise à rayures, cravate maintenue par une épingle ornée d'un diamant, boutons de manchettes également ornés d'un diamant, pantalon de flanelle, chaussures en cuir bleues, chaussettes blanches.

« Que se passe-t-il ici ? Depuis une heure, j'essaie de téléphoner, la secrétaire répond imperturbablement qu'elle ne peut pas passer la communication. Je prends donc un taxi et je viens jusqu'ici, ça me coûte une fortune. Bah, nous avons de l'argent à jeter par la fenêtre... Ah bon, alors, vous travaillez ? C'est bien, les enfants, toujours sur la brèche, vous ne cessez de penser au pauvre Joschka. Vous êtes bien les meilleurs de tous ceux avec qui j'ai travaillé jusqu'à présent. Si je comprends bien, vous n'êtes au courant de rien... »

438

Il leva la tête, à bout de souffle.

« Au courant de quoi, M. Zinner ? demanda Valérie Roth.

— Eh bien... — Joschka se laissa choir dans un fauteuil et posa sa main sur son cœur. — J'ai des palpitations. Imbécile que je suis, j'ai couru. Alors, se mit-il soudain à glapir, vous ne savez pas encore que Hansen, le type que vous avez tabassé, Marvin, il paraît qu'il a construit une fabrique de gaz toxiques pour... Ah ! Comment s'appelle-t-il encore, celui-là ?... Aidez-moi, voyons, là-bas, en Libye ?

— Kadhafi ? dit Valérie en se levant d'un bond.

— Mais oui, bien sûr, Kadhafi. J'ai entendu cette nouvelle aux informations de ce soir, sur les deux chaînes ! Le monde entier est sur les dents, et vous, vous n'êtes pas au courant ! J'en ai mal au cœur ! Une fabrique de gaz toxiques pour Kadhafi ! Patronnée par nous, justement, nous, les Allemands ! Ah, ça fait plaisir, hein ? Nous revoilà une fois de plus en première ligne, face au monde entier. Allez, ne me regardez donc pas avec ces yeux de merlans frits, je le répète, il paraît qu'il a construit une fabrique de gaz toxiques pour Kadhafi, ce grand seigneur racé, élégant, doux comme un agneau... prétend le procureur de la République. »

6

Quelques heures auparavant, dans l'après-midi du 14 octobre 1988, trois hommes se retrouvaient dans le bureau du commissaire principal Robert Dornhelm, à la préfecture de police de Francfort, le chef de la Police judiciaire I, Elmar Ritt le procureur de la République, et l'agent secret de la NSA. A la suite de l'agression dont il avait été victime, Walter Coldwell avait été transporté à l'hôpital militaire américain avec une grave commotion cérébrale, d'où il était sorti le 11 octobre, c'est-à-dire trois jours plus tôt.

Les deux Allemands ne le quittaient pas des yeux.

« Des gaz toxiques ? demanda Ritt. Une usine pour fabriquer des gaz toxiques en Libye ?

— Oui, répondit Coldwell.

— Ah, ça alors, c'est le comble ! s'écria Dornhelm.

— Je suis autorisé à vous le dire, à tous les deux, poursuivit Coldwell. La nouvelle sera annoncée officiellement un peu plus tard. Pour l'instant, seuls les gouvernements de Bonn et de Washington sont au courant. Ah oui, et puis aussi Interpol. Il a fallu prévenir de toute urgence ces messieurs de Paris. Tout le monde est persuadé que Hansen et sa femme se sont réfugiés dans un pays qui n'a pas de contrat d'extradition.

— Autrement dit, cet enlèvement n'a été qu'une mise en scène, dit Ritt. — Coldwell acquiesça. — Ils ont dû se douter que l'affaire était sur le point d'éclater, et ils ont pris la tangente. Ce devait être prévu et organisé depuis le début, en cas de difficulté.

— Qu'est-ce que ça veut dire, depuis le début ? demanda Ritt.

— Ah, mon Dieu ! répondit Coldwell, cette affaire dure depuis 1986. — Il lui arrivait encore d'avoir des vertiges, et l'on voyait distinctement sur sa tête une longue cicatrice couleur rouge sang. — En 1986 déjà, nous avons envoyé à votre service fédéral de renseignements des photographies prises par nos spécialistes, d'après lesquelles on pouvait conclure qu'une usine chimique se construisait dans le désert libyen, près de Toresos, précisément pour la fabrication de gaz agissant sur le système nerveux.

— En 1986... Et que s'est-il passé à la suite de cet envoi de photos ? demanda Ritt.

— Rien, répondit Coldwell d'une voix amère.

— Bien sûr, il ne s'est rien passé, dit Dornhelm, assis à son bureau. Sinon tu en aurais entendu parler, mon vieux. Evidemment, il ne s'est rien passé. Te voilà de nouveau bouleversé, tout ce qui arrive chez nous sans qu'il se passe quoi que ce soit te remue les boyaux, hein ? Je comprends, tu es triste parce que tu dois admettre un peu plus chaque fois que j'ai raison, petit. Tu t'es d'ailleurs beaucoup calmé, je dois dire, depuis un certain temps, c'est à peine si tu cries et si tu transpires encore. Tu finiras bien par admettre ce que je n'ai cessé de te dire et de te répéter : il ne faut pas s'énerver ! Que veux-tu, on ne changera pas l'humanité ! Tous les hommes sont comme ça, sans exception. Le service officiel des renseignements a rédigé un rapport qu'il a envoyé à Bonn, et là-bas, ces messieurs ont haussé les épaules sans doute... n'est-ce pas, M. Coldwell, ça s'est passé comme je le dis ?

— Exactement, M. Dornhelm. Une année plus tard, nous avons renvoyé un dossier très complet, contenant des photos, et des renseignements concrets : l'enregistrement d'une conversation téléphonique. Nous avons aussi des bateaux renifleurs en Méditerranée. L'un d'eux a intercepté une communication téléphonique entre Toresos et l'usine chimique de Hansen. Par satellite. Le bateau se trouvait devant la Sicile. Les ingénieurs libyens réclamaient d'urgence des instructions et de l'aide. Des gaz toxiques s'étaient échappés au cours d'un test...

440

Le 22 avril 1915, en fin d'après-midi, un léger vent du nord se leva sur le front occidental, près d'une petite localité des Flandres, Langemark par Ypres. Les observateurs militaires virent deux nuages d'un jaune verdâtre monter des lignes allemandes ; ils roulaient à environ un mètre et demi au-dessus de la surface de la terre, en direction des soldats alliés abrités dans les tranchées.

Une minute plus tard, des dizaines de milliers de soldats français et algériens étaient noyés dans une brume verdâtre mordante. La physionomie des hommes vira au bleu, ils portèrent d'instinct les mains à leur gorge en suffoquant. De l'écume leur sortait de la bouche et du nez, nombre d'entre eux se mirent à tousser au point que leurs poumons éclatèrent. Lorsque le nuage se dissipa, cinq mille hommes gisaient morts sur le sol et dix mille autres étaient gravement blessés. — L'armée allemande venait de déclarer la guerre chimique.

Les pionniers des 23ᵉ et 26ᵉ régiments de l'armée allemande avaient lâché cent soixante tonnes de gaz chloré, comprimées dans des cuves cylindriques, et cette première opération de gazéification avait creusé une brèche de six kilomètres de largeur dans le front adverse. Cinq mois plus tard, au bout d'une période d'activité fébrile dans les laboratoires anglais, les Britanniques utilisèrent à leur tour le gaz chloré, et dix mois plus tard, ce fut le tour des Français ; à partir de là se déclencha la guerre chimique totale.

Par la suite, au cours de la Première Guerre mondiale, l'industrie chimique allemande se chargea de l'escalade de l'horreur : elle fut la première à fabriquer le gaz phogène, qui était également un gaz suffocant, puis l'ypérite, gaz vésicant, une arme à l'odeur pénétrante qui peut déclencher une perpétuelle envie de vomir, provoquer des abcès ulcéreux et des pneumonies, et entraîner la cécité ; il fut utilisé à partir de 1917. Chez les Alliés, ce poison violent ne fut mis au point et utilisé que deux mois avant la fin de la guerre.

Chacun des deux camps ennemis lança approximativement cent treize mille tonnes d'armes chimiques vers la fin de la guerre, pour l'essentiel sous forme d'obus à gaz. Un million trois cent mille soldats furent atteints, quatre-vingt-onze mille moururent dans des conditions atroces, le reste demeura gazé à vie. Déterminante pour la supériorité de la fabrication de ces gaz toxiques fut la capacité des grandes entreprises chimiques allemandes qui, après la guerre, fusionnèrent en un groupement d'intérêts, la I.G.Farben (littéralement : Groupement d'Intérêts Couleurs).

441

Après avoir été durement pénalisée sur le plan financier par la déclaration de la guerre, l'industrie chimique fit des affaires en or avec la fabrication de ces gaz toxiques. Au cours de la Première Guerre mondiale déjà, Carl Duisberg, directeur général des usines Bayer et président du syndicat de l'industrie des colorants, a dû signaler au haut commandement militaire allemand les possibilités d'utilisation des armes chimiques — avec succès.

Gerhard Schrader, le savant attaché au service de recherche du trust chimique I.G.Farben, mit au point en 1937 le taboun, et en 1938 une combinaison analogue au taboun que l'on baptisa sarine. Ces deux gaz avaient la propriété de paralyser le système nerveux et de provoquer la perte totale du contrôle de la musculature. Les victimes se tordent, souffrant de crampes et de tremblements ; elles perdent également tout contrôle sur les sphincters de l'anus et de la vessie, et une mort atroce par asphyxie survient au bout de quelques minutes.

Hitler n'a pas pu se décider à faire usage de ces armes chimiques dans la Deuxième Guerre mondiale parce qu'il pensait, à tort, que les Alliés possédaient également les gaz agissant sur le système nerveux, tels que le taboun et le sarine, et qu'ils pourraient les utiliser à leur tour, en guise de représailles. Mais en échange, la guerre chimique battit son plein dans les chambres à gaz d'Auschwitz, Maidanek et Treblinka, où périrent assassinés des millions de Juifs, nus et sans défense. L'industrie chimique tira également profit de l'Holocauste. Le cyclone B, le gaz mortel utilisé dans les camps de concentration, était une combinaison d'acide cyanhydrique et de chlore.

Après 1945, l'industrie chimique allemande devint l'un des plus importants producteurs d'insecticides du monde. Avec l'horrible tradition qui s'accrochait à ses basques, on la soupçonna même d'avoir aidé les despotes du tiers monde à fabriquer les poisons destinés à exterminer certaines populations : ainsi le dictateur irakien Saddam Hussein qui lança des bombes chimiques contre les Iraniens, et le colonel Moammar El Kadhafi, le dictateur libyen aux réactions imprévisibles, dont on pouvait tout attendre.

« Et après l'envoi de l'enregistrement de cet appel au secours des Libyens à la direction de Hansen-Chimie, Bonn n'a toujours pas réagi ? » demanda Elmar Ritt.

Coldwell secoua la tête.

« Non. La chancellerie classa également cette preuve dans la catégorie : imprécis. Vous vous en souvenez certainement.

— Oui, dit Dornhelm.

— Lorsque les Américains se firent plus pressants, on parla de témoignages " inutilisables devant un tribunal ". Auparavant, certains membres du gouvernement avaient manifesté une très vive indignation, vous devez vous en souvenir aussi, ajouta Coldwell. Il était à leurs yeux " impensable " que quelques citoyens de l'Allemagne fédérale participent par esprit de lucre à des projets qui mettaient la paix en danger, au moins dans certaines parties du monde.

— Ils ne s'en tinrent pas là, ajouta Dornhelm à son tour. Ils jugèrent " insupportable " que l'on mette les Allemands au banc des accusés sans qu'ils aient eu la possibilité d'examiner les témoignages. Le vice-président de la fraction CDU/CSU fut le plus virulent dans ses attaques contre les Américains, et il précisa que les " cris perçants " jetés par Washington ne resteraient pas sans effet sur les relations germano-américaines. Vexés, ces messieurs de Bonn n'enguirlandèrent pas seulement leurs principaux alliés ; ils mirent aussi en jeu leur crédibilité en politique étrangère. Tu te souviens, Elmar ? Combien de fois ne t'ai-je pas dit et répété la réalité de la vie ? Tu es mon meilleur ami, je ne veux pas que tu te détruises. Ça n'a aucun sens ! Il faut que nous restions réalistes ! Dans notre profession, tu te rends compte ? Jamais nous ne parviendrons jusqu'aux rois de la pègre ! Jusqu'aux pires salauds qui occupent les premières fonctions dans le pays ! Jamais ! Nous prenons les assassins et les bourreaux d'enfants, peut-être ! Avec un peu de chance. Mais un Hansen ? Un salaud qui fabrique et vend des gaz toxiques ? Jamais de la vie, mon vieux ! Il y a bien trop de personnalités qui sont impliquées dans cette saleté tout en détenant le pouvoir ! La justice ? Celui qui ose encore me parler de justice, à moi, je lui brise les os ! »

Ritt alla à la fenêtre et jeta un coup d'œil dans la cour intérieure encombrée d'ordures.

« Mais vous n'avez pas abandonné la partie pour autant, j'imagine ? reprit Dornhelm en s'adressant à l'agent de la NSA.

— Non, bien sûr », répondit celui-ci tout en approuvant du fond du cœur le pessimisme du chef de la PJ.

Le problème de la bombe atomique allemande par exemple. Nous n'avons pas progressé d'un iota, et nous ne ferons plus jamais un pas en avant, se dit Coldwell. Quant aux autres saloperies, plus immondes les unes que les autres, qu'elles soient commises par nous ou par d'autres... La justice ? Jamais.

« Non, nous n'avons pas lâché prise, confirma-t-il d'un air

triste. Lorsque le chancelier et sa suite sont venus à Washington, nous leur avons de nouveau jeté cette affaire à la figure. Depuis des mois déjà, William Safire, dans ses colonnes, parle de " Auschwitz dans le sable ", construite par une firme allemande. Par une firme allemande justement! — Et toi, Dieu, où étais-tu lorsque les fours à gaz fonctionnaient? se demanda Coldwell, l'estomac retourné par une nausée quasi irrépressible. Pourquoi as-tu permis Auschwitz? — Pour finir, reprit-il tout haut, ces messieurs de Bonn ont décidé de faire quelque chose, plus vexés que jamais. Ils ont envoyé des polyvalents chez Hansen-Chimie. Les fondés de pouvoir leur ont présenté des montagnes de documents. Ils ont examiné des photos représentant la construction d'une usine, tout entourée de montagnes couvertes de forêts et de prés verts. Sur le chantier, des travailleurs chinois, sur les panneaux, des indications en idéogrammes chinois. Puis ils sont passés aux livres de compte.

— Autrement dit, c'est grâce à vous que M. Dornhelm et moi-même avons été dessaisis de l'affaire Hansen / Marvin pendant quelques jours? dit Ritt sans quitter son poste d'observation près de la fenêtre. Il n'y a donc pas eu que la perquisition de l'appartement d'Engelbrecht, ce trafiquant d'armes; l'examen de l'usine de Hansen était au moins aussi capital à vos yeux?

— Vous comprenez que c'était nécessaire..., dit Coldwell.

— Bien sûr, approuva Dornhelm. Nous comprenons tout. Moi, depuis longtemps, et mon ami Ritt aussi maintenant. Mais on n'a rien trouvé chez Hansen, n'est-ce pas? C'est l'évidence même.

— Non, répondit Coldwell qui se sentait de plus en plus mal, tant la nausée qui le tiraillait depuis plusieurs décennies se faisait impérieuse. Aucune pièce à conviction en tout cas. Les polyvalents découvrirent des notes de frais relatives à des voyages en Extrême-Orient, des factures d'hôtels Hilton en Extrême-Orient, des notes de restaurants et de taxis en Extrême-Orient. Pas un seul papier sur la Libye. Et c'est exactement ce que l'on inscrivit ensuite dans le rapport de l'inspection des finances : Construction d'une usine de produits pharmaceutiques en Extrême-Orient. »

Coldwell ne put retenir un gémissement.

« Vous souffrez toujours? » demanda Dornhelm.

L'agent se passa la main sur le crâne.

« Parfois, oui... Hansen a effectivement construit une usine de produits pharmaceutiques en Extrême-Orient. C'est ce qu'a déclaré publiquement et d'une voix ferme le patron de l'inspection des Finances après la clôture de l'enquête, au cours d'une

444

conférence de presse. Hansen était assis à ses côtés, et moi, je me trouvais également dans la salle. Après la déclaration de l'inspection des Finances, Hansen manifesta une profonde indignation, en sa qualité d'homme d'honneur. Il parla de " soupçons inacceptables et sans aucun fondement ", et il se réserva expressément le droit de réclamer des dommages et intérêts.

— Quel culot ! s'exclama Dornhelm. Allez, Elmar, viens te rasseoir avec nous à la fin ! Ça me rend fou, à la longue, de te voir là debout sans faire un mouvement, je sens que je vais me mettre à pleurer. »

Ritt vint se rasseoir sur sa chaise en posant au passage sa main sur l'épaule de son patron.

« Autrement dit, l'affaire Kadhafi a transité par l'Extrême-Orient, dit-il.

— Oui, répondit Coldwell. Par l'Extrême-Orient. Mais alors, ce sont les services secrets allemands qui sont entrés en fureur. Bonn les avait sermonnés, ridiculisés. On ne les prenait jamais au sérieux. Ce soir déjà, au plus tard demain matin, les médias vont s'emparer de l'affaire et la jeter en pâture à l'opinion publique, et vos hommes politiques vont s'efforcer de réparer tant bien que mal les brèches causées dans les relations avec les pays étrangers. Le ministre des Finances a l'habitude de cette tâche pénible ; c'est déjà lui qui court aux Etats-Unis de l'un à l'autre en assurant solennellement que l'Allemagne fédérale regrette ce qui s'est passé, qu'elle est profondément écœurée par cet incident et que le chancelier a donné l'ordre de suivre toutes les pistes, sans considération de personnes ni d'entreprises — et avec la plus grande diligence. — Coldwell émit un grognement. — Avec la plus grande diligence, M. et Mme Hansen se sont sauvés d'Allemagne il y a trois semaines pour se réfugier dans un pays que rien ne pourra forcer à les extrader. — Il se pencha légèrement en avant. — Il va de soi que Hansen savait dès le début à quel point cette affaire était scabreuse. Il n'est pas idiot, le gars. Dès le début, il a effacé toutes les traces, toutes les pistes, volontairement. Une usine de produits pharmaceutiques a bien été construite en Extrême-Orient, par la firme Psi-Chon. C'est la Hansen-Chimie qui a fourni le *know-how* et la construction. Psi-Chon est associé à la Hansen-Chimie, c'est un vieil ami de la famille. Le vieil ami était d'accord, bien entendu, pour que Hansen crée une filiale de la firme Psi-Chon à Brême, ce qui lui assurait le camouflage de l'affaire libyenne. Voilà que brusquement, à Bonn, tout le monde est au courant de tous les détails maintenant! C'est un homme d'affaires pakistanais ayant un bureau à Francfort qui s'est chargé des négociations, un homme de confiance de Kadhafi. Il s'est présenté à Hansen en 1984, porteur d'une demande, oh rien de bien important! Une simple fabrique de gaz toxiques. Cet homme de confiance a frappé également aux portes d'autres entreprises, des entreprises de construction, car on envisageait un complexe gigantesque. Bon, je schématise et je simplifie. Tous les détails de cette affaire représentent un roman policier extrêmement compliqué. Bien entendu, Hansen ne pouvait prendre de décision sans l'approbation de ses collaborateurs les plus proches. Le docteur Keller, fondé de pouvoir avec procuration générale, n'a pas voulu se mêler de cette affaire. C'est un rusé personnage! Deux autres fondés de pouvoir ont été arrêtés. Tous les deux prétendent qu'ils n'ont rien fait d'autre qu'envoyer en Extrême-Orient tous les produits chimiques et les installations qui étaient réclamés pour la construction de l'usine de produits pharmaceutiques Psi-Chon. Tout cela a été embarqué à Bremerhaven, vous comprenez? Tout ce dont Kadhafi avait besoin. Adresse des destinataires : Entreprise Psi-Chon, Extrême-Orient. Et Psi-Chon embarquait ensuite toute la marchandise vers la Libye. D'après les renseignements obtenus par la CIA, il se crée là-bas, à Toresos, au sud de Tripoli, la plus grande fabrique d'armes chimiques qui fût jamais découverte. On a retrouvé tous les dossiers et les classeurs dans la cave du bureau de l'homme de confiance de Kadhafi, à Francfort, au total douze grandes caisses.

— Lequel homme de confiance a disparu aussi, j'imagine, dit Dornhelm.

— Bien entendu, répondit Coldwell.

— Quant à Hansen, avant de prendre la tangente, il a retiré à temps de son usine tout ce dont il avait besoin pour mener la belle vie pendant cinq cents ans, hein? »

Coldwell acquiesça d'un signe de tête.

« Tu vois, Elmar, tout cela est ridicule, absolument ridicule, mais c'est la vie! dit Dornhelm. Marvin bat Hansen à cause de ces blocs déodorants pour W.-C. Marvin détestait Hansen, pas seulement pour ça. Après tout, il avait été marié avec l'épouse de Hansen. Marvin connaissait bien Hansen, et sa tendance à la corruption. Marvin aurait certainement continué à sonder les agissements suspects de Hansen, hein?

— Très certainement », répondit l'Américain.

Ritt restait assis sur sa chaise, sans faire le moindre mouvement; il gardait les yeux fermés.

446

« Et voilà que quelqu'un a l'idée de charger Marvin de tourner ces films et de l'envoyer à l'autre bout du monde, lui et Valérie Roth. Elle aussi, elle représentait un réel danger pour Hansen. C'est juste?

— Oui, répondit Coldwell.

— Qui a eu cette idée géniale? demanda encore Dornhelm.

— Oui, qui? répéta Coldwell. Et quel est le rôle de Bolling dans tout ça?

— Oui, fit Dornhelm. Quel rôle joue-t-il aussi, ce Bolling?

— Ceci reste de votre ressort, M. Ritt, dit Coldwell. Vous allez avoir besoin d'une importante équipe de collaborateurs, et des meilleurs. Les plus forts et les plus subtils. Oui, c'est toujours votre boulot... ce labyrinthe de mensonges et de cruauté.

— Mais ce n'est pas un cas inhabituel, déclara Dornhelm. Pour la majorité des gens, il est très facile de mentir et d'être cruel. »

Robert Dornhelm pensa à son père disparu qu'on n'avait plus jamais retrouvé; il se souvint qu'à l'âge de cinq ans, il avait décidé d'entrer dans la police pour aider les autres petits garçons à retrouver leur père disparu et veiller à ce que tous ceux qui avaient fait du mal à ces pères soient châtiés.

Elmar Ritt pensa aussi à son père qui avait été condamné par le juge Holzwig, un de ces « horribles juristes » de l'armée nazie, le jour même de la capitulation inconditionnelle du Reich allemand, et exécuté le 10 mai 1945.

Walter Coldwell pensa lui aussi à son père, fanatique religieux qui les avait battus tous les jours, lui et sa mère, au nom de Dieu.

Tous trois avaient choisi leur métier en fonction de leur père, pour servir la justice. Et tous trois se dirent que la justice existait bien peu, mais qu'en revanche, l'injustice était répandue partout dans ce monde — malgré leurs efforts et les efforts de millions d'autres hommes.

Le silence plana pendant longtemps dans le bureau du chef de la PJ, à la préfecture de police de Francfort-sur-le-Main.

7

Le lendemain, la tempête se déchaîna.

Un seul sujet occupa les médias, journaux, télévision et stations de radio : les gaz toxiques de Kadhafi. A Bonn, une horde de reporters se précipita sur les hommes politiques; mais ils n'en rencontrèrent pas beaucoup, le lendemain étant un samedi. Une conférence de presse au niveau fédéral avait été organisée à la hâte ; le porte-parole du gouvernement bredouillait et transpirait, il avait les yeux rouges de fatigue. Dès qu'il tenta un timide effort pour prendre la défense du gouvernement, il fut hué par tous les journalistes sans exception.

Après les informations du soir, la télévision transmit une brève allocution du chancelier. Celui-ci déclara que des mesures extrêmement sévères étaient prises pour châtier les coupables, rappela des cas analogues qui avaient frappé d'autres pays, déplora le cynisme avec lequel les Allemands souillaient leur propre nid et en appela à la communauté des démocrates. A la suite de cette intervention, il y eut un bulletin spécial au cours duquel un groupe d'hommes et de femmes qui avaient des responsabilités dans différents services secrets et au ministère de la Justice vociférèrent et s'injurièrent mutuellement.

Le procureur général de la Cour fédérale suprême déclara que tous les hauts fonctionnaires travaillaient fébrilement. Les deux fondés de pouvoir de Hansen-Chimie étaient soumis à des interrogatoires incessants. Un mandat d'arrêt international avait été lancé contre Elisa et Hilmar Hansen. Depuis le jour de ce faux enlèvement, Interpol recherchait le couple... mais sans résultat, ce qui n'était pas la faute de l'Allemagne.

Le scandale des gaz toxiques s'étalait en première page de presque tous les journaux européens et de tous les grands journaux américains. Les chaînes de télévision d'Europe et des Etats-Unis en firent également le point central de leurs émissions. Tous les commentaires sans exception furent des accusations virulentes : une affaire de gaz toxiques, et en Allemagne, qui plus est !

A Bonn, une importante manifestation spontanée de protestation fut dispersée par la police. A Königstein, une unité spéciale formait un long cordon de protection autour du château Arabella, la demeure de la famille Hansen, et en bouclait tous les accès ; des agents furent obligés de disperser aussi à cet endroit-là des groupes de reporters, des équipes de télévision et des membres d'un groupement pacifiste.

Une douzaine de policiers, parmi lesquels un médecin, protégeait le petit Thomas Hansen, le fils du couple maudit, vingt-quatre heures sur vingt-quatre. L'enfant de neuf ans refusait de sortir de sa chambre. Therese Toeren était la seule personne avec laquelle il acceptait de parler.

Le surlendemain, le lundi 17 octobre, l'équipe de Markus Marvin avait rendez-vous avec le ministre fédéral de l'Environnement. L'interview devait commencer à onze heures. A neuf heures trente, lorsque Marvin et Valérie Roth arrivèrent au ministère de l'Environnement, de la Protection de la Nature et de la Sécurité nucléaire, Kennedy-Allee 5, à Bonn, en compagnie de Bernd Ekland et de Katja Raal — c'est elle qui portait la BETA —, on les attendait déjà; on les conduisit dans une vaste salle de conférence au deuxième étage de l'immeuble. Ils étaient venus très tôt pour permettre à Bernd et à Katja de préparer leur matériel en toute tranquillité. Katja redescendit encore une fois au rez-de-chaussée pour aller chercher dans la Mercedes le rideau de tulle que leur avait prêté la télévision de Francfort.

Lorsqu'elle revint au deuxième étage et longea le couloir qui menait à la grande salle de conférence, elle entendit soudain derrière une porte close une voix d'homme qui criait, et s'arrêta pétrifiée.

« C'est une honte! Quelle audace! hurlait la voix. Ne vous imaginez surtout pas que vous vous en tirerez comme ça! Vous allez le regretter, je vous le promets! »

Peter Bolling!

C'était bien lui qui criait, il paraissait fou de rage; manifestement il parlait au téléphone. Oui, c'était la voix de Bolling, il n'y avait pas à s'y tromper.

Ainsi il était là, derrière la porte, à trois mètres de Katja! Elle avait lâché le rideau; tout son corps tremblait tant elle était effrayée. Et Bolling continuait à parler, à crier, à hurler, d'une voix menaçante et furieuse. Katja se mordit les lèvres et ramassa le rideau de tulle. Allons, remets-toi, se morigéna-t-elle. Ressaisis-toi, fais un effort! Tantôt elle grelottait, tantôt elle avait le sang à la tête. Son front était couvert de transpiration.

Il faut que je m'en aille d'ici! Vite! Bernd! Katja courut en titubant jusqu'à la porte de la salle de conférence et l'ouvrit. Personne ne fit attention à elle.

Un jeune homme en costume de flanelle grise était là, les autres lui parlaient sur un ton véhément, indignés et nerveux.

« Bernd! s'écria Katja. J'ai quelque chose à te dire... C'est urgent! »

Tous les regards convergèrent vers elle.

« Tais-toi, Katja, grogna Ekland. Plus tard...

— Que se passe-t-il? » demanda Marvin.

Elle sursauta, demeura paralysée sur place. Non, non, ne rien dire, mon Dieu, il faut toujours que je fasse des gaffes.

« Oh, ce n'est pas important, murmura-t-elle. excusez-moi... »

Les autres s'étaient déjà retournés vers le jeune homme en gris.

« Nous avons un rendez-vous avec le ministre ! dit Valérie.

— Ce rendez-vous a été pris il y a déjà plusieurs semaines ! Et il a été confirmé deux fois ! insista Ekland.

— Si vous croyez que vous pouvez nous traiter comme des idiots, vous vous trompez ! cria Marvin.

— Et tout ça, uniquement parce que tout le monde ici crève de peur ! reprit Ekland. Tout le monde a peur de dire un mot plus haut que l'autre, hein, après le scandale des gaz toxiques ! Et le ministre se retranche derrière sa porte close ! Très bien.

— Bernd ! »

Katja le regarda, les yeux écarquillés. Elle avait l'air ridicule avec son grand rideau dans les bras, si petite, si frêle, si seule. Elle essaya encore d'attirer à elle le regard de Bernd. Peine perdue. Le cameraman était dans un tel état de fureur qu'il en oubliait ses propres principes, ne plus s'immiscer dans les affaires des autres et rester neutre.

« Nous n'avons pas de temps à perdre, nous, M. Schwarz ! Nous sommes en plein tournage de ce qui doit devenir un film important, une production gigantesque, nous avons un plan de travail à respecter !

— Je vous en prie ! — M. Schwarz leva les deux mains comme s'il cherchait à se protéger. Des mains fines de bureaucrate. — Monsieur le ministre regrette vraiment, mais il a été appelé d'urgence dans une centrale nucléaire. Impossible de remettre, c'est d'une extrême importance. Nous ne nous en doutions pas du tout hier soir encore. Tout à fait imprévisible. Je répète, monsieur le ministre est navré...

— Ça nous fait une belle jambe !

— Si vous voulez, nous pouvons prendre un autre rendez-vous...

— Nous ne voulons pas. Et nous ne pouvons pas. Nous avons un plan de tournage, nous devons partir le plus rapidement possible aux Etats-Unis. Quand l'affaire de Hansen et de la Libye aura pris les proportions auxquelles il faut s'attendre, c'est alors que le ministre n'aura certainement plus une seule minute à nous accorder.

— Mais nous pouvons nous passer de lui, M. Schwarz,

450

rassurez-vous. Merci infiniment, nous vous sommes très reconnaissants. Notre meilleur souvenir à monsieur le ministre ! »

M. Schwarz s'éloigna sans répondre et la porte claqua derrière lui.

« Alors, et maintenant ? demanda Valérie Roth en regardant Marvin.

— Quoi, maintenant ? Rien, répondit-il. On démonte tout et on fout le camp ! Gilles saura bien nous rédiger un beau papier sur cet incident. Bernd, on y va ...? »

Katja le rejoignit en courant.

« Où étais-tu ? Aide-moi !

— Bernd...

— D'abord les projecteurs !

— Bernd !

— Les fils de la sono ! Attention, tu marches dessus !

— Bernd, écoute...

— Quoi donc ? »

Il la regarda d'un air impatient.

Non, ça ne va pas, se dit Katja au désespoir. Pas ici. Pas maintenant. Il ne faut pas que les autres entendent. Personne ne doit le savoir, en dehors de Bernd. Il faut attendre que nous soyons seuls.

Katja alla vers l'appareil et se mit à le déboulonner de son pied. Quand nous serons seuls. Il faut que j'attende jusque-là. J'ai déjà fait une gaffe à Altamira, au Brésil. Ça suffit. Attendons...

Elle dut attendre une grande heure.

Après avoir quitté le ministère de l'Environnement, ils allèrent à l'Office fédéral de la presse. Marvin voulait se plaindre immédiatement auprès du porte-parole du gouvernement. Mais celui-ci ne recevait pas. Impossible de parvenir jusqu'à lui. Personne ne recevait, ce matin-là, à l'Office.

Ils téléphonèrent à la chaîne de télévision et reçurent l'ordre de renoncer purement et simplement à cette interview et de partir le plus rapidement possible pour les Etats-Unis. Ils devaient prendre le Concorde au départ de Paris, car c'était le seul avion où ils étaient sûrs de pouvoir tous monter.

« Nous allons au Bristol, expliqua Marvin à Ekland. Retournez dans votre hôtel ! On boucle les valises et on prend l'avion de midi pour Paris.

— OK ! »

Enfin, nous voilà seuls ! se dit Katja.

Bernd conduisait très prudemment comme toujours la grosse Mercedes dans laquelle il avait enfoui tout son matériel.

« Alors, mon petit, que se passe-t-il ?

— Bernd... J'ai... J'ai...

— Quoi donc ?

— J'ai entendu la voix de Peter Bolling ! » lâcha-t-elle dans un souffle.

Ekland regardait la route, droit devant lui.

« Où ? demanda-t-il.

— Au ministère. Derrière une porte.

— Quelle porte ?

— Une porte du deuxième étage. Là où nous voulions tourner. Je suis allée chercher le rideau de tulle, tu t'en souviens ? Et quand je suis sortie de l'ascenseur, en passant devant cette porte, j'ai entendu la voix de Bolling. Il parlait très fort ! D'une façon très distincte ! C'était lui, Peter Bolling, j'en suis sûre ! Il est à Bonn ! Au ministère de l'Environnement, tu te rends compte ?

— Arrête de crier, Katja, et calme-toi. Ce n'était pas la voix de Bolling. Tu t'es trompée.

— Non, je ne me suis pas trompée ! Que je tombe ici raide morte si ce n'était pas lui ! C'est déjà la deuxième fois que je surprends ce Bolling... Pourquoi faut-il toujours que ce soit moi ? Je n'y peux rien, Bernd...

— N'en parle à personne surtout, Katja. — Il s'arrêta à un feu rouge et caressa tendrement le dos de la jeune fille. — Brave petite Katja. Tu as du mal à garder ce secret, hein ? — Il l'embrassa. — Tu es formidable. Je sais bien pourquoi je t'aime. »

Elle se mit à pleurer.

« Tu as dit que nous ne devions à aucun prix nous laisser entraîner dans cette histoire. Tu as dit que c'était beaucoup trop dangereux, qu'il fallait penser à nous. Faire notre travail, nous taire, et nous arranger pour en avoir fini le plus vite possible avec cette production...

— Oui, c'est exactement ce que nous devons faire. Ce que nous allons faire.

— Mais... et Bolling ?

— Quoi, Bolling ?

— S'il est à Bonn...

— Ce n'était pas sa voix.

— Si, si, si ! C'était sa voix ! »

452

Le feu passa au vert. Ekland redémarra.

« Non, ce n'était pas lui. Tu t'es laissé contaminer par cette histoire de voix enregistrée sur cassette.

— Puisque je te dis que si ! C'était lui, Bernd ! Je l'ai entendu derrière la porte !

— Bon, tu l'as entendu, d'accord. Mais tu n'en es pas absolument sûre. Pense à Marvin ! Lui aussi, il a dit qu'il n'était pas absolument sûr de reconnaître la voix de Bolling sur la cassette.

— Mais moi, j'en suis sûre, Bernd !

— Absolument sûre ? Vraiment ? »

Elle lui jeta un regard affolé.

« Euh... absolument... peut-être pas après tout...

— Ah, tu vois ! Et puis, au fond, quelle importance ? Tu n'as pas entendu de voix du tout, voilà !

— Mais si, j'ai... — Elle s'interrompit. — Ah oui ? Tu veux dire...

— Voilà, c'est exactement ce que je veux dire. Tu n'as rien entendu, un point, c'est tout ! Rien ne nous oblige à en parler à qui que ce soit. Nous ne voulons rien avoir à faire avec ça. Rien, ma chérie. Ce sera bientôt fini. D'ici là, nous tiendrons encore le coup ! Et nous arriverons bien à rester en dehors de tout. D'ailleurs, c'est exactement ce qu'on nous demande. Je leur ai déclaré à tous, à Lübeck, tu te rappelles, chez maître Goldstein, que nous nous contentions de faire notre boulot, et basta !

— Mais est-ce qu'il ne faut pas dire ça aux autres quand même, Bernd ?

— Non, que diable ! Nous nous sommes tenus à l'écart jusqu'à présent, et nous continuerons à le faire.

— Mais maintenant, Bernd, justement maintenant ! Peut-être que Bolling est impliqué aussi dans l'histoire de Hansen...

— A plus forte raison ! Le scandale Hansen vient seulement de commencer. Personne ne sait ce qu'il en sortira. La situation en tout cas sera hyper-dangereuse pour tous ceux qui auront un rapport avec elle, de près ou de loin. Des gaz toxiques, Katja ! Tu t'imagines ? Tu n'en parleras à personne, n'est-ce pas ? A personne ! Pas un mot, jamais ! Jure-le-moi, Katja !

— Je... je te le jure, Bernd...

— Allons, ça va déjà mieux. Heureusement, nous sommes deux. Toi et moi. Nous marchons la main dans la main. Contre tous les autres. Des films sur les installations solaires, il y en a dans les archives. Encore ce voyage aux Etats-Unis, Katja, et après, salut la compagnie ! Nous, nous disparaissons. Advienne que pourra. Tu iras chez le professeur, je lui ai déjà téléphoné et j'ai pris rendez-vous pour toi. Le 10 novembre à 15 heures. Hein ? Qu'est-ce que tu en dis ? »

Elle lui caressa le bras.

« Bernd... Je t'aime tant...

— Moi aussi, je t'aime. Le 10 novembre, Katja, c'est bientôt. Alors, tu vois bien que j'ai raison, n'est-ce pas ?

— Oui.

— Et tu n'as plus peur ?

— Non, je n'ai plus peur, répondit Katja. Plus du tout. »

C'est la seule solution, ne se mêler de rien, surtout maintenant que le travail touche à sa fin. Non, je n'ai pas peur... Mon Dieu, si au moins je n'avais pas aussi peur !

17 octobre 1988, 17 heures.

« Enfin, on commence à calculer les frais réels ! A combien se montent-ils si l'on calcule tout : les autos, les autoroutes, le courant, le chauffage, le charbon, l'énergie atomique, l'aéronautique, la proportion de produits chimiques dans l'agriculture... ? Quels sont les frais qui en résultent pour l'environnement, la santé, le bien-être de l'humanité ? On commence enfin à se poser vraiment la question... et moi, je dis que c'est ce que l'Occident a de plus formidable à offrir ! Voilà ce qui marque une époque, tout comme la perestroïka et la glasnost à l'Est. — Pierre Leroy, le physicien athlétique, jeta un regard brillant d'enthousiasme sur Marvin, Gilles et Isabelle. Il se mit à rire. — Le capitalisme à visage humain. »

Ils étaient réunis dans le grand bar de l'aéroport Charles de Gaulle en compagnie de Valérie Roth, Monique et Gérard Vitran et, bien entendu, de Bernd Ekland et Katja Raal. Le départ du Concorde pour New York avait été retardé à cause d'un contrôle technique. Ils auraient dû décoller à seize heures pour atterrir à treize heures quarante-cinq, heure locale, sur l'aéroport Kennedy. De là, ils avaient une correspondance pour l'aéroport Tri-Cities de Richmond, à proximité du complexe atomique de Hanford, dans l'Etat de Washington. En attendant le départ, ils bavardaient depuis plus d'une heure déjà dans le bar. Monique et Gérard Vitran, ainsi que Pierre Leroy, étaient simplement venus les accompagner.

Leroy était très excité. Il revenait d'Allemagne où il avait passé

454

quelques jours et appris à cette occasion une foule de détails qui ne lui laissaient plus de repos.

« Excusez-moi si je donne l'impression de prononcer un discours, dit-il en regardant Philip Gilles, mais tout ce que j'ai entendu dire là-bas, c'est purement et simplement... inouï! J'ai assisté à une conférence faite par Ulrich von Weizsäcker... Vous savez, Weizsäcker, c'est... Pouvez-vous m'aider, M. Marvin?

— C'est le fils de Carl Friedrich, le philosophe physicien, et le neveu de notre président de la République.

— Merci. Je ne savais pas exactement. Toujours est-il qu'il dirige l'Institut pour la Politique européenne de l'Environnement, à Bonn. Voici ce qu'il a dit en substance : On ne peut accéder à une situation optimale à la fois sur le plan économique et sur le plan écologique que si les prix de toutes les marchandises que nous fabriquons et que nous achetons sont calculés sur ces deux plans-là. Quelque chose de grand est en train de s'amorcer, une véritable révolution. Mais pour que nos décisions d'achat soient en harmonie avec la protection de l'environnement, il faut d'abord que les prix traduisent la vérité économique *et* la vérité écologique. »

Il jeta sur Isabelle un regard rayonnant.

« Oui, ce serait beau, dit Gilles. Mais... ceci en fin de compte n'est pas une nouveauté. L'environnement a son prix. L'économiste américain, Alfred Marshall, en a fait la constatation prophétique dès 1891. En 1920, son collègue français Arthur Pigou l'a suivi, lorsqu'il a commencé à poser des questions sur les frais que coûtait l'environnement dans la production industrielle. L'un et l'autre voulaient aboutir à une structure des prix qui tenait compte des problèmes de l'environnement, et n'ont pas réussi à l'imposer.

— Je suis ravi, affirma Leroy, de voir l'étendue de vos connaissances, M. Gilles! Weizsäcker s'est réclamé de Pigou en effet. Enfin, le voilà qui parvient aux honneurs! Maintenant que l'on commence à débattre des impôts pour l'environnement, qui ne représentent ni plus ni moins que la réforme écologique de l'économie de marché. »

Isabelle tenait une cigarette entre ses doigts. Gilles craqua une allumette, Leroy lui tendit son briquet.

La jeune femme se pencha vers la flamme du briquet.

« Merci.

— Vous êtes certainement déjà au courant de tout ce qui

concerne cette évolution, reprit Pierre Leroy. Je suis vraiment bouleversé par tout ce que j'ai appris en Allemagne. »

Il se tourna vers Monique et Gérard pour leur répéter en français ce qu'il était en train d'expliquer, et s'excuser de parler allemand.

« Peu importe, répondit Monique. Il est inutile qu'Isabelle traduise, nous connaissons déjà l'essentiel de ce problème. »

Pierre Leroy se tourna de nouveau vers Philip Gilles.

« C'est surtout à vous que je m'adresse, monsieur. Nous vivons actuellement l'évolution la plus importante que j'aie jamais vue ! Il faut absolument que vous en parliez dans votre livre. Vous permettez que je vous donne quelques explications...

— Je vous en prie, M. Leroy, c'est très aimable à vous, répondit Gilles.

— Nous travaillons encore sur la base du système avantage-coût. Mais outre le capital et le travail, il faut aussi compter absolument avec les ressources de l'environnement dans la production des marchandises. Jusqu'à présent, on ne les a même pas mentionnées dans l'économie traditionnelle au titre de facteur de production. La nature et l'environnement continuent à être exploités à des tarifs bas, les aiguilles des horloges de l'environnement marquent encore midi moins cinq ! »

Gilles, Marvin, Valérie Roth et Isabelle écoutaient attentivement cet exposé ; l'enthousiasme de Leroy paraissait contagieux.

« Mais la percée eut lieu dès 1986, poursuivit-il, et Gilles se demanda par quel étrange phénomène cet homme qui était beaucoup plus jeune que lui semblait tenir à tout prix à lui communiquer sa foi, à lui, Gilles, de vingt-cinq ans son aîné. — L'année où fut publié un livre qui fit sensation : *Les Milliards écologiques, ou le prix de l'environnement détruit*, écrit par Lutz Wicke. Je viens seulement de le lire. Pour Wicke, les dégâts annuels causés par les économies que l'on fait avec un aveuglement irresponsable dans le traitement des problèmes de l'environnement se montent à une somme qui oscille entre cent et deux cents milliards de marks. Cette somme représente dix pour cent du PNB de la République fédérale. Or Bonn ne dépense que vingt et un milliards de marks pour la protection de l'environnement, soit un dixième des pertes réelles. »

Ekland et Katja étaient assis légèrement à l'écart du groupe. Soudain, la jeune fille blêmit et se leva en hâte.

« Qu'y a-t-il ? Envie de vomir, encore une fois ?

— Oui...

456

— Deux fois dans l'avion... Tu crois que c'est uniquement la fièvre du voyage ?

— Oui, sûrement. »

Elle se précipita vers les toilettes ; Bernd la suivit des yeux d'un air soucieux.

« Wicke a ventilé les sommes pour la République fédérale, reprit Leroy qui, dans son élan, donnait presque une représentation de soliste : Pollution de l'air : trente milliards ; pollution des eaux : vingt milliards ; pollution de la terre : dix milliards ; bruit et autres dégâts : soixante milliards. Les proportions sont sensiblement identiques pour tous les pays, cela va de soi. Nous vivons largement au-dessus de nos moyens — en majeure partie aux dépens de l'environnement et sur le compte des générations à venir auxquelles nous laisserons en héritage de plus en plus de problèmes, et des problèmes de plus en plus graves, tel celui des déchets radioactifs que personne ne peut éliminer. Pas un homme honnête ne contestera que ceci est immoral. Ce Lutz Wicke vient de présenter un nouveau livre, *Le Plan Marshall écologique*, écrit en collaboration avec un de ses collègues de l'Office fédéral de l'Environnement, Jochen Hucke. Ils proposent une opération écologique globale. A leur avis, étant donné les dangers immenses et les causes qui sont à la base de ces dangers — surconsommation d'énergie avec une production d'autant plus élevée de gaz carbonique, irresponsabilité des géants de la chimie, pauvreté des masses, répartition injuste de la terre dans les pays du tiers monde, etc. —, la politique dite à la petite semaine ne mène plus à rien. C'est pourquoi nous avons besoin d'un plan international, un plan Marshall écologique. De même que le premier plan Marshall, après 1945, a sauvé l'Europe détruite, il faut que, avec l'aide d'un impôt sur la consommation de charbon, de pétrole et de gaz, le plan Marshall écologique rapporte six mille milliards de dollars dans les prochaines quarante années, et ainsi sauve le monde — parfaitement, sauve le monde ! —, compte tenu du fait que des techniques d'économie d'énergie doivent également être mises en place partout, cela va de soi. »

Isabelle ne cessait de jouer avec sa chaîne en or et son médaillon, tout en écoutant attentivement Pierre Leroy.

Marvin interrompit l'exposé du physicien ; lui aussi, il était captivé par le sujet.

« Oui, moi aussi, j'ai lu cela quelque part. Ainsi que ceci : si l'on veut éviter de chercher refuge dans l'énergie atomique, il faut à l'avenir faire payer par la direction des centrales nucléaires elle-même les frais globaux d'assurances contre les accidents possibles de fusion nucléaire ; actuellement, c'est encore la communauté qui les assume. Si l'on enlève ce privilège à l'économie nucléaire, cela suffira pour empêcher toute nouvelle construction de centrale. Ainsi par exemple, dans la République fédérale, un plan Marshall ainsi établi réduirait de moitié la production de gaz carbonique d'ici l'an 2030 — et ailleurs aussi, bien entendu. Cela permettrait peut-être d'éviter vraiment les catastrophes climatiques imminentes.

— Je vous l'ai dit, s'exclama Pierre Leroy, tout cela est la réplique occidentale de la perestroïka. — Il se tourna vers Marvin. — J'ai lu une phrase écrite par votre Conseil des Experts économistes, dans une analyse à l'usage du ministre de l'Economie : " La structure de la croissance économique qui tient compte des exigences de la protection de l'environnement est différente de celle de la croissance économique qui n'en tient pas compte. Il n'y a que la première qui favorise la prospérité des citoyens. " Cela prouve que le mouvement écologique s'est imposé dans les têtes de l'establishment, non seulement chez vous, mais déjà partout. La croissance économique va enfin être jugée d'après sa capacité à protéger l'environnement. C'est une lueur d'espoir, malgré toutes les prévisions catastrophiques. Nous finirons bien par vaincre !

— Isabelle ! » dit Gérard à haute voix.

Elle sursauta.

« Oui ?

— Veux-tu avoir la gentillesse de traduire ce que Pierre vient de dire, s'il te plaît ? Ses deux dernières phrases... demanda-t-il dans un sourire.

— Si vous permettez, intervint Pierre Leroy avec un clin d'œil. Je vais m'en charger moi-même.

— Il y a vraiment quelque chose qui bouge, dit Marvin dès que Pierre Leroy se tut. Non seulement à l'Est, mais aussi chez nous, à l'Ouest, il s'opère en ce moment une révolution dans les esprits et dans la pensée, et je ne dis pas cela comme un enfant qui chante dans le noir pour se donner du courage. Pas du tout. La formulation de M. Leroy est tout à fait exacte : nous aussi, nous avons notre perestroïka ! Pour son prochain congrès fédéral, la Fédération allemande des syndicats ouvriers prépare la transformation des lois fiscales. La tendance est, partout sans exception, au passage de l'économie sociale de marché à l'économie écosociale de marché. Un congrès du parti socialiste (SPD) a mis cette année la question des impôts pour l'environnement au rang de

458

programme politique ; il a donc suivi l'exemple des Verts. Le SPD a fixé comme objectif une transformation écologique de la société industrielle financée par les impôts pour l'environnement d'ici à l'an 2000 : réduction d'un tiers environ de la consommation, amélioration de la qualité de l'eau de tous les lacs et océans, qui permette à la population de se baigner sans risque, arrêt de la disparition progressive des espèces dans la flore et dans la faune, par la création de sites naturels protégés sur dix à quinze pour cent de la superficie globale de la République fédérale, protection du sol, par la suppression des produits toxiques qui pénètrent dans les nappes phréatiques et l'eau potable, dans les produits alimentaires et le lait maternel. Et diminution de trente et un pour cent du volume des ordures ménagères.

— Il se passe un phénomène tout à fait analogue chez nous, dit Leroy. Et dans beaucoup d'autres pays aussi. Car une chose est évidente : ces mesures ne peuvent donner des résultats positifs que sur un plan international. Jamais encore la situation politique n'a été aussi favorable. — Il parlait si fort que d'autres clients du bar écoutaient son discours. — Si grâce aux idées de Gorbatchev, il se passe tous les jours des choses que nous n'aurions pas osé imaginer, ou pas pu imaginer hier encore — et il s'en passera beaucoup d'autres aussi par la suite —, on peut dire que la " pensée nouvelle " a sa chance aussi chez nous ! Sur le plan écologique également, il peut se passer encore tant de choses qui nous paraissent inimaginables aujourd'hui ! Tout pourrait changer si, brusquement, des considérations éthiques trouvaient place dans notre système capitaliste. Tout changerait de fond en comble ! Aujourd'hui encore, les caisses de sécurité sociale calculent pour nous : Quel est le coût de la maladie ? Combien faut-il débourser pour rendre la santé à un malade ? A une personne rendue malade par ce monde malade ? Dès demain, la question pourrait être : Quel est le prix de la santé ? De l'élimination des préjudices causés à l'environnement, afin que beaucoup d'êtres humains ne tombent plus malades ? Qui est encore disposé aujourd'hui à soutenir et à défendre les autres ? Chacun se renferme dans son égoïsme ! — Leroy baissa le ton, sa voix se fit plus chaude, plus douce, pleine d'émotion : On pourrait réaliser tant de choses ! Il y a tant de questions qui apparaîtraient alors avec le sérieux qu'elles méritent... par exemple... excusez-moi si ça vous paraît un peu pathétique... par exemple, quel est le prix d'un rire d'enfant ? Combien coûte la satisfaction, la chaleur, l'espoir ? Combien coûte — pardon — l'affection ? Combien suis-je prêt à payer pour cela ? Que suis-je prêt à faire pour cela ? Et à quoi suis-je prêt à renoncer pour cela ? — Il regarda Isabelle. — Vous êtes sceptique ?

— Pourquoi me posez-vous cette question ? demanda la jeune femme. Vous ne me connaissez même pas !

— A voir l'expression de votre physionomie... »

Philip Gilles sourit.

Pendant cette longue conversation, la voix des haut-parleurs n'avait cessé de donner des indications de décollage et d'atterrissage.

Après sa prestation en soliste, Pierre Leroy prit de nouveau un air gêné.

« Je... je suis si ému par toutes ces nouveautés et ces perspectives, vous savez... Mais je n'en reste pas moins réaliste. Il existe tant de choses que l'on ne peut pas acheter avec de l'argent, et que l'on ne pourra jamais compenser avec de l'argent... Comment calculer par exemple la perte esthétique d'un paysage dévasté ? Ou la souffrance causée par une maladie comme le cancer ? Non, non, certes, le calcul écologique n'est, lui aussi, qu'un moyen de réaliser notre objectif. Mais tout de même, la science et la politique vont maintenant s'unir — je touche du bois ! — pour mettre au point de nouvelles techniques sociales qui nous permettront de transposer dans la pratique des acquis écologiques *et* des maximes éthiques — cela me touche plus que tout ce que j'ai vécu jusqu'à présent. Excusez-moi si je hausse le ton... »

Un coup de gong les fit sursauter, et une voix juvénile annonça dans les haut-parleurs : « Votre attention, s'il vous plaît ! Les passagers du Concorde vol 001 pour New York, dont le départ a été retardé pour des raisons techniques, sont priés de se présenter à la porte 24 pour embarquement immédiat. Je répète : Les passagers... »

8

« Mesdames et messieurs, nous allons atterrir dans cinq minutes sur l'aéroport d'Asunción, annonça la voix de l'hôtesse de l'air dans les haut-parleurs. Nous vous prions d'éteindre vos cigarettes et de boucler votre ceinture de sécurité. Merci. »

Cette annonce faite en espagnol fut suivie de sa traduction en anglais.

Thomas Hansen occupait une place de hublot dans l'avion à

moitié plein seulement de la Compagnie nationale paraguayenne LAP. A côté du petit garçon vêtu d'un costume sur mesures bleu, d'une chemise blanche et d'une cravate bleue, se trouvait le docteur Keller, fondé de pouvoir de la firme Hansen-Chimie, trente-neuf ans, grand, élancé et habillé comme un banquier : costume sombre, chemise blanche, cravate foncée. Il avait un visage mince, un front haut, et ses cheveux blonds légèrement grisonnants aux tempes étaient soigneusement tirés en arrière. Ses mains fines paraissaient étrangement transparentes ; à les voir, on avait l'impression que ses doigts n'avaient que la peau sur les os. Il regarda Thomas en souriant, mais l'enfant demeura impassible, il était occupé à boucler sa ceinture de sécurité. En fait Thomas tombait de fatigue. Lui et son compagnon avaient déjà un long voyage derrière eux — de Francfort à Rio avec la Lufthansa, et de Rio à Asunción avec la LAP. Il était presque midi, ce vingt-cinq octobre 1988.

Une semaine auparavant, Markus Marvin et son équipe avaient quitté l'aéroport Charles de Gaulle pour New York, et pris une correspondance pour l'aéroport Tri-Cities de Richmond, dans l'Etat de Washington. Onze jours auparavant exactement, le quatorze octobre, les médias avaient parlé pour la première fois du scandale de la firme Hansen-Chimie : la construction secrète d'une fabrique de gaz toxiques pour le compte du maître de la Libye, Kadhafi.

L'avion décrivit un large cercle autour de la capitale du Paraguay, en perdant rapidement de l'altitude. Puis il sortit son train d'atterrissage et roula sur la piste. Thomas Hansen vit une Mercedes couleur gris métallisé avancer lentement à leur rencontre.

L'avion stoppa, Thomas et le docteur Keller descendirent l'échelle de coupée, et aussitôt, le chauffeur de la Mercedes, un jeune homme vêtu d'un uniforme bleu, s'approcha d'eux. Il avait des cheveux blonds, des yeux bleus, et il riait.

« Soyez les bienvenus au Paraguay ! Je m'appelle Paul Kassel, je suis le chauffeur de M. et Mme Hansen. Montez dans la voiture, je vous prie. Je vous emmène au bord du lac.

— Quel lac ? demanda Thomas sans se départir de son air sérieux.

— Le plus beau lac du pays, répondit Kassel. Le lac Ypacarai. Nous y serons dans une demi-heure. Tes parents possèdent une maison au bord du lac. Oh, pardon ! Est-ce que je peux te tutoyer ?

— Bien sûr. Appelle-moi Thomas.

« — Volontiers, Thomas. Alors, tu m'appelles Paul, c'est d'accord ? »

Kassel ouvrit la portière arrière pour faire monter les deux voyageurs, puis il la referma et s'installa au volant. Avant de quitter le secteur de l'aéroport, la voiture dut s'arrêter derrière une barrière. Un policier s'approcha d'eux. Ils parlèrent en espagnol, puis Paul se tourna vers ses passagers.

« Il voudrait voir vos passeports. C'est une pure formalité ! »

Le policier était aimable ; toute son attitude reflétait une calme dignité. Il rendit les passeports et salua. Paul lui fit un signe de la main. Ils empruntèrent la nationale 1 qui contournait la capitale et prirent la direction de l'est. La voiture glissait entre des quartiers d'artisans et de logements d'ouvriers, véritables jeux de cubes multicolores. Thomas sembla retrouver un peu de vie, il y avait tant à voir ! Ils croisèrent des femmes assises en amazone sur des ânes ; l'une d'elles tenait un gros cigare noir entre ses doigts.

« Elles vont au marché, expliqua Paul. Ici, on en est encore au système du troc, tu sais. »

Les hommes montaient fièrement des chevaux.

« Eux aussi, ils vont au marché, reprit Paul. Ils vont traiter des affaires. On les appelle des *arrieros* ; ce sont les gauchos paraguayens. »

Ils croisèrent aussi des jeunes filles joyeuses.

« Elles te plaisent ? demanda Paul à Thomas, dans un sourire.

— Oui, répondit Thomas, le visage grave. Mes parents ont choisi un beau pays.

— C'est vrai, approuva Paul. Tous les gens ici sont aimables et courtois, et en général, ils sont aussi très beaux. Et pas seulement les filles ! Sais-tu à qui ils doivent leur beauté et leur gentillesse ? Il y a déjà six ans que je suis ici et j'ai étudié l'histoire du Paraguay. Ils les doivent à un homme nommé Domingo Martinez Irala, le premier gouverneur d'Asunción. Vers 1540 — tu vois, il y a longtemps de cela ! — cet homme décida que chaque Espagnol pouvait posséder un harem avec un maximum de cinquante belles femmes guaranis. Les Guaranis, ce sont les indigènes de ce pays. Cette décision du gouverneur ne correspondait pas précisément aux lois de la morale catholique, mais elle lui valut une énorme popularité.

— Je n'ai pas de peine à l'imaginer, répondit Thomas, imperturbable.

— Les hommes guaranis ne virent aucun inconvénient à cette nouvelle situation. Etant donné les guerres incessantes qu'ils

462

livraient aux Incas, leur nombre n'avait fait que diminuer, et les survivants n'arrivaient pas à absorber l'excédent de femmes. C'est pourquoi ils furent ravis d'avoir l'aide des Espagnols.

— Je comprends, dit Thomas.

— Et tu vois, c'est ce mélange de tribu primitive et d'émigrés qui a donné une race nouvelle et originale, les Paraguayos. Des êtres beaux, au visage clair, avec des cheveux noirs et ce caractère calme et agréable. Tous les paysans, quels qu'ils soient, te recevront ainsi. Quant aux filles...

— Tu en as une, toi?

— Oui, j'en ai une. J'en ai déjà eu beaucoup », ajouta Paul.

Lui et le docteur Keller se mirent à rire. Thomas garda son sérieux.

Ils avaient laissé derrière eux les faubourgs de la capitale; le paysage s'était métamorphosé, ils auraient pu se croire à des lieues d'Asunción : beaucoup de verdure, de vastes horizons et un relief vallonné. Le sol lui-même ondulait légèrement et, dans le lointain, Thomas distingua des chaînes de colline qui s'étiraient dans la brume de cette journée ensoleillée. Sur les prés vert tendre, le bétail paissait. Ils roulaient au milieu de champs de canne à sucre et de manioc.

« Lorsque je suis arrivé ici, reprit Paul, la forêt vierge bordait la route nationale. C'est fou ce qu'on a essarté et déboisé en quelques années, et malgré tout, on peut dire que ce pays est un pays de forêts vierges. Ici, ils n'ont sauvegardé que les lapachos.

— Les lapachos ? Est-ce que ce sont ces gros bouquets de fleurs roses et mauves ? » demanda l'enfant.

Le docteur Keller ne pouvait détacher ses yeux de cet étrange petit garçon.

« Oui, répondit Paul, les gros bouquets de fleurs, comme tu dis, ce sont des lapachos. Mais ce ne sont pas des bouquets, ce sont des arbres ! Entre août et décembre, ils perdent toutes leurs feuilles et leurs fleurs s'épanouissent pour former ces bouquets volumineux. Malheureusement, malgré leur beauté, ils seront sacrifiés aussi.

— Pourquoi ?

— Les propriétaires attendent qu'ils soient adultes, et ils les feront abattre. Le bois rapporte beaucoup d'argent, vois-tu... »

Ils ne tardèrent pas à apercevoir le lac Ypacarai.

« Diable ! s'exclama le docteur Keller. On croirait un paysage de cartes postales ! Tes parents ont toujours eu bon goût, Thomas. Surtout ta maman. C'est un grand lac ?

— Il a une superficie de quarante-deux kilomètres carrés,

répondit Paul. Et quelques mètres seulement de profondeur. Un fond boueux, pas d'algues, pas de poissons, ni de pêcheurs bien entendu. En revanche, on peut s'y baigner, faire de la voile et du ski nautique, ou tout simplement paresser dans le sable. — Il vira vers la droite. — La localité principale s'appelle San Bernardino. M. et Mme Hansen habitent légèrement à l'écart. — Les rues qu'ils traversaient étaient bordées de petits hôtels, de nombreux clubs et de jolies villas dans le style de la côte d'Azur. — San Bernardino a été créée par des émigrés allemands en 1881. Presque tout le monde parle encore allemand dans cette région... »

Puis les clubs et les villas s'espacèrent et une route nouvellement asphaltée les emmena dans une zone couverte de forêts, en grande partie d'ailleurs des forêts de lapachos avec leurs superbes fleurs roses et mauves. Après avoir longé pendant plusieurs minutes un mur blanc, Paul freina et tourna cette fois à gauche. La voiture passa un haut portail en fer forgé grand ouvert, et s'engouffra dans un vaste parc, comprenant des pelouses de gazon anglais, des petits lacs, des arbres vénérables, d'énormes massifs de magnifiques fleurs rouge feu, soigneusement entretenus.

« Regarde, Thomas ! s'écria le docteur Keller.

— Je regarde, monsieur, répondit l'enfant.

— Ce sont les plus belles fleurs du Paraguay, expliqua Paul. Elles ont un nom presque impossible à prononcer.

— Comment s'appellent-elles ? demanda le fondé de pouvoir.

— Mburukuya, répondit Paul. Et, se tournant vers Thomas, il ajouta : Répète un peu, pour voir. »

Thomas ne réagit pas, même sous le regard appuyé du docteur Keller.

« Des perroquets ! s'écria soudain ce dernier. Là, dans les arbres !

— Des perroquets sauvages, rectifia Paul. On en trouve ici autant qu'on en veut. — Il passa devant un bâtiment blanc. — C'est là que loge le personnel. »

L'allée décrivit une légère courbe, et dévoila bientôt un grand manoir d'un blanc étincelant, dans le style européen de 1870, le style somptueux du Ring viennois.

« C'est là qu'habitent tes parents. »

Hilmar et Elisa Hansen attendaient en haut du perron, lui, avec sa noble tête aux fins cheveux blancs et son aspect fragile, doux, presque féminin, et elle, un peu plus grande que lui, avec ses larges épaules, ses hanches étroites, ses longues jambes et sa coiffure à la Jeanne d'Arc.

464

Paul stoppa sur le gravier crissant qui brillait au soleil.

« Thomas ! » s'écria Elisa Hansen.

Elle courut à la rencontre de son fils. Ils se rejoignirent près d'un massif de ces superbes fleurs rouges au nom impossible à prononcer. La mère s'agenouilla et serra le petit garçon contre son cœur.

« Mon chéri, dit-elle. Mon petit chéri. Mon petit trésor...

— Bonjour, Maman », dit Thomas d'un air grave.

Elisa ne pouvait s'empêcher de couvrir l'enfant de baisers. Lorsque, enfin, elle se releva, elle avait les yeux noyés de larmes. Thomas s'approcha de son père et lui tendit une main molle.

« Bonjour, Papa, dit-il en se laissant embrasser les joues et le front.

— Bonjour, mon petit, dit Hilmar Hansen d'une voix tendre. Comme je suis heureux de te revoir !

— Moi aussi », répondit l'enfant en essuyant les traces de lèvres humides sur son visage.

« Rien qu'une petite gorgée, pour fêter nos retrouvailles », dit la mère dans le hall immense du manoir.

Un domestique allemand, vêtu d'un pantalon noir et d'un veston à rayures vert et or servait le champagne, et du jus de fruits pour l'enfant.

« Un doigt de champagne pour Thomas, s'il vous plaît. Aujourd'hui, c'est la fête, dit Elisa Hansen. Après cela, tu dormiras bien. — Elle leva sa coupe. — A ta santé, Thomas ! » s'écria-t-elle.

Ils levèrent tous leur coupe de champagne à la santé du petit garçon.

Les superbes meubles anciens du grand hall attestaient le goût des propriétaires. Il y avait là plusieurs coins de lecture ou de conversation, avec canapés, fauteuils et tables basses ; devant la cheminée, le niveau du sol de marbre était un peu plus bas que dans le reste de la pièce. Thomas découvrit, suspendus aux murs, des tableaux qu'il ne connaissait pas, qu'il n'avait jamais vus au château Arabella. Malgré son jeune âge, il était très sensible à la peinture et déjà capable de juger et d'apprécier les œuvres qu'il contemplait longuement. Ainsi il identifia d'emblée un Nolde, un Kandinsky, un Picasso et un Van Gogh ; ce dernier à lui seul avait dû coûter une fortune. A pas lents, le visage grave, il allait d'une toile à l'autre.

« C'est beau, dit-il sans regarder ni son père ni sa mère. Très beau. Tout est beau. Le parc aussi.

— Oui, tout est superbe ici, approuva Elisa Hansen. — Le docteur Keller marchait derrière elle, muet et déférent. — Nous nous y plaisons beaucoup, autant qu'à Königstein. Mieux encore même, je peux dire. Il y a tant d'oiseaux rares dans ce pays! Pas de rossignols, certes, mais tant d'autres, et qui chantent aussi. C'est curieux, parce qu'ils se concentrent ici, autour du lac Ypacarai; ailleurs, dans tout le reste du Paraguay, il n'y en a pour ainsi dire pas. Quand tu les entendras, tu seras charmé, chéri, tu verras.

— Oui, Maman », dit Thomas.

Il resta en admiration devant un grand tableau qui occupait seul tout un pan de mur, une peinture sur bois, et le contempla longuement sans dire un mot. Les couleurs vives étincelaient comme un joyau.

« Je n'en ai jamais vu de plus beau, dit-il enfin.

— C'est " Le Repos pendant la Fuite en Egypte ", de Lucas Cranach l'Ancien, expliqua Elisa Hansen, en serrant son fils contre elle. Tu le connais, voyons!

— Bien sûr, Maman. Mais c'est la première fois que je vois l'original. »

Le tableau représentait la Sainte Famille entourée d'anges musiciens, tandis que d'autres la servaient; au centre, Joseph; assise devant lui, Marie, aux cheveux rouges, vêtue d'une ample robe rouge; elle tenait sur un de ses genoux l'Enfant Jésus à qui un ange tendait des fraises rouges. La Sainte Famille faisait une halte dans un paysage de montagnes et de forêts. Le ciel bleu sans nuages apparaissait à travers les branches d'un épicéa et d'un bouleau, et en arrière-plan, un vaste horizon, l'infini de l'espace dans lequel se dressaient au loin des montagnes bleues et blanches.

« Il y a huit anges, dit l'enfant. Non, je n'ai jamais rien vu de plus beau. Vous non plus, j'imagine, M. Keller, n'est-ce pas?

— Jamais », répondit le docteur Keller.

Thomas regarda sa mère.

« Un mandat d'arrêt a été lancé contre vous en Allemagne, dit-il soudain d'une voix paisible.

— Je sais, répondit la mère. Et la maison, elle te plaît, chéri?

— Oui... Vous ne pourrez plus jamais remettre les pieds en Allemagne.

— Non, bien sûr, répondit cette fois Hilmar Hansen.

— Non, bien sûr, répéta l'enfant en agitant la tête. Vous n'auriez pas la moindre chance de vous en sortir.

466

— C'est justement la raison pour laquelle nous n'y retourne-rons jamais, mon trésor, intervint Elisa. Bien que toute cette affaire ne soit qu'une infâme machination montée de toutes pièces par la concurrence, bien entendu. Nous sommes innocents.

— Bien entendu, dit le petit garçon.

— Nous n'avons strictement rien à voir avec cette fabrique en Libye. Heureusement, nous avons été avertis par le docteur Keller de cette monstrueuse intrigue... — Elle sourit au fidèle fondé de pouvoir. — ... suffisamment à temps pour nous mettre en sécurité. Nous ne pouvons pas espérer un jugement juste de la part d'un tribunal allemand. Nous serions sûrement condamnés à tort, chéri.

— A la peine capitale, renchérit le docteur Keller. Sans le moindre doute. Cette cabale lancée contre la Hansen-Chimie a beaucoup terni l'image de marque de l'Allemagne dans le monde entier, mais c'est un détail qui ne trouble en aucune façon ces criminels. Leur seul but, c'était d'anéantir tes parents, Thomas, et la firme Hansen-Chimie, qui était trop forte à leurs yeux. Mais ils n'y sont pas parvenus. La Hansen-Chimie continue à travailler, indépendante, grande et forte comme par le passé. Elle ne tardera pas à être encore plus forte, et l'avenir de tes parents est assuré, tout comme le tien, Thomas. »

L'enfant acquiesça et jeta un long regard sur l'œuvre de Lucas Cranach.

« Vous devez... je veux dire, ceux qui ont construit cette usine en Libye ont dû gagner un argent fou !

— Oui, un argent fou, chéri, répondit Elisa en caressant d'un geste tendre les cheveux de son fils. Bon, et maintenant, tu vas vite aller prendre un bain et te mettre au lit ! Tu dois être épuisé, mon petit bonhomme, après un si long voyage ! Sans compter le décalage horaire et le changement de climat ! Il faut compter deux ou trois jours pour que ton corps s'habitue aux conditions différentes. Ce que je viens de dire à Thomas vous concerne tout autant, M. Keller. Vous aussi, vous avez besoin de repos.

— Oui, madame.

— Vous avez déjeuné dans l'avion ?

— Oh oui ! Très copieusement même.

— Et toi, Thomas, tu as faim ?

— Non, Maman.

— J'ai installé votre chambre dans l'aile ouest, M. Keller. Ulrich va vous la montrer. Ulrich est notre maître d'hôtel, vous verrez, il est aussi charmant que Paul. »

L'homme vêtu d'une veste à rayures vert et or s'inclina légèrement. Ulrich et le docteur Keller sortirent de la pièce.

« Et toi, mon poussin, tu dormiras dans l'aile est. Je t'accompagne, et je te ferai les honneurs du logis », ajouta Elisa Hansen en posant son bras sur les épaules de son fils.

La maison était immense ; on aurait pu la prendre pour un hôtel de luxe. A côté de sa mère, le petit garçon longea un long couloir ; en chemin, ils rencontrèrent du personnel, masculin et féminin, des autochtones qui lui sourirent gentiment. Il salua aussi gentiment toutes les personnes qu'ils croisèrent, mais sans le moindre sourire.

Un ascenseur les emporta au deuxième étage. Enfin, ils atteignirent leur but.

« Voilà ton appartement, mon chéri... Une salle de séjour, et ici, ta chambre et ta salle de bain. Toutes les fenêtres donnent sur le lac, tu vois ?

— Oui, Maman », répondit Thomas docilement.

Il se sentait soudain épuisé et avait même du mal à parler.

« Tout est prêt pour te recevoir. On a fait couler aussi ton bain. Déshabille-toi. »

L'enfant obéit sans dire mot ; c'est à peine s'il pouvait encore tenir les yeux ouverts. Une fois nu, il grimpa dans la baignoire.

« Attends ! C'est moi qui vais te laver, tu es trop fatigué pour le faire toi-même, mon pauvre chou !... Bon, allez maintenant, lève-toi, je vais te rincer avec la douche... Ça fait du bien, n'est-ce pas ?

— Oui », dit-il.

Elle le frotta avec une éponge moelleuse.

Puis, pieds nus, Thomas alla dans sa chambre, enfila son pyjama et se glissa sous la couette, tandis que sa mère fermait les doubles rideaux. Une obscurité bienfaisante envahit la pièce.

Elisa s'agenouilla devant le lit et baisa tendrement les lèvres de Thomas.

« Alors, tu te sens bien ? murmura-t-elle en remontant le drap.

— Oui, Maman.

— Maintenant, tu vas dormir, et demain, quand tu seras reposé, nous reparlerons de tout cela. D'accord ?

— Oui, Maman.

— Je laisse la porte entrouverte. Si tu as besoin de quoi que ce soit, voici la sonnette. Quelqu'un montera immédiatement. Et voici le téléphone. Le numéro de ma chambre, c'est le 11.

— 11, répéta Thomas d'une voix à moitié endormie. D'accord.

« — Ma chambre est assez loin de la tienne. A un autre étage.
Mais si tu sonnes, je viendrai tout de suite. »

Elle l'embrassa encore, puis s'éloigna à pas rapides, en laissant
la porte ouverte, comme promis.

Thomas exhala un profond soupir. Deux minutes plus tard, il
dormait déjà. Il rêva aussitôt des huit anges de Lucas Cranach.

Le lendemain après-midi, ils se retrouvèrent tous ensemble,
Hilmar, Elisa, Thomas et le docteur Keller, devant la vaste
cheminée du hall, la grande pièce qui abritait le Cranach et les
autres tableaux. De grosses bûches se consumaient avec une
flamme claire. Ulrich servait le thé.

« Tu peux fort bien rester trois mois ici, mon chéri, dit Elisa
Hansen à son fils. Et ensuite, ton visa sera prolongé de trois
mois. »

Elle avait particulièrement soigné sa tenue, ses cheveux à la
Jeanne d'Arc sortaient d'un brushing, ses yeux bruns brillaient.
Elle portait un pantalon blanc, un pull-over en cachemire jaune et
des chaussures à hauts talons. Une grosse émeraude pendait à son
oreille gauche.

« De même pour vous, M. Keller, enchaîna Hilmar Hansen
d'une voix douce; il avait glissé un foulard blanc dans l'échan-
crure de sa veste de tweed car il était enrhumé.

— Merci, monsieur. Merci beaucoup, répondit le fondé de
pouvoir.

— Tu rentreras au collège à l'automne prochain seulement,
Thomas, poursuivit Elisa. Mais tu travailles tellement bien à
l'école que tu pourras venir ici quand tu voudras, même en dehors
des vacances. Pendant les vacances, bien entendu, tu viendras
aussi. Ça te fait plaisir, chéri?

— Vous êtes tout à fait sûrs que le Paraguay ne vous extradera
pas? demanda Thomas en guise de réponse.

— Tout à fait sûrs, mon poussin! — Elisa se mit à rire
gaiement. — De même que personne en Allemagne ne peut vous
interdire, à toi et à M. Keller, de venir ici — ni à vous ni à tous
ceux qui veulent venir nous rendre visite. Le docteur Keller, lui,
viendra souvent; c'est lui qui va continuer à diriger l'usine. — Elle
se tourna vers l'homme de confiance de la maison. — Vous agirez
comme vous le jugerez bon, docteur Keller. Si des problèmes
fondamentaux se posaient...

— Je vous appellerais immédiatement et je prendrais le
premier avion pour le Paraguay, madame. Et, le cas échéant, je

me ferais accompagner des meilleurs experts et des meilleurs avocats.

— Je sais que je puis vous faire entièrement confiance, conclut Elisa dans un sourire.

— Il va de soi qu'il y aura un procès, reprit le fondé de pouvoir. Qui ne donnera rien, c'est certain. Exception faite d'une immense opération médiatique. Malgré tout, je me suis permis d'engager les meilleurs avocats en place actuellement.

— Lesquels ? »

Il cita trois noms.

« C'est parfait, oui.

— Naturellement, les deux autres fondés de pouvoir de la firme seront jugés...

— Naturellement, approuva Elisa. Et à son mari : Tu as de la fièvre ? Regarde un peu le thermomètre. »

Docile, il tira le thermomètre de dessous sa chemise.

« Montre ! — Il le lui tendit. — Trente-sept, huit. C'est un peu trop. Après le thé, tu te mettras au lit, n'est-ce pas ?

— Oui, chérie, répondit son mari.

— Le docteur Tastil passera à sept heures.

— Ce n'est vraiment pas nécessaire...

— Mais si, au contraire ! Tu sais comme nous devons surveiller ta santé de près, surtout dans l'état de faiblesse qui est le tien actuellement. — Elle se tourna vers Thomas. — Nous nous téléphonerons tous les jours, mon petit. Je veux entendre ta voix tous les jours.

— Et moi, je serai toujours prêt à aller te voir, renchérit le docteur Keller.

— Quant à savoir dans quel collège tu iras, nous avons encore le temps de réfléchir. Peut-être même en Angleterre. Ou en France. Le temps passe si vite. Plus tard, tu feras des études de chimie, n'est-ce pas ? C'est ce que tu voulais ?

— Oui, Maman. Et la peinture comme hobby. »

Elle l'embrassa.

« Comme j'ai de la chance d'avoir un fils aussi raisonnable ! Un jour viendra où tu prendras la direction de la Hansen-Chimie. Le docteur Keller a déjà tout mis en place pour que l'affaire t'appartienne dans son ensemble à ta majorité et que rien ne puisse être confisqué. Il n'existe pas de coresponsabilité familiale. Le docteur Keller t'aidera et te soutiendra toujours, chéri. »

Avec sa discrétion coutumière, Ulrich versa le thé dans les tasses.

« Il n'y a pas eu un seul jour d'arrêt de travail à l'usine, elle

470

continue à tourner comme avant, reprit Elisa Hansen. Tu peux être tout à fait tranquille. Le docteur Keller s'occupe de tout.

— Personne n'osera la fermer, assura l'homme qui, d'un mot, était devenu le directeur effectif de la firme. Cela ferait un trop grand nombre de chômeurs, vous pensez bien !

— Tu entends, Thomas ? Tout continue comme auparavant. Mais, pour l'instant, tu vas passer un mois avec ta maman, n'est-ce pas, chéri ?

— Non », répondit Thomas.

Elisa Hansen continua à sourire.

« Que veux-tu dire, mon cœur ?

— Non, je ne resterai pas ici, dit Thomas en fixant sa mère droit dans les yeux, l'air grave et sérieux. Et je ne reviendrai plus jamais au Paraguay.

— Tu..., commença Elisa Hansen.

— Plus jamais, répéta son fils.

— Mais... pourquoi, mon ange ? s'écria-t-elle affolée. Pourquoi ?

— Parce que je veux retourner auprès de Thesi, répondit Thomas imperturbable.

— Qui est Thesi ? demanda Keller à Hilmar Hansen.

— Notre gouvernante, Mme Toeren, répondit celui-ci.

— Tu veux retourner auprès de Thesi ? » demanda Elisa Hansen d'une voix sans timbre.

En l'espace de deux minutes, elle avait vieilli de vingt ans.

« Oui, Maman, répondit Thomas. Et je veux rester avec elle. Téléphone-lui, s'il te plaît, et dis-lui qu'elle prenne le premier avion pour venir me chercher ! »

Un silence de mort s'abattit sur le vaste hall.

La vache se leva lentement, vacilla sur ses jambes et retomba lourdement sur le sol. Quelques autres se levèrent aussi avec peine ; une bête complètement contrefaite ne réussit même pas à se soulever ; deux autres, après s'être dressées sur leurs pattes, retombèrent comme la première.

Les cercles se referment, se dit Marvin. A l'heure où un silence de mort envahissait le grand hall du manoir blanc au bord du lac Ypacarai, il traversait en Landrover les prés qui entouraient la ferme de Ray Evans, proches du complexe nucléaire de Hanford, et se dirigeait vers la petite ville de Mesa. De nouveaux cercles se referment. Je suis déjà venu une fois ici, j'ai déjà vu ce spectacle

471

navrant. Il me semble qu'il s'est passé une éternité depuis ma première visite. Alors que c'était en mars dernier. Que d'événements au cours de ces sept mois ! Ma première visite à Hanford a été le point de départ d'un changement total d'orientation de mon existence. On m'a chassé du ministère de l'Environnement de la Hesse et j'ai abouti à la Société de Physique de Lübeck. Suzanne, ma petite fille chérie, est morte, tuée d'une balle dans la forêt brésilienne. D'autres personnes aussi ont été assassinées. Que de déplacements ! Que de découvertes ! Que de révélations !

A côté de Marvin, Philip Gilles gardait le silence ; derrière eux, sur la banquette du fond, Isabelle, silencieuse elle aussi. Une seconde voiture les suivait, conduite par Bernd Ekland, accompagné de Katja Raal et de Valérie Roth. Ils terminaient les prises de vues. Ils avaient tout filmé, le malheureux bétail estropié ainsi que le complexe nucléaire de Hanford sous toutes ses coutures. Ils avaient bavardé avec les habitants de ce secteur sacrifié et les représentants des autorités. Ils avaient pris des notes sur les effets et les conséquences de l'économie du plutonium et de l'atome. Et maintenant, ils allaient une dernière fois à Mesa, au Stardust Memories Café, qui appartenait à Tom Evans, le cousin de Ray Evans le fermier.

Mesa. Un cercle, un nouveau cercle qui se referme, se répéta Marvin. Moi, j'ai déjà tourné ici, mais pour les autres, tout est nouveau. Les stations-service, les cinémas, les supermarchés, les banques, les magasins, les quelques immeubles à plusieurs étages, la faible circulation automobile.

Et les gens, se dit-il encore. Leur air accablé, pas un sourire sur les lèvres ; même les enfants ont perdu l'envie de rire. Quelques-uns seulement jouent. Mais ils jouent d'un air triste. La plupart d'entre eux restent assis ou tournent en rond. Tout comme les vaches sur le pré de Ray Evans. Tout est devenu plus triste encore qu'en mars dernier.

Il aperçut le Stardust Memories Café et vint se ranger le long du trottoir, suivi de la voiture de Bernd Ekland. Ici, se dit encore Marvin, Ray Evans s'est mis à chanter de sa voix éraillée, je m'en souviens comme si c'était hier... « Ahm tired of livin'an'feared of dying. But ol'man river he jes keeps rollin' along... » — J'ai peur de la vie et peur de la mort, mais Old Man River, le fleuve vénérable, continue à couler, à couler, à couler...

Rien n'avait changé à l'intérieur du Stardust Memories Café. Le comptoir était toujours là, avec les hauts tabourets sur lesquels on s'asseyait pour boire, les niches multicolores avec leurs tables et leurs chaises de plastique ; à côté, un drugstore, tout à la fois pharmacie, herboristerie, droguerie, petit supermarché — bref, le drugstore local.

A peine Katja avait-elle pénétré dans le café que son visage se mit à pâlir, et elle se précipita dans les toilettes. Valérie fut la seule à le remarquer au milieu de l'agitation générale. Au bout de quelques minutes, elle suivit la jeune fille et la trouva assise sur un banc dans une pièce toute de blanc carrelée, avec deux grandes glaces au-dessus des lavabos. La pauvre Katja faisait pitié à voir, sa petite mine défaite et ses yeux cernés trahissaient son désarroi intime.

« Ma pauvre petite, dit Valérie en lui entourant les épaules de son bras. — Katja sursauta, effrayée. — Allons donc, pourquoi sursauter ? Je ne vous ferai rien, voyons... Je vous ai observée depuis que nous avons quitté Bonn, ajouta-t-elle d'une voix douce. Vous avez des nausées depuis le départ, déjà dans le bar de l'aéroport de Paris, vous n'étiez pas bien. Depuis quand êtes-vous enceinte ? »

Katja regarda Valérie sans comprendre.

« Nous sommes entre femmes ! Après tout, ce n'est pas une catastrophe, je pourrai peut-être vous aider...

— Mais... mais... — Katja s'essuya le visage avec un mouchoir. — Je ne suis pas enceinte !

— Vous en êtes sûre ?

— Absolument.

— Alors... Qu'avez-vous ? — Katja tenta de s'éloigner de Valérie. — Vous ne voulez pas me le dire ?

— Non, répondit Katja avec un mouvement de la tête. — Non.

— Non ? Pourquoi ? — Valérie avança d'un pas. — Pourquoi, c'est tellement grave ?

— Oui, fit la jeune fille d'un signe de tête.

— Qu'est-ce qui peut bien être si grave ? insista Valérie Roth. Allons, Katja, je suis votre amie, je me fais du souci pour vous. Dites-le-moi donc. »

Hochement de tête buté en signe de dénégation.

« Pourquoi ? Je ne peux plus vous voir souffrir comme ça... Sans arrêt ces nausées... Il faut faire quelque chose... Je vais appeler un médecin...

— Non ! s'exclama Katja dans un cri épouvanté. — Elle tremblait de tout son corps. — Non, pas de médecin, je vous en prie... Je ne suis pas malade...

— Voyons, ce n'est pas normal, cette perpétuelle envie de vomir... J'ai peur...

— Moi aussi. »

Katja se mordit les lèvres. Elle avait parlé trop vite, une fois de plus. Mais elle est si gentille, cette Valérie, se dit-elle. Elle se fait vraiment du souci pour moi. Je ne peux pas continuer à vivre avec ce poids sur l'estomac.

Valérie s'assit près de Katja et lui posa la main sur le bras.

« Allons, courage. De quoi avez-vous peur ? »

Katja se mit à pleurer. Valérie la serra contre elle et la caressa tendrement comme une enfant. A bout de résistance, le petit technicien s'effondra.

« Peter Bolling..., murmura-t-elle.

— Quoi, Peter Bolling ?

— Bernd m'a dit que je ne devais en parler à personne.

— De quoi s'agit-il ?

— Peter Bolling était à Bonn... Au ministère de l'Environnement.

— Bolling ? Au ministère de l'Environnement ? répéta Valérie d'un air incrédule. Allons donc, c'est ridicule !

— Pas du tout. J'ai entendu sa voix ! J'en suis sûre ! — Katja s'enflamma, elle se mit à crier comme une hystérique. — Je le jure ! C'était bien sa voix ! La voix de Bolling !

— C'est grotesque, voyons... Pauvre Katja... Vous avez dû vous tromper...

— Non, c'était bien lui !

— C'est impossible, voyons. Il a disparu... Dieu seul sait s'il vit encore ! Vous vous êtes laissé impressionner par le récit de Markus... de Markus Marvin... Sur cette bande magnétique qu'on lui a passée à Francfort, à lui et au docteur Gonzalos. Gonzalos a déclaré qu'il reconnaissait la voix de Bolling, Markus a dit qu'elle lui ressemblait, mais que ce n'était pas Bolling. Or, Markus connaissait bien Peter Bolling. Vous êtes épuisée, petite Katja. Ce qui n'a rien d'étonnant. Depuis tant de semaines sur la brèche ! Et maintenant, une fois de plus le changement de climat... Vous avez les nerfs à bout. Et depuis que vous avez entendu parler de cette mystérieuse histoire de bande magnétique, vous vous faites des idées... Mais c'est votre imagination qui travaille... Peter Bolling à Bonn ? Pourquoi n'avez-vous pas ouvert cette porte pour voir qui était derrière ?

— Je... je ne sais pas... Bernd m'a dit que j'avais la tête à l'envers...

474

— Ah ! Vous voyez ?

— ... et que je devais cesser de m'occuper de ça... et rester tranquille... Maintenant que notre mission se termine... C'est aujourd'hui le dernier jour...

— Dieu merci ! Quand vous rentrerez en Allemagne, commencez par vous reposer et vous détendre ! C'est aussi ce que vous conseille Bernd, n'est-ce pas ? Il vous aime, Bernd ?

— Oui...

— Alors, écoutez-le et ne vous enferrez pas dans cette idée stupide... sinon, vous finirez par tomber vraiment malade. Bernd vous l'a dit, et je vous le dis aussi : ça ne peut pas être la voix de Bolling, impossible !

— Vous... vous croyez vraiment ?

— Mais bien sûr, mon petit !

— Ah bon ! Je suis peut-être... Pourriez-vous me prêter un mouchoir, s'il vous plaît ? Le mien est tout humide... Merci, vous êtes si gentille avec moi... Tout le monde est si gentil avec moi... Si Bernd le dit... et vous aussi... je finirai peut-être par cesser d'entendre des voix... »

Elle se mit à rire, d'un rire grêle, poignant de détresse.

« Allons, vous voilà redevenue raisonnable, bravo ! Attendez, un peu de rouge sur les lèvres... Vous ne pouvez pas retourner là-haut dans un état pareil ! Pauvre petite Katja... »

Quelques minutes plus tard, elles revinrent dans la salle du café. Valérie sourit à Katja pour l'encourager, et Katja lui serra la main.

« Merci, murmura-t-elle. Merci ! »

Ce jour-là, il n'y avait ni employés, ni ouvriers de chantier, ni jeunes étudiantes avec leurs petits amis dans la salle. Tom Evans avait annoncé l'arrivée de l'équipe de la télévision allemande.

« Peut-être les avez-vous vus déjà une fois ici, les gars, ils ont filmé toute notre merde. Ça ne nous aidera guère, mais on ne peut jamais savoir... »

Etaient seulement présents ce jour-là Tom Evans et son cousin, Ray, le fermier, Corabelle, la beauté du comptoir qui se prenait pour Marilyn Monroe ; elle exhibait un sourire rayonnant et deux rangées de superbes dents blanches, rejetait ses cheveux blonds en arrière d'un geste de félin et redressait la poitrine au-dessus du comptoir... Corabelle qui était perpétuellement en traitement médical pour une leucémie ; le docteur lui avait assuré qu'elle pouvait vivre des dizaines d'années avec ça.

Dix ans à Hollywood, ça me suffirait, pensait-elle toujours, Marilyn n'en a pas eu davantage.

Et le petit chien famélique sur le vieux fauteuil d'osier était là, lui aussi. Le même décor qu'en mars, se dit Marvin, le chien pelé et galeux, aux yeux tristes et aux poils blancs, sous le poster qui déclarait la guerre au sida.

Katja se sentait mieux, Valérie avait réussi à la consoler un peu et à la rassurer. Elle préparait tout le matériel pour la dernière interview. Bernd portait lui-même la BETA, il souffrait beaucoup moins depuis qu'il avait recommencé les piqûres de cortisone, et la supportait beaucoup plus longtemps qu'avant sur son épaule...

Elle allait et venait, traînait les appareils, vissait, et se disait : Je devrais être heureuse au contraire qu'il ne souffre plus, espèce d'idiote que je suis à me faire du tourment pour des problèmes qui ne concernent ni Bernd ni moi... après tout, ce n'était peut-être pas Peter Bolling...

Puis Marvin interviewa Corabelle. La jeune star parla de sa leucémie et de ce Science Center de Richmond, de cet ordinateur grotesque et de son programme ridicule : RECHERCHEZ VOTRE DOSE PERSONNELLE ; des résultats encore plus ridicules qu'il donnait lorsqu'on lui avait confié tous les renseignements qu'il désirait. Peut-être est-ce ma chance, se disait-elle en reprenant son souffle. Ce cameraman m'a filmée longtemps, il est vraiment très gentil, peut-être ce film m'ouvrira-t-il les portes de Hollywood. Et sa malheureuse assistante, mon Dieu, être affublée d'un visage pareil, quelle horreur ! Certes, Corabelle avait aussi une hypertrophie de la thyroïde, mais elle n'était pas la seule dans ce secteur hyper-pollué par la radioactivité ; personne ne s'en apercevait pour peu qu'elle penche légèrement la tête sur le côté et porte ses longs cheveux blonds sur l'épaule... Tandis que tous ces boutons et ces petits abcès sur le visage de cette pauvre jeune femme, quelle pitié, mon Dieu, quelle pitié !

Puis Valérie Roth interviewa Tom Evans, le propriétaire difforme du café ; il répéta ce qu'il avait déjà dit à deux douzaines de reporters, il connaissait son texte par cœur.

« Je suis né ici le 25 mars 1947, avec des jambes tordues et des doigts crochus... Je suis impuissant... Malformation congénitale, dit Tom Webb, et il m'a accusé d'être un " agitateur communiste ". Oui, c'est ainsi que parle le chef de l'Initiative des Citoyens *en faveur* de Hanford ! Alors, tous les gens de Mesa sont devenus des agitateurs communistes, si je comprends bien ? »

Tom Evans montra du doigt le panneau dressé au-dessus du

juke-box. Ekland, la BETA sur l'épaule, se tourna lentement et le filma, pendant que Tom expliquait qu'il l'avait fabriqué lui-même, ce tableau, avec sa liste de noms écrits en grosses lettres rouges. Et son titre : DEATH MILE FAMILIES.

« Lorsque M. Marvin est venu ici pour la première fois, il y avait vingt-neuf noms sur la liste. Depuis, on en a ajouté deux », expliqua Tom d'une voix éraillée.

L'objectif de la BETA enregistra le tableau au complet, ligne par ligne, y compris les deux nouveaux noms :

Famille FARADAY : Carl et Mary : cancer du foie, cancer des os

Famille ADDAM : Lui : cancer de la thyroïde ; elle : cancer du sein

Puis Katja fut obligée de changer de cassette et, au même moment, quelqu'un frappa à la porte du café, qui avait été fermée à clef pendant l'enregistrement. On apercevait à travers la vitre un homme grand et maigre vêtu d'un blue jean, qui faisait des signes.

« C'est George Mooreland, dit Tom Evans. L'avocat. Il représente beaucoup d'entre nous dans les procès ouverts contre le gouvernement. Un type sensationnel. Je mettrais ma main au feu pour lui. Je lui ai dit que vous seriez ici aujourd'hui, M. Marvin. George a aussi quelques histoires à raconter. Ça vous intéresse ?

— Bien sûr ! » répondit Marvin.

Un quart d'heure plus tard, l'avocat se présentait devant la caméra.

« Vous savez comment on a découvert le pot aux roses ici ? demanda George Mooreland. Un jour, au cours d'un contrôle de routine, un ouvrier a déclenché la sonnette d'alarme au compteur Geiger. C'était en 1981. On fit des recherches pour déterminer les causes de cette forte radiation, et on a découvert qu'elle venait des huîtres... qui avaient été ramassées à cinq cents kilomètres d'ici, à l'embouchure du Columbia, le fleuve qui traverse le secteur de Hanford.

— A quelle distance ? demanda Marvin.

— A cinq cents kilomètres, vous avez bien entendu ! répéta l'avocat d'un air furibond. La menace de l'atome est omniprésente.

— Omniprésente, répéta Marvin d'un air songeur.

— Oui, ça signifie...

— Oh, je sais ce que ça signifie, M. Mooreland, l'interrompit Marvin. J'ai entendu ce terme récemment encore, à propos de la propagation de la dioxine, le plus toxique de tous les gaz toxiques. On a parlé également d'omniprésence à ce sujet.

— Oui, approuva l'avocat. Un Tchernobyl sournois qui se glisse partout et qui, sans relâche, porte préjudice à la santé et à la vie de millions d'ouvriers et de riverains. Savez-vous *qui* j'ai cité textuellement avec cette expression ? Non, vous ne pouvez pas le savoir. J'ai cité Jack Geiger, professeur à la faculté de médecine de la City University de New York. Le gouverneur de l'Etat de l'Ohio qui vient de faire fermer le réacteur au plutonium de Fernald — là aussi, il y a eu un énorme scandale ; c'était une véritable installation d'arrosage au plutonium ! Le gouverneur de l'Ohio a trouvé à ce propos des termes encore plus énergiques que le professeur Geiger. Voici ce qu'il a dit : " Si un terroriste avait enterré une bombe à retardement dans Fernald, on aurait remué ciel et terre pour la désamorcer le plus rapidement possible. Mais ici, c'était l'œuvre de notre propre gouvernement ! Qui nous raconte des bobards, bien entendu... " »

La petite église en bordure de la Lincoln Avenue était vide. Une seule personne, agenouillée devant l'autel, priait en silence : Katja Raal. Elle était revenue à Richmond avec l'équipe, dès la fin du tournage. Elle et Bernd avaient choisi un petit hôtel proche de l'église, la Pension Rosebud ; tous les autres logeaient au Regency. En route, Katja avait prévenu Bernd que, avant de rentrer à la pension pour prendre un bain et se changer, elle voulait passer à l'église. Marvin les avait tous invités le soir même à dîner au Regency.

Mon Dieu, priait Katja, merci d'être venu en aide à Bernd, il ne souffre plus du tout. Fais que Valérie et Bernd aient raison, en ce qui concerne la voix de Bolling. Demain, nous rentrons en Allemagne. Et le 10 novembre, j'ai rendez-vous avec le professeur pour mon acné. Guéris-moi, mon Dieu, pour que je n'aie plus à vivre avec cette horrible figure. Je voudrais tant que Bernd me voie avec un visage lisse ! Je vais allumer dix bougies, et si j'arrive à les enflammer toutes les dix avec une seule allumette, je saurai que tout s'arrangera, aussi bien pour l'histoire de Bolling que pour mon acné. Ce sera le signe. Je t'en prie, mon Dieu. Amen.

Elle se leva, prit dix cierges dans la boîte et glissa un billet de dix dollars dans le tronc. Elle posa les cierges sur leur support, et les alluma tous les dix avec une seule allumette.

Le signe ! se dit Katja émue, et des larmes glissèrent de ses yeux. C'était le signe. Oh, merci ! Tout va s'arranger, tout ira bien.

Elle se dirigea à pas lents vers la sortie, et sentit la joie et l'espoir renaître dans son cœur. Lorsqu'elle émergea de l'obscurité du lieu saint et sortit sur le parvis de l'église, elle avait retrouvé son optimisme. Soudain, un coup brutal la rejeta contre le mur et aussitôt, une douleur atroce lui déchira la poitrine. Elle poussa un cri et vit une silhouette se rapprocher d'elle. La Lincoln Avenue était embouteillée par la circulation de la fin d'après-midi ; c'était l'heure de pointe, les voitures se suivaient en file, dans les deux sens, le grondement des moteurs et les hurlements des klaxons emplissaient la place ; personne n'entendit son cri. Personne n'entendit le second coup de feu tiré pratiquement à bout portant par la silhouette. Katja tomba et entraîna son assassin, tous deux roulèrent sur les marches. La silhouette se pencha sur elle, il y eut encore trois détonations, mais Katja ne les entendit plus.

Lorsque la police finit par identifier la victime, le capitaine détective Jerome Caspary, de la Division criminelle, alla au Regency pour parler à l'équipe de la télévision allemande. Horrifiés par cette nouvelle, Marvin et les autres furent à peine capables de lui expliquer que Katja Raal et son compagnon, Bernd Ekland, étaient descendus à la Pension Rosebud, proche de l'église. Au moment où la voiture stoppa le long du trottoir, Bernd attendait l'homme de la police ; Marvin lui avait téléphoné pour le mettre au courant.

Caspary s'approcha de lui.

« M. Ekland ?

— Oui.

— Vous savez...

— Oui.

— Je suis désolé pour vous, monsieur, dit Caspary.

— Où est-elle ?

— A la morgue, monsieur. — Caspary toussota. — Il va être nécessaire que vous m'accompagniez pour identifier la victime.

— Conduisez-moi là-bas, je vous prie.

— Si vous ne vous sentez pas bien, j'appellerai un médecin par radio, de ma voiture...

— Conduisez-moi là-bas », répéta Ekland.

Il monta à côté du capitaine Caspary ; pendant le trajet, il ne prononça pas un seul mot.

Plusieurs policiers en uniforme et en civil montaient la garde dans les couloirs de la morgue. Aucun d'eux ne regarda passer les deux hommes silencieux. Dans la vaste salle toute carrelée de blanc, un petit homme aux cheveux neigeux amena une civière sur laquelle on devinait une silhouette menue sous le drap. Ekland s'approcha et le petit vieillard souleva le linge à l'endroit de la tête. Bernd contempla longuement le visage intact de Katja. Un visage heureux, détendu, serein ; il avait même l'impression qu'elle souriait. Il se dit qu'il aimait cette petite plus que tout au monde, et frémit à l'idée de devoir à présent vivre sans elle. Il ne pouvait détacher ses yeux de ce visage paisible.

C'est ma faute, se dit-il. Je lui ai dit que nous devions nous tenir à l'écart de toute cette histoire, que nous devions nous contenter de faire notre travail et ne nous immiscer dans aucune discussion et aucune intrigue. Mais ce n'était pas la bonne solution, je m'en rends compte maintenant qu'il est trop tard. On ne peut jamais se retrancher de tout, rester en dehors de tout, se protéger de tout... Il se pencha et déposa un baiser sur les lèvres glacées de Katja.

« C'est bien elle ? » demanda Caspary à voix basse.

Ekland répondit d'un simple signe de tête.

« Vous avez une idée de la raison pour laquelle elle a été tuée ?

— Non. »

Mais il se dit qu'il ne pouvait plus rester muet, et il se prépara à tout raconter au capitaine, tout ce qui s'était passé au cours de ces derniers mois.

« Nous avons besoin de votre aide, reprit Caspary au moment où Bernd ouvrait la bouche pour parler enfin. C'est urgent, vous venez de si loin, vous et Mlle Raal. Bien entendu, nous allons commencer par identifier l'arme du crime. Nous avons trouvé une lentille de contact bleue devant l'église.

— Une quoi ? demanda Ekland.

— Une lentille de contact bleue », répéta Caspary pendant que le vieil homme repoussait la civière dans sa niche.

Le téléphone sonna dans la chambre d'Isabelle.

Elle sursauta dans son sommeil et se redressa d'un bond. Les rideaux étaient tirés. Sa main tremblante tâtonna sur la table de chevet, jusqu'à ce qu'elle arrive à décrocher l'appareil.

« Bonjour, Isabelle », dit une voix féminine.

Du coup, Isabelle retrouva tous ses esprits.

« Clarisse !

— Chut ! Tout bas ! Faisons vite.

— Où es-tu ?

— A Bogotá.

— Où ?

— A Bogotá. En Colombie.

— A Bogotá... Mais pourquoi... Quelle heure est-il ?

— Chez vous, à Richmond, il doit être neuf heures.

— Neuf heures !... Je... Nous nous sommes couchés très tard... La police nous a... Tu ne sais pas ce qui est arrivé, Clarisse ?

— Si, je le sais. C'est pourquoi je téléphone. Venez vite à Bogotá ! Tous. C'est de la plus haute importance. Dis aux autres de boucler leurs valises le plus vite possible.

— Boucler les valises... Valérie Roth a disparu. Elle a... Katja Raal...

— Je sais. Vous prendrez l'avion de la TWA à midi, pour Los Angeles, où vous transiterez quelques heures, puis vous prendrez le vol de nuit pour Bogotá. Vous arriverez demain à quatorze heures. Bruno et moi, nous vous attendrons à l'aéroport. Il faut absolument que vous veniez ! Absolument !

— Mais... pourquoi ?

— Peter Bolling est à Bogotá. »

Il pleuvait à Bogotá. Il pleuvait presque tous les après-midi à Bogotá. L'avion de la TWA atterrit à quatorze heures précises sur l'aéroport El Dorado. Clarisse et Bruno Gonzalos attendaient Isabelle, Gilles et Marvin. Ils prirent un taxi, Gonzalos donna au chauffeur l'adresse de maître Ignacio Nigra, l'avocat.

« Alors, Bolling... ? commença aussitôt Marvin.

— Non, l'interrompit Gonzalos. Plus tard. Nous aurons tout notre temps pour parler de tout. Les journaux ont raconté l'assassinat de Katja Raal. On dit aussi que Valérie Roth a disparu, qu'elle est considérée comme l'auteur de ce meurtre et qu'on la recherche partout.

— Heureusement, ils ont précisé le nom de votre hôtel à Richmond, dit Clarisse, ce qui m'a permis de te téléphoner tout de suite, Isabelle. Il s'est passé aussi quelque chose ici. C'est pourquoi Bruno et moi, nous avons insisté pour que vous veniez le plus vite possible nous rejoindre. Où est Bernd Ekland ?

— A l'hôpital, répondit Isabelle. Crise de nerfs, effondrement, dépression. Lui et Katja, tu sais bien...

— Oui. C'est affreux... »

Clarisse tourna les yeux vers la portière ; elle contempla la pluie qui inondait Bogotá.

« Tu as une mine splendide, Clarisse, reprit Isabelle en tenant la main de la jeune femme. Où en es-tu ?

— Au quatrième mois, répondit avec un sourire Clarisse Gonzalos, la jolie mulâtresse aux cheveux bruns et aux grands yeux noirs. Et il est déjà bien vivant et bien remuant, crois-moi ! »

Un peu avant trois heures de l'après-midi, ils pénétrèrent dans le vaste immeuble ancien et somptueux donnant sur la Plaza Bolivar, qui abritait le cabinet de maître Ignacio Nigra.

« On vous attend, leur dit une secrétaire. Voulez-vous me suivre, je vous prie ? »

L'un derrière l'autre, ils entrèrent dans la salle de conférence de l'avocat. Le grand métis se leva ; il était comme toujours d'une élégance recherchée. Sa cravate de soie et son complet impeccable s'harmonisaient parfaitement avec les tapisseries et les meubles de la salle. Un autre homme se leva également à leur arrivée... Peter Bolling. Manifestement embarrassé, il tripotait ses lunettes d'un geste nerveux. Nigra salua ses visiteurs avec une courtoisie voisine de l'obséquiosité. La pluie battait les vitres.

« Je vous remercie d'être venus aussi rapidement, commença l'avocat. Je pense qu'il faut agir avec promptitude. Aussi je propose à M. Bolling de raconter lui-même son histoire, ce sera, je crois, la meilleure solution. Je vous en prie, Señor Bolling ! »

Bolling gardait les yeux baissés vers la table. Il tenait en main son flacon de corticoïde pour le cas où une de ses crises d'asthme fréquentes le surprendrait en pleine discussion, et ne pouvait s'empêcher de jouer nerveusement avec elle. Le silence se prolongea pendant plusieurs minutes.

« Allons-y », dit Gonzalos à haute voix.

Bolling releva la tête et les regarda tous, les uns après les autres.

« Je sais que vous me considérez comme un salaud... A juste titre d'ailleurs. Mais... — Il toussota. — Tout d'abord, une question : Comment suis-je arrivé ici, à Bogotá ? Donc, cette fameuse nuit à Altamira au cours de laquelle je... je...

— C'est bon, coupa Isabelle qui ne traduisait que les paroles de l'avocat. Que s'est-il passé cette nuit-là, M. Bolling ?

— Cette nuit du 4 septembre, au cours de laquelle, Markus, ta fille a été tuée... Je suis tellement désolé, c'est affreux, si tu savais...

— Allez, continue à la fin ! » l'interrompit rudement Marvin.

A une extrémité de la table de conférence, Ignacio Nigra pressait ses mains l'une contre l'autre dans un sourire.

« Tout cela est très difficile pour mon client, dit-il, et Isabelle traduisit.

— Votre client ? demanda Marvin.

— Oui, Señor.

— Pourquoi est-ce si difficile ?

« — Vous allez comprendre. Vous allez comprendre tout de suite, répondit Nigra, et ses yeux noirs comme du charbon brillaient d'un éclat ardent.

— Cette nuit-là, un homme est venu me trouver, ajouta Bolling.

— Un homme ? Quel homme ?

— Je vous expliquerai plus tard. Cet homme m'a dit... Non, il m'a ordonné de quitter immédiatement Altamira et de partir pour Bogotá où je devais aller trouver maître Nigra.

— Pourquoi fallait-il que tu quittes immédiatement Altamira ? demanda Marvin.

— Pour que les soupçons tombent sur moi, répondit Peter Bolling. Il fallait que je disparaisse et que je reste introuvable. Pour qu'on ne cherche pas d'autre piste que la mienne.

— Et tu n'as pas demandé à... à cet homme la raison pour laquelle tous les soupçons devaient porter sur toi ?

— Non. Je... Je vais te raconter, Marvin. Je vais tout te raconter. »

Peter Bolling naquit le 11 avril 1942 à Benthen, en Haute-Silésie. Il s'appelait alors Karl Krakowiak. Krakowiak était le nom de ses parents. Peter avait un gros angiome à l'aisselle gauche.

Son père souffrait d'une affection cardiaque et avait été réformé. Il possédait un magasin de matériel sanitaire et un atelier de plomberie à Benthen. Karl avait un frère, Clemens, né deux ans auparavant, le 25 janvier 1940.

En janvier 1945, la famille Karkowiak s'enfuit devant l'approche de l'Armée Rouge, ainsi que des millions d'Allemands établis dans ce secteur oriental de l'Europe. A cette époque, Karl n'avait pas encore trois ans.

Au cours de cette évacuation précipitée, ils furent des centaines de milliers à perdre la vie, parmi lesquels les parents de Karl et de Clemens Krakowiak. Des étrangers se chargèrent alors des deux orphelins. Devant Berlin, le convoi tomba en plein champ de bataille, troupes allemandes contre Armée Rouge, et les deux frères furent séparés. Un couple ayant déjà trois enfants recueillit le petit Karl, et, arrivé dans les environs de Cologne, le confia au curé d'une paroisse qui réussit à le placer dans un orphelinat.

Pendant l'évacuation, on avait accroché au cou de tous les enfants de moins de sept ans un panneau en carton portant leur nom, leur adresse, la date et le lieu de leur naissance ; mais après les bombardements aériens violents de la campagne de Berlin, bien des petits perdirent leur « plaque d'identité ». Karl Krakowiak était du nombre, il avait perdu également ses parents et son frère. Dans le chaos de glace et de sang, de neige et de faim, quelqu'un trouva un de ces panneaux de carton près de lui et le lui suspendit au cou. Au début, il s'étonna ; il ne comprenait rien à cette situation, il était si petit qu'au bout d'un certain temps, il trouva naturel qu'on l'appelât Peter Bolling. A l'orphelinat, il garda aussi sa nouvelle identité.

Il resta dans ce foyer jusqu'en 1955, convaincu que son frère était mort aussi.

Le 15 mai 1955, en rentrant de l'école, il fut abordé par un jeune garçon maigre à faire peur, devant son foyer d'accueil.

« Dis donc, toi, lui dit-il. Comment t'appelles-tu ? »

Peter le regarda d'un air effrayé avant de répondre.

« Peter Bolling.

— Tu en es sûr ? Vraiment sûr ? »

Le jeune homme insistait ; il portait des chaussures éculées et des vêtements en piteux état.

« Vraiment sûr, non. J'ai dû m'appeler autrement, mais je ne m'en souviens plus. J'étais encore un tout petit garçon lorsque ma famille a évacué. Et ici, ils m'ont appelé Peter Bolling, je ne sais pas pourquoi. Et toi, qui es-tu ? » lui demanda-t-il.

L'adolescent répondit par une nouvelle question.

« Tu as un frère ?

— J'en avais un, dit Peter, mais il est mort, je crois. Mes parents aussi sont morts pendant l'évacuation. Oui, j'avais un frère.

— D'où veniez-vous ?

— De Haute-Silésie. Je crois que nous venions de Benthen, mais sur tous mes papiers, on a écrit Breslau. Je n'y comprends rien.

— Comment s'appelait ton frère, tu t'en souviens ?

— Clemens, répondit spontanément l'enfant. Ça, j'en suis sûr. Et toi, comment t'appelles-tu ?

— Clemens. Clemens Martin. Est-ce que tu as une grosse tache rouge sous le bras gauche ?

— Oui, dit Peter en soulevant sa chemise.

— Alors, tu es bien mon frère, conclut Clemens Martin en le serrant contre lui. Maman m'a toujours dit que si nous nous perdions, je pourrais te reconnaître à cette tache. Je t'ai cherché partout, pendant des années ! Et enfin, je te retrouve ! »

484

— Mon frère, murmura Peter, bouleversé. Mais pourquoi t'appelles-tu Martin?

— Lorsque j'ai débarqué à Munich, j'ai été adopté par une famille, M. et Mme Martin. Le père est peintre, ce qu'il fait est très beau. En m'adoptant, ils m'ont aussi donné leur nom.

— Mon frère », répéta Peter ému jusqu'aux larmes.

Il se mit à pleurer et fut obligé de s'asseoir sur la pelouse, devant le foyer. Clemens Martin s'assit à côté de lui.

« Ne pleure pas! dit-il. Je t'en prie, ne pleure pas. Tout va bien maintenant, tout ira bien puisque nous nous sommes retrouvés! »

Et il se mit à pleurer, lui aussi.

9

« ... et voilà, conclut Peter Bolling, trente-trois ans plus tard dans la salle de conférence du cabinet de maître Nigra à Bogotá, par un après-midi pluvieux. Voilà comment tout a commencé. Clemens avait deux ans de plus que moi, et à l'époque déjà, il était le plus fort, le plus courageux, le plus capable de nous deux. Il s'est arrangé — à quinze ans! — pour me faire sortir du foyer et pour m'emmener légalement avec lui à Munich, où il me fit entrer dans un autre foyer et dans une autre école. J'étais souvent malade. Sur le plan physique, Clemens était aussi beaucoup plus fort que moi, et jamais malade, lui! Quand un garçon me battait, mon frère me vengeait chaque fois de telle façon que bientôt, plus personne n'osa s'attaquer à moi. En 1957, j'ai attrapé une mauvaise scarlatine, doublée d'une diphtérie; les médecins avaient perdu tout espoir de me sauver. Mon frère s'installa à mon chevet jour et nuit et me soigna... et il finit par me sortir de ce mauvais pas. Lorsque j'entrai en convalescence, j'étais si faible que je ne pouvais plus marcher. Mme Martin avait une sœur, mariée avec un paysan de l'Allgäu. C'est là que mon frère m'emmena. A la ferme, il y avait du bon lait et du miel en abondance... Clemens continua à s'occuper de moi. Il me réapprit à marcher, ensemble nous allions nous promener dans les montagnes, quelques mètres seulement et sur terrain plat au début, puis de plus en plus loin et de plus en plus haut. A table, Clemens me donnait toujours les meilleurs morceaux. — Bolling se passa la main sur les yeux. — Jamais encore je n'avais été aussi heureux. Mon frère m'avait sauvé la vie pour la première fois.

— Pour la première fois? répéta Marvin.

— Oui, répondit Peter Bolling. Plus tard, il me sauva la vie une seconde fois. Beaucoup plus tard. Au bout de quelques années, je quittai le foyer pour entrer à la Maison Kolping de Munich, où j'ai continué à habiter aussi à l'époque où j'entrai à l'université. Mon frère fréquentait la même université que moi ; j'étais à la faculté de chimie, et Clemens faisait son droit. Après mes études, je commençai à travailler dans un laboratoire pharmaceutique de Munich, avant d'entrer chez Hoechst, à Francfort. Clemens, lui, commença sa carrière dans un cabinet d'avocat à Munich, et entra plus tard au ministère de l'Economie à Bonn.

— Où ? fit Marvin incrédule.

— Oui, dit Peter Bolling. Au ministère de l'Economie, à Bonn. »

La pluie tambourinait sur les vitres sans discontinuer.

« Ainsi c'est ton frère qui, à Bonn, n'a cessé de tirer l'Institut de Physique de Lübeck de toutes les situations délicates et d'être la fameuse source universelle d'informations de Valérie Roth ? dit Marvin.

— Oui. Mon frère, Clemens Martin[43]. Actuellement, il est chef de section au ministère de l'Economie. Tu es peut-être au courant des détails de la vie privée de Valérie Roth. Elle n'a jamais eu de chance avec les hommes, elle est allée de déception en déception...

— Oui, elle m'en a parlé. Oh mon Dieu ! s'exclama Marvin en sursautant.

— Tu peux le dire, oh mon Dieu ! répéta Bolling. Valérie a trouvé en Clemens l'homme de ses rêves, qui est toujours resté gentil avec elle, l'a toujours aimée et ne l'a jamais déçue. Elle est devenue l'esclave de mon frère Clemens, l'esclave inconditionnelle.

— Autrement dit, ajouta Marvin, lorsqu'il a commencé à être question de la fabrique de gaz toxiques que Hansen construisait pour Kadhafi, Valérie nous a induits volontairement et consciemment en erreur, nous et d'autres encore, tels le procureur de la République, Elmar Ritt, et maître Goldstein ; elle nous a livré de fausses informations, nous a raconté de fausses histoires, sur l'ordre de ton frère.

— Oui, dit Bolling, les yeux fixés sur la table.

— Et c'est également ton frère qui a eu l'idée géniale de nous envoyer le plus loin possible pour que nous ne risquions pas d'entendre parler de cette fabrique de gaz, hein ?

— Oui, c'est lui, c'est Clemens, répondit Bolling.

— C'est également lui qui t'a ordonné de me jouer la comédie de la bombe atomique allemande, pour détourner mon esprit de Hansen ?

— Oui, Markus.

— Je comprends, dit Marvin.

— Tu ne comprends rien du tout, reprit Bolling. Je suis très attaché à mon frère Clemens. Je lui dois la vie. Je t'ai déjà dit que, même enfant, j'étais souvent malade. Vous savez tous que l'on m'a accordé la retraite anticipée à cause de mon asthme. Ce que vous ne savez pas, c'est que, à l'âge adulte déjà, j'ai eu une leucémie, véritable condamnation à mort pour la majorité de ceux qui en sont atteints, encore actuellement. Grâce aux excellentes relations de mon frère, j'ai été soigné dans une clinique spécialisée américaine, et guéri par une greffe de la moelle osseuse.

— C'est Clemens qui a donné sa moelle et t'a ainsi sauvé la vie une seconde fois ? demanda Marvin.

— Oui, répondit Bolling. Nous sommes frères et avons le même groupe sanguin, ce qui diminuait beaucoup les risques de rejet. Si je suis encore ici parmi vous aujourd'hui, et non pas à deux pieds sous terre depuis des années, c'est un miracle que je dois à mon frère. Cela n'excuse pas ses actes, mais explique pourquoi, moi, j'ai toujours fait tout ce qu'il exigeait de moi... C'est difficile à comprendre... Oh ! Pas tellement, au fond. J'ai toujours accompli aveuglément ce qu'il exigeait de moi. Je suis un scientifique... et n'ai sans doute pas tout à fait les pieds sur terre, n'est-ce pas ? Pendant très longtemps, j'ai pensé sincèrement que mon frère avait sûrement de bonnes raisons d'agir comme il le faisait et que tout ce qu'il me demandait de faire était fondé... Je... J'aimais mon frère... Je l'aime encore... »

Ces derniers mots planèrent dans la pièce, au milieu d'un silence de mort.

« C'est aussi ton frère qui a envoyé cet homme à l'Hôtel Paraiso pour t'ordonner de disparaître sur-le-champ ? demanda encore Marvin.

— Oui, répondit Bolling. C'est Clemens qui l'a envoyé. Nous n'avions pas le droit de téléphoner, tu le sais bien ?

— Et tu t'es envolé pour Bogotá où tu es resté caché ?

— Oui.

— Alors, c'est aussi ton frère Clemens qui a pris l'avion pour Bogotá et a eu avec le général Calero cette conversation enregistrée par la NSA. Voilà pourquoi j'ai tant hésité à reconnaître ta voix sur cette bande magnétique que Ritt et Dornhelm m'ont passée. C'était celle de ton frère.

— Oui, bien sûr, c'était la voix de mon frère, répéta Bolling. Et naturellement, il savait aussi que la NSA enregistrait cette conversation. C'était le but de l'opération : détourner les Américains de l'affaire des gaz toxiques menée par Hansen. Car enfin, il y a longtemps que les Américains savaient que les Allemands livraient partout des installations atomiques et étaient capables eux-mêmes de construire cette fameuse bombe. Mais ils n'ont jamais pu le prouver. Et aujourd'hui, toujours pas.

— Grâce, entre autres, à ton frère Clemens, je suppose, ajouta Marvin.

— Non, Clemens n'a rien à voir avec cela, dit Bolling. Mais grâce à lui, les Américains n'auraient jamais pu non plus avoir la moindre preuve concernant la fabrique de gaz en Libye, si un de leurs navires espions n'avait pas intercepté et enregistré en Méditerranée cet appel téléphonique désespéré dans lequel les techniciens de Toresos appelaient la Hansen-Chimie au secours, parce que du gaz toxique s'était échappé au cours d'un essai... A l'époque, dès que Hansen est entré en jeu, j'ai compris bien entendu le véritable rôle joué par Clemens. C'est cela qui m'a ouvert les yeux... enfin !

— Malgré tout, tu as couvert tous ses agissements et tu as continué à jouer son jeu.

— Oui, exactement comme Valérie.

— Par amour, dit Marvin.

— Par amour », confirma Bolling.

« Combien de temps serais-tu encore resté caché ici, à Bogotá ? demanda Marvin.

— Aussi longtemps que mon frère me l'aurait demandé, répondit simplement Peter Bolling. J'obéissais encore aveuglément à ses ordres. Mais il s'est passé quelque chose.

— Quoi ?

— Plus tard, répondit-il. Pour commencer, le docteur Gonzalos s'est lancé à ma recherche. »

L'homme à la voix douce se pencha en avant.

« C'est exact, dit-il à mi-voix. Ma femme et moi, nous avons cherché M. Bolling. »

Isabelle se remit à traduire.

« C'est votre réaction, M. Marvin, qui pour moi a été déterminante. Lorsque nous avons été interrogés par Ritt et Dornhelm à

Francfort, vous vous en souvenez, vous n'avez jamais pu vous décider à reconnaître expressément la voix de M. Bolling dans cette conversation enregistrée entre le général Calero et un Allemand, et par la suite, vous n'avez jamais changé d'avis non plus. Alors j'ai réfléchi, et je me suis dit — ce à quoi personne n'avait pensé : Marvin connaît Bolling mieux que nous tous, et depuis longtemps déjà ; voilà pourquoi il a des doutes. Si c'est lui qui a raison, il doit exister de par le monde un autre homme dont la voix ressemble à celle de Bolling... Cette idée s'est fixée dans mon esprit, et elle y est restée. Après cet interrogatoire, il y a eu la fameuse convocation chez maître Goldstein à Lübeck, qui a signé le glas de notre petite communauté. »

Il regarda sa femme d'un air soucieux. Le silence de la grande salle n'était troublé que par la pluie qui fouettait les vitres.

« Cette réunion m'a profondément blessé et il m'a semblé impossible de continuer à travailler dans une atmosphère aussi empoisonnée de soupçons. J'avais toujours mon idée fixe : tout cela ne s'éclaircira que lorsque j'aurai découvert l'identité de l'homme qui est allé rendre visite au général Calero. J'ai donc décidé de prendre le premier avion pour le Brésil et de faire les recherches par moi-même. J'ai appelé Clarisse et lui ai dit que je rentrais et qu'elle devait se préparer à partir en voyage.

— Pourquoi, partir en voyage ? demanda Marvin.

— Voyez-vous, moi aussi, je ne suis qu'un simple mortel, dit Gonzalos. J'avais très peur pour Clarisse, pour le bébé et pour moi. Si l'on venait à savoir que j'avais reconnu la voix de Calero et que j'avais dit aussi... Souvenez-vous de sa menace ! D'un côté je voulais disparaître de la circulation avec Clarisse, et de l'autre entreprendre des recherches pour retrouver Bolling ou l'homme qui avait une voix semblable à la sienne, car il était évident qu'un lien unissait ces deux hommes. Et pour moi, il était également évident que si j'arrivais à percer le secret de ce " lien ", je saurais aussi ce qu'était cette horrible catastrophe dont parlait maître Goldstein, je connaîtrais la vérité sur tout ce qui se tramait en sous-main.

— Ce fut une véritable odyssée, enchaîna Clarisse Gonzalos. Nous avons pris l'avion à Rio pour Belém, et de là, avons rejoint Altamira en voiture. Nous sommes descendus au Paraiso, où vous aviez logé, vous aussi. Et nous avons posé mille et une questions à tout le personnel. Pas seulement aux portiers. A tout le monde. Aux gens de la rue aussi. Partout. Qui savait où se trouvait M. Bolling ? Personne. Et ceux qui savaient quelque chose se taisaient.

— Puis, poursuivit son mari, nous avons essayé avec de l'argent.

Là, nous avons eu plus de succès. Un portier se souvint brusquement que cette nuit-là, avant la disparition de Peter Bolling, un homme était venu le voir très tard et lui avait parlé. Il nous a donné aussi le signalement de cet homme, et nous l'avons cherché partout.

— Cela a duré une éternité, intervint de nouveau Clarisse. Nous avons passé des annonces dans les journaux, avec récompense, etc. Finalement, un homme a répondu. Pas celui qui avait rendu visite à Bolling, mais un de ses amis. Il a fallu jouer au plus fin, négocier. Cet homme était tenu à la plus grande prudence, bien sûr, et nous aussi... Calero... Le bébé... Nous avons fini par nous mettre d'accord et avons rencontré l'homme dans un bar; nous lui avons donné la somme qu'il réclamait, et il nous a dit qu'il avait ordonné à Bolling de s'enfuir à Bogotá, de la part de son frère. Il nous a raconté tout ce que Bolling vient de nous raconter.

— Donc nous savions maintenant qu'il s'était enfui à Bogotá, dit Gonzalos à Marvin. Mais où, à Bogotá? Y était-il encore? La ville compte plus de quatre millions d'habitants... Nous sommes allés, nous aussi, à Bogotá. Je me rappelai l'existence de ce cousin de Zinner, Achille Machado, import-export.

— Nous lui avons rendu visite, poursuivit Clarisse, lui avons raconté que nous connaissions son cousin, que mon mari travaillait pour lui... et qu'il fallait absolument que nous parlions à Peter Bolling, que c'était très urgent.

— Tout en craignant bien sûr que Machado téléphone à Zinner, compléta Gonzalos. Mais heureusement, il ne l'a pas fait. Nous lui avons dit que la police brésilienne poursuivait encore des hommes de main impliqués dans le meurtre de Suzanne Marvin et posait d'interminables questions sur lui, Machado. Aussitôt, il a eu la frousse, c'est ce que nous espérions, et nous a recommandé d'aller trouver maître Nigra. Pour lui, vous êtes Dieu le Père en personne, Señor. Il vous a sûrement téléphoné pour vous annoncer notre visite imminente, n'est-ce pas?

— Bien entendu, dit Ignacio Nigra.

— Bon, reprit Clarisse. Nous avons donc demandé à maître Nigra où se trouvait Peter Bolling. Maître Nigra, cela va de soi, n'avait jamais entendu prononcer ce nom. Il regrettait beaucoup. *Very sorry...* »

L'avocat sourit, leva les deux mains, hocha la tête et jeta un coup d'œil vers le plafond.

« En quittant maître Nigra, poursuivit Gonzalos, Clarisse me

490

dit : Je suis certaine qu'il sait parfaitement où se cache Peter Bolling. Et puisque nous cherchons nous aussi à disparaître pendant quelque temps, à cause du bébé... Bref, nous descendîmes au Tropicana. C'est un petit hôtel sans prétention. Nous ne pouvions pas nous en offrir un meilleur. C'est là que Clarisse a eu une inspiration géniale.

— Oui, dit Clarisse. M. Bolling souffre de crises d'asthme. J'ai donc dit à mon mari : avec son asthme, il a toujours besoin de ses gouttes de corticoïde ; mais il ne peut se les procurer qu'en pharmacie. S'il est à Bogotá, c'est dans une pharmacie de Bogotá qu'il va renouveler son stock. Peut-être que quelqu'un se rappellera...

— Nous nous sommes donc mis à courir toutes les pharmacies de la ville, systématiquement, l'une après l'autre, les grandes et les petites ; Clarisse en faisait trois par jour, il faut qu'elle se ménage, et moi cinq. Le temps passait. Et enfin, dans l'une d'elles, on se souvint d'un étranger, un Allemand, qui était déjà venu plusieurs fois pour acheter une bombe aérosol contre l'asthme. Le signalement correspondait tout à fait à Peter Bolling. A partir de ce jour-là, nous avons discrètement monté la garde à tour de rôle auprès de cette officine. Et un jour, il est venu effectivement. — Gonzalos s'arrêta un instant de parler. — Il ne m'a pas vu. Je l'ai suivi, je suis monté dans un bus derrière lui jusqu'à un immeuble gigantesque, un gratte-ciel, situé à la périphérie de la ville. J'ai réussi à le suivre jusqu'à la porte de son appartement. Il a eu l'air épouvanté, et puis...

— Et puis ? demanda Marvin avec une certaine impatience.

— Il m'a tout raconté. J'ai appelé Clarisse, elle nous a rejoints. Son histoire nous a beaucoup émus tous les deux. Sans l'approuver, nous comprenions ses motifs, et comment il avait pu en arriver là. De plus, nous connaissions aussi le sens de la terrible prédiction de maître Goldstein...

— Mais vous ne pouviez pas aller à la police sans vous mettre en danger vous-même, je comprends, dit Marvin.

— Non, vous ne comprenez pas, dit Clarisse. Nous ne serions pas allés non plus à la police, même si nous n'avions rien à craindre pour nous. M. Bolling nous a fait pitié... Aussi avons-nous continué à vivre dans notre hôtel minable, et lui dans son appartement en altitude, appartement que lui avait procuré maître Nigra, soit dit en passant.

— Et hier, maître Nigra nous a téléphoné, dit Gonzalos. Il venait de recevoir un appel téléphonique de Peter Bolling... en provenance de l'ambassade de la République fédérale d'Allemagne.

— Pourquoi l'ambassade ? demanda Marvin.

— Parce que, justement, répondit Bolling, il s'était passé quelque chose entre-temps, je vous l'ai déjà dit. La radio a annoncé l'assassinat de Katja Raal, aux Etats-Unis, et a précisé que l'on recherchait Valérie Roth, l'auteur de ce meurtre. Pour moi, ce fut le coup de grâce. Quoi que j'aie pu faire... je n'avais pas honte de moi. Mais un meurtre... non. Je ne voulais pas me faire complice d'un meurtre.

— Vraiment ? demanda Marvin.

— Non, je ne pouvais pas.

— Et alors, que faites-vous de l'assassinat d'Engelbrecht et de sa femme Katharina, d'Erich Hornung, le physicien du Centre de Recherches nucléaires de Karlsruhe ? A condition que nous fassions vraiment un gros effort pour croire que l'assassinat de ma fille Suzanne est un accident... ?

— Tout cela n'avait rien à voir avec mon frère Clemens, répondit Peter Bolling.

— Tu en es sûr ?

— Absolument sûr, oui.

— Comment cela ?

— Parce qu'il me l'a fait savoir. Jamais Clemens ne m'a menti. C'est quelqu'un d'autre qui a eu l'idée de nous lancer sur la piste de la bombe, afin de nous détourner du scandale des gaz toxiques de Hansen. C'est pourquoi il fallait que je disparaisse. Et c'est pourquoi aussi on a envoyé Clemens chez le général Calero à Brasilia — tout en sachant fort bien que leur conversation serait interceptée par les Américains. Il y a longtemps, je pense, que tu as compris, toi aussi, que l'homme qui est allé rendre visite à Mme Engelbrecht en se faisant passer pour son frère, l'homme aux doigts jaunis par les acides qui l'a tuée, ce n'était pas moi ?

— Bien sûr, dit Marvin agacé. Au fait, qui t'a donné tous les détails sur ce qui s'est passé... même après ta disparition ?

— C'est moi », répondit maître Ignacio Nigra.

Isabelle traduisit.

« Et vous, qui vous a mis au courant ?

— Cher señor Marvin, je suis au courant de tout ! — Nigra sourit. — Et il faut que je le précise, cet agent — quelle que soit sa provenance — qui s'est présenté à l'hôpital de Francfort s'est comporté comme un imbécile. Interpol n'a eu aucun mal à dénicher le véritable frère de Katharina Engelbrecht. Des doigts

492

jaunis par l'acide... — L'avocat fit une grimace de mépris. — ... C'était vraiment débile ! Le moindre petit trafiquant de drogue colombien s'y serait mieux pris... »

Marvin se renversa sur le dossier de son siège, comme s'il était épuisé.

« Bien, dit-il à Peter Bolling. Tu n'es pas un assassin, et tu ne peux pas trouver d'excuses au meurtre ! Valérie a tué Katja. Et pour toi, ce fut le coup de grâce ?

— Oui, répondit Bolling. Je ne sais même pas si Valérie a tué Katja sur l'ordre de mon frère ; elle a pu le faire aussi de sa propre initiative. C'est ce que je pense, moi. En tout état de cause, Katja devait représenter un grave danger pour mon frère... Mais comment et pourquoi ? Je n'en ai pas la moindre idée. Ou plutôt, aux yeux de Valérie, elle représentait un grave danger pour Clemens. Valérie a donc tué Katja, et moi, je suis allé me rendre à l'ambassade de l'Allemagne fédérale.

— Comment Katja a-t-elle pu être un danger pour votre frère ? demanda Isabelle.

— Je viens de vous dire que je n'en avais pas la moindre idée.

— Un instant, reprit Marvin. Il s'est passé quelque chose à Bonn... Au cours de cette fameuse matinée où nous avions rendez-vous au ministère de l'Environnement... Vous ne vous rappelez pas ? Katja est revenue dans le bureau en courant, bouleversée, pendant que nous nous disputions avec M. Schwarz.

— Oui, confirma Isabelle. Et par la suite, elle était complète-ment métamorphosée... Elle avait peur, elle vomissait sans cesse, elle était hyper-émotive... Peut-être a-t-elle découvert quelque chose au ministère de l'Environnement ?

— Mais quoi ? demanda Bolling. Elle n'en a parlé à personne ?

— Non, à personne, répondit Marvin. Pas à moi, en tout cas, et pour autant que je sache, à personne d'autre non plus. A Bernd Ekland peut-être. Si elle en a parlé à quelqu'un, ce ne peut être qu'à lui. Et encore... !

— Katja a sûrement dû découvrir quelque chose, dit Clarisse à son tour. Elle en a sans doute parlé à Valérie. Et Valérie Roth l'a tuée pour protéger votre frère, M. Bolling. Vous avez très bien agi en allant à l'ambassade pour y faire une déposition... car c'est ce que vous avez fait, n'est-ce pas ?

— Oui, répondit Bolling, c'est ce que j'ai fait. Je me fiche éperdument de ce qu'il peut m'arriver maintenant. On va me rapatrier en Allemagne sans doute. Et là aussi, je dirai toute la vérité. Je ne peux plus supporter une situation pareille. On va sûrement me mettre en prison. Mais à quoi bon ? Je suis gravement malade, je n'y resterai pas longtemps. De toute façon, je n'oublierai jamais ce que mon frère a fait pour moi. Jamais. Je n'avais plus qu'un désir : pouvoir vous raconter toute l'histoire... Mais pas du tout pour exciter votre pitié, croyez-moi ! »

Marvin secoua la tête.

« Non, dit-il soudain.

— Quoi, non ? fit Bolling en le regardant droit dans les yeux.

— Non, je ne crois pas que ce soit là toute l'histoire. C'est *ton* histoire, oui. Mais certainement pas *toute* l'histoire.

— Que voulez-vous dire, M. Marvin ? demanda Clarisse.

— Je veux dire... — Marvin parla lentement ; il pesa chacun de ses mots. — Tout ce qui est arrivé... Avec quelle circonspection on nous a envoyés si loin, à l'autre bout du monde, pour tourner ces films écologiques, uniquement pour que nous n'ayons ni le temps ni l'occasion de nous occuper de ce Hansen et de sa fabrique d'armes chimiques... Car c'est cela, n'est-ce pas, qui devait rester caché... et qui a été dévoilé à cause d'un appel au secours des Libyens, intercepté par la NSA... Tous les hommes politiques sans exception ont protesté à cor et à cri lorsqu'on a commencé à parler de l'éventuelle construction d'une usine de cette sorte...

— Je ne comprends pas où tu veux en venir, dit Bolling.

— Où je veux en venir ? Je veux dire par là que, à mon avis, la firme Hansen-Chimie n'est pas seule à avoir participé à la construction de cette fabrique... Si elle avait été seule... qui aurait été au courant, parmi les autorités ? Et dès que le pot aux roses aurait été découvert, est-ce que Hansen n'aurait pas été sommé de s'expliquer immédiatement ? Est-ce qu'on n'aurait pas arrêté tout de suite les travaux ?

— Oui, cela me paraît assez logique, dit Gonzalos.

— Si les autorités politiques n'avaient pas été au courant, pourquoi toute cette mise en scène gigantesque pour tenir secrets les agissements de Hansen ? Car enfin, c'est un industriel indépendant de l'Etat ! Pourquoi est-il à ce point couvert et protégé par ton frère Clemens, Peter ? Pourquoi ton frère se mobilise-t-il à ce point pour lui ? J'en reviens à la mise en scène de notre expédition et de notre prétendue mission... Cela me paraît beaucoup trop gigantesque pour le cas où Hansen serait seul responsable de la construction de cette fabrique de gaz toxiques en Libye... Un type comme Hansen, ils l'auraient fait sauter en vitesse pour ne pas risquer qu'on les soupçonne de tolérer pareil scandale. Or, ces livraisons de gaz toxiques ont été bel et bien tolérées... Non seulement elles ont été tolérées, mais l'Etat allemand s'est inscrit en faux contre ce soupçon formulé par les Américains, souvenez-vous, et à plusieurs reprises encore ! Au plus haut niveau !

— Vous voulez dire..., commença Gonzalos, puis il se tut.

— Je veux dire qu'une firme puissante, autrement puissante que la Hansen-Chimie, est soupçonnée d'avoir participé à la construction de cette fabrique de gaz... Que dis-je, est soupçonnée, a dû y participer ! Le contraire est impensable. Sinon, cette intrigue monumentale et tous ces mensonges en haut lieu restent pour moi totalement incompréhensibles. C'est le seul cas où tout devient logique. Voilà ce que je pense quand je dis que tu ne nous as pas raconté *toute* l'histoire, Peter. Non pas parce que tu voulais nous cacher quelque chose... mais parce que tu ne la connais pas dans tous ses détails.

— Comment ? Ils seraient complices, et au plus haut niveau ? demanda Bolling, les yeux écarquillés.

— Je ne sais pas, Peter, je le crois. Mais bien entendu, je ne pourrai jamais le prouver [44]... — Il s'ensuivit un long silence, puis Marvin reprit : Pourquoi t'a-t-on encore autorisé à quitter l'ambassade en liberté après ta déposition ?

— On ne m'a pas autorisé à quitter l'ambassade en liberté, dit Bolling. Tu n'as pas vu les deux messieurs en civil dans l'antichambre ? Vêtus d'un imperméable clair ? Ce sont deux agents de la sécurité de l'ambassade, mes deux gardes du corps, et ils sont chargés de m'y ramener. »

Il regarda l'avocat.

Maître Nigra prit un téléphone et prononça quelques mots. Au moment où il le reposa, on entendit à l'extérieur les accents d'une marche militaire. Peter Bolling se leva brusquement en vacillant ; il porta les mains à la gorge et se mit à râler. Son visage vira au violet.

Les deux hommes qui attendaient dans l'antichambre arrivèrent prestement, Nigra leur dit quelques mots. Ils encadrèrent Peter Bolling et l'emmenèrent hors de la salle de conférence ; l'un d'eux ouvrit aussitôt la bouteille de corticoïde. La porte se referma sur eux.

« C'est horrible, voilà sa troisième crise depuis qu'il est arrivé ici, dit Nigra. Mais son escorte va régler le problème très rapidement. — Il alla à la fenêtre, les yeux brillants. — Venez, mesdames et messieurs, venez donc. A cinq heures précises commence la relève de la garde devant le Palacio Presidencial, le palais du président, d'après l'ancien rite prussien. »

Ils allèrent tous à la fenêtre.

« La grande statue sur la place représente Simon Bolivar, le libérateur de l'Amérique du Sud », déclara fièrement maître Nigra.

Malgré la pluie, la foule des touristes se pressait devant le palais, armée d'appareils-photo. Les soldats portant des uniformes d'opérette défilèrent au pas de l'oie, saluèrent, présentèrent les armes, puis ils relevèrent la garde aux accents d'une marche militaire.

« C'est la " Badenweiler Marsch ", constata Markus Marvin éberlué.

— Oui, approuva Nigra, le visage rayonnant. La marche préférée de Hitler ! »

10

« J'appellerai tous les jours ! » s'écria Elisa Hansen, désespérée.

Son fils ne répondit pas.

Elle se tenait à l'entrée du passage menant au contrôle des passeports, dans le grand hall de l'aéroport d'Asunción bondé de monde.

« Tous les jours ! répéta-t-elle, les joues inondées de larmes. Thomas, je t'en prie, dis quelque chose ! »

L'enfant garda le silence. Il serra un peu plus fort la main de Therese Toeren. Les voyageurs qui attendaient à l'entrée du contrôle s'agitèrent et s'énervèrent. On commença à grogner contre cette « étrangère qui criait et pleurait ».

« Thomas ! » hurla encore Elisa Hansen.

Il ne tourna même pas la tête vers elle et demeura impassible.

« Thomas, mon Dieu, Thomas... Faites donc quelque chose, Mme Toeren !

— Que voulez-vous que je fasse, madame ? »

Elle était venue au Paraguay pour chercher l'enfant, et se préparait à rentrer avec lui en Allemagne. Poussée par la foule, elle ne pouvait ni reculer ni s'arrêter ; elle ne pouvait qu'avancer, suivre le flot des voyageurs.

« Que voulez-vous que je fasse ? » répéta-t-elle.

Le départ de l'avion de la LAP avait déjà été annoncé deux fois, les douaniers travaillaient vite.

Le docteur Keller et Paul, le chauffeur, auraient voulu essayer de calmer la pauvre mère, mais ils ne pouvaient même pas s'approcher d'elle.

496

« Mme Hansen ! cria le fondé de pouvoir. Je vous en prie, calmez-vous ! Revenez...

— Madame ! cria à son tour Paul Kassel. Madame ! »

Elle semblait n'entendre ni l'un ni l'autre. Ce qu'elle voulait, c'était s'approcher de son fils, mais la foule la repoussait sans pitié. Deux hommes commencèrent à l'injurier.

« Thomas ! cria-t-elle désespérée. Thomas, je t'en prie, dis-moi un mot ! Je t'aime ! Je t'aime ! Que vais-je devenir sans toi ! »

« Merde alors, foutez le camp d'ici à la fin ! »

« Votre attention, s'il vous plaît, dit une voix anonyme dans les haut-parleurs, pour la troisième fois. Le départ du vol 435 de la LAP en direction de Rio de Janeiro est imminent. Les passagers sont priés de se présenter le plus rapidement possible à la porte d'embarquement. »

« Thomas ! Mon Dieu, Thomas, dis un mot, un seul ! »

Il ne dit rien, pas un seul mot.

« Je suis désolée ! s'écria Therese Toeren.

— Tho... »

Elisa Hansen vacilla, tomba, et resta là, recroquevillée sur le sol, sans faire un mouvement.

Une femme poussa un cri. Un photographe de presse leva son appareil et fit fonctionner le flash plusieurs fois de suite, ravi de la bonne aubaine.

Le docteur Keller s'agenouilla auprès de Mme Hansen.

« Le photographe ! » cria-t-il à Paul Kassel.

Celui-ci rejoignit le reporter en courant et lui envoya un bon coup de poing dans le ventre. L'homme recula de quelques pas, plié en deux, en gémissant. Kassel cette fois lui envoya un direct en plein visage, lui arracha son appareil, l'ouvrit, ôta le film et lui jeta son bien à la figure.

« Attends, salaud... »

Kassel se hâta de rejoindre le docteur Keller. Au même moment, un agent de la police de l'aéroport arriva sur les lieux ; le photographe ramassa son matériel et s'esquiva prestement.

« Que se passe-t-il ici ? demanda l'agent. Qui est cette femme ?

— Señora Elisa Hansen, la femme de l'industriel bien connu. Il est en excellents termes avec votre patron.

— Morte ?

— Non. Evanouie seulement, répondit Keller. Aidez-moi, il faut l'éloigner d'ici au plus vite. »

Les trois hommes soulevèrent la femme inerte et la transportèrent à l'une des portes d'entrée de l'aérogare.

Thomas avait disparu derrière la guérite de contrôle des passeports. Il n'avait pas eu un regard pour sa mère, il n'avait même pas tourné la tête une seule fois vers elle.

Cette fois, ce fut Jürgen Carl, le portier de l'après-midi, qui accueillit Philip Gilles dans le hall du Frankfurter Hof, le 2 novembre vers midi, ainsi qu'Isabelle et Markus Marvin. Carl était plus petit et plus frêle que son collègue Bergmann, mais animé du même dévouement et de la même gentillesse que lui. Son visage aux traits fins rayonnait.

« Soyez le bienvenu, M. Gilles ! Et vous aussi, madame et monsieur. — Gilles lui serra la main. — Excusez-moi, êtes-vous M. Marvin ?

— Oui.

— C'est bien ce que je pensais. M. Ritt, le procureur, a laissé un message pour vous. Il vous prie de l'appeler au tribunal dès votre arrivée.

— Au tribunal ? demanda Marvin.

— Oui. Je vais vous conduire au standard téléphonique.

— Je reviens tout de suite », cria Marvin par-dessus son épaule.

En effet, il revint immédiatement et paraissait bouleversé.

« Que se passe-t-il ? demanda Gilles.

— Il faut absolument que nous partions tout de suite pour Keitum. Tous les trois.

— Pour où ?

— Keitum, sur l'île de Sylt. Ritt y est déjà. Dornhelm aussi.

— Pourquoi donc ? demanda Gilles.

— Quelqu'un a vu Valérie Roth rôder dans la maison du professeur Ganz avec un homme. Cette personne a prévenu aussitôt la police. Un chauffeur de taxi, paraît-il. La police a averti immédiatement Dornhelm et Ritt, j'ai eu une secrétaire au bout du fil. »

Ils débarquèrent à Keitum en fin d'après-midi. La chance leur souriait : à l'aéroport de Francfort, ils étaient arrivés juste à temps pour monter dans l'avion de Hambourg, et de là, un Twin Otter les déposa à Sylt. La petite aérogare de Sylt était presque déserte. Des policiers et des hommes de la défense frontalière contrôlaient tous les passagers qui débarquaient, mais personne n'avait le droit d'embarquer. Il était interdit de quitter l'île, expliqua un policier à Marvin.

498

Une file de taxis attendait les clients devant l'immeuble de l'aéroport. Un homme d'un certain âge sauta de l'un d'eux et agita les bras.

« M. Gilles ! M. Gilles ! — Il vint à sa rencontre et serra la main de son vieil ami, puis se tourna vers Isabelle et Markus Marvin. — Bonjour, madame, bonjour, monsieur. Je m'appelle Edmund Keese. »

Edmund Keese, se dit Gilles. Le chauffeur de taxi pessimiste qui m'a amené de Keitum le jour de l'enterrement de Gerhard Ganz. Edmund Keese qui prédisait déjà le déclin de l'île de Sylt. La dernière fois que je suis venu ici, il m'a donné un petit bloc et un crayon à bille en guise de cadeau d'adieu ; cela se passait le 12 août, par une chaleur torride. Mon Dieu ! Que d'événements depuis !

« C'est moi qui ai prévenu la police, déclara fièrement Keese. Je vais tout vous raconter. Vous voulez aller à Keitum, je suppose, rejoindre ces messieurs qui viennent de Francfort. Je vais vous y conduire. »

Il les précéda jusqu'à sa voiture et démarra presque aussitôt. Marvin s'assit devant, à côté du chauffeur, Isabelle et Philip Gilles sur la banquette arrière.

Le vieil homme solitaire bavardait sans reprendre haleine. C'était son grand jour !

« Alors, est-ce que ce n'est pas un hasard, M. Gilles ? Cet été, je vous ai conduit aussi, vous vous rappelez ? Au Benen-Diken-Hof. Plus tard, je suis allé chercher des lentilles de contact pour Mme Roth et les ai apportées à la maison du professeur Ganz, que Dieu ait son âme. Vous vous êtes disputé avec un homme, mon Dieu, comme deux chiffonniers, vous vous rappelez ?

— Oui », répondit Gilles d'un air absent.

Il regardait par la vitre. Cette fois, la Keitum Landstrasse était vide, pas un touriste à l'horizon ; quelques mois auparavant, en plein été, tout était embouteillé, les voitures roulaient au pas. Mais ce jour-là, 2 novembre, de gros nuages noirs restaient suspendus au-dessus de l'île. Le vent de l'est accompagnait le taxi en hurlant, il faisait froid. C'est la fin de la saison, se dit Gilles. Depuis longtemps déjà. Il n'y a plus une fleur...

« Et vous, M. Gilles, vous m'avez dit : Emmenez-moi d'ici, et le plus vite possible ! Je vous ai ramené à Westerland. Vous êtes bien Philip Gilles, l'écrivain, n'est-ce pas ? Aujourd'hui, je le sais. Cet été, je ne vous avais pas reconnu. »

... Il n'y a plus de fleurs, se disait Gilles, il n'y a plus que des buissons d'épineux, des arbres nus, beaucoup de moutons sur les prés. Leur fourrure est déjà épaisse et longue ; ils ressemblent à d'énormes pelotes de laine sur quatre pattes, avec des marques de couleur imprimées sur la peau, des points rouges, verts et bleus, des croix, des triangles, des cercles...

« Bon, il faut aussi que je vous raconte, messieurs-dames. J'habite juste en face de la maison de monsieur le professeur Ganz, vous comprenez ? Aujourd'hui, vers onze heures et demie, un taxi s'arrête et Mme Roth en descend. Accompagnée d'un homme. Mais pas celui d'avant... Un instant ! — Il regarda son voisin d'un œil inquisiteur. — Mais c'était vous, cet été, l'homme avec qui M. Gilles se disputait !

— Oui, c'était moi, répondit Marvin en faisant un effort pour ne pas trahir son impatience.

— Vous voyez ? Le vieux Keese n'oublie jamais un visage. Donc, aujourd'hui, c'était quelqu'un d'autre. Ils avaient l'air très pressés, tous les deux. Mme Roth ne m'a même pas salué, moi si, pourtant. Bien que j'aie eu une peur bleue... J'ai entendu ce qu'on a raconté à la radio et à la télé, j'ai lu ce qu'on a écrit dans les journaux. Elle est recherchée pour meurtre... Une dame si gentille... Si elle a tué quelqu'un aux Etats-Unis, elle est capable aussi de me tuer, me suis-je dit, et je suis allé en vitesse me réfugier chez moi... d'où j'ai observé ce qui se passait en face. »

... des moutons grassouillets, se dit Gilles. Les souvenirs du passé lui revenaient en foule, il ne voulait pas y penser, surtout en présence d'Isabelle. Aussi se tourna-t-il vers elle, mais elle regardait le paysage par la vitre de la portière. Lui aussi contempla les prés et les vieux chalets au milieu de l'herbe, les murs blancs, les poutres noircies des colombages et les toits couverts de roseaux dans le crépuscule.

Keese freina.

« Que se passe-t-il ? » demanda Gilles en sursautant.

Un barrage. Des agents de police casqués et armés. L'un d'eux s'approcha du taxi, salua et demanda à voir les passeports. Il les feuilleta minutieusement, compara les noms avec une liste, approuva d'un signe de tête et leur rendit les documents.

« Bon voyage », leur dit-il en guise d'adieu.

Keese reprit son monologue.

« Oui, et dix minutes plus tard, la cheminée a commencé à fumer dans la maison du professeur Ganz, mais quelle fumée ! Ils avaient ouvert les fenêtres, de sorte que j'ai pu voir ce qu'ils faisaient.

« — Que faisaient-ils ?

— Ils brûlaient des papiers dans la cheminée, des dossiers, des classeurs. Des piles entières. »

... L'hiver arrive, se dit Gilles, tout sombre déjà dans une atmosphère fantomatique. Quelques lignes lui revinrent en mémoire, écrites par Ernst Penzoldt sur Sylt : « Dieu a trouvé ici tout ce qui était nécessaire à la création de l'homme. Du sable et de la glaise pour le corps, de l'humidité pour les larmes, du bleu pour les yeux et des pierres pour le cœur... » Moi aussi, j'ai une pierre dans la poitrine, se dit-il. C'est passé, tu ne peux rien y changer. Tu le savais dès le début. Donc, ne te plains pas. Tu as eu ton temps. Et quel temps ! Est-ce que tu aurais pu imaginer cela il y a, disons, six mois seulement ? Jamais ! Alors...

Keese bavardait, bavardait...

Curieux que tout cela ne m'intéresse plus du tout, se dit encore Gilles. Apparemment, ça n'intéresse pas davantage Isabelle. Seul Marvin... Lui, il écoute et s'agite...

« Alors, j'ai foncé à toute allure à Westerland, au commissariat. Et j'ai raconté ce que j'avais vu. Ils ont bien dit que tous les renseignements seraient les bienvenus ! Le poste de police de Keitum m'a paru trop petit pour une nouvelle pareille... Je leur ai donc dit, à Westerland, que Mme Roth était là, et ce qu'elle faisait avec son compagnon... On a immédiatement lancé l'alerte générale. Grâce à moi, en quelque sorte, hein ? J'ai fait mon devoir. Ceux de Westerland ont téléphoné à Francfort... et deux heures plus tard, les deux messieurs de Francfort débarquaient ici. Ils m'ont serré la main et m'ont remercié... C'était bien normal que je fasse cette déclaration... Mais à ce moment-là, la maison du professeur Ganz brûlait déjà.

— Brûlait ? demanda Marvin.

— Mais oui ! Mme Roth et le monsieur avaient disparu, et avant de partir, ils ont mis le feu à la maison. Ça continue à brûler, vous pensez bien, avec cette tempête ! On arrive, vous allez voir tout de suite. »

... Ils dépassèrent la maison Stricker, vieille de plus de trois cents ans. Et peu après, Keese freina encore une fois, nouveau contrôle de police...

Arrivés à Keitum, ils passèrent devant les jolies maisons des anciens capitaines, devant le restaurant Fietes, spécialités de poissons et fruits de mer, devant le musée local et l'ancienne maison frisonne rouge. La plupart des portes et des entourages de fenêtres des maisons étaient bleus ici, les murs blancs, les roseaux couverts de mousse. Puis la cabine téléphonique jaune, le petit supermarché, les énormes blocs erratiques vieux de plusieurs siècles... Ils arrivèrent devant un nouveau barrage de police et fixèrent de leurs yeux écarquillés la maison en flammes. Les pompiers étaient sur les lieux ; ils travaillaient activement avec trois pompes. Toute une équipe d'hommes casqués et vêtus de costumes d'amiante luttaient contre le feu, mais ils n'avaient pas la tâche facile avec ces énormes charpentes, ces vénérables murs de bois épais, et le vent qui fouettait de partout. Ils se contentaient de couper le feu pour protéger les bâtiments avoisinants.

« Ça n'ira pas plus loin, déclara Keese. Non, non, non, je ne veux pas d'argent. C'est un honneur pour moi de vous amener ici. »

Ils remercièrent et descendirent du taxi.

Marvin présenta son passeport à l'agent de garde.

« M. Ritt, le procureur de la République, nous attend, expliqua-t-il.

— Je regrette, dit un jeune homme vêtu de l'uniforme de la protection des frontières et porteur d'un revolver. Vous ne pouvez pas passer ici. »

L'officier qui était près de lui sursauta.

« Un instant. M. Marvin ? M. Gilles ? Mlle Delamare ?

— Oui, répondit Marvin.

— C'est bon, dit l'officier. Venez avec moi.

— Moi aussi, je vous accompagne, dit Keese. J'habite ici, moi ! »

Ils suivirent l'officier, enjambèrent des tuyaux d'où s'échappaient des filets d'eau, pataugèrent dans la boue et se rapprochèrent de la maison en flammes. Là aussi, il y avait des agents de police, des photographes et plusieurs équipes de télévision.

« Qu'est-ce que vous en dites, M. Gilles ? demanda Keese d'une voix geignarde. Une si gentille dame, madame le docteur Roth... On peut dire qu'on ne connaît jamais son monde, hein ? La belle maison du professeur Ganz, une si belle maison, si ancienne. Sa propre nièce ! Une chance qu'il ne soit plus là pour le voir !

— Oui, dit Gilles. C'est une chance.

— Venez, je vous prie, dit l'officier. Approchez !

— Bon, au revoir, M. Gilles », dit Keese.

Il secoua la tête et contempla les flammes d'un air navré.

Un autre bruit dominait le crépitement du feu : les cris des mouettes.

« Ce sont des mouettes ? demanda Gilles.

« — Oui, répondit l'officier. Une nuée de mouettes.

— En pleine nuit ?

— Le feu, M. Gilles. La clarté. Ça les excite, les mouettes. »

Le procureur de la République, Elmar Ritt, avait installé son quartier général dans une voiture de service équipée de tout l'appareillage radio ; à côté de lui, le commissaire principal Robert Dornhelm était au téléphone lorsque Marvin arriva et présenta ses compagnons.

« A notre arrivée, la maison brûlait déjà, dit Ritt. Les pompiers m'ont tout de suite expliqué qu'ils n'essayaient même pas de la sauver ; ils veillaient simplement à ce que' le feu ne se propage pas. Les bâtiments des alentours, les haies, l'herbe, les arbres, les buissons, tout est déjà archi-sec. »

Au-dessus de la voiture-quartier général, les mouettes tournaient inlassablement en criant leur désarroi.

« Est-ce que l'homme qui accompagnait Mme Roth était Clemens Martin, chef de section au ministère de l'Economie à Bonn ? demanda Marvin.

— D'après la description que nous a donnée le chauffeur de taxi, Edmund Keese, oui. Pas seulement d'après sa description d'ailleurs. Clemens Martin a disparu de Bonn. Il se trouvait à l'aéroport Rhin-Main lorsque l'avion ramenant Valérie Roth des Etats-Unis a atterri. Nous avons montré des photos de lui à de nombreux fonctionnaires, douanes, police, aéroport, et quelques-uns l'ont parfaitement identifié, ils en sont tout à fait certains. Mais nous ne savons pas ce qu'a fait le couple et où ils sont allés avant d'arriver ici vers midi.

— Ils ont sans doute brûlé des documents compromettants, nous a suggéré le chauffeur de taxi.

— Bien sûr, sans le moindre doute. Des documents importants, et en très grand nombre. Des documents explosifs aussi probablement, car en venant encore une fois ici, ils prenaient l'un et l'autre un risque énorme. Et en fin de compte, pour plus de sécurité, ils ont mis le feu à la maison.

— Ils ont eu de la chance, dit Marvin.

— Quoi ?

— Ils ont eu de la chance.

— Oh oui ! de la chance, murmura Ritt, comme s'il avait honte.

— Où peuvent-ils bien être à présent ? demanda Marvin.

— Personne n'a le droit de quitter l'île, précisa Ritt. Mais cet ordre a été lancé bien tard. Tout est allé de travers ici. »

Dornhelm raccrocha et se tourna vers Ritt.

« Ils sont partis. Ils ont pris le bac jusqu'à Havneby. Nous avons fait poser les barrages à quatorze heures quarante-cinq, mais il a fallu un certain temps encore pour que ce soit effectif ici. Est-ce par négligence ? Ou intentionnellement ? Comment le savoir ? Toujours est-il qu'un bac a quitté List à quinze heures pour Havneby. Est-ce un coup de chance ? Ou le résultat d'une préparation minutieuse ? Nous y voilà une fois de plus, mon vieux !

— Puis il déclara, s'adressant à toutes les personnes présentes : Havneby est un port sur l'île danoise de Röm, au nord de Sylt. Le trajet en bac dure cinquante-cinq minutes. Une route construite sur une digue relie directement Röm à la terre ferme. Les douaniers nous ont dit que ce bac de quinze heures ne transportait pas de passagers du nom de Valérie Roth et Clemens Martin. Mais, bien entendu, Martin avait pris la précaution de faire faire de faux passeports. Depuis longtemps sans doute.

— Bien entendu, dit Ritt très calmement. On a lancé une opération de recherche qui ne donnera aucun résultat. Ils sont beaucoup trop rusés, tous les deux ! Il ne nous reste plus qu'à mener l'affaire jusqu'à son terme. »

Il jeta un coup d'œil sur Isabelle et grimaça un sourire sans espoir.

Les mouettes n'en finissaient pas de hurler leur affolement autour de la voiture.

« Pour cela, nous avons besoin de vos témoignages sur tout ce qui s'est passé à Richmond et à Bogotá, reprit Dornhelm. C'est parfaitement idiot et inutile, je le sais bien, puisque nous ne pouvons plus rien faire, mais il faut que les rapports soient complets. Complets ! répéta-t-il en riant. Nous avons fait réserver des chambres à Westerland pour vous, à l'Hôtel de Hambourg. A cette époque de l'année, tout est vide ici. Est-ce que vous voulez bien nous accompagner là-bas pour que nous puissions vous poser des questions ? Vous pourrez y passer la nuit. Aux frais de l'Etat, bien entendu. Etes-vous d'accord ?

— Oui, répondit Marvin. — Puis il se tourna vers Isabelle et Philip Gilles. — Et vous ? »

Gilles acquiesça.

« Il va être dix-neuf heures trente, dit encore Dornhelm. La marée haute est annoncée aujourd'hui pour dix-neuf heures vingt-cinq. Le spectacle doit être impressionnant au clair de lune. Nous

504

avons encore à faire ici, nous. Mais si vous voulez aller jeter un coup d'œil sur le Watt... ? Une voiture de patrouille vous ramènera ensuite à Westerland. »

Ils quittèrent les deux commissaires et durent de nouveau enjamber des tuyaux d'incendie dont l'étanchéité laissait parfois quelque peu à désirer. Si les pompiers maîtrisaient le feu, ils ne l'avaient pas encore arrêté. Chaque fois qu'une poutre s'écrasait dans le brasier, une gerbe d'étincelles s'envolait vers le ciel nocturne. La tempête à présent faisait rage. Au moment où ils passèrent le barrage gardé par des agents de police, un taxi s'arrêta à leur hauteur.

Joschka Zinner bondit comme un fauve.

« Marvin ! hurla-t-il en courant vers le trio. J'ai entendu la radio à Berlin, ils ont dit que vous étiez ici. Je viens directement de Berlin. Nom de Dieu, quelle affaire ! Le scandale des gaz toxiques, le scandale à Bonn, Valérie Roth, une criminelle ! Et notre série, dans tout ça ? Tenez, là ! Des photographes, la télévision ! C'est le sort de la planète qui est en jeu ! Il faut nous grouiller maintenant, Marvin ! Couper, mixer, monter, et les textes, vous entendez, Gilles ? Il faut faire passer ça pendant que c'est encore tout chaud !

— Katja Raal est morte, M. Zinner, dit Marvin.

— Qui ? »

Les mouettes tournaient en rond au-dessus d'eux.

« Katja Raal, la jeune technicienne qui travaillait avec Bernd Ekland.

— Ah oui ! La fille bourrée d'acné ! Une chance encore que cette femme Roth ait attendu pour la tuer que vous ayez fini le tournage à Mesa ! J'ai entendu dire que le cameraman était dans un état de dépression affreuse. Il est resté à l'hôpital ?

— Je ne sais pas, M. Zinner, répondit Marvin.

— Ça n'a d'ailleurs aucune importance. Il ne tardera pas à se remettre et à en trouver une autre. Il l'aimait bien, cette petite, je sais. Malgré sa figure hideuse. Ah moi, je n'aurais jamais pu... Nous n'avons plus besoin d'Ekland. Tout est dans la boîte. Et de Katja non plus. Ce qu'il nous faut maintenant, ce sont des monteurs. J'en ai d'ailleurs quelques-uns, des spécialistes fantastiques. Il faut faire vite, Marvin, très vite ! Il faut s'y tenir jour et nuit ! Les gars de la télé de Francfort vous cherchent partout, ils ont essayé de vous téléphoner hier. Je suis dans leurs bonnes grâces en ce moment. Si la série est au poil, j'en aurai deux autres. L'une des deux vous intéresserait sûrement... Venez, je vais vous montrer le planning... »

Il entraîna Marvin avec lui.

Isabelle et Gilles allèrent à pied jusqu'au sentier qui menait au Watt, à l'endroit où de grosses pierres entassées les unes sur les autres servaient à former un rempart de protection contre l'invasion de la mer. Des arbres antédiluviens dressaient leurs branches rabougries vers les quatre points cardinaux. Les promeneurs nocturnes contemplèrent la plage envahie par le flux et baignée de clair de lune. Au loin, la lueur d'un phare tournait en rond, balayant le ciel jusqu'à l'horizon.

La tempête à cet endroit redoublait de force. Elle tiraillait les manteaux, secouait la cime des arbres et les buissons d'épineux, faisait gémir et craquer les branches, et chassait devant elle les ordures qui encombraient la plage.

Debout l'un près de l'autre, ils ne prononçaient pas un mot, ne se touchaient pas, chacun plongé dans ses propres réflexions, les yeux fixés au loin sur le Watt, sans se regarder.

« Viens ! » dit enfin Isabelle.

Un coup de vent violent faillit la jeter par terre.

Gilles la soutint.

« A quoi pensais-tu ? demanda-t-il pendant qu'ils revenaient à pas lents vers la route, les lumières, les hommes, la vie et le feu, arc-boutés contre la tempête.

— A Katja.

— Pauvre Katja, dit-il.

— C'est vraiment injuste. Si tu savais comme je me sens profondément triste...

— Je sais, dit-il.

— Pour beaucoup de raisons.

— Je sais, dit-il encore en la serrant contre lui tout en marchant. Tiens, là, devant nous, il y a un café. Viens, nous allons boire quelque chose de chaud. Un grog. Un vin chaud. Ou un café. Quelque chose de très chaud.

— Un grog, dit-elle.

— Après cela, tu te sentiras mieux.

— Me sentir mieux, après avoir bu un grog...

— Tu sais bien ce que je veux dire. Ça passera. Tout passe. »

Les mouettes criaient toujours leur détresse.

« Oui, dit-elle. Tout passe. Sûrement. »

Epilogue

Je veux vivre — et mon chat aussi.

Holger Kloibach, 9 ans, Ramstein

Mon cher Philip,

Clarisse vient de m'appeler au téléphone. Son bébé est né hier, une petite fille qui pèse sept livres. Clarisse et Bruno sont ravis, moi aussi, et toi, tu le seras sûrement aussi. Ils veulent baptiser leur fille du nom de Belinda, mais ils l'appelleront Cotovia dans l'intimité. Inutile de te préciser que Cotovia, en portugais, signifie l'alouette. Ils l'appelleront Alouette.

Ah Philip ! Notre amour était si joyeux, si insouciant, et il s'est transformé en une amitié si forte. Tu savais dès le début comment les choses évolueraient, moi, je ne voulais pas y croire. Et tu n'as pas cherché à me retenir. Vous êtes un très chic type, monsieur.

Pierre et moi, nous nous aimons beaucoup et nous travaillons ensemble. Demain nous prenons l'avion pour l'Egypte où nous resterons trois semaines. Le gouvernement du Caire s'est adressé à Gérard, pour régler des questions d'énergie dans les communes rurales. Gérard leur envoie Pierre. C'est sa première grande mission à l'étranger ! Et moi, je lui servirai d'interprète.

Pierre déborde d'enthousiasme et d'optimisme, mais il reste toujours très réaliste. Tu te souviens comment il parlait de « capitalisme à visage humain » dans ce bar de l'aéroport Charles-de-Gaulle ? C'est à ce moment-là que j'ai commencé à l'aimer ; et en sentant naître cet amour en moi, j'étais triste, parce que je voulais aussi continuer à t'aimer, toi. Et toi, tu as souri. La Comédie humaine, voilà !

Pierre a raison quand il dit que la « nouvelle orientation écologique de notre pensée » n'est comparable qu'à la perestroïka et à la glasnost. L'invraisemblable deviendra réalité, et moi j'y crois aussi fermement que lui. Nous réussirons, tu verras, nous réussirons !

Chaque expérience amoureuse est unique et exceptionnelle, maintenant, je le sais ; aucun amour ne ressemble à l'autre. Avec de la chance, on connaît un amour dans sa vie. Avec beaucoup de chance, on en connaît deux. Et moi, Philip, je l'ai vécu avec trois hommes ! Je parle d' « amour », et non pas de ces quelques petites affaires de cœur... tu comprends ce que je veux dire.

Trois amours : toi, Pierre et un homme de mon âge, que j'ai connu il y a très longtemps, à l'université. Cet homme est mort dans un accident d'auto, notre amour n'a duré qu'une année. Toi et moi, nous n'avons eu que cinq mois, et pourtant, ce fut un grand amour. Avec personne d'autre que toi, je n'ai

509

autant ri, et ri de si bon cœur. Et au milieu de cette joie et de cette insouciance, je ne voulais pas te parler de mon premier amour.

C'était un amour profondément sérieux. Ce jeune homme parlait souvent de la mort, comme s'il avait un pressentiment. Ah oui ! Notre chanson à nous, c'était « Summertime ». A Rio, tu as demandé à un pianiste de la jouer pour moi, et un jour, tu l'as jouée à Château-d'Oex. Et par la suite, plus jamais. Tu savais que cette chanson ne nous appartenait pas, à toi et à moi, ni à notre amour. Et de cela aussi, je te suis reconnaissante.

Tu m'écris que, néanmoins, tu veux absolument connaître le secret de ce pendentif que je porte toujours autour du cou. Eh bien, voilà : l'homme qui fut mon premier amour a trouvé cette pièce de monnaie en Grèce, sur le chemin qui conduisait à un monastère. Avant de partir pour son dernier voyage, il me l'a offerte. Il l'a fait percer d'un trou pour y accrocher une chaînette, et au moment de nous dire adieu, il me l'a mise autour du cou en me demandant de ne jamais la quitter. Je le lui ai promis — et je tiendrai ma promesse jusqu'au bout.

Sur cette pièce de monnaie sont inscrits quelques mots, en toutes petites lettres. Je t'en donne la traduction en français : Commence à vivre dès aujourd'hui, et considère chaque jour qui passe comme une vie en soi !

Je n'ai vraiment saisi la véritable signification de ce conseil qu'à travers notre amour.

Je t'embrasse

Isabelle

Remerciements

Du fond du cœur, je remercie en premier lieu les enfants ! Eux qui sont notre plus grand espoir parce qu'ils s'efforcent de veiller à la protection de la terre avec plus de sincérité et de courage, plus d'intelligence et de passion que la plupart des adultes, c'est sur eux que la menace de l'avenir pèse le plus lourd. Ölzem Altunkas, Carina Eckel, Carolin Galuba, Heiko, Antje Kessler, Holger Kloibach, Heidi Kretschmer, Sabine Ratajczak, Martina Rau, Annika Wilmers, Zelika ; et vous, les petits Peace Birds, Lisa Anna Claren, Dilan Demir, Corinna Fenner, Anne Flosdorff, Güven Meseci et Frank Stahmer : tous, je vous remercie tout parculièrement de l'aide que vous m'avez apportée.

Très nombreuses furent les personnes, de toutes professions, nationalités et positions sociales, qui spontanément se sont déclarées prêtes à me soutenir dans la préparation et la rédaction de ce roman qui est en même temps un « documentaire ». Sans eux, je n'aurais jamais pu venir à bout de ma tâche. Cependant, la plupart de ces personnes m'ont demandé de ne pas citer leur nom — par modestie, mais surtout parce qu'elles n'ont pu me faire parvenir des informations extrêmement importantes qu'à la condition expresse que leur anonymat soit respecté, et ceci, pour des raisons qui sont faciles à comprendre. D'autres sont suffisamment indépendantes pour accepter que je donne ici leurs noms. Outre tous ceux que je ne puis nommer, je remercie donc du fond du cœur les personnes suivantes, pour leur aide précieuse : Reinhard Spilker (que je cite en tête de liste, car il m'a aidé inlassablement pendant deux années entières dans mes recherches), puis, par ordre alphabétique : Kristiane Allert-Wybranietz, Rudolf Augstein (grâce à qui j'ai pu puiser à ma guise dans les archives du *Spiegel*), le docteur Michael Braungart, le docteur Ludwig Bölkow, la comtesse Marion Dönhoff (qui, avec sa gentillesse habituelle, m'a permis d'utiliser les archives du journal *Die Zeit*), Rainer Fabian (qui m'a permis aussi de puiser dans ses rapports et exposés), Angela Gatterburg, Stefan Heym, le professeur Ulrich Hortsmann, mon vieil ami Günter Karweina (qui m'a laissé toute liberté pour tirer des citations de ses ouvrages), le professeur docteur Hans Kleinwächter, Birgit Lahann (qui m'a « fait cadeau » de ses propres écrits), Lothar Mayer (qui m'a autorisé à utiliser de nombreux passages de son magnifique traité intitulé *Warum schweigen wir?* (Pourquoi gardons-nous le silence ?), Antoine Oltramare (qui m'a donné l'autorisation de garder son nom si poétique), Holger Güssefeld et Peter Unger-Wolff, les organisateurs des Peace Birds, Regine Rusch, le docteur Hermann Scheer (membre du Bundestag, député SPD et fondateur de Eurosolar), Michael Schwelien (qui, avec une grande amabilité et un esprit de collégialité que j'apprécie beaucoup, a mis à ma disposition ses dossiers du *Zeit* sur la forêt vierge brésilienne et sur le complexe atomique de Hanford) et Otto Werhart (IG Metall).

Notes

1. Le grave accident qui a ébranlé le bloc A de la centrale nucléaire de Biblis a été révélé au public le 5 décembre 1988 par l'ARD (la Radiodiffusion nationale allemande) au cours de son bulletin d'informations de vingt heures, à la suite de la publication par le *Frankfurter Rundschau* de l'article paru dans une revue spécialisée américaine. Cet accident, survenu les 16 et 17 décembre 1987, clôturait une série de dix incidents qui avaient ébranlé la centrale depuis 1974. Le gouvernement a donc caché l'événement à la population pendant près d'une année. Ici, les dates ont été changées pour de simples raisons de logique dans la dramaturgie du roman, comme elles le seront au cours de cet ouvrage pour tous les cas semblables.

2. Un article paru dans le journal *Die Zeit* (n° 45) du 4 novembre 1988, pages 17 à 20, donne tous les détails sur les conditions de vie auxquelles sont soumises les habitants de Mesa et des environs, à proximité du complexe nucléaire de Hanford. Voici le gros titre de cet article : « La mort en provenance de la fabrique de bombes — Hanford, la plus ancienne fabrique de plutonium — Une région dans laquelle la maladie règne en maître. » Cet article est dû à la plume de Michael Schwelien.

3. D'après *L'abc de l'économie allemande, reconnue par le comité de rédaction de l'annuaire de l'économie allemande du 1ᵉʳ février 1955,* Darmstadt, novembre 1955, dans la rubrique « Industrie chimico-technique de Francfort » : « Deutsche Gesellschaft für Schädlings-bekämpfung mbH (Société allemande pour la lutte contre les parasites. S.A.R.L.), Neue Mainzer Str. 20, D — Télex : Degesch 041221... Diffusion des insecticides à très haute efficacité fabriqués en majeure partie selon des recettes privées dans des laboratoires privés, en particulier pour la protection du matériel et des stocks et la lutte contre les contaminations ; spécialités : cyclone, gaz-T, gaz-M, ventox, tritox... calcyan, chambres à gaz fixes et portables avec système de blocage de la circulation sanguine. »

4. Il y a vraiment eu diffusion, en 1988, d'un jeu électronique appelé « Ariernachweis » (Certificat d'Aryen). Le *Süddeutsche Zeitung* du 10 février 1989 en donne la règle du jeu à la page 13,

sous le titre : « L'extermination des Juifs, thème d'un jeu électronique », et il invite toutes les personnes qui ont des renseignements à ce sujet à s'adresser au parquet de Munich I.

5. L'article cité ici intégralement se trouve dans l'édition du *Süddeutsche Zeitung* du 24 février 1989.

6. Ces phrases prononcées par le professeur Wassermann ont été publiées dans l'édition du *Kieler Nachrichten* du 24 octobre 1988.

7. *Cf.* Le journal *Stern,* n° 11/1989, et le journal *Bild* du 8 mai 1989, p. 5.

8. Cette interview du professeur Paul Watzlawick est parue dans l'hebdomadaire *Wochenpresse* (n° 21) du 26 mai 1989.

9. La première alarme à l'ozone a été déclenchée dans tous les Länder de la République fédérale d'Allemagne le vendredi 26 mai 1989. La CDU/CSU a effectivement élevé une violente protestation contre cette mesure.

10. « La destruction des forêts tropicales se propage de façon dramatique : d'après les estimations des organisations alimentaires et agricoles des Etats-Unis faites en 1980, la destruction annuelle des forêts tropicales primaires fermées portait sur une superficie d'environ 75 000 kilomètres carrés, et celle des forêts tropicales ouvertes, sur une superficie d'environ 39 000 kilomètres carrés. Selon de nouvelles estimations plus récentes, mais provisoires, la destruction a augmenté de quatre-vingt-dix pour cent par rapport à 1980. Cela signifie que, à l'heure actuelle, dans le seul domaine des forêts tropicales fermées, 142 000 kilomètres carrés de superficie sont détruits par an. » Service de presse de la fraction CDU/CSU du Bundestag en date du 6 février 1990.

11. *Ibid.,* citation littérale.

12. *Cf.* Mémorandum des Verts, de janvier 1989, dans *Der Spiegel* n° 9/1989, et dans *Die Zeit* n° 12/1989.

13. *Ibid.*

14. *Cf.* le dossier de Michael Schwelien intitulé « Im Krieg mit der Natur » (Dans la guerre contre la nature), paru dans *Die Zeit* n° 12/1989

15. Tous les détails et toutes les formulations, y compris ceux de la clinique d'Altamira, sont extraits d'un communiqué du service de presse INS du 21 septembre 1988.

16. Cet article est paru dans le supplément hebdomadaire du *Süddeutsche Zeitung* du 25-26 juin 1988. Il m'a tellement fasciné que j'ai demandé un rendez-vous à Lothar Mayer. Nous nous sommes rencontrés à Munich. Toutes les réflexions, remarques et idées évoquées ici par Philip Gilles sont donc celles de Lothar Mayer,

que je remercie chaleureusement de m'avoir autorisé à les utiliser pour mon livre. De nombreux passages ont été extraits de cet article et reproduits ici intégralement.

17. *Cf.* le dossier de Michael Schwelien.

18. Toutes les indications concernant Ferro Carajas se trouvent dans *Der Spiegel* n°9/1989 et dans *Die Zeit* n° 2/1989.

19. D'après une émission de ARD du 22 juin 1989.

20. D'après un rapport de l'Agence allemande de presse du 7 juin 1989.

21. Fiche d'horaire des chemins de fer déposée dans l'Eurocity « Rätia » de juin 1989.

22. Chico Mendes n'échappa pas indéfiniment à ses poursuivants. Il fut assassiné trois mois et demi plus tard, le 22 décembre 1988. Le 9 décembre précédent, au cours d'une conférence de presse à São Paulo, il avait donné les noms de deux propriétaires terriens qui en voulaient à sa vie. Ces noms n'ont pas été changés ici. Voici le texte d'un télégramme de l'agence France Presse à la date du 5 janvier 1989 : « Rio Branco — La police brésilienne a désigné Darcy Alves da Silva, vingt et un ans, et Antonio Pereira, vingt-six ans, comme étant les assassins du militant écologiste Chico Mendes, tué par balles le 22 décembre 1988. Darcy Alves da Silva est venu se présenter à la police quatre jours après le meurtre, mais Pereira est encore en fuite. Les poursuites continuent pour retrouver le père de Darcy, Darli Alves da Silva, et le frère de celui-ci, Alvarina Alves da Silva, les deux propriétaires terriens qui ont sans doute donné l'ordre de tuer Mendes. Les deux frères appartiennent à l'association des grands propriétaires terriens " Union nationale démocratique " (UDR), d'obédience extrême droite. D'après plusieurs rapports, ils doivent se trouver en Bolivie, sur le domaine d'un de leurs cousins. Au cours d'une interview qui a eu lieu dans sa prison, le jeune Darcy Alves da Silva déclara qu'il était fier d'avoir tué Chico Mendes, l'écologiste bien connu pour ses activités et auréolé de nombreuses distinctions. »

23. La majorité des faits évoqués ici proviennent de l'émission radiophonique « La famille Dioxine — le gouvernement fédéral connaît la genèse de ce super-poison, mais la cache soigneusement », une coproduction de la SFB et de la WDR réalisée par Reinhard Spilker; le conseiller scientifique était le docteur Imre Kerner. Diffusion le 23 février 1984.

24. Tous ces renseignements proviennent des livres et des émissions de Günter Karweina.

25. Karweina Günter, *Der Stromstaat* (L'Etat Electricité), Stern-Buch, 1984.

26. Les services secrets sont remarquablement bien décrits par James Bamford dans son livre *The Puzzle Palace*, ainsi que dans l'article publié par *Der Spiegel* n° 8/1989, intitulé « Freund hört mit » (Un ami est à l'écoute).

27. D'après la réponse donnée par le ministre de la Recherche et de la Technologie le 2 février 1990 à une interpellation en séance restreinte.

28. Dans ce dialogue, beaucoup de faits extraits de sources différentes ont été utilisés. On peut les retrouver, entre autres, dans le *Frankfurter Rundschau* du 17 juillet 1989, et plus précisément dans un article paru sous le titre « Bonn und deutsche Firmen in Brasiliens Atomrüstung verstrickt » (Bonn et les entreprises allemandes impliquées dans l'armement atomique du Brésil), ainsi que dans une interview de Maximiano da Fonseca, ancien ministre brésilien de la Marine, sur la bombe atomique du Brésil, publiée par le journal *Taz* le 25 septembre 1987.

29. Ces références d'isotopes ne sont pas scientifiques ; elles servent à désigner certains isotopes transuran « stratégiquement intéressants ».

30. Ces indications sont exactes. Après l'émission qui est passée le 2 février 1984, il n'y a pas eu la moindre protestation, officielle ou autre.

31. Pour toutes les indications concernant l'ancien, l'actuel et le futur siège de la centrale NSA de Francfort, se reporter à l'article intitulé « Freund hört mit » (Un ami est à l'écoute) paru dans *Der Spiegel* n° 8/1989.

32. L'auteur est en possession de l'original de cette note.

33. « Wer rettet die Erde ? » (Qui sauvera la terre ?), dans *Der Spiegel* n° 29/1989.

34. *Cf. New Scientist* d'août 1989.

35. Ce texte publicitaire a été enregistré sur place au magnétophone et est reproduit ici dans son intégralité.

36. Ce qui suit est le texte intégral d'une interview qui a réellement eu lieu ; seul a été changé le nom de l'interviewé.

37. Le ministère de l'Environnement a enfin accordé son soutien financier en 1990.

38. Olav Hohmeyer : *Soziale Kosten des Energieverbrauchs* (Frais sociaux de la consommation d'énergie), Berlin, Heidelberg, New York, 1989.

39. Le nom est authentique. La genèse de Peace Bird (association déclarée) décrite ici correspond à la réalité.

40. L'auteur tient à remercier chaleureusement la maison d'édition Wilhelm Heyne de Munich et les éditions Anrich Verlag Kevelaer pour l'avoir autorisé à citer ici quelques lettres et brefs extraits de l'ouvrage intitulé *Ich will leben und meine Katze auch* (Je veux vivre, et mon chat aussi) publié par Kristiane Allert-Wybranietz, et de *So soll die Welt nich werden, Kinder schreiben über ihre Zukunft* (Surtout que le monde ne devienne pas ainsi ; des enfants écrivent sur leur avenir), publié sur la recommandation de IG-Metall par Regina Rusch.

41. Cette interview est authentique, mis à part quelques changements nécessités par l'action du roman : ce débat n'a pas eu lieu à la Maison de l'Amérique de Francfort, mais à celle de Berlin ; il n'était pas public et n'a pas été filmé.

42. Ce sont les vrais noms du savant et de son institut. Le docteur Braungart a accepté de se prêter à cette interview et à donné lui-même l'autorisation de la publier dans ce livre.

43. Clemens Martin est un personnage fictif, inventé pour les besoins du roman.

44. Sur la mise en demeure du Bundestag, le gouvernement fédéral rédigea un énorme « Rapport du gouvernement fédéral au Bundestag allemand sur une participation possible de firmes allemandes à une production d'armes chimiques en Libye » (document 11/3995 du 15 février 1989). Ce rapport incita Norbert Gansel, député SPD au Bundestag, à poser toute une série de questions au docteur Schaüble, ancien chef de cabinet du chancelier, dans une lettre datée du 22 février 1989.

Le 12 décembre 1989, la revue de télévision *Panorama* diffusa un rapport sur la participation de Salzgitter-Industriebau (SIG) à la construction d'une fabrique d'armes chimiques en Libye. Le 13 décembre 1989, Norbert Gansel fit une assez longue déclaration, publiée par le parti socialiste allemand sous le titre : « Gansel : Warum hat die Bundesregierung Salzgitter-Manager gedeckt ? » (Pourquoi le gouvernement fédéral a-t-il couvert les managers de Salzgitter ?). Voici ce que dit notamment cette déclaration :

Point 1 c — Lorsque l'ambassade de Moscou parle dans son rapport de « Konzern nationalisé allemand », il ne peut s'agir que de Salzgitter. Le Konzern nationalisé allemand Salzgitter-AG (société anonyme), qui, depuis l'automne 1989, appartient à VEBA, provient des « Reichswerke Hermann Göring » (Usines du Reich) créées en 1937, et se trouvait encore propriété de l'Etat au moment où se situent les faits.

Au cours d'une conversation téléphonique avec l'un des collaborateurs de l'auteur, le 23 février 1990, Albrecht Müller, SPD, membre du Bundestag et membre de la commission des Affaires étrangères, prononça textuellement les phrases suivantes : « Dans une séance secrète de février 1989, le gouvernement fédéral confirma à la commission des Affaires étrangères du Bundestag que le " Staatskonzern " (trust nationalisé) cité dans le témoignage de juillet 1985 est bien Salzgitter ; il confirma également qu'à l'heure actuelle, une enquête était ouverte contre Salzgitter. Mais le gouvernement fédéral ne voulait rien dire sur les résultats actuels de l'enquête, car il s'agit d'une " procédure en suspens ". »

En effet, tout d'abord le parquet d'Offenbourg, puis celui de Mannheim ont lancé depuis février 1989 une procédure d'enquête contre Andreas Böhm (responsable du projet « Pharma 150 »), membre du comité de direction et directeur de Salzgitter-AG. Une perquisition chez Salzgitter a eu lieu en juin-juillet 1989, à laquelle ont participé une centaine de fonctionnaires. Les pièces de ce volumineux dossier n'ont pas encore été entièrement examinées à l'heure où ce livre est passé à l'impression. Le docteur Wechsung, procureur général du parquet de Mannheim VI (Service des délits économiques), chargé de l'affaire, déclara textuellement au collaborateur de l'auteur, au cours d'une conversation téléphonique du 28 février 1990 : « Poursuivre l'enquête contre Böhm, c'est, de notre part, alimenter le soupçon qui porte sur lui selon lequel il a participé à cette exportation interdite de matériel destiné à la fabrique de gaz toxiques en Libye. »

*La composition de ce livre
a été effectuée par Bussière à Saint-Amand,
l'impression et le brochage ont été effectués
sur presse CAMERON
dans les ateliers de la S.E.P.C. à Saint-Amand-Montrond (Cher)
pour les éditions Albin Michel*

Achevé d'imprimer en mars 1992
N° d'édition : 12232. N° d'impression : 353-581.
Dépôt légal : mars 1992.